LE PORTEUR DE MORT

1. L'Apprenti

LE PORTEUR DE MORT

1. L'Apprenti

Angel Arekins

Éditeur : François Doucet
Correction d'épreuves : Nancy Coulombe, Émilie Leroux et Féminin pluriel
Montage de la couverture : Mathieu C. Dandurand
Photo de la couverture : © Thinkstock
Mise en pages : Kina Baril-Bergeron
ISBN papier 978-2-89767-970-5
ISBN PDF numérique 978-2-89767-971-2
ISBN ePub 978-2-89767-972-9
Première impression : 2017
Dépôt légal : 2017
Bibliothèque et Archives nationales du Québec
Bibliothèque et Archives nationales du Canada

Éditions AdA Inc.
1385, boul. Lionel-Boulet,
Varennes (Québec) J3X 1P7, Canada
Téléphone : 450 929-0296
Télécopieur : 450 929-0220
www.ada-inc.com
info@ada-inc.com

Diffusion
Canada : Éditions AdA Inc.
France : D.G. Diffusion
Z.I. des Bogues
31750, Escalquens – France
Téléphone : 05.61.00.09.99
Suisse : Transat – 23.42.77.40
Belgique : D.G. Diffusion – 05.61.00.09.99

Imprimé au Canada

Crédit d'impôt livres
Gestion SODEC

Financé par le gouvernement du Canada
Canada

Participation de la SODEC.
Nous reconnaissons l'aide financière du gouvernement du Canada par l'entremise du Fonds du livre du Canada (FLC) pour nos activités d'édition.
Gouvernement du Québec — Programme de crédit d'impôt pour l'édition de livres — Gestion SODEC.

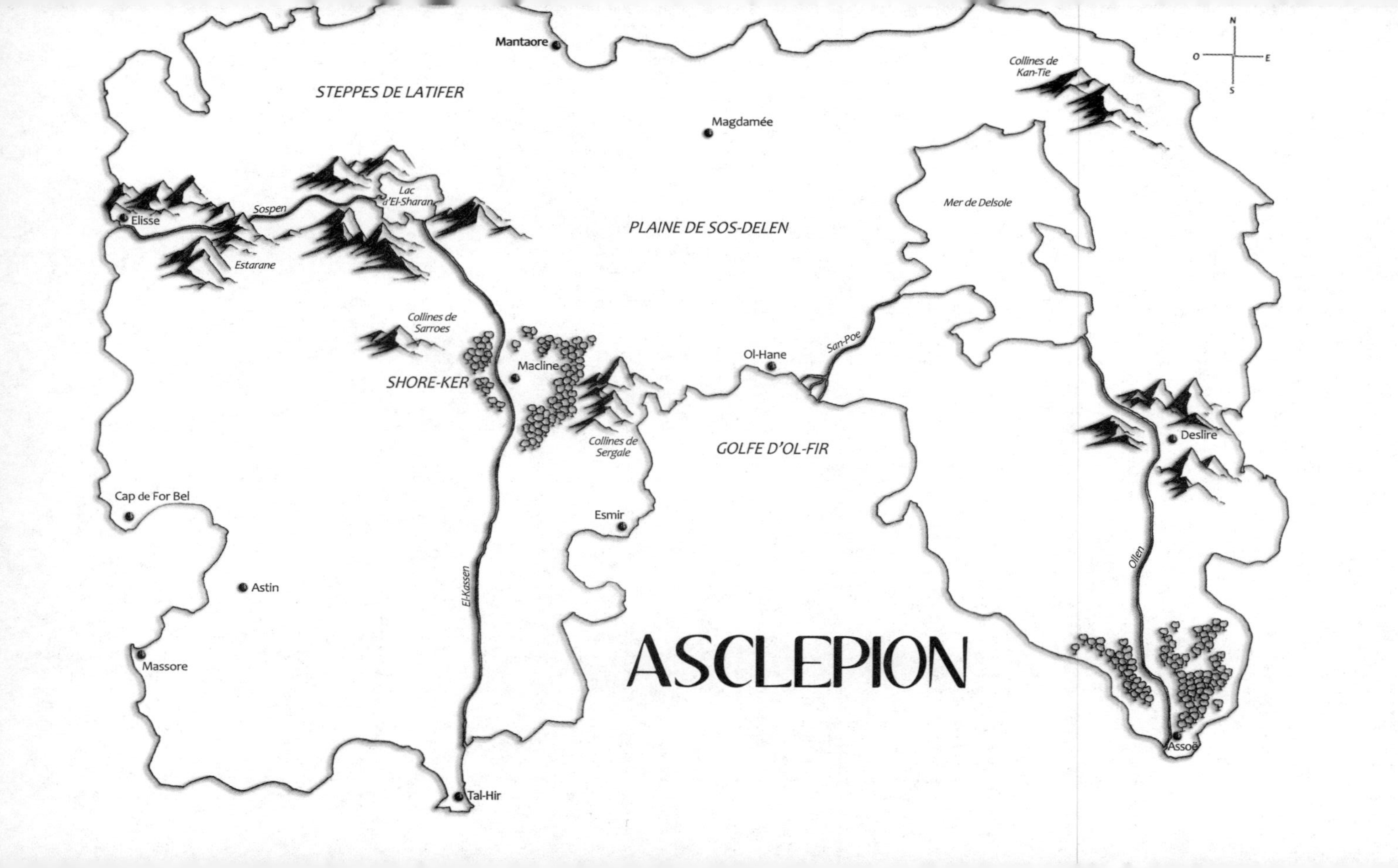
ASCLEPION
N
O
E
S
Mantaore
STEPPES DE LATIFER
Magdamée
Collines de
Kan-Tie
Lac
d'El-Sharan
Sospen
Elisse
Estarane
PLAINE DE SOS-DELEN
Mer de Delsole
Collines de
Sarroes
Macline
SHORE-KER
Ol-Hane
San-Poe
Collines de
Sergale
GOLFE D'OL-FIR
Deslire
Cap de For Bel
Esmir
Ollen
El-Kassen
Astin
Massore
Tal-Hir
Assoë

PROLOGUE

Je méritais mon sort. La mort pour les traîtres. Qui aurait pensé qu'elle viendrait de là ?

Je me tenais au bord du précipice ; le sang coulait le long de ma hanche, noir, brûlant. Mon sabre gisait à mes pieds, au milieu des cadavres. Elle était là, devant moi, si belle, si majestueuse, si délicieusement cruelle. Je sentis à peine la lame s'enfoncer. Tout juste une brûlure comme une piqûre d'insecte. Je ne sentis pas la douleur quand je basculai en arrière, pas plus que les cailloux s'enfoncer dans mon dos lorsque je heurtai le sol. Je ne voyais qu'elle. Ses longs cheveux noirs dissimulant ses larmes. Et une ombre au-dessus de son épaule.

Alors, le trou s'ouvrit, sans fond, sans fin. Sombre. Tellement sombre. Le vide m'absorbait et s'infiltrait par tous les pores de ma peau. Je ne ressentais plus rien hormis la peur elle-même. La peur brute, sans fard, sans limites. Elle en devenait presque tactile, délirante et dangereusement insidieuse.

Les souvenirs m'échappaient. Ils s'effilochaient comme les pans d'un tissu dont on tire le fil peu à peu. Je cherchais, je tâtonnais, mais je ne me souvenais de rien. Il ne me restait désormais plus qu'une silhouette à peine gravée dans les reflets de ma mémoire. Quel était son nom ? Je ne l'entendis pas. Elle cria et je tendis l'oreille de toutes mes forces et je tendis la main vers la sienne dans la lumière, mais je continuai de tomber dans le trou et je n'entendis pas son nom. Derrière elle, une ombre gigantesque s'étirait comme une toile d'araignée. « Arrête, criai-je à pleins poumons, ne la touche pas. » L'homme, derrière elle, ne m'écouta pas. Ses bras se déroulèrent autour de ses épaules telles des lianes. Pourquoi ne bougea-t-elle pas ? Qui était-il ? Bon sang !

L'espace se défit entre elle et moi. Le trou devint si profond que sa silhouette s'estompa lentement. Bientôt, je ne verrai plus rien. Ni son regard lancé vers moi, ni ses larmes qui tombaient avec moi, ni les bras de cet homme derrière elle qui s'étendaient. Je ne verrai rien hormis la mort.

L'obscurité se déploya. Son cri se perdit. Oh ! Shaolan, dis-moi que tu ne l'as pas tuée. Qui es-tu ? Pourquoi ton nom me reste-t-il alors que ton visage n'est plus que cendres ? Qui es-tu pour que je te pleure ?

Le trou se dévida et je perdis des parcelles de moi-même en chutant. Combien de temps s'écoula depuis que j'étais tombé ? Combien de jours, de mois, d'années ? Me réveillerai-je jamais ? Peu importe les ans, a-t-elle dit, avant que je ne bascule dans les abîmes. Peu importe les ans qui nous séparent. Que voulait-elle dire ?

Je fermai les yeux, haletant. Le souffle me manquait. Ma mémoire se disloquait. Au fond du trou, je ne saurai plus qui je suis. Mon nom s'éteignait déjà. Rappelle-toi encore un peu. Fais un effort. Tu dois t'en souvenir…

Shaolan, tu es le seul nom qui me reste désormais. Je ne veux pas l'oublier. Pas lui. Jamais. Qu'il me suive dans les abîmes ou dans les cieux.

De la lumière au fond du trou. Était-ce seulement possible ? De la lumière qui perçait dans les ténèbres, rouge sur un fond gris acier. Elle me brûlait les yeux. Ma mémoire s'évapora alors que j'étais attiré vers elle. La douleur crût dans ma poitrine à mesure que je m'approchais de cette clarté. J'allais mourir.

Peu importe les âges qui nous séparent, je te retrouverai…

Je heurtai le sol si durement que j'eus l'impression que tous mes os se brisaient. Le sang envahit ma bouche. L'air acide balaya mon visage, et le ciel, strié de rouge, de noir et de gris métallique, se matérialisa au-dessus de ma tête. Mes paupières papillonnèrent. Garder les yeux ouverts devenait trop pénible. Ma fin devait-elle manquer à ce point d'honneur ? Ai-je failli ? Qui m'a tué ?

L'Autre Côté semblait terne. Était-ce ceci le monde des morts ?

Je ne pouvais ni bouger, ni tourner la tête pour observer. Je pouvais seulement fixer le ciel et la montagne qui perçait les nuages, telle une flèche. Elle semblait déchirer la voûte céleste en deux. Le sang dans ma bouche devint pâteux et des bulles éclatèrent aux coins de mes lèvres. Je voulus l'essuyer, mais ma main refusa de bouger. Je ne sentais plus la douleur. La fin devait être proche à présent. Lorsqu'on ne ressent plus la douleur, c'est que la mort vous enlace déjà. J'humectai mes lèvres d'un coup de langue et fermai les yeux. J'avais besoin de me reposer. Peut-être que si j'y parvenais, je recouvrerais un peu de mes forces. Pour la retrouver.

« Te voilà enfin. »

La voix me transperça jusqu'au fond de la poitrine. Mes cheveux se hérissèrent sur ma nuque. J'ouvris péniblement les paupières et cherchai l'origine de cette voix sortie d'outre-tombe. Un homme se tenait à quelques pas de moi, agenouillé, talons contre fesses sur un monticule dont je ne parvenais pas à saisir la structure. Trop loin toutefois pour que je puisse distinguer les traits de son visage, hormis les deux yeux phosphorescents qui luisaient comme ceux d'un chat.

« Ça fait longtemps que je t'attends.

— Qui êtes-vous ? » réussis-je à balbutier.

Je crachai du sang. Sa chaleur se répandit sur ma poitrine.

« Tu ne t'en souviens pas. Tu le sauras un jour. Maintenant, tu dois mourir. »

Un nuage grossit au-dessus de ma tête, devint noir, immense, se gonfla en rouleaux comme la houle d'un océan. Puis, soudain, il fondit sur moi à une telle vitesse que j'eus à peine le temps d'un cri, à peine le temps de me souvenir encore un peu.

CYCLE I

LES NOMINATIONS

« Naïs, allez, dépêche-toi, ricana Seïs en me regardant me dépêtrer dans la neige.

– J'fais de mon mieux ! » maugréai-je. Je remis mon capuchon, qui était tombé dans ma chute, et repris la route. Seïs attendit que je le rejoigne avant de poursuivre l'ascension d'un coteau qui prenait des allures de montagne avec la neige.

« Il fait froid », me plaignis-je, en frictionnant mes bras de bas en haut.

Seïs baissa la tête et grogna : « Je sais. Dépêchons-nous. » Il leva le nez vers les nuages de plus en plus épais et ajouta : « Le temps se gâte. »

Le sentier sylvestre était sinueux, constellé d'ornières, et grimpait des pentes sèches avant d'atteindre la maison de Point-de-Jour. À cause de la neige, on hésita sur le chemin à prendre ; tout autour de nous se ressemblait : des chênes par milliers, dépouillés de leur feuillage, des buissons recouverts de neige et rien n'indiquait la route.

Seïs s'arrêta à la croisée d'un sillon qui filait entre les arbres et pointa du doigt les rochers qui se découpaient à quelques mètres.

« Les falaises de Farfelle. En passant par là, on devrait gagner du temps plutôt qu'en contournant la rivière. »

J'opinai et considérai le chemin, la main plaquée en paravent au-dessus de mes paupières afin de me protéger des flocons. Une brume nivéenne et ténue s'élevait de la terre et coulait entre les arbres battus par les vents. Je pris une profonde inspiration, pas très rassurée par le brouillard naissant, avant de m'engager derrière Seïs. Le sentier montait le long d'une pente paisible pendant environ cinq cents mètres et se poursuivait sur un plateau semé de chênes et d'érables. Les falaises de Farfelle s'ouvraient sur un paysage aussi escarpé qu'envoûtant. Le chuintement de la rivière Belle-de-nuit nous parvenait de la vallée en contrebas et, de là où nous étions, nous dominions toute la forêt et ses étendues de blanc. Une profonde lumière, en dépit des nuages, se réfléchissait sur la neige et devenait presque aveuglante.

Le sentier des falaises avait sans doute l'avantage d'être un raccourci, il avait aussi l'inconvénient de nous exposer au vent. J'étais frigorifiée. Je devais retenir ma capuche pour qu'elle ne tombe pas sans arrêt sur mes épaules. Mes cheveux étaient collés d'humidité.

Seïs exhalait de petites fumées blanches à chaque expiration et clignait des cils pour en décoller la glace et chasser les flocons de neige. Des plaques rouges coloraient ses joues, comme s'il avait pris un méchant coup de soleil, et il s'essuyait le nez toutes les deux minutes avec la manche de sa chemise pour l'empêcher de couler, l'air de rien.

« Naïs, arrête de traîner, fit-il lorsqu'il me vit pincer le lobe de mes oreilles pour tenter de leur redonner vie. Et fais attention où tu mets les pieds, bon sang ! »

Il me désigna un nid de poule gros comme une marmite et m'attrapa sèchement par la main avant que je ne m'écroule dedans.

« On est presque arrivés ? » demandai-je en me raccrochant à sa main.

Seïs embrassa d'un vaste regard le surplomb et hocha la tête. « Derrière cette crête », dit-il, en désignant l'éminence qui pointait au bout du sentier.

Je tordis la bouche en une grimace de déception et lui lançai un regard plein de reproches.

« Quoi ? On a gagné du temps, grommela-t-il. On en serait encore à chercher le ponton pour traverser la rivière à l'heure qu'il est. Dans un quart d'heure, on sera à la maison. Maintenant, avance. Il fait rudement froid. »

Le vent nous mordait le visage de plus en plus âprement et s'infiltrait sous les étoffes. Seïs ne portait pas de gants. Son capuchon en laine pendait sur ses épaules et il s'obstinait à ne pas vouloir s'en protéger la tête.

« Quoi encore ? s'exclama-t-il lorsque je m'arrêtai une nouvelle fois au milieu du sentier.

— Ça me gêne. Attends… Je sens plus mes doigts. »

J'arrachai ma main de la sienne, ôtai mon gant et frottai vigoureusement tout le côté gauche qui était engourdi et irrité à cause de la laine raidie par l'humidité.

« Naïs, ce que tu peux être agaçante, dépêche-toi. On va finir congelés si tu continues. »

Je lui adressai un regard mauvais et m'apprêtai à remettre mon gant lorsqu'un bruit insolite résonna dans la vallée, recouvrant jusqu'aux bourrasques du vent. Je levai la tête vers Seïs, étonnée.

« Qu'est-ce que c'est ? »

Il haussa les épaules d'un air faussement nonchalant tout en jetant des coups d'œil inquiets autour de nous. « J'en sais rien. Restons pas là. »

Il ne me laissa pas le temps de remettre mon gant. Il m'attrapa par la main et m'entraîna sur le sentier. Ses doigts étaient glacés et gercés sur les extrémités. Il ne s'en plaignait pas et, d'ailleurs, il semblait n'y accorder aucune importance.

« Attends, mon gant… mon gant. »

Il ne m'écouta pas. Le bruit sec claqua de nouveau. C'était le même craquement que lorsque Seïs cassait la glace à coups de pierre dans le lit de la rivière.

« Naïs, avance. »

Sa voix angoissée me coupa tout désir de protestation. Je me blottis contre lui et me calai tant bien que mal sur son pas. Le bruit s'amplifia, se gonfla en écho contre les falaises. Il gronda avec une telle vigueur que Seïs s'immobilisa net à mes côtés, les yeux exorbités. Il se retourna lentement vers le sentier. Je l'imitai. Nos empreintes s'enfonçaient profondément dans la neige. Le bruit prit de l'ampleur ; il tonnait et paraissait rouler sur nous comme une bête lancée en pleine charge. Seïs baissa les yeux sur le sentier et vit, comme moi, la fissure dans le sol. Il tourna la tête avec un calme feint et planta son regard dans le mien.

« Naïs… »

Il n'eut pas le temps d'achever sa phrase. La neige s'affaissa brusquement sous nos pieds et nous avala comme la gueule béante d'un animal. Tout bascula très vite. Des coulées de neige s'abattirent au-dessus de nos têtes en même temps que nous dégringolions la paroi de la falaise. Je hurlai. Les rochers pointus me râpèrent le dos et un lambeau de chair s'arracha de mon avant-bras. Du sang gicla sur mon visage, mais ce n'était pas le mien.

Puis, tout s'arrêta. Le temps lui-même sembla se suspendre.

Je mis quelques instants à recouvrer mes esprits. Une douleur atroce m'engourdissait tout le bras droit. Du sang continuait de couler le long de mon coude et gouttait dans le vide. Je baissai les yeux et regardai d'un œil fixe la rivière Belle-de-nuit, qui serpentait en dessous, rompue de glace. De gros blocs de pierre ensevelis de neige perçaient par endroits le cours d'eau et grevaient sa surface lisse, telles des dents pointues. Les maelströms grondaient sous la glace, assourdissants, et semblaient tout emporter dans son lit vers le fleuve El-Kassen.

Je relevai péniblement la tête et étouffai un sanglot en apercevant Seïs couché sur le dos, le long d'une étroite corniche, le visage éclaté contre le rocher. Du sang maculait abondamment son front et l'aveuglait en s'accrochant à ses cils. Il battait des paupières pour en chasser les gouttelettes. La grimace atone qui restait figée sur son visage me terrifiait. Son regard semblait lancé à la recherche d'un grappin de conscience auquel se raccrocher.

Et pourtant, rien à part sa main nouée autour de la mienne ne me retenait de la chute vertigineuse qui m'attendait s'il me lâchait. Les larmes me piquèrent les yeux et se répandirent rapidement le long de mes joues.

« Seïs ! » appelai-je.

Il ne me répondit pas. Je crus un instant qu'il était inconscient. Je levai sur lui un regard éperdu et vis qu'il me fixait d'un œil aussi humide et apeuré que le mien. Par réflexe, je tentai d'agripper son poignet de ma main libre. Ses muscles se contractèrent et une grimace agita son visage. Il gémit. Sa bouche se tordit. Je cessai aussitôt de bouger.

Sa voix me parvint en un murmure erratique : « Ne bouge pas, Naïs… Je t'en prie… Ne bouge pas. »

Les yeux embués de larmes, j'eus toutes les peines du monde à ne pas hurler. Le bras de Seïs qui me retenait au-dessus de la rivière tremblait ; ses ongles s'enfonçaient dans ma main et se perdaient dans la douleur qui envahissait déjà tout mon bras.

« Ne bouge pas », répéta-t-il à mi-voix.

J'étais aussi immobile qu'une robe suspendue à une corde à linge en pleine tempête. Les rafales se gonflaient et charriaient des flocons de neige de plus en plus gros. Le bruit du vent entre les falaises ressemblait à un cri lourd et abject, et semblait vouloir m'attraper les chevilles pour m'entraîner au fond du gouffre. Les nuages ne cessaient de s'assombrir au-dessus de nos têtes. Je grelottais de froid. Ma pelisse se soulevait comme une cloche autour de mes jambes et l'air me piquait rageusement la peau. Le vent me poussait tantôt à droite, tantôt à gauche. Seïs étouffait des gémissements qui me transperçaient de peur.

« Je vais tomber, sanglotai-je. Seïs… je vais tomber. »

Mes yeux s'abaissèrent sur le vide noir et profond qui s'étendait sous mes talons.

« Non... Je te tiens… Ne bouge pas. »

Je hochai la tête et, les yeux braqués dans les siens, je me raccrochai à cette main.

Je perdis toute notion de temps. Je luttais pour ne pas m'endormir de la même manière que Seïs combattait pour ne pas me lâcher. D'une voix tiraillée de douleur, il fredonnait un chant égrillard qu'il avait dû surprendre en ville, dans une taverne. Je me concentrai tant bien que mal sur les paroles.

« Tu vas quitter ta bonne mère… pour t'en aller… dans un boxon. Je ne te retiens… pas ma chère, si c'est là… ta vocation… Suis bien les conseils… de ta mère… avant toi, je fis ce métier… Tu n'as jamais… connu ton père… C'était peut-être tout le quartier… »

Il se tut, ferma les yeux et les rouvrit aussitôt avec une mine étonnée. Il s'endormait ou perdait connaissance. Je voyais poindre des hématomes aussi gros qu'un poing sur sa joue et son menton. Tout le côté droit de sa figure disparaissait dans une mare de sang qui avait cessé de s'égoutter de la corniche.

« Seïs ! »

Sa voix résonna comme un écho d'elle-même. « Oui…

— Chante encore… Ne t'arrête pas… s'il te plaît... »

Il cligna des paupières. Une petite goutte de sang tomba sur la paroi lorsqu'il ouvrit de nouveau la bouche pour parler.

« Je suis fatigué, Naïs », m'avoua-t-il.

Les larmes montèrent une nouvelle fois à mes yeux.

« Je n'arrive pas à me souvenir d'autres… chansons. »

Je reniflai bruyamment. Mon nez coulait, mais je n'osais pas l'essuyer de peur de lui faire mal.

« J'ai peur, sanglotai-je.

– Je sais… mais… je te tiens… Je ne te lâ-che-rai pas… Je te le pro-mets. »

Sa voix était saccadée et quand il reprit la parole, le vent en faisait vibrer les mots : « C'est drôle... J'ai fait un… cauchemar la nuit der-nière.

– En quoi c'est drôle ?

– Ben… j'ai rêvé que… que je tombais dans un trou noir… que je ne voyais… pas le fond… et quand j'arrêtais de… tomber… »

Il s'interrompit, toussota et cracha le sang accumulé dans sa bouche. Il tenta de reprendre sa respiration. « … j'étais dans une va-llée, au milieu… de… de rien… »

Il fut coupé par une bourrasque qui me fit valdinguer dans tous les sens comme une girouette. Seïs laissa échapper un cri caverneux qui m'épouvanta. Pourtant, sa main, au lieu de s'ouvrir, se referma avec plus de force sur la mienne et me broya les doigts.

« SEÏS ! NAÏS ! »

Le cri que poussa Sirus me submergea d'un soulagement sans pareil. Je levai des yeux paniqués vers les hauteurs enneigées d'où tombaient, par intermittence, des paquets de flocons. J'aperçus la tête brune de Teichi penchée vers le précipice.

« Papa, papa ! Ils sont là… ils sont là… »

Des pas lourds résonnèrent jusqu'à nous en dépit des bourrasques.

« Seïs, Naïs, vous allez bien ? cria Sirus, mais il n'attendit pas la réponse. Fer… cours à la maison tout de suite ; ramène des cordages. Dépêche-toi. »

Je ne vis pas Fer, pas plus que je ne l'entendis répondre, mais j'étais certaine qu'il détala à toute vitesse vers Point-de-Jour, au-delà de la crête que nous avions manquée de peu.

« Tenez bon les enfants », hurla mon oncle.

J'apercevais leur ombre au-dessus de nous. Ils nous parlaient, hurlaient pour couvrir le bruit des rafales. Ni Seïs, ni moi n'avions le courage de leur répondre. Nous concentrions notre énergie sur le frêle arpent de roche qui nous raccrochait tous deux à la vie.

« Naïs…bredouilla Seïs, les yeux humectés de larmes et de sang.

– Oui ?

– J'ai mal. »

Mon cœur oublia de battre un instant.

« Ton père est là », bafouillai-je, ne sachant quoi répondre d'autre pour le réconforter.

Il fit quelque chose qui s'apparenta à un hochement de tête hésitant. Puis, la ride sur son front se durcit.

« Tenez bon les enfants », nous criait toujours Sirus.

J'ignore combien de temps s'écoula avant qu'il descende enfin le long de la paroi, solidement arrimé à une corde de chanvre retenue par Hector Pâtis et son cadet. Tous nos voisins avaient prêté main-forte à Sirus et Athora pour nous retrouver dans la tempête. Sirus descendit en quelques bonds le long de la falaise et, lorsqu'il parvint à la hauteur de Seïs, posa, avec une extrême vigilance, les pieds sur la petite corniche.

« Seïs, tu m'entends ? » demanda Sirus en le regardant d'un œil angoissé.

Une grosse ride se découpait entre ses sourcils froncés. Ses yeux brillaient d'inquiétude à la vue du sang qui s'épanchait sur la saillie. Seïs voulut parler, mais je crus qu'il allait s'étouffer avec son sang. Il en cracha sur la roche sous les yeux effarés de son père. Une recrudescence de terreur me saisit et mes doigts se crochèrent involontairement dans la peau de Seïs qui gémit.

« Tiens bon mon garçon. »

Sirus se laissa glisser jusqu'à ma hauteur avec prudence, ses talons ripant sur la paroi huileuse de la falaise.

« Naïs, est-ce que ça va ? » me demanda-t-il en m'ouvrant les bras.

Je secouai la tête sans regarder Sirus, les yeux désespérément arrimés à ceux de Seïs. Les mains de mon oncle se refermèrent sur mon dos et c'est seulement là que je sentis les brûlures sur mes reins. Je laissai échapper un sanglot.

« Naïs, accroche-toi à moi. »

Je nouai ma main libre autour de son cou plus par réflexe que par volonté. Mais lorsque je tentai de dégager la main que retenait Seïs, il ne voulut pas la lâcher. Ses doigts étaient fermement noués autour de mon poignet.

« Seïs mon garçon, il faut la laisser… Lâche-la, elle ne risque plus rien. »

La voix affectueuse de Sirus ne semblait pas l'atteindre. En posant les yeux sur ses doigts crispés autour de mon bras, Sirus comprit. Il me remonta sur la corniche avec précaution et stabilisa sa posture en agrippant une étroite saillie. Il me déplaça légèrement contre sa hanche, retira son bras de ma taille et s'assura que je le tenais fermement par la nuque.

Mais à peine me lâcha-t-il que mes maigres forces me trahirent, et je tombai de tout mon long sur mon cousin. Une plainte s'arracha de ses lèvres lorsque je m'écroulai sur sa poitrine, lui coupant la respiration. Il haleta un moment, puis respira par saccades.

Sirus s'assura que je ne risquais rien, puis s'escrima à détacher les doigts de son fils. L'un après l'autre. Seïs se laissait faire sans broncher. Il leva sa main valide avec raideur et frôla ma joue souillée de traces de larmes et de neige fondue.

« Je te tiens », murmura-t-il.

Je basculai la tête et enfouis ma figure dans son cou moite de sueur. Son bras valide s'enroula autour de mes épaules et ne s'en arracha que lorsque Sirus vint à bout de la poigne de son fils.

Hector et son frère nous hissèrent à grand renfort de cris tandis que mon oncle plaçait avec prudence ses pieds sur la falaise. Enfermée entre les bras de Sirus, je regardai par-dessus son épaule le corps recroquevillé de Seïs sur la corniche. Mon cœur s'emballa à la vue de cette forme ratatinée sur elle-même. Il était incapable de bouger, étendu sur le dos, la tête tournée vers le vide, son bras blessé pendant par-dessus l'arête rocheuse. Je lâchai un hoquet d'effroi en regardant son épaule complètement déboîtée qui défiait le vide avec obstination. Je resserrai mon étreinte autour du cou de Sirus.

Si tôt atteint le bord, des bras vigoureux me saisirent et me transportèrent loin de la falaise. Sirus ne perdit pas de temps et se précipita pour redescendre le long de la paroi. Je ne le vis pas remonter Seïs. Fer m'enveloppa dans un épais manteau de laine, me saisit dans ses bras et me ramena à la maison. Je ne gardai aucun souvenir de mon voyage de retour.

Lorsque je me réveillai dans mon lit, il faisait toujours nuit et le vent ruait contre les volets. J'avais la bouche pâteuse et je mourais de soif. Je me redressai sur les coudes. Une violente douleur m'enveloppa aussitôt tout l'avant-bras jusqu'à l'épaule. Je me figeai, un cri muet mourant dans la gorge. Je battis des paupières un moment, m'habituant à la pénombre et à la douleur. J'examinai ma main bandée. Je tâtonnai du bout des doigts mes reins et rencontrai la texture rêche des bandages.

Malgré la fatigue, je m'assis dans le lit et jetai un coup d'œil somnolent sur les volets fermés de la chambre. Enroulée dans plusieurs couvertures, je fixai les bûches craquant dans la cheminée. J'essayais de me rappeler ce qui m'avait réveillée en sursaut. J'avais fait un cauchemar où j'entendais Seïs crier.

Un cri de rage et de douleur éclata brusquement dans toute la maison et me fit l'effet d'un choc électrique dans tout le corps. Je sursautai. Ce n'était pas un rêve. J'agrippai sans réfléchir le montant de l'échelle et l'enjambai. Je manquai de tomber lorsque ma main engourdie heurta le bois. Les hurlements de Seïs perçaient au-delà de la porte. C'était tout ce qui importait, pas la blessure qui me faisait souffrir, pas la fatigue, pas moi.

Les deux mètres qui me séparaient de la porte furent pires que d'avancer dans des marécages. Je me soutins un instant contre la poignée, repris ma respiration. Puis, je poussai le vantail et m'enfonçai dans la pénombre du couloir.

En arrivant sur le seuil de la cuisine, je me figeai net. Mes yeux s'agrandirent, horrifiés. Ma bouche s'ouvrit sans qu'aucun son ne puisse en sortir. Je me mis à trembler comme une feuille et les larmes roulèrent sur mes joues.

Seïs était allongé sur la table de la cuisine. Teichi et Fer étaient tassés dans un recoin de la pièce et regardaient, médusés, leur jeune frère remuant et hurlant. Sirus, Athora et Parton, le guérisseur de Bois-de-Chêne, l'entouraient. Sirus appuyait d'une main ferme sur sa poitrine pour l'empêcher de gesticuler, mais plus il essayait de le retenir, plus

Seïs semblait redoubler de force pour s'en dégager. Malgré le sang qui entachait tout le côté droit de son visage, il regardait, les yeux exorbités, les doigts jaunâtres du guérisseur se refermer autour de son épaule. Il hurlait. Ses jambes gigotaient dans tous les sens en cherchant à se relever. Du sang dégoulinait de ses lèvres. Le col de sa chemise ainsi que sa gorge étaient maculés de taches brunes.

« Non ! hurla-t-il avec une énergie qui me stupéfia. Lâchez-moi… Lâchez-moi… »

Sa voix mourut et le fit tousser.

« Seïs, arrête de bouger. On doit le faire », intima Athora, bouleversée. Elle posa une main douce sur son front, mais il la bombarda d'un regard volcanique qui, sur le coup de la stupeur, la fit reculer d'un pas.

« Seïs, écoute ta mère… enjoignit Sirus. Tu dois nous laisser faire. Tu vas perdre ton bras si tu t'obstines. »

Seïs secoua la tête avec entêtement. Il tenta d'arracher son épaule des doigts du guérisseur. Or, son bras retomba mollement sur la table sous ses yeux dépités.

« Ce sera rapide », déclara Parton d'un ton qui se voulait rassurant. Le guérisseur était un brave et honnête habitant de Macline d'une soixantaine d'années, qui s'était battu contre les armées du Renégat dans sa prime jeunesse. Il fallait toutefois convenir que s'il ne manquait pas de courage, il était un piètre menteur, car ni Seïs, ni moi ne fûmes dupes un instant.

« Allez vous faire foutre ! » hurla mon cousin en remuant de plus belle.

Sirus le regarda, abasourdi. Il fronça les sourcils et, sans plus d'égards, appuya lourdement sur la poitrine de Seïs pour l'empêcher de bouger.

« Si tu veux perdre ton bras, grand bien te fasse, mais je ne te laisserai pas gâcher ta vie… » Il se tourna vers Parton et d'une voix qui ne prêtait à aucun commentaire, il ajouta: « Allez-y. »

Seïs, désarçonné, regarda son père avec des yeux ronds, puis tourna la tête vers le guérisseur, qui appliquait avec minutie ses doigts le long de son bras. Il bredouillait quelques mots dans sa barbe, d'ancestrales formules dans la langue des anciens.

« Non, gémit Seïs, non, non, non… non… »

Sa voix monta dans les aiguës et se rompit piteusement. Il voulut remuer, mais la main de son père lui interdit de bouger.

« Prends une profonde inspiration, Seïs », lui conseilla Parton.

Seïs ne parut pas l'entendre. Il fixait son membre sans force gisant sur la table. Les larmes souillaient son visage et la peur lui faisait roussir les joues.

« Prêt ? »

Parton ne posait la question que pour la forme. Seïs n'y répondit pas. Ses yeux s'agrandirent à tel point qu'ils déformèrent tout son visage en un masque de terreur.

Quand le guérisseur tira d'un coup sec et remboîta l'os dans son articulation avec un bruit cassant, aucun son ne franchit ses lèvres. Sa bouche s'ouvrit largement et le cri resta dans sa gorge. Tout son corps se contracta, puis retomba mollement sur la table. Ses yeux vissés au plafond étaient si révulsés qu'il semblait mort. Un flot glacé de panique coula sur mes épaules et me frigorifia. Je me ruai dans la cuisine, bousculai Athora qui me regarda avec surprise, et grimpai sur le banc. Je posai la main sur sa joue brûlante. Sirus voulut me tirer en arrière, mais sur un geste de sa femme, il recula.

« Seïs ? Seïs ? Réponds-moi… »

À mes côtés, le guérisseur palpait son épaule sans se soucier de ma présence.

« Seïs ? »

Je sanglotai, effrayée devant la figure pâle de mon cousin.

« Je vais bien, Naïs », marmonna-t-il après un moment d'une voix pâteuse, sans tourner la tête, comme si son corps tout entier était paralysé de douleur. Je tressaillis lorsqu'il ajouta : « Retourne te coucher. »

Je le considérai, effarée.

« Mais... »

Il tourna la tête vers moi et un frêle sourire flotta sur ses lèvres : « Retourne te coucher… s'il te plaît. »

Je battis en retraite. Je hochai la tête et descendis du banc en grimaçant au contact du bois sur mes genoux meurtris. Athora m'attrapa aussitôt dans ses bras et me ramena dans ma chambre.

« Ne t'inquiète pas, Naïs, me dit ma tante en me recouchant. Il te rejoindra dans un instant. En attendant, tu dois dormir, reprendre des forces et tu pourras ainsi veiller sur lui une fois que tu iras mieux.

J'opinai d'un air incrédule en songeant qu'il m'avait chassée de la cuisine.

« Seïs est presque un homme, m'expliqua Athora en rabattant les couvertures, et les hommes n'aiment pas quand on les voit faibles ou vulnérables. Ils aiment nous faire croire qu'ils sont toujours les plus forts, prêts à affronter des dragons ou déplacer des montagnes. » Elle s'interrompit et déposa un baiser sur ma joue. « Seïs est orgueilleux, ajouta-t-elle en souriant, il n'aime pas que sa petite cousine le voie dans cet état. Comment pourrait-il la protéger autrement ? »

Son sourire s'élargit à cette pensée. Elle sauta de la dernière marche de l'échelle du lit superposé, puis s'éloigna après m'avoir adressé un petit signe de la main.

« Bonne nuit, Naïs. Repose-toi. »

Elle referma la porte derrière elle, étouffant les bruits qui provenaient de la cuisine, et, à mon corps défendant, je me laissai aspirer par le sommeil.

On transporta Seïs dans son lit aux prémices de l'aube. En ouvrant les paupières, j'aperçus les premiers rayons de lumière filtrer par les fissures des volets. Je fis mine de dormir et ne bougeai pas lorsque des yeux se posèrent sur moi et inspectèrent mon lit. Dès que j'entendis la porte se refermer, je me redressai et descendis l'échelle.

Seïs dormait à poings fermés sous un monticule de couvertures qui semblait l'écraser. Son visage était scarifié sur le front, la joue droite ainsi que la lèvre inférieure étaient crevassées. La croûte ensanglantée sur son front lui lézardait le sourcil. Elle était d'un étrange aspect, en forme d'épée avec une lame longue et courbe qui lui descendait jusqu'à la tempe.

Je n'osai pas m'approcher de peur de le réveiller. Je m'apprêtais à remonter dans mon lit lorsqu'il ouvrit subitement les yeux et me fixa.

« Où vas-tu ? »

Sottement, je levai les yeux sur l'échelle et regardai mon matelas. Un fragile sourire se posa sur ses lèvres. Il tira d'un geste mal assuré sur ses couvertures et libéra une place à ses côtés.

« Tu vas pas arranger ta main si tu fais de l'escalade. »

J'acquiesçai en lui rendant son sourire et me glissai sous les draps. Il rabattit la courtepointe sur nous deux et renfonça la tête dans son oreiller. Il bâilla avec bruit et chercha une position convenable.

« Tu n'as pas froid ? me demanda-t-il.

— Non… plus maintenant… Tu as mal ?

— Plus maintenant. »

Il se coucha en chien de fusil et saisit ma main dans la sienne. À son contact, des frissons s'égayèrent sur mes reins. Seïs me regardait, les yeux mi-clos. Et même si j'étais jeune à l'époque, tout ce que je pensais, c'était que j'étais là où j'avais toujours voulu être.

6 ans plus tard

C'était l'été de mes quatorze ans. À la ville, on s'apprêtait à célébrer la fête annuelle des Remparts. Des créneaux aux balcons des demeures en torchis, Macline se couvrait de chandelles et de lampions. Des festons s'étiraient au-dessus des échoppes et toutes les boutiques étaient ouvertes. Les rues étaient noyées de monde.

À coups de coude, je me frayai un passage entre les charrettes remplies à ras bord et les étals des marchands. Le quartier de Bourg, le plus ancien de Macline, se découpait au cœur de la cité et s'étendait en venelles étroites jusqu'aux principales artères rectilignes de la ville. Les maisons accolées les unes aux autres interdisaient au soleil d'éclairer les pavés. Seuls des carrés de bleu se dessinaient parfois entre les toits d'ardoises.

Je m'arrêtai à l'étal d'un apothicaire et marchandai un onguent que ma tante m'avait demandé de lui rapporter. Je passai un bon quart d'heure à négocier le prix du remède. À Macline, la négociation était un art de vivre. Certains étaient capables de marchander une allumette pendant des heures, juste pour savoir qui du marchand ou du chaland remporterait la mise.

Il me fallait acheter un carré d'étoffe de lin pour confectionner une nouvelle chemise à Antoni. Celui-ci avait tellement grandi ces derniers temps que toutes ses chemises lui tombaient à peine en dessous du nombril. Ses frères ronchonnaient parce qu'il n'arrêtait pas de leur emprunter leurs vêtements sans les rendre. Je devais également dénicher un nouveau faitout en fonte depuis que le dernier, en terre cuite, avait explosé dans la cuisine. Athora en avait besoin pour préparer le dîner du soir.

Je remontai la rue des Guérisseurs et tournai à l'angle de Beaujour et de Pin-des-Bois afin de gagner la Grand-Place.

L'enceinte qui ceinturait Macline avait la forme d'un octogone. À l'intérieur, la ville se découpait en cinq quartiers symétriques : le vieux Bourg au centre, le quartier malfamé de La Ruche à l'angle nord-est, celui de Bois-de-Chêne à l'autre extrémité, le Sou d'or au sud-est et pour finir, le quartier des Marchands au sud-ouest.

Dans la rue de Pin-des-Bois, je fus absorbée par l'afflux des caravaniers qui traversaient le Bourg. Tout un cortège de charrettes et de brabants bourrés de marchandises des villes voisines remontait l'avenue et se dirigeait vers le quartier des Marchands.

Je mis de grosses minutes pour parvenir sur la Grand-Place des Sept Rois tant la foule était dense. Au milieu des têtes se dressaient fièrement les sept statues de nos anciens monarques juchées sur leur quadrige en chryséléphantine, de l'or et de l'ivoire plaqués à la fois sur les chevaux et les cuirasses des rois.

Je chassais un gamin trop empressé de cirer mes chaussures lorsque la trompette du gouverneur de la ville retentit sur la place. Je me retournai vers l'avenue des Notables où le long cortège d'Aymeri de Chãsse et de ses conseillers se frayait un passage parmi la foule.

Le gouverneur se dirigea vers la tribune dressée pour les festivités du soir. Je supposai qu'Aymeri souhaitait nous faire une démonstration de ses dons d'orateur avant l'heure. Je n'avais aucune envie de l'entendre. Aymeri avait la fâcheuse tendance à ne pas savoir se taire. Je me faufilai, sans y prêter attention, entre deux caravaniers qui se querellaient comme des chiffonniers et décidai de gagner le quartier des Marchands. En ville, les rixes étaient tellement fréquentes que même les gardes de la cité ne se mêlaient plus ou presque des altercations entre marchands.

Je m'apprêtais à quitter l'esplanade lorsque la trompette claqua une seconde fois. Surprise, je me retournai vers la tribune. Il devait s'agir d'une déclaration importante pour que le héraut l'annonce par deux fois.

Aymeri dominait la foule qui s'était rapidement assemblée autour de lui. Il se racla la gorge avant d'entamer son discours, comme chaque fois, et prit soin de repousser derrière ses oreilles taillées en pointe une mèche de cheveux grisonnante. Il commença à parler, mais sa voix se perdit dans le tumulte de la ville. Il eut un petit geste agacé et le héraut fit de nouveau chanter sa trompette. Le calme eut toutes les peines du monde à s'imposer et le gouverneur trépignait d'impatience.

« Mesdames et Messieurs, déclara-t-il, je viens tout juste de recevoir une missive d'Elisse. Une nouvelle extraordinaire vient de nous parvenir… »

Ses yeux s'arrondirent comme s'il réalisait à peine lui-même l'ampleur de son message. Il poursuivit : « Les… Les grands maîtres d'Asclépion, les Tenshins, viennent de décider d'élire, en cette année 2074 de notre calendrier, de nouveaux apprentis de leur ordre… »

Un silence abasourdi tomba sur la place. Les yeux se croisèrent, aussi interrogateurs qu'ahuris, puis se braquèrent sur Aymeri qui poursuivait son discours avec entrain.

« Tous les garçons âgés de dix-sept à trente ans devront s'inscrire sur les registres au Palais de Mal-Han dans les jours à venir… »

Des murmures, puis des éclats de voix commencèrent à embraser peu à peu l'esplanade.

« Alors, c'est quoi tout ce bordel ? »

Je sursautai, puis tournai la tête vers Seïs. Il se tenait accoudé contre l'une des roues du quadrige de la reine Lyn-Ane et fumait une cigarette d'un air nonchalant, les yeux braqués sur le gouverneur. Je haussai les épaules et renâclai à lui répondre tandis que je fixais la cigarette se consumer à ses lèvres. Il accrocha mon regard et me la tendit.

« Vas-y… Goûte, si tu veux. »

Je lui lançai un regard acerbe.

« Ce sont des Herbes à Thaumaturges, me dit-il, tu ne risques rien, je te le jure.

— Merci, mais non, je n'en ai aucune envie.

— Bon, comme tu veux, tu ne sais pas ce que tu perds… Alors, que se passe-t-il ? »

Il pointa Aymeri de l'extrémité rougeoyante de sa cigarette.

« Les Tenshins ont annoncé l'organisation de nouvelles élections.

— Ah oui ? Étrange. »

Je levai les yeux vers lui, étonnée. « Pourquoi trouves-tu ça étrange ? »

Il se redressa et roula un bras sur mes épaules. Il inclina son visage vers moi et je sentis les effluves des Herbes rentrer dans mes narines avec un profond déplaisir.

« Eh bien, parce que ça fait… Attends, laisse-moi réfléchir… plus de six cents ans qu'ils ne l'ont pas fait. Taranis des Échelles est le dernier apprenti à être passé maître. Et si les souvenirs qui me restent du professeur Glorna sont exacts, c'était dans les années 1400 et quelques printemps de plus. Je trouve ça curieux qu'ils décident aujourd'hui d'ouvrir leur confrérie à de nouveaux apprentis. Fais fonctionner ta cervelle, Naïs, ça me changera ! »

Il tapota ma tempe de l'index et m'offrit un sourire sarcastique qui m'agaça. Je le repoussai d'un mauvais coup de coude dans les côtes. Il daigna s'écarter et reporta son attention sur le gouverneur.

« Tu vas t'inscrire ? » demandai-je avec curiosité.

Il haussa les épaules avec légèreté tout en lorgnant du coin de l'œil un marchand à la sauvette qui vendait des bouteilles de mauvais vin de Massore. Il s'en détourna lorsque le vendeur s'évanouit parmi la foule.

« Pour quoi faire ? »

Il donna un coup de langue sur ses lèvres en affectant une mine indolente et sembla admirer quelques instants les deux opales enfoncées dans les orbites de la statue.

« Comment ça, pour quoi faire ? Pour les élections, pardi. »

Il jeta son mégot de cigarette sur les dalles et l'écrasa sous sa botte. « J'ai d'autres affaires en vue qui requièrent toute mon attention.

– Ah oui ! persiflai-je. J'aime mieux ne pas savoir lesquelles. »

Il éclata de rire, croisa les bras sur la poitrine. « Ah ! Naïs… mon ange… Ça vaut bien mieux pour toi. »

Il me sourit d'un air matois et, sans plus rien ajouter, s'éloigna au milieu des badauds. Je l'observai louvoyer entre les citadins comme si personne ne se trouvait sur son chemin.

« Seïs, on rentre dans une heure… Tu m'entends ? l'appelai-je. Dans une heure… Je ne t'attendrai pas. Je te préviens. Dans une heure, à la porte sud... Seïs ? »

Il m'adressa un petit geste de la main sans se retourner et disparut derrière le rideau de spectateurs. Je soupirai, vaguement agacée, et repris mon chemin. Aymeri n'avait plus rien d'intéressant à raconter et ne parlait plus que pour flatter les Tenshins et s'attirer ainsi les faveurs de quelques notables présents à Macline. Asclépion était un royaume basé sur une hiérarchie alambiquée. Des plus basses souches aux plus hautes sphères, tout y était question d'ordres. L'orfèvre appartenait à la guilde du Calice d'Or, le maçon à l'ordre de la Pierre d'Airain, l'apothicaire à la corporation de la Serpe… Tout était question de corporations. Seuls les paysans étaient exclus des ordres et se heurtaient à tous les clivages qui s'amoncelaient au-dessus de leur tête, le tout placé sous l'égide de l'Institut du Commerce, qui prenait plaisir à étendre ses tentacules. En revanche, pour tous les corps militaires et politiques, seule la Confrérie de Mantaore prédominait et conservait une influence immuable. Dans la langue commune de nos Dieux, Mantaore signifiait *La Connaissance*. Les membres de ce groupe nommés Maître ou Tenshin étaient peu nombreux, mais leur puissance n'avait pas d'égal. Les rois composaient avec eux depuis la création de la monarchie qui avait vu le jour deux mille ans plus tôt, remettant ainsi notre calendrier à zéro. Ils se prétendaient eux-mêmes les gardiens de la pérennité dynastique et monarchique de notre royaume et tous s'entendaient pour dire qu'ils étaient les sentinelles inamovibles d'Asclépion. Être nommé apprenti de Mantaore était un privilège que bon nombre de jeunes gens auraient souhaité se voir accorder : il apportait honneur, respect et célébrité. Les Tenshins étaient tout autant des chefs de guerre que de grands politiciens. Le roi ne décidait rien sans eux… le roi ne pouvait rien décider sans eux.

J'effectuai rapidement mes courses, puis armée d'un gros faitout en fonte, je regagnai la porte sud.

À ma plus grande surprise, Seïs était là, planté sous la voûte de la porte, en grande discussion auprès des gardes. Ils jouaient tranquillement aux cartes sous l'ombre d'un arbre. L'un d'eux inspectait l'arrière d'une carriole et empochait sans discrétion un pot-de-vin. C'était de notoriété publique, et dans la mesure où leur solde se réduisait à quelques sous par semaine, personne ne les blâmait de profiter des caravanes de marchands qui utilisaient Macline comme point d'ancrage entre les deux grands marchés du royaume : Magdamée, au centre, et Massore, sur les rivages côtiers de l'ouest.

L'un des gardes fit signe à Seïs lorsqu'il m'aperçut. Il redressa la tête et me regarda approcher sans faire mine de venir m'aider. Il resta campé près de la table, les mains dans les poches. Il souriait d'un air amusé. Je le lui aurais volontiers fait ravaler à coups de faitout. Je m'arrêtai devant lui et sans prendre la peine de saluer ses compagnons, je lui flanquai la marmite dans les côtes. Il eut une grimace et retira les mains de ses poches, juste avant que je la lâche sur ses pieds.

« Tu es en colère, remarqua-t-il. De quoi tu te plains ? Je suis là, non ? »

Je haussai les épaules d'un air dédaigneux et, après un bref hochement de tête vers les gardes, je pris la route de la maison sans l'attendre.

« Ta cousine a un sacré caractère, entendis-je dire l'une des factions.

— Foutu caractère, oui ! T'as encore rien vu, se moqua Seïs en ricanant. Allez, à plus tard.

— Eh ! Oublie pas ce que tu m'as promis.

— Ne crains rien. Je risque pas. Je m'occupe de tout. »

Je secouai la tête, exaspérée en entendant ces dernières paroles. Seïs était le roi pour s'embourber dans de sombres affaires. En général, je ne posais aucune question sur ce qu'il fabriquait durant ses journées, mais je savais pertinemment où il les passait. Le quartier de La Ruche était le repère des trafiquants en tout genre, des coupeurs de têtes, des putains et des gros fumeurs d'Herbes à Prophètes. Ça ne laissait pas beaucoup de place à l'imagination.

Seïs me rattrapa alors que je quittais la voie royale qui reliait Macline au port d'Esmir, pour emprunter un petit sentier sylvestre. La marmite entre les bras, il cala son pas sur le mien et fixa d'un œil lointain la ligne d'horizon et le Soleil qui embrasait les cimes.

« J'ai entendu dire que chaque ville de l'ouest avait reçu une missive qui proclamait les nouvelles élections de Mantaore, m'apprit-il. Ça nous fait quoi ? Plus d'un millier de rêveurs qui vont espérer être sélectionnés ?

— Si je comprends bien, tu n'as toujours aucune intention de t'inscrire. »

Il eut un petit rire. « Non, aucune. Je te l'ai dit, j'ai d'autres chats à fouetter.

— Comme voler Fin, par exemple, ou traînailler dans les bordels de La Ruche. »

Il me décocha un regard caustique, mais dans ses prunelles noires, je perçus cette ombre lointaine planer, comme un nuage sur un ciel bleu.

« Ne me regarde pas comme ça. Tu crois que c'est un secret ? »

Il ne me répondit pas et détourna les yeux sur les buissons qui bordaient le sentier.

« Bien sûr que je suis au courant, dis-je. Il faudrait que je sois aveugle et sourde pour ne pas entendre Sirus et Athora se plaindre de toi. »

Il haussa les épaules et s'obstina au silence.

« Tu n'es pas allé travailler hier après-midi à la forge du père Crisspe, n'est-ce pas ? »

Il parut d'abord surpris de ma question, puis il éclata de rire, m'exposant fièrement l'espace qui séparait ses deux incisives. Il lui conférait cet air perpétuel et agaçant d'effronterie, au point que d'un sourire, il pouvait se créer des ennemis ou séduire n'importe qui.

« Pour perdre mon temps et ma jeunesse à taper l'acier toute la sainte journée et gagner trois sous. Ah, non merci, j'ai d'autres projets pour mon avenir.

— Ah vraiment ? Lesquels ?

— Simple. Je n'ai aucune envie de passer mon temps à gratter la terre comme mon père ou manier le bois comme mon frère.

— Alors, qu'as-tu l'intention de faire ?

— L'homme intelligent n'est pas celui qui s'use au travail, c'est celui qui trouve le moyen de vivre sans avoir besoin de travailler », déclara-t-il, les bras ouverts au ciel.

Je soupirai. « Où est-ce que tu as entendu de pareilles âneries ?

— Qu'est-ce que tu crois ? Cette citation est de moi et c'est du simple bon sens. D'ailleurs, je vis déjà très bien. Te fais aucun souci pour moi. »

Je fronçai les sourcils devant sa mine convaincue. « Ce n'est pas pour toi que je me fais du souci, le coupai-je d'un ton sec. C'est pour tes parents qui se rongent les sangs devant leur égoïste de fils qui s'imagine que voler son prochain est un moyen honnête de gagner sa vie.

— Je me fiche de ce que tu penses, Naïs ! »

À son ton, je sus que j'avais marqué un point et remporté une fragile victoire, qui malheureusement ne fit pas long feu.

« C'est bien joli de me faire la leçon, reprit-il d'un ton acide, mais qu'en est-il de toi ? À ta place, je songerais à me marier et à pondre des gosses avec un bon à rien de mari qui vivra honnêtement. Au moins, je pourrais récupérer ma chambre et mes parents auraient une bouche de moins à nourrir. »

Il fit craquer sa nuque et accéléra le pas sur la sente cahoteuse qui grimpait une légère éminence. Je le considérai d'un œil venimeux auquel il répondit aussi sèchement.

Les arômes acidulés du colombo embaumaient toute la cuisine. Sirus déposa deux grosses bouteilles de vin de Sos-Delen au milieu des assiettes. Il déboucha l'une d'elles et servit les verres.

La famille Pâtis était venue célébrer la fête des Remparts parmi nous et rajoutait ainsi huit couverts à nos sept habituels autour de la grande table en chêne.

Les sujets de conversation ne manquaient pas ce soir-là. Outre la nouvelle des élections des Tenshins qui avait suscité un véritable tollé, et la fête des Remparts, mon oncle avait appris d'un voisin qu'un nouveau convoi de marchandises avait été attaqué sur la voie royale de Magdamée par des Foulards Rouges. Ces derniers étaient des bandits de grand chemin qui s'attaquaient uniquement aux caravanes de marchands, et parfois aux maisons isolées. Ils proliféraient sur tout le pays. La monarchie n'était pas en mesure de les arrêter. Ils ne vivaient pas dans les villes, n'y pénétraient quasiment jamais et se déplaçaient sans cesse d'une région à l'autre. L'absence de bandes organisées jouait en défaveur du pouvoir. Les Foulards Rouges avaient beau s'entretuer quelquefois pour un territoire, l'absence de chefs, d'attaques fomentées à l'avance et de plans généraux rendait toute tentative d'offensive aussi inefficace qu'onéreuse. Chaque fois que le régent envoyait des soldats pour les arrêter là où l'on croyait les débusquer, ils n'y trouvaient que cendres froides et empreintes de sabots.

Fer était suspendu aux conversations tandis que Teichi s'abîmait dans la contemplation de Philippine, la fille cadette des Pâtis. Une jolie fille aux boucles blondes, au teint hâlé des fermières, avec de petits yeux bien taillés et surlignés de noir. Antoni tournait la tête de tous les côtés avec sa vivacité habituelle. Quant à Seïs, il fixait la fenêtre d'un air absent. Il semblait ailleurs et je me demandais chaque fois où ses pensées l'emportaient.

« C'est le troisième convoi en une semaine, expliqua Fer d'une voix tendue. Trois convois pillés, les marchands massacrés. La semaine dernière, c'était sur la route d'Astin. J'attendais du bois blanc en provenance d'Ulutil. Je ne l'ai jamais vu arriver ici.

— Tu peux l'attendre un moment », déclara Hector, l'aîné des fils Pâtis, un grand gaillard d'un mètre quatre-vingt-dix, aussi bien bâti qu'un taureau et l'un des meilleurs manieurs de rokush du tournoi des Six Cités. Le rokush était un bâton de bambou extrêmement solide qui, bien manié, pouvait résister à la lame d'un sabre. Son maniement était l'un des arts de combat les plus anciens d'Asclépion.

Les yeux noir ébène de Fer éclatèrent dans la lumière des chandelles. Son poing se ferma à côté de son assiette et se desserra comme s'il tenait le cou d'un Foulard Rouge entre ses mains.

« Ils prolifèrent plus vite que la mauvaise herbe. Ils gangrènent le pays petit à petit.

— C'est vrai. Les voies royales ne sont plus en sécurité, assura Athora en piquant sa fourchette dans une composition de haricots verts, de carottes et d'oignons. L'Institut du Commerce nous garantit toujours de meilleures conditions pour les marchandises, mais leurs belles promesses restent lettre morte.

— Le régent a passé son temps à faire taire les querelles entre seigneurs et dilapider son argent pour calmer leurs ardeurs, renchérit Sirus. Conclusion, les finances du royaume ne suffisent plus pour protéger les routes. Les Foulards Rouges connaissent leur chance et ils en profitent. Ils continueront leurs attaques jusqu'à ce que les Tenshins s'en mêlent une bonne fois pour toutes. Les élections des nouveaux apprentis pourraient bien être la réponse que nous attendons. Un peu de sang neuf, une meilleure répartition de la force des maîtres dans le pays pourraient endiguer la menace de ces bandits. »

Tous écoutaient mon oncle réfléchir à voix haute sur des questions qu'il ressassait très souvent. L'année passée, les Foulards Rouges avaient brûlé notre moulin en amont de la rivière Belle-de-nuit.

Sirus attrapa son verre de vin et le but d'une traite.

« Je suis sûr que ce maudit Renégat y est pour quelque chose dans la prolifération de ces bêtes de potence », affirma le père Pâtis d'une voix rude.

À ce nom, Seïs releva légèrement la tête, pour ne pas montrer son intérêt, mais assez, toutefois, pour que je m'aperçoive qu'il écoutait la conversation plus qu'il ne souhaitait le montrer.

« C'est possible, concéda Sirus. Je suppose que tous les moyens sont bons pour montrer qu'il est toujours là. »

Un sourire à peine dissimulé étira les lèvres de Seïs. Il vit que je l'observais et l'effaça rapidement, mais ses yeux continuèrent de pétiller malgré lui.

« Il œuvre en sous-main, déclara Fer. Il n'a pas plus les moyens en hommes qu'en argent pour nous attaquer de front, alors il use de manœuvres pour ronger le royaume de l'intérieur. C'est comme un ver dans une pomme. »

Hector et Sirus acquiescèrent vivement tandis que le père Pâtis fronçait les sourcils d'un air grave.

« Ça ne change pas le problème, continua Hector en tendant son bock vers le pichet de vin que tenait Athora. Le fait est que nous ne sommes plus en sécurité sur nos routes, pas même dans nos campagnes, que nos marchandises ne sont jamais assurées d'arriver à bon port et que nous perdons de l'argent chaque fois que ces couards traversent la forêt… »

Seïs but une gorgée de vin, puis reposa sa chope sur la table. « Vous croyez vraiment que Noterre se soucie des malheureuses rapines de ces types ? », déclara-t-il d'un ton calme.

Il ne semblait s'adresser à personne en particulier, les yeux tournés vers l'extérieur sur le rideau de soleil qui se dissipait derrière les rangées d'arbres.

Tous les regards se figèrent sur lui. Sirus fronça les sourcils. Athora pinça les lèvres pour cacher son irritation. Le père et la mère Pâtis le dévisageaient comme s'il avait pris un mauvais coup sur la tête et qu'il n'était manifestement plus en état de réfléchir de manière sensée.

Personne dans le royaume du Ponant n'osait prononcer son nom, craignant, avec ou sans raison, que tous les malheurs du monde lui tombent sur le crâne. Son nom, son rang, tout ce qui pouvait le représenter de près ou de loin avaient été bannis. C'était bien ainsi depuis plus de deux mille ans, ancré si fortement dans nos traditions que personne ou presque ne se posait plus de question. On l'appelait le Renégat, le Traître, rarement Prince, rarement…

« Seïs, tu ne sais même pas de quoi tu parles ! » maugréa Fer, les dents serrées. Seïs se fendit d'un rictus acerbe en fixant son frère. « Autrement dit, contente-toi des putains que tu mets dans ton lit… »

Le poing de Sirus cogna sur la table et confina tout le monde au silence. « Je ne veux pas entendre de tels mots dans cette maison ! »

Fer se mordit la lèvre et détourna son œil noir du visage grimaçant de son cadet.

« Et Seïs, ajouta Sirus, si tu prononces de nouveau le nom de ce traître devant moi, je te promets que tu t'en mordras les doigts.

— Vous avez tous peur de lui, renchérit-il d'un ton insolent. C'est si facile de comprendre pourquoi ça fait deux mille ans qu'il reste tranquillement derrière ses frontières sans être inquiété. De prononcer son nom, vous chiez déjà dans votre froc...

— Seïs ! Tais-toi ! » coupa Athora.

Sirus serrait tellement le poing sur la table que s'il avait tenu le cou de son fils, il le lui aurait probablement brisé d'une pression. Athora se pencha vers lui et lui murmura quelques mots à l'oreille, tout en posant la main sur son avant-bras. Mon oncle inclina légèrement la tête vers elle, plongea ses yeux dans les siens et, lentement, desserra le poing. Athora lui sourit, puis elle se redressa dans son fauteuil et attrapa le plat au milieu de la table.

« Désirez-vous un peu plus de viande ? demanda-t-elle en s'adressant à la mère Pâtis.

— Volontiers, répondit la fermière. Le repas est fameux, Athora, comme toujours... »

Seïs ne desserra pas les dents le reste du repas. Il contemplait la forêt par la fenêtre d'un air renfrogné, puis se resservit un verre de vin. En reposant la bouteille, son regard croisa le mien, s'y suspendit un moment, puis s'en écarta. Sous la table, sa jambe frôla la mienne en se déplaçant et des frissons coururent le long de ma colonne vertébrale.

Après dîner, Sirus sortit atteler la carriole pendant que les fils Pâtis fumaient des Herbes à Thaumaturges dans la cour devant la maison. Depuis la fenêtre, Seïs les lorgnait avec envie. Si Sirus l'avait surpris en train d'en fumer en cachette derrière la grange, il se serait pris un coup de pied aux fesses carabiné pour lui faire passer sa bêtise.

Lorsque le chariot fut attelé, la nuit tombait et il était grand temps de nous rendre à Macline si nous voulions assister à la fête.

Tassée entre Seïs et Teichi à l'arrière de la charrette, je regardais défiler les arbres. La forêt de Shore-Ker était immense pour un petit pays comme le nôtre. Elle s'étendait jusqu'aux verdoyantes collines de Sarroes, à l'ouest et les coteaux bruns de Sergale à l'est. Elle était le carrefour de plusieurs routes de caravane et le cœur de toute la vallée.

Sirus et Antoni poussaient la chansonnette, tandis qu'Athora riait aux éclats.

« Embrasse-moi le... Ho ! Ho ! Embrasse-moi le... Ha ! Ha ! Embrasse-moi le plus discrètement possible. Je vais enfin toucher ton p'tit... Ho ! Ho ! Ton p'tit... Ha ! Ha ! Ton p'tit cœur sensible. Écartons les... Ho ! Ho ! Écartons les... Ha ! Ha ! Écartons les curieux de cet endroit paisible... »

Je surpris Seïs en train de sourire, la tête appuyée contre le montant de la carriole.

Un cahot de la route interrompit les deux hommes dans leur chant, nous renversant tous d'avant en arrière. Je me cognai contre Teichi qui heurta de l'épaule le marchepied du chariot. Il laissa échapper un juron et s'excusa aussitôt. Sirus grogna contre la mule. Puis le silence nous enveloppa un instant, seulement interrompu par le bruit des roues sur la terre battue du sentier.

Lorsque la main de Seïs effleura la mienne, je faillis sursauter. Je regardai fixement les arbres moutonner et ondoyer sous la brise du soir. Son index longea la courbe de ma main, de mon poignet, frôla le bout de mes doigts. Il releva les jambes contre sa poitrine et dissimula son manège du regard de ses frères. Je me retins de sourire. Le cœur battant la chamade, j'ouvris la main et la sienne s'y glissa. Seïs observait les futaies aux troncs verdis de lichen. Son visage n'exprimait rien de précis, ni la joie, ni la peine.

Le chariot quitta le sentier sylvestre de Point-de-Jour et s'enfonça dans l'afflux de carrioles qui envahissait la voie ducale. Sirus arrêta notre monture près de la muraille, sous l'ombre d'un chêne.

Mon cœur s'affola d'excitation à l'idée de la fête, mais Seïs arracha sa main de la mienne sans crier gare. Il se redressa sitôt le chariot arrêté et sauta sur le sol d'un bond leste par-dessus la ridelle en bois. Il m'adressa à peine un coup d'œil en déclarant d'une voix neutre : « Passez une bonne soirée. Je vous vois plus tard. »

Il s'apprêtait à décamper lorsque sa mère le rappela à l'ordre : « De retour à deux heures du matin, pas plus tard, sinon gare aux corvées demain. Te voilà prévenu Seïs, et cela vaut pour vous tous. Amusez-vous, ne faites pas de bêtises et soyez à l'heure.

– Oui », ronchonna Seïs.

Elle se tourna vers nous, braqua ses yeux clairs sur nos figures l'un après l'autre et nous hochâmes tous la tête à l'unisson.

Lorsque je me retournai, Seïs avait déjà disparu au milieu de la foule. Sans plus de façon, je m'engageai bras dessus bras dessous entre Teichi et Antoni en direction des portes où un bataillon de gardes en livrée accueillait les nouveaux venus. Fer s'éloigna de son côté en nous souhaitant une bonne soirée, tout comme Athora et Sirus qui étaient invités à boire au salon privé du père Lauchaud, un éminent érudit et guérisseur qui défendait depuis longtemps la cause paysanne pour espérer faire valoir ses droits auprès des corporations.

Dans les rues surpeuplées de la ville, malgré la plupart des boutiques closes, la cohue était déroutante. On se retrouva aspirés dans la masse, au milieu des étoffes et des parfums. Des odeurs d'épices, de sueur, de friandises et d'alcool se répandaient dans les avenues bordées de chênes. On joua des coudes pour traverser l'avenue des Notables, puis on coupa par une venelle étroite à la jonction du quartier de Bourg et du Sou d'or. Par curiosité, on se rendit directement au palais de Mal-Han, demeure du gouverneur de la ville. À peine arrivés à l'angle de la rue, on découvrit une foule de jeunes gens qui faisait la queue pour entrer par la porte cochère du palais.

« Ils sont venus s'inscrire », nous cria Teichi pour couvrir les éclats de voix.

Une estrade avait été construite à la va-vite dans la cour intérieure du palais entre deux parterres de fleurs. Plusieurs conseillers et gardes étaient installés autour d'une table et notaient sur un registre les garçons désireux de tenter leur chance pour les élections des Tenshins.

« Seïs ne va pas s'inscrire, n'est-ce pas ? » demanda Antoni, visiblement déçu.

Je secouai la tête en considérant les jeunes garçons d'âge moyen, entre dix-sept et trente ans, discutant avec enthousiasme et bâtissant des projets ambitieux et des rêves de batailles.

« Probablement pas. Il n'en voit pas l'intérêt.

— Ça ne m'étonne pas, dit Teichi.

— Et Fer ? »

La figure pétillante d'Antoni trahissait l'espoir qu'il plaçait dans son frère aîné.

« Je ne miserais pas là-dessus à ta place, répliqua Teichi. Fer a déjà des difficultés à manier le rokush et Seïs, à obéir à des ordres. Je les vois mal revêtir la tenue des guerriers.

– Oh ! T'es mauvaise langue, Fer ne se débrouille pas si mal que ça », me moquai-je.

Teichi éclata de rire. « T'as raison, il se débrouille aussi bien que la vieille mule des Pâtis pour traîner leur carriole… D'ailleurs, en parlant de ça, nous devrions les rejoindre. Ils doivent nous attendre sur la Grand-Place.

– Oui, dis plutôt que tu es impatient de revoir Philippine », le chatouilla Antoni.

Teichi haussa les épaules et le bras toujours noué au mien, il m'entraîna parmi la foule sans rien ajouter. Antoni nous emboîta le pas en ricanant.

Nous nous frayâmes un passage entre les badauds qui sirotaient des chopes de bière au beau milieu de la voie. Des comptoirs avaient été dressés devant les portes des tavernes de Macline. Si bien que devant chacune d'entre elles, de véritables rassemblements donnaient lieu à une explosion de cris et de rires.

« Dépêchons-nous, dit Antoni, on va rater le début de la fête. »

Dès que nous rejoignîmes la rue des Notables, la foule avait tellement augmenté que nous nous retrouvâmes coincés à quelques mètres de l'esplanade sans pouvoir y parvenir.

« C'est pas vrai, se plaignit Antoni, la moue dépitée. Qu'est-ce qu'on fait maintenant ? »

Il adressa un regard désappointé à Teichi qui ne put répondre que par un haussement d'épaules démuni. Le visage d'Antoni se décomposa. Il sautilla pour tenter de voir par-dessus les têtes. Mais tout ce qu'il put apercevoir, furent encore d'autres têtes.

On considérait, de plus en plus décontenancés, la foule amassée sur l'esplanade comme dans une fourmilière. On n'avait aucune chance de contempler le début des festivités. Antoni piaffait d'impatience.

« Seïs ! s'écria-t-il soudain. Eh, c'est Seïs… Seïs… »

Il nous désignait un jeune homme se faufilant entre les badauds comme une anguille, une cigarette à la main.

« Seïs, on est là, criait Antoni. Oh ! Seïs. »

J'ignore par quel miracle Seïs finit par l'entendre au milieu de la cohue. Toujours est-il qu'il releva la tête, scruta la masse et aperçut son jeune frère brassant l'air au-dessus de la tête. Il lui adressa un signe du menton et se dirigea aussi lestement qu'un poisson louvoyant entre des algues.

« Qu'est-ce que vous faites là ? nous demanda-t-il une fois à notre hauteur. Le spectacle, c'est là-bas. »

Il pointa du doigt la place des Sept Rois d'un air moqueur.

« Merci, nous sommes au courant, fis-je d'un ton agacé. Comment veux-tu qu'on y arrive ? T'as vu ce monde ! »

Il haussa les épaules, embrassa d'un regard la marée humaine qui nous barrait la route et reporta son attention sur nous.

« Très bien, on va voir ce spectacle, déclara-t-il en soupirant. Mais dépêchez-vous. Je n'ai pas que ça à faire ce soir. »

Sans nous attendre, il nous tourna le dos et se dirigea vers la rue adjacente à celle des Notables, une venelle étroite qui longeait parallèlement la place. Il s'arrêta près de la porte de derrière de l'une des maisons les plus cossues du centre. L'arrière de l'édifice était en torchis de mauvais aloi. En revanche, la façade qui donnait sur la place était en pierres de Pont-Rouge et des poutrelles noires avaient été introduites dans le mortier pour former une Rose-Croix. L'ensemble était magnifique et pourtant, en dépit de sa splendeur, il jetait un froid quand on la regardait. La Rose-Croix était le symbole des alchimistes et comme eux, elle était aussi respectée que crainte. Les pouvoirs des magiciens dépassaient l'entendement. Nul ne pouvait l'expliquer, nul ne savait quel enfant serait doté d'un tel talent, et, au lieu de s'en féliciter, les parents étaient atterrés lorsqu'ils découvraient que leurs rejetons étaient pourvus de ce don. Les alchimistes n'étaient pas considérés comme des pestiférés, mais leur présence était en général peu appréciée lorsqu'ils s'attardaient dans un lieu fréquenté. La plupart d'entre eux ne s'en formalisaient pas ; ils préféraient de loin la solitude de leur laboratoire où ils pouvaient étudier en paix et mettre en pratique leurs talents. C'est d'ailleurs étrange, en y repensant, de constater que les Asclépions craignaient davantage le pouvoir des alchimistes qui touchait un enfant sur mille que celui des Tenshins dont on ne savait ni d'où il venait, ni jusqu'où il pouvait s'étendre.

Seïs jeta un rapide coup d'œil dans la rue, puis leva le loquet qui céda sans mal et ouvrit le vantail.

« C'est la maison de Monsieur Hure, remarqua Teichi, étonné.

Seïs entra dans le vestibule. « Oui, répondit-il, succinct.

— Euh… Tu es sûr qu'il est d'accord pour qu'on entre chez lui ? demanda son frère avec inquiétude.

— Eh bien, si personne ne le lui dit, il n'en saura jamais rien. »

Les yeux de Teichi s'agrandirent comme des coupoles. « Tu veux dire qu'il ignore…

— … que l'on pénètre chez lui, acheva Seïs. Maintenant, entre avant que l'on se fasse remarquer. »

Teichi hésita sur le perron, regarda à droite et à gauche de la ruelle avec méfiance. Les seules personnes présentes étaient soit trop occupées à leurs propres affaires, soit trop ivres pour se soucier de quatre gamins devant une porte.

Teichi prit une profonde inspiration, passa devant son frère qui maintenait la porte ouverte du bout du pied et entra dans le hall réservé aux domestiques.

« Naïs ? Tu attends qu'il gèle ? fit Seïs en me regardant jeter un coup d'œil curieux à l'intérieur de la maison.

— Comment peux-tu être sûr que Hure ne va pas revenir chez lui ? » demandai-je.

Il se fendit d'un sourire malicieux. « Parce que je l'ai vu ivre mort dans la taverne de Blanquis et bouffé par les Herbes à Prophètes. À l'heure qu'il est, il doit baigner dans son vomi… Allez, dépêche-toi. Tu voulais voir le spectacle, non ? »

Il m'adressa un petit signe de tête pour me faire entrer plus vite et ne trouvant aucune bonne raison de m'opposer, je cédai. Je rattrapai Antoni dans un long couloir tandis que Seïs refermait la porte derrière nous avec soin.

« Au premier étage », nous dit-il alors que nous pénétrions dans un vestibule immense.

Tableaux, portraits de famille, colifichets en tout genre décoraient le hall sans finesse. On aurait dit que Hure se procurait une œuvre, puis la délaissait dans un coin et l'oubliait totalement.

« Naïs, tu viens ? »

Seïs s'impatientait près de la rampe des escaliers.

« J'arrive. »

En haut des marches, un long couloir tapissé de tableaux s'étendait sur toute la longueur de la maison et de multiples portes en chêne s'accumulaient de part et d'autre du corridor.

« Celle-ci », ordonna Seïs en désignant la première porte à gauche.

Antoni se précipita sans réfléchir dans la pièce. En le voyant agir, Teichi secoua gravement la tête. Il leva les yeux vers son frère et déclara d'un ton de reproche : « Tôt ou tard, tu vas nous attirer des ennuis. »

Seïs décrocha la cigarette qui pendouillait à ses lèvres. « Bah ! Ce ne sera jamais les seuls ennuis que tu auras. Ne t'inquiète pas. Entre toi et moi, on sait qui sera puni. »

Sans rien ajouter, il entra derrière Antoni. Teichi m'adressa un regard consterné. Ses épaules se voûtèrent comme s'il portait soudain tout le poids du monde sur ses épaules.

Antoni avait ouvert l'une des fenêtres et penchait la tête vers la place. Teichi se tenait à ses côtés et, malgré ses récriminations pour qu'il soit prudent, Antoni n'en faisait qu'à sa tête. Seïs restait en retrait, la cigarette se consumant à ses lèvres. Je remarquai seulement qu'il portait un pourpoint d'Hedem, une matière semblable au cuir, mais plus résistante, que l'on réservait aux adultes. D'une couleur brune, il se fondait avec sa chevelure coupée en mèches frivoles et ses yeux sombres. Un sourire aux lèvres, il me désigna la fenêtre voisine. Je m'empressai d'aller l'ouvrir. Seïs s'approcha de la cheminée dans laquelle il lança sa cigarette d'une chiquenaude et me rejoignit en traînant les pieds sur le tapis. Il se posta dans mon dos et, comme je me courbais en avant pour contempler la place, il posa sa main droite sur ma hanche.

De là, l'esplanade semblait prête à imploser. Les statues imposantes de nos rois se perdaient dans la masse, avalées par les centaines de corps agglutinés. Aymeri de Châsse se tenait au centre de la scène, parfaitement visible dans sa toge d'apparat en velours, grotesque par le temps estival de cette soirée. À ses côtés, le héraut annonça le début de la fête. Aymeri leva le bras. En écho, une à une les torches de la ville s'éteignirent. Toute la cité fut plongée dans le noir. La main de Seïs se resserra sur ma hanche et la chaleur de sa paume me fit frissonner.

« Attends. Non… ça ne va pas », murmura-t-il. Il m'attrapa brusquement par la main et me tira dans la chambre. « On ne verra rien d'ici », cria-t-il à ses frères tandis qu'il m'entraînait dans le couloir.

— Seïs, où vas-tu ? lui cria Teichi. Tu vas tout manquer. Où vous allez ?

— À la tour. »

Sans me demander mon reste, il me fit traverser le couloir émaillé des têtes bizarres de la famille de Hure, jusqu'à la porte du fond qu'il ouvrit d'un tour de clé. Il poussa le vantail et s'engouffra dans la pénombre d'un escalier en colimaçon. Il m'obligea à escalader les marches au pas de charge jusqu'à ce que nous parvenions devant une nouvelle porte en chêne. Celle-ci était fermée, mais nous n'avions pas besoin de la déverrouiller. Au sommet de la tour, une large baie était ouverte sur la place. Seïs s'y précipita, dégagea la vitre et m'attira contre le rebord de fenêtre.

À nos pieds, nous pouvions contempler toute la ville, de la place des Sept Rois jusqu'aux remparts nord. Les innombrables toits d'ardoises s'étendaient à perte de vue. La cime des chênes perçait sur un ciel bleu encre et les fleurs rose pâle des cerisiers apparaissaient comme de petits flocons suspendus dans les airs.

Sur l'esplanade, Aymeri se dirigeait à l'avant de la tribune. La foule entière avait les yeux braqués sur lui. Aymeri s'inclina devant la statue de Landrie d'Elisse, second roi de la lignée qui se dressait devant la tribune. Campé sur un char traîné par quatre étalons tout en or, Landrie ouvrait la main en guise d'offrande. Le regard de la statue, deux émeraudes enchâssées, semblait suivre les gestes du gouverneur. Celui-ci s'avança, s'inclina, comme si le roi était vivant, et approcha la torche de la bougie. La flammèche s'embrasa aussitôt. Semblable à des dominos, la flamme rongea le fil qui la reliait à une autre bougie et l'alluma à son tour. En quelques minutes, toutes les chandelles de la place des Sept Rois s'illuminèrent, puis soudain d'un souffle, comme une explosion, elles envahirent les quatre principales avenues de Macline jusqu'au chemin de ronde.

J'étais suspendue à la fenêtre, des lumières plein les yeux. La ville entière ressemblait au firmament.

« Merci », murmurai-je à l'oreille de Seïs.

Il tourna la tête vers moi, un petit sourire en coin. « Tu sais bien que je ne peux rien te refuser. »

Quelques jours après mon quinzième anniversaire, un cavalier franchit la barrière du domaine sur un somptueux palomino aux crins alezan clair. J'étais assise à l'ombre de la porte d'entrée, sur la première marche des escaliers. J'écossais des petits pois pour le dîner du soir. Le cheval pénétra dans la cour. Son cavalier était un homme d'âge moyen, aux longs cheveux blonds retenus par un ruban. Il arborait la tenue d'un soldat, pourpoint en cuir bleu-azur dont les manches de la chemise étaient remontées jusqu'aux coudes. Un chapeau aux larges bords s'enfonçait sur sa tête, orné de panaches bariolés qui dansaient au rythme de sa monture. Mars fonça tête baissée hors de la grange lorsqu'il aperçut l'étranger et aboya en poursuivant le cheval dans la cour.

« Mars, tais-toi ! » criai-je.

Le shar-pei rabattit ses oreilles, tourna la tête dans ma direction, visiblement frustré, et trottina derrière l'individu. À ma hauteur, le cavalier descendit de monture et s'approcha tandis que Mars lui reniflait les jambes avec circonspection. Il se découvrit et, son chapeau à la main, se frappa la poitrine du poing.

Je fixai son couvre-chef aux plumets blanc et or et aperçus briller sur le haut de sa poitrine l'emblème d'Elisse : la couronne d'Astrée ainsi que la tour dressée en son milieu. J'écarquillai les yeux et me relevai d'un bond.

« Bonjour, Mademoiselle », me dit-il d'une voix charmante.

J'humectai mes lèvres d'un coup de langue et défroissai d'un geste maladroit les plis de ma robe, recouvrant rapidement le haut de mes cuisses.

« Bonjour », répondis-je, gênée.

Je ne parvenais pas à quitter des yeux l'écu de la maison d'Elisse qui scintillait sur sa veste. Il me surprit en train de le regarder et esquissa un sourire.

« Je me présente, je me nomme Marien Gernefeuille. Je suis porteur d'un message au nom de Messire Seïs Amorgen de Macline. Suis-je bien au domaine des Amorgen ? »

Je le considérai, ébahie. « En effet, vous l'êtes. Mais… euh… Seïs n'est pas là. Je… Attendez. »

Je penchai la tête vers la porte entrouverte, passai le nez et regardai si je ne voyais pas Athora s'affairer dans la cuisine.

« Ma tante ?

— Qu'y a-t-il ? grommela-t-elle en laissant tomber un gros plat en cuivre sur la table.

— Un messager est là… pour Seïs. »

Elle releva la tête. « Un messager ? » s'étonna-t-elle. J'opinai du chef. Elle s'essuya les mains sur sa robe et s'approcha d'un pas vif de la cour. « Un messager ? » répéta ma tante en sortant sur le perron.

Elle considéra le jeune homme sans façon, écarquilla les yeux en admirant son costume élégamment coupé. Ses yeux se figèrent sur l'emblème de la dynastie royale cousu sur son pourpoint. La couronne d'Astrée attirait l'œil ; qu'elle soit une simple broderie sur un vêtement ou un étendard, tous les regards se portaient sur elle.

Gernefeuille s'inclina devant ma tante. « Bien le bonjour Madame Amorgen », dit-il d'un ton policé peu familier de notre région.

Il était de notoriété que les coutumes de la cité d'Elisse ne ressemblaient en rien à celles du reste du pays. Les Elissins ne vivaient pas au même rythme que les provinciaux. Les fêtes y étaient plus nombreuses et plus fastueuses. Chaque cérémonie était présidée par le Régent Calette le Grand en personne. En général, les habitants d'Elisse avaient toujours cette fâcheuse habitude de se croire supérieurs aux autres sujets de Sa Majesté sous le futile prétexte que la dynastie portait le nom de leur cité et que le palais royal dominait leurs demeures. Cette soi-disant précellence de culture, de manières, de bavardages, creusait un fossé avec les provinciaux qui se moquaient des parures clinquantes des notables, de leurs visages poudrés et de leurs façons efféminées. Comme de leur côté, les Elissins critiquaient nos manières rudes, notre langage grossier et peu approprié.

« Bonjour, répondit ma tante après avoir achevé son examen. En quoi mon fils peut vous être utile, jeune homme ?

– Je viens porter un pli de la plus haute importance au gentilhomme Seïs Amorgen, dit l'estafette avec une fierté insolite.

– Gentilhomme », marmonnai-je en ricanant.

Athora m'adressa un coup d'œil sévère.

« Seïs est absent pour le moment et Orde sait à quelle heure il va rentrer. » Elle se tourna vers moi et me dit : « Fais-moi plaisir Naïs, préviens ton oncle de l'arrivée d'un messager, ensuite, va chercher ton cousin.

– Oui, ma tante. »

J'adressai un bref coup d'œil à l'estafette qui inclina la tête poliment, puis je me précipitai dans la cour et m'élançai sur le sentier qui se découpait entre les futaies.

Après avoir dépassé une ligne de chênes, je parvins dans une sommière ensoleillée. Les cultures de Sirus se découpaient sur plusieurs arpents de terre de tailles variées, séparés les uns des autres par de minces collines et reliés entre eux par des layons. Sirus était en train de labourer le champ aux côtés de Teichi. Ils retournaient, aéraient la terre pour qu'elle reçoive ensuite la semence de blé de printemps de manière à être récoltée cet été. Teichi sarclait toutes les mauvaises herbes avec une extrême application comme si toute sa vie dépendait des chiendents qu'il déracinait. Sur un arpent de terre voisin, Sirus passait la charrue que traînait péniblement Ponce, un robuste cheval de trait noir.

Je me précipitai vers mon oncle. Sa chemise était tachée de transpiration et jaunissait sous les aisselles et l'encolure. Il passa la main sur son front du revers de la manche pour en éponger la sueur et décoller ses cheveux.

« Naïs, qu'est-ce que tu fais là ? » me demanda-t-il en me voyant courir vers lui.

Je haletais en arrivant à sa hauteur et tentai de retrouver mon souffle, les deux mains posées à plat sur les genoux.

« Un messager est arrivé à la maison pour Seïs. Athora te demande. »

Il fronça les sourcils et lâcha aussitôt la charrue. « Teichi, occupe-toi de Ponce et rentre à la maison », lui cria-t-il. Il s'essuya les mains sur son pantalon en toile suranné et braqua un œil noir dans ma direction. « Tu as laissé ta tante toute seule avec un étranger ? Pardieu ! Combien de fois devrais-je vous le dire ? Ne faites pas entrer d'inconnu dans notre maison. »

Je restai sans voix tandis qu'il s'éloignait à vives enjambées vers Point-de-Jour en continuant de grogner : « Ta tante et toi vous faites entrer n'importe quel ruffian dans notre demeure. Ça pourrait tout aussi bien être un voleur de caravane que non seulement vous vous en ficheriez comme de la guigne, mais en plus vous seriez capable de lui offrir une tasse de thé. Vous n'en faites qu'à votre tête… Teichi, dépêche-toi de t'occuper de Ponce ! »

Ce dernier abandonna sur le champ ce qu'il était en train de faire et se précipita vers le cheval à petites foulées. Il m'adressa un clin d'œil en passant, juste avant de s'occuper de Ponce qui renâclait sous le soleil de plomb.

« Mais… enfin, mon oncle, Antoni doit être à la maison », plaidai-je à mi-voix.

Il se retourna vers moi et me regarda comme si j'avais perdu la raison.

« Antoni et ses quarante kilos tout mouillés ! » Il éclata de rire. « Va chercher ton imbécile de cousin et rejoignez-nous vite. »

Sirus venait de démontrer l'inhospitalité manifeste des paysans de Shore-Ker. Certes, la plupart avaient des raisons de se montrer méfiants. Trop de bandits et trop de notables, prêts à racheter toutes les terres arables, vagabondaient dans la forêt. Des tas de petits domaines agricoles étaient tombés sous la coupe soit de l'un, soit de l'autre. L'Institut du Commerce était une véritable entreprise affiliée au pouvoir central d'Elisse qui rançonnait les habitants sans avoir de compte à rendre à quiconque. Il mettait avec plaisir les paysans en difficultés et rachetait, pour une bouchée de pain, le labeur de toute une vie.

Postée au milieu du champ, la main en paravent devant les yeux, je passai rapidement en revue les divers endroits où Seïs pouvait se terrer : le quartier de La Ruche, la rivière Belle-de-nuit pour se prélasser dans l'eau par ce beau temps, la cabane abandonnée de Lamure où il emmenait parfois ses conquêtes… Non, pas aujourd'hui. Il faisait trop chaud pour ça.

J'ébauchai d'un sourire lorsque Teichi fit écho à mes pensées. « Il doit être au vieux tilleul, me dit-il.

– Sans aucun doute, acquiesçai-je. Il n'a pas passé la nuit à la maison. Il doit être en train de dormir à l'heure qu'il est. »

Teichi haussa les épaules avant de détacher la charrue de Ponce. « Il mène une belle vie », déclara-t-il d'un ton neutre. Il étira son dos en écartant les bras en croix. Une mimique de soulagement traversa ses traits lorsque ses muscles se détendirent. « Il se couche à pas d'heure. Il paresse toute la journée pendant qu'on trime pour rapporter de l'argent à la maison. »

Il poussa un long soupir et laissa retomber ses bras le long de ses hanches.

« T'inquiète pas, à mon avis, ça ne va pas tarder à changer. J'ai entendu Sirus lui dire que s'il ne travaillait pas, il ne méritait pas de dîner à notre table, qu'il n'avait aucune raison de profiter du privilège que les autres obtenaient à la sueur de leur front, si lui ne fournissait aucun effort pour gagner sa pitance...

– Papa lui a dit ça ? me coupa Teichi, sidéré.

– Oh que oui !

– Qu'est-ce qu'il a encore fait pour qu'il s'énerve comme ça ?

– Eh bien... Tu te souviens, Sirus s'était débrouillé pour trouver un emploi à ton frère à la forge de Crisspe ? Évidemment, Seïs ne s'y est pas présenté. Le travail à la forge ne l'intéresse pas. Ce n'est pas assez bien pour lui. Alors quand le père Crisspe est allé voir Sirus pour lui dire que son rejeton manquait à ses devoirs et qu'il n'avait même pas eu la politesse de venir s'excuser de son absence, ton père est monté sur ses grands chevaux. Il m'a ordonné de le conduire là où je pensais le trouver. "Au nom de Célia, tu vas faire ce que je te dis", m'a-t-il crié. Bon sang, je ne l'ai jamais entendu prononcer le nom de ma mère pour quoi que ce soit, encore moins pour avoir besoin de me faire obéir. Je l'ai emmené à La Ruche. À coup sûr, c'était l'endroit où le débusquer.

— Tu n'avais pas tort, je suppose ?

— Bien sûr que non. Un chasseur se trouve là où il y a du gibier », lui fis-je remarquer.

Il esquissa un pâle sourire.

« Quoi qu'il en soit, il ne nous fallut pas très longtemps pour mettre la main dessus. Sirus est allé le tirer d'une taverne. Il jouait aux cartes et l'idiot était en train de gagner.

— Papa devait être abasourdi de le voir jouer. S'il y a bien une chose qu'il a en horreur, ce sont les jeux d'argent.

— Oui, c'est le moins que l'on puisse dire. Il a traîné Seïs dehors par le col de sa chemise. En plein milieu de l'avenue, il lui a dit qu'il n'avait aucune intention de payer ses parties de cartes, comme il n'avait aucune intention de le laisser vivre à ne rien faire et surtout pas déshonorer sa famille en se perdant dans la crasse de ce quartier. Et sais-tu ce que Seïs lui a répondu ? »

Il secoua la tête et, d'un regard pressant, m'encouragea à poursuivre.

« Il lui a dit qu'il n'avait aucun besoin d'être nourri par la famille, qu'il avait largement de quoi se payer la taverne, s'il n'y avait que ça pour le contenter. »

Teichi me regarda d'un air inquiet. « Et qu'a dit papa ? Il devait être furieux.

— Furieux, c'est peu dire. Ses joues étaient tellement rouges que j'ai cru qu'il allait exploser. Il a attrapé Seïs par le col. Il lui a crié que ce n'était qu'un vaurien bon à finir au fond des oubliettes avec les putains et les marauds s'il s'en sortait pour le mieux, sinon il finirait pendu au bout d'une corde. Il lui a dit qu'il ne méritait pas tous les sacrifices que l'on faisait pour lui ni la patience qu'on lui avait accordée.

– Et Seïs ? s'inquiéta Teichi, en passant une main distraite sur le garrot de Ponce.

– Quand il a réussi à s'extirper de la poigne de Sirus, il lui a simplement répondu qu'il gagnait dix fois plus que sa misérable vie de paysan pouvait lui en offrir en dix générations. »

La bouche de Teichi frémit.

« Oh oui, Sirus l'a giflé tellement fort qu'il s'est retrouvé sur les fesses. Il lui a dit : "Si c'est comme ça, tu payeras un loyer comme à l'auberge pour dormir à la maison et si tu veux manger à notre table, tu paieras comme le jeune seigneur que tu veux être". Au lieu de se taire, Seïs s'est redressé, a toisé ton père comme il sait si bien le faire, avec insolence. Il a sorti la bourse de la poche de son pantalon et l'a jetée à la figure de Sirus. Ton père était tellement sidéré qu'il s'est contenté de regarder Seïs lui tourner le dos et se sauver. Sirus est resté planté au milieu de la rue. Il tremblait à tel point, que j'ai cru qu'il faisait une crise de convulsions. »

Teichi cligna des paupières dans la lumière du soleil. Il détourna la tête et en profita pour libérer Ponce de ses entraves. En tenant le cheval par le mors, il s'approcha de moi.

« Bon sang, où trouve-t-il tout cet argent ? » me demanda-t-il à mi-voix, comme si c'était un secret et que nous n'étions pas seuls.

Il écrasa discrètement sous ses bottes une grosse motte de terre qui se dressait sous ses yeux.

« Ne pose pas la question. Mieux vaut l'ignorer. »

Il se rembrunit et secoua la tête. Teichi était l'un de ceux qui se désolaient le plus de la nature oisive de son frère.

« Il est débrouillard, c'est le moins que l'on puisse dire, concéda-t-il, mais ça risque aussi un jour de lui valoir un paquet d'ennuis. »

J'acquiesçai d'un air mi-grave mi-moqueur. « Tu sais... Je ne me fais aucun souci pour ton frère, déclarai-je en m'éloignant à reculons vers la forêt. C'est une anguille.

– Ah oui ! Pour la pêcher, il faut savoir la trouver… dans les bas-fonds qui regorgent de vase », se moqua Teichi.

Je pouffai de rire et secouai la tête de gauche à droite : « Parce que c'est un poisson de l'ombre… il se cache dans les obstacles. »

Teichi me scruta d'un œil étonnement aiguisé. Il se fendit de l'un de ses sourires subtils de sagacité. Puis il exécuta une révérence en courbant l'échine d'un air théâtral.

« Voilà, en effet, une vision intéressante de mon idiot de frère... Allez, tu devrais te dépêcher, si tu tardes trop, tu risques de te faire gronder. Au fait, qui est ce messager ?

– Je n'en sais trop rien. Il dit s'appeler Marien Gernefeuille. C'est un soldat d'Elisse, je crois.

– Et c'est Seïs qu'il demande ?

– Oui.

– Étrange », fit-il, soudain plongé dans ses réflexions.

Il me fit un petit signe de la main pour me faire presser le pas. « Allez, dépêche-toi. »

Je m'élançai aussitôt vers la ligne d'arbres qui dissimulait le ruisseau du Lounasfolle et un bataillon de petites éminences couvert de buissons et de broussailles. Je grimpai un tertre parcouru de mousse et de gros rochers de calcite aux nuances de bleu et de brun, plantés là comme des statues d'un autre temps. Sur l'un d'eux, une grosse araignée noire aux pattes velues s'accrochait au lichen. Une idée me traversa l'esprit. Je l'attrapai et glissai précautionneusement les doigts entre ses pattes pour ne pas la blesser. C'était une grosse tégénaire, comme on en trouve plein les greniers et les sous-sols poussiéreux. Je la gardai en main et poursuivis ma route.

Derrière la colline, une clairière nue et ensoleillée se découpait entre les futaies. Un coteau dépouillé d'arbres la dominait, à l'exception d'un seul tilleul aux branches élancées qui offrait un magnifique point de vue de la forêt.

J'accélérai l'allure au bas de la colline et avançai en sandales sur une herbe grasse où paissaient quelques moutons noirs. En faisant attention à ne pas faire de bruit, je contournai le tronc de l'arbre. Seïs y était adossé, face à l'horizon. Un rai de lumière se couchait sur son visage et roussissait sa gorge découverte. Il avait rabattu son vieux chapeau effiloché sur ses paupières closes. Il ronflait si fort qu'il faisait concurrence au merle perché au-dessus de sa tête. J'approchai à pas feutrés par l'arrière et, en silence, déposai l'araignée dans son cou. J'étouffai un rire.

L'araignée, satisfaite d'avoir retrouvé sa liberté, se précipita aussitôt sur son menton et remonta le long de sa joue. L'une de ses pattes s'enfonça à la commissure de ses lèvres. Seïs n'eut pas un frétillement de cils. Ses ronflements continuèrent sans prêter attention à la tégénaire qui lui grimpait sur le nez. Je fronçai les sourcils, déçue. L'araignée s'apprêtait à escalader le bord de son chapeau ; je la fis achopper d'une chiquenaude. Elle dégringola sur sa poitrine et se faufila sous sa chemise. Satisfaite, je reculai la main lorsque Seïs me saisit soudain le poignet et m'attira si brutalement contre lui qu'il me fit exécuter un demi-tour sur moi-même. Je m'effondrai à ses pieds, sur le dos, au milieu des racines du tilleul. Un genou au sol, il releva du bout des doigts son chapeau au sommet de son crâne et planta ses yeux dans les miens. Il lâcha mon poignet et retira sans un frémissement la tégénaire qui se promenait sous sa chemise.

« Tu croyais me faire peur avec ça ! » se moqua-t-il en la déposant entre mes seins.

Je la fis tomber sur l'herbe du dos de la main. Saisissant sa chance, elle se sauva sans perdre un instant parmi les frondaisons.

« Naïs... ah, Naïs, il est dangereux de jouer avec un joueur », dit-il en hochant la tête d'un air grave.

Je me relevai sur les coudes.

« Un mauvais joueur. J'ai toutes mes chances de gagner ! répliquai-je en lui adressant un clin d'œil.

— Tu veux parier ? »

Il se laissa retomber sur les fesses et s'adossa contre le tilleul.

« Tu ne dormais pas, n'est-ce pas ?

— Je somnolais. La nuit a été éprouvante. Je faisais une petite sieste avant que tu m'interrompes. Qu'est-ce que tu veux d'ailleurs ? T'as intérêt à avoir une sacrément bonne raison pour venir me casser les couilles. »

Je me relevai d'un bond et rajustai ma robe. « Plus qu'une bonne raison, dis-je, d'une voix pincée. Mais à mon avis, dans ton état, la raison pourrait avoir envie de prendre la poudre d'escampette. »

Il releva un œil intrigué dans ma direction. « Qu'est-ce que tu entends par là ? »

Je croisai les bras en travers de la poitrine et, le visage illuminé d'un sourire, je lançai : « Tu pues !

— C'est pas moi qui suis venu te chercher, rétorqua-t-il en haussant les épaules d'un air indifférent.

— Si ça ne tenait qu'à moi, sache que je ne me déplacerais pas pour toi. Bon sang, de la ferme des Pâtis, ils doivent te renifler. Où t'as bien pu aller traîner hier soir ? »

Je considérai sa mine rembrunie, sa barbe de trois jours qui lui rongeait les joues et ses yeux injectés de sang.

« En quoi ça te regarde ? »

Il jeta un coup d'œil au merle noir au-dessus de sa tête, marmonna quelques mots dans sa barbe, puis son visage se détendit. « Je t'écoute. Maintenant que tu es là, qu'est-ce que tu veux ?

— Moi, rien. En revanche, un cavalier vient d'arriver à la ferme et il a un message à délivrer à ton nom. M'est avis que c'est une lettre de cachet pour t'enfermer définitivement à l'Amir.

— Sous quel motif ? plaisanta-t-il, en jetant son menton en avant, me défiant de lui trouver des raisons.

— Laisse-moi réfléchir un instant... hum... vol, maraude, diffamation, mauvaises mœurs et j'en passe, dis-je en pointant mes doigts les uns après les autres pour chaque méfait perpétré.

— Il faut des preuves, morveuse, pour enfermer les gens et le gouverneur serait bien en peine d'en dénicher. Tout au plus parvient-il à m'y cloîtrer quelques jours pour ébriété et tapage nocturne. Et je l'en remercie. Il n'y a qu'à l'Amir, dans leur cellule putride, que tu me fous la paix... » Il cracha par terre et reprit : « Qui est ce cavalier ?

— Eh bien, lève-toi et tu le sauras », déclarai-je en lui tournant le dos.

Je m'éloignai en direction de Point-de-Jour et ne me retournai pas pour voir s'il me suivait. Je dévalai la colline et m'engageai sous les bois en grommelant contre son indolence habituelle.

À peine arrivée sur les berges du Lounasfolle, je l'aperçus descendant tranquillement la butte au milieu des rochers grouillants de mousse. Je fis mine de ralentir pour lui laisser le temps de me rattraper.

« Alors ? fit-il.

— Alors quoi ? »

Il poussa un soupir d'impatience. « Que veut-il ?

– Qui ? » demandai-je, feignant de ne pas comprendre.

Je sautai par-dessus le ruisseau en ignorant le regard en biais qu'il m'adressa et éclaboussai ses jambières au passage. Il bougonna, puis m'imita et me rejoignit sur la berge semée de galets.

« Ne fais pas ta maligne », fit-il en braquant sur moi un œil nauséeux.

Son teint pâle, ses yeux rougis et son allure dépenaillée ne me laissaient aucune illusion sur ce qu'il avait dû faire la nuit dernière : vomir tout l'alcool qu'il avait ingurgité.

« Le cavalier a dit ce qu'il voulait ?

– Seulement qu'il avait un message pour toi, rien de plus. »

Il rumina, puis contempla d'un regard terreux les piles de galets qui dégringolaient sous chacun de ses pas.

« Mon père est au courant de sa visite ?

– Évidemment. Je suis allée le chercher avant de venir. Tu as peur, n'est-ce pas ?

– Bordel, de quoi pourrais-je avoir peur ?

– De payer tes bêtises. On ne récolte jamais que ce qu'on sème », lui fis-je remarquer.

Sa bouche se tordit d'une grimace. « Merde, fais-moi grâce des vieux sermons de mon père.

– Ils sont pourtant justes et tu ferais sans doute mieux de les appliquer davantage. Ça t'éviterait des ennuis. »

Il roula un bras sur mes épaules et colla sa joue brûlante contre la mienne. « Naïs... toi qui me connais mieux que personne, n'as-tu pas encore compris à quel point j'affectionne les ennuis ? » Il éclata de rire. « Il n'y a rien de moins monotone et de plus exaltant que de se confronter à l'autorité publique qui croit détenir sur nous tous les droits. Si mon père appliquait ne serait-ce qu'un peu de ma philosophie, ça ferait longtemps qu'on serait débarrassés des emmerdeurs de l'Institut du Commerce.

— Et si l'un de ses fils voulait bien lui donner un coup de main aux champs pour les récoltes, peut-être gagnerait-il davantage d'argent et ainsi tiendrait-il éloignés de ses cultures les rapaces de l'Institut, rétorquai-je.

— Deux bras de plus ne feront aucune différence dans la balance. Pour combattre un loup, il faut être un loup soi-même. »

Pour accompagner ses paroles, il m'adressa un regard sauvage et rusé.

« Et pour les charognards ? »

Il dégagea son bras de mon épaule. « C'est la même chose. Demande-toi ce que ferait un vautour devant le corps à l'agonie d'un traîne-misère et tu préviendras ses prochains coups. Il faut parfois se montrer plus pourri que celui qui t'agresse pour parer ses manœuvres. La défense, ça va un moment. Après quoi, il faut changer de tactique ou tu te fais dévorer par de plus vils que toi.

— Pas si tu veux continuer à te regarder dans une glace. Ton père vaut mieux que tous ces types. C'est un homme droit et honnête.

— Peut-être bien, mais entre eux et lui, qui va gagner ? fit-il froidement.

— Arrête de jouer à ça !

— De jouer à quoi ?

— De jouer les durs, Seïs. De jouer les types que rien ne touche. Tu n'es pas comme ça.

— Tu crois ça ? »

Son regard prit un air implacable. Il se détourna et considéra le champ de culture qui se découpait dans un rai de soleil sur sa droite.

« Oui, je le crois, murmurai-je. Tu n'es pas celui que tu veux paraître. »

C'est à peine si j'entendis le soupir qu'il laissa échapper. « Si tu le dis », fit-il d'un ton absent.

La discussion était close. Seïs se referma comme une coquille d'huître. Il pouvait s'en défendre autant qu'il le voulait, mais sur bien des aspects, sa ressemblance avec Fer était saisissante. Quand il décidait de ne plus ouvrir la bouche, il devenait inutile d'insister. Au mieux il grognait, au pire il se claquemurait dans un silence entêté.

Nous traversâmes la grange sans rien ajouter. Mars vint renifler les chausses de Seïs qui ne broncha pas et le laissa gambader autour de lui sans y prêter attention. Il avançait avec autant d'entrain que s'il devait besogner à la ferme. Dans la cour, il renâcla bruyamment, prit une profonde inspiration et s'engagea dans la pénombre de la cuisine.

Toute la famille, à l'exception de Fer, était présente autour de la table. Teichi et Antoni se tenaient à un bout de la pièce. Ce dernier dévisageait notre invité avec sa fougue habituelle, tandis que Teichi conservait son éternel sang-froid. Sirus faisait dos à la cheminée, les bras croisés sur la poitrine, et semblait soulagé devant la griffe d'Elisse sur le veston de Gernefeuille. Athora servait du thé au cavalier.

Seïs s'immobilisa sur le seuil de la cuisine et observa d'un œil morne la totalité de la pièce.

« Ah te voilà ! s'exclama son père.

— Comme tu le vois. »

Marien Gernefeuille se redressa du banc après avoir reposé le biscuit qu'il avait entamé. Il enjamba son siège et se posta face à mon cousin. Il le salua, poing sur le cœur.

« Je suis ravi de vous rencontrer enfin », dit-il.

Il se présenta poliment. Seïs le dévisageait sans égard, les mains dans les poches. L'allure des deux hommes était frappante de dissemblances. L'un arborait l'élégance naturelle des nobles d'Elisse, les vêtements luxueux, la voix mesurée et les paroles choisies avec soin. L'autre tenait plus du brigand que de l'honnête citoyen. Sa mine renfrognée ainsi que ses manières bourrues ne jouaient pas en sa faveur et lui donnaient l'apparence d'un sauvage tout juste lettré, sans doute plus enclin à se servir de ses poings que de sa langue.

Quand le messager acheva les formules de politesse usitées, un lourd silence tomba sur la cuisine. Seïs ne pipait mot et fixait Gernefeuille.

« Vous devriez vous installer tous les deux autour de la table pour discuter, proposa Athora après un moment. Reprenez donc des biscuits et finissez votre tasse. »

Gernefeuille se retourna vers ma tante et la remercia. Puis il fit de nouveau face à Seïs et attendit qu'il se décide à s'asseoir. Pour une raison inconnue, Seïs décida de ne pas bouger. Sirus lâcha un grognement et s'avança vers nous d'un pas lourd. Seïs fit mine de ne pas le voir.

« J'ai entendu dire que vous aviez une nouvelle à m'annoncer. »

Gernefeuille ne parut pas s'offusquer de ses manières désobligeantes. « En effet. J'ai un message de la plus haute importance à vous transmettre. Je suis honoré d'en avoir obtenu la mission. »

Seïs releva un sourcil intrigué. Gernefeuille déboutonna les agrafes de son pourpoint et tira, d'une poche intérieure, un pli en vélin scellé d'un sceau de cire vermeille. Différentes couleurs de cire indiquaient la valeur du contenu des parchemins. Le jaune était employé pour les annonces de moindre importance telle que des actes de la vie quotidienne, le vert pour les lettres de cachet, le brun pour les lettres de grâce et le rouge pour les nouvelles de haute et très haute solennité qui avaient un rapport direct avec la monarchie.

Gernefeuille décacheta soigneusement le sceau et prit une posture formelle en dépliant le parchemin. Il scruta Seïs, les yeux brillants, puis entama la lecture de sa missive d'un ton déclamatoire : « En l'an de grâce 2074, sur ordre de maître Tel-Chire d'Elisse, Tenshin de la Confrérie de Mantaore, nous informons Gentilhomme Seïs Amorgen de son éminente nomination au sein de ladite Confrérie. Son élection au rang d'apprenti sera effective au cours de l'année. Un émissaire viendra en demeure à l'approche des deux lunes afin de conduire Gentilhomme Seïs Amorgen au lieu-dit de la Confrérie. Soucieux des multiples sacrifices que cette nomination requiert, nous accorderons une compensation à la famille dudit novice. Le messager Marien Gernefeuille sera porteur d'une bourse de 3 000 sous d'or, avec réserve de 5 000 sous payables au cours de l'apprentissage du Gentilhomme Seïs Amorgen. Toutes les requêtes seront adressées au gouverneur de la ville de Macline, Monseigneur Aymeri de Châsse qui les transmettra au Palais de Hom-Tar, à Elisse. Conscient des tourments d'une telle abnégation, maître Tel-Chire d'Elisse se déclare dévoué à l'égard de la famille Amorgen et se tient à son entière disposition. Veuillez recevoir, Messire Amorgen, notre entière et sincère dévotion. »

Un silence médusé retomba dès que Gernefeuille se tut. Il roula minutieusement le parchemin en feignant de ne pas voir la stupeur se peindre sur nos visages. Sirus s'était immobilisé dès le début de la lecture et considérait le soldat comme s'il était devenu fou. Antoni roulait des yeux en regardant à tour de rôle le messager, qui se tenait droit comme un piquet, et son frère aux traits curieusement fermés.

Un rire éclata brusquement dans la cuisine et brisa l'atmosphère étourdie qui régnait. La figure de Seïs s'illumina. Il se mit à se tordre et à se taper le genou en s'esclaffant gaiement. Il riait sans retenue, poussant presque des petits cris, et les larmes jaillirent de ses yeux. Gernefeuille ne bronchait pas et semblait attendre, avec une patience exemplaire, que l'orage déclenché par son message se calmât. Il jeta un bref coup d'œil sur le parchemin qu'il tenait à la main et le déposa sur la table comme si c'était une relique sacrée. Antoni lorgna le pli avec envie.

« Pour sûr ! gloussa Seïs en s'essuyant les yeux. Apprenti ! Et demain, je vais affronter les dragons de Torn-Vallée ! »

Il rit de plus belle. Il passa près de Gernefeuille et s'empara de la lettre sans cesser d'exulter. Il la décacheta, la déplia sans ménagement et parcourut du regard la missive. L'écriture tout en volutes était magnifique, les lettrines décorées de chimères et l'encre étaient d'un beau brun aux reflets moirés. Son rire se tut un instant avant de repartir. Sirus s'approcha de Seïs et lui prit le parchemin des mains. À son tour, il le relut et fronça les sourcils.

« La lettre est-elle authentique ? » demanda Athora qui retrouvait tout son sens pratique.

On pouvait remettre en question l'authenticité de la missive. Après tout, l'écriture était élégante, mais n'importe quel scribe de la capitale aurait pu la rédiger. Quant à la signature de Tel-Chire, elle présentait de magnifiques courbes et un seing à l'image de ses armes, la couronne de Mantaore déposée sur les andouillers d'un cerf, connu de tous. Quelques années plus tôt, les Tenshins avaient démantelé tout un réseau de contrefaçons qui copiait presque à la perfection le sceau d'Elisse et la cire utilisée. Depuis, la monarchie avait ordonné la confection d'une nouvelle cire plus difficile à obtenir, et dont l'élaboration était tenue au secret. Le cachet était unique, tout comme la couleur irisée et le glyphe. On ne pouvait pas s'y tromper.

Sirus considéra la missive avec soin, examina le cachet et hocha finalement la tête.

Seïs se frotta de nouveau les yeux et, retrouvant son sang-froid, se rapprocha de Gernefeuille. « Vous allez me dire que Tel-Chire d'Elisse vous l'a remis en main propre ? demanda-t-il en pointant du doigt le parchemin.

– En effet, répondit Gernefeuille. L'annonce des apprentis n'est pas officielle. Il est d'ailleurs préférable qu'elle reste le plus longtemps possible secrète afin d'éviter les regards subversifs.

– Subversifs ? releva Seïs.

– Oui, Messire. »

Gernefeuille croisa les mains dans son dos. « Votre apprentissage peut faire l'objet de nombreuses convoitises. Maître Tel-Chire d'Elisse m'a demandé de vous en avertir afin que vous preniez toutes les précautions nécessaires jusqu'à l'arrivée de l'émissaire chargé de vous conduire en lieu sûr. La nomination des apprentis est toujours dissimulée si les élections en sont publiques. À l'exception des membres de la Confrérie de Mantaore, je suis le seul à avoir été mis au courant de votre nomination. »

Sa voix transpirait de fierté.

Seïs resta silencieux un instant. Il se frotta le menton d'un air songeur.

« N'y a-t-il pas d'erreur ? demanda Sirus d'un ton brusque.

– Une erreur, Messire ? s'étonna Gernefeuille.

– Sur la personne, sacredieu. Vous êtes certain qu'il s'agit bien de Seïs ? »

Un sourire apparut sur les lèvres de mon cousin quand il jeta un coup d'œil amusé vers son père.

« Bien sûr, Messire. Les Tenshins ne s'autoriseraient pas une telle annonce s'ils n'étaient pas assurés de leur décision. »

Gernefeuille semblait dépité que l'on puisse remettre en question un ordre direct d'un maître.

Sirus observa son fils d'un regard perçant. Il le scruta de la tête aux pieds. Puis soudain, il éclata de rire. Son poing cogna la table à plusieurs reprises. Il exultait ouvertement, les joues cramoisies. À l'inverse, le visage de Seïs se rembrunit du tac au tac. Une ride de contrariété barra son front.

« Il doit y avoir une erreur, renchérit Seïs d'un ton dédaigneux.

— Je vous assure qu'il n'en est rien, Messire », insista Gernefeuille.

Sirus rit de plus belle devant la mine déconfite de son fils. Athora mit la main sur sa bouche pour ne pas imiter son époux.

Seïs ruminait. Il croisa les bras sur la poitrine et fixa Gernefeuille comme s'il s'apprêtait à lui sauter à la gorge.

« Vous voulez me faire croire que j'ai été nommé lors des élections ? » Il s'esclaffa d'un rire dégoulinant d'ironie. « C'est impossible… Bon Dieu ! Sur quel critère les Tenshins fondent-ils leur décision ?

— J'aimerais bien le savoir ! » se moqua Sirus.

Je crus qu'il n'allait plus s'arrêter de rire. Ses joues étaient écarlates et la violence de son hilarité le faisait transpirer à grosses gouttes.

« Eh bien, je dois avouer que seuls les Tenshins pourraient vous répondre, dit le soldat en jetant des coups d'œil déconcertés vers Sirus. Je ne suis pas au fait des devoirs sur lesquels ils justifient leur choix. Je peux seulement supposer qu'ils optent pour des hommes avertis dont le cœur recèle d'un noble tempérament et le corps, de hautes aptitudes.

– Alors, c'est sûr, vous vous êtes trompé de bonhomme, ricana Sirus. Mon fils arrive à peine à soulever sa queue pour aller pisser.

– Sirus ! » s'exclama Athora, les sourcils froncés.

Mon oncle haussa les épaules et s'esclaffa de nouveau. Le visage de Seïs se renfrogna. J'aperçus du coin de l'œil ses doigts se contracter.

« De toute façon, c'est impossible, déclara-t-il, et pour une simple raison : je ne me suis jamais inscrit aux élections. »

Ses paroles eurent l'effet escompté. Gernefeuille le considéra, les yeux ronds comme des billes. Il se racla la gorge et prit une posture réfléchie, le torse bombé et la tête levée.

« Cependant, Messire, de quelles manières les maîtres auraient-ils pu avoir vent de votre nom si vous n'étiez pas inscrit sur les listes ? »

Seïs ne parut pas prendre la question au sérieux, contrairement à ses parents. Il haussa les épaules en affectant une profonde indifférence. « Franchement, je m'en fiche. Je vais faire grâce à notre cher gouverneur d'un quelconque embarras, vous direz vous-même aux Tenshins lors de votre retour à Elisse que je ne suis pas intéressé par leur proposition. Remerciez-les bien et bon vent. »

Sirus cessa de rire aussitôt et s'assombrit.

Gernefeuille n'en croyait pas ses oreilles. « Je vous demande pardon ?

– Vous direz aux Tenshins que je ne veux pas être apprenti, c'est plus clair ? »

Seïs paraissait prendre de plus en plus d'assurance.

« Messire, je ne veux pas vous paraître désobligeant, dit Gernefeuille avec prudence, mais je ne suis pas certain qu'il soit en votre pouvoir de…

– De quoi ? De critiquer une décision des maîtres ? Je n'en ai rien à foutre ! Vous leur répéterez ce que je viens de vous dire. Point final. »

Il s'apprêtait à tourner les talons aussi sec lorsque la voix de Sirus l'interrompit. « J'aimerais bien voir ça », dit-il d'un ton cassant.

Seïs se retourna vers son père et l'espace d'un instant, je crus considérer deux loups, face à face, se battant pour la même proie. Aucun des deux hommes ne semblait vouloir baisser les yeux. Sirus était rouge pivoine. La colère faisait frémir sa lèvre inférieure.

Seïs n'en démordit pas pour autant. Il décroisa les bras et d'une voix insolente, il déclara : « Je n'irai pas. » Sur quoi il fit volte-face, me bouscula au passage et sortit en trombe dans la cour.

Gernefeuille resta pantois, les yeux écarquillés. Il se tourna vers Sirus qui lorgnait la porte comme s'il pouvait faire revenir son fils par la peau du cou. Lorsqu'il se rendit compte que le soldat le regardait, il détacha ses yeux de l'embrasure.

« Il partira », grogna-t-il d'une voix qui ne souffrait aucun commentaire.

Gernefeuille haussa les épaules. « Vous savez, Messire, les apprentis partent toujours. Une fois que les Tenshins ont pris leur décision, il n'en va jamais autrement. »

Un vieux dicton dit: « Bon silence vaut mieux que mauvaise dispute ». Ce soir-là, on aurait pu croire que chacun s'entendait pour le respecter. Sirus ruminait en découpant distraitement des tranches de pain. Seïs fixait obstinément la fenêtre ouverte et observait Dieu sait quoi dehors. Antoni scrutait chaque visage en y cherchant les réponses à ses innombrables questions. Fer semblait attendre que la querelle éclate. Elle était palpable, prête à crever le silence à tout moment.

Athora déposa la cocotte au milieu de la table et me tendit la louche. Je pris l'assiette de Fer et la remplis à ras bord. Sirus versa du vin dans son verre et le but d'une traite. Seïs triturait sa cuillère et la faisait rouler sur ses phalanges, le regard lancé vers les futaies. Teichi accrocha mon regard quelques minutes tout en avalant sa soupe. Puis, tout à coup, il posa sa cuillère près de son assiette et lança d'un ton moqueur: « Mantaore, hein? »

Tous les yeux se braquèrent sur lui, à l'exception de l'intéressé qui haussa les épaules. « Il paraît », répondit-il, succinct.

La discussion était lancée.

« Les Tenshins t'ont élu, lança Antoni avec enthousiasme. Tu vas partir pour Mantaore, c'est ça? »

Ses yeux brillaient comme deux astres.

« Il paraît. »

Je déglutis péniblement en observant le profil taciturne de Seïs. Il ne daigna pas regarder son frère pour lui répondre. Il fit rouler sa cuillère entre ses doigts avant de l'enfoncer dans l'écuelle où stagnait sa soupe.

Teichi pouffa de rire. « Bon sang, comment choisissent-ils leurs apprentis ? plaisanta-t-il.

— Bah ! En fonction du nombre de fois où ils ont été enfermés à l'Amir », se moqua Antoni, en lui jetant un regard taquin.

Seïs lorgna son jeune frère en souriant et secoua la tête. « Bien sûr que non, m'est avis qu'ils décident en fonction du nombre de filles, rétorqua-t-il, en tapotant l'épaule d'Antoni.

— Dans ce cas, t'aurais jamais été choisi ! »

Seïs ricana de plus belle. « J'en ai connu plus que t'en verras jamais dans toute ta vie. »

Le visage de Sirus virait lentement au rouge de l'autre côté de la table. Fer semblait se délecter par avance de la dispute qui couvait depuis tout à l'heure. Athora prit les devants.

« Il serait grand temps que tu en épouses une dans ce cas », dit-elle d'un ton faussement amusé.

Seïs renâcla avec bruit. Une moue enfantine se dessina sur son visage. « J'peux pas me marier, rétorqua-t-il. Je vais devenir maître.

— Voilà une excuse qui t'arrange bien maintenant », déclara Athora en souriant.

Seïs éclata de rire.

Athora se releva de table et saisit un plat en cuivre. Une odeur de civet embauma toute la pièce. Sirus, qui ne desserrait pas les dents, remplit généreusement nos écuelles. Pendant un moment, nous fûmes trop occupés à dévorer nos assiettes pour parler.

Fer s'essuya les mains sur sa serviette et, tout en mâchouillant un morceau de viande, il déclara d'une voix monocorde : « 3 000 sous d'or. »

Sirus releva la tête de son assiette. « Les Tenshins ne renaudent pas sur la compensation, dit-il. Toi qui espérais obtenir un nouveau financement pour faire venir du bois d'Ulutil, le voilà tout trouvé.

— Cet argent n'est pas le mien », argua Fer, en considérant Seïs d'un œil torve.

Seïs avait beau entasser des sous dans un recoin de la cheminée, l'argent était le cadet de ses préoccupations, en particulier parce qu'il savait se débrouiller pour en trouver, qu'importait le moyen.

« Cet argent est offert à toute la famille, corrigea Athora. C'est un don en dédommagement du départ de Seïs. Tu y as donc droit autant que nous. Seïs n'en aura pas besoin là où il va.

— J'ai dit que je ne partais pas », coupa Seïs brutalement, le visage renfrogné. Sirus lui adressa un regard sévère. Mais Seïs s'obstina en serrant les poings sur la table : « Vous pouvez leur rendre leur pognon. Je ne pars pas.

— Ne fais pas l'enfant, intervint Athora d'une voix douce. C'est une chance incroyable d'être accepté au sein de la Confrérie. Te rends-tu compte du privilège qui t'est offert ?

— Si tu es si heureuse à cette idée, je te cède volontiers ma place. »

Sirus bombarda son fils d'un regard volcanique. À ses côtés, Fer prit cet air déplaisant de délectation en attendant la tempête.

« Ne me parle pas comme ça », dit Athora, les sourcils froncés.

Seïs baissa les yeux, les mains toujours crispées. Il parut reprendre son souffle. « Je n'ai aucune intention de partir. Je suis libre de faire ce qui me chante et vous n'avez plus votre mot à dire… Papa a voulu que je paye pour dormir ici, je peux aussi bien payer une auberge si vous ne voulez plus de moi. Ôtez-vous de la tête que je partirai pour Dieu sait où pendant que vous profiterez des privilèges de mon départ. Je ne donnerai pas aux Tenshins l'opportunité de gouverner ma vie. J'en suis le seul maître. »

Seïs acheva son plaidoyer et s'apprêtait à se lever de table sous le regard impérieux de son père.

« Reste assis ! »

Pendant un instant presque infini, la jambe de Seïs resta en suspens tandis qu'il fixait Sirus. Son visage se composa un masque. Il se rassit, le dos roide, et posa les coudes sur la table. Il observa la fenêtre ouverte et pilonna la cour de regards acides.

« Il serait beau que nous n'ayons plus notre mot à dire sur ta conduite honteuse, déclara Sirus. Je vais te dire une bonne chose, tu es un ingrat. Tu te sers de Point-de-Jour comme d'une auberge. Tu n'as aucune considération pour ceux qui te nourrissent, pour ceux qui t'ont éduqué, soigné et qui ont réparé tes bêtises. Tu ne te soucies pas du déshonneur que tu jetterais sur nous si tu refusais la proposition qui t'est faite. Les maîtres t'ont choisi et, Dieu sait pour quelles raisons, ils veulent s'encombrer d'une graine de pendu. Ne me regarde pas comme ça. Baisse les yeux devant moi… C'est ce que tu es, Seïs. Tôt ou tard, tu finiras sur la potence si tu continues sur cette voie. Le gouverneur n'attend qu'un faux pas de ta part. Tu crois que je l'ignore… Non, Athora, laisse-moi finir et ne cherche pas à le défendre. » Athora se recula sur son fauteuil, le visage troublé. « Ce n'est pas pour te punir que je te dis tout ça, bien que tu l'aurais mérité, mais pour te soustraire à la vie que tu t'es choisie. Si tu la considères comme bonne, alors c'est que j'aurais échoué en tant que père. Mais je n'abandonnerai pas pour autant. Tu partiras à Mantaore, de gré ou de force, tu peux me croire. Je ne te laisserai pas gâcher ta vie par ton attitude puérile et malhonnête. Je n'ai aucune envie de voir mon fils pendu au bout d'une corde. »

Lorsqu'il se tut, Sirus resta en apnée une bonne minute avant de prendre une profonde inspiration. Seïs ne bougeait pas. Toute trace d'insolence avait disparu de son visage. Seuls ses doigts, crispés, dévoilaient combien il avait été ébranlé.

Fer se pourléchait les babines sans se dissimuler tandis que Teichi, Antoni et moi restions en retrait et nous faisions aussi petits que possible sur nos sièges. L'expérience nous avait démontré que mieux valait se tenir à l'écart d'une querelle entre Sirus et Seïs. Antoni s'était déjà pris une taloche, Teichi, un bon coup de pied aux fesses, et je m'étais fait sermonner plus d'une fois.

« Bon, ça suffit, dit Athora. Voilà une discussion qui ne sert à rien. Quoi qu'il arrive désormais, je ne suis pas certaine que Seïs ait le choix. » Elle se tourna vers lui. « Les Tenshins t'ont élu et ils viendront te chercher que tu le veuilles ou non. »

Seïs dévisagea sa mère, les lèvres pincées. « Apparemment, vous semblez tous satisfaits que je m'en aille.

— Tu ne crois pas si bien dire, persifla Fer.

— Silence ! » coupa Sirus en lui jetant un regard réprobateur. Il détourna la tête et considéra Seïs avec un sang-froid étonnant. « Là n'est pas la question. Ne te montre pas plus que sot que tu ne l'es en réalité. Si nous voulions vraiment que tu partes, voilà longtemps que je t'aurais mis dehors, avec mon pied aux fesses qui plus est. Je n'ai jamais eu la sottise de t'en faire l'affront. Je te connais trop bien… Ni ta mère ni aucune personne de cette maison ne souhaite ton départ. Cela étant dit, le message était clair. Je crois qu'il est temps de te préparer à cette idée. Et je suis convaincu que c'est sans doute la meilleure chose qui puisse t'arriver.

— Je suis ravi que tu en sois convaincu, siffla Seïs. Tu ne m'en voudras pas de ne pas partager ton opinion. Pourquoi diable devrais-je me plier aux désirs d'une poignée d'hommes ? Pourquoi auraient-ils le droit de me dire ce que je dois faire et foutre en l'air tous mes projets ? Je ne suis pas d'accord avec leur façon d'agir. Je ne me suis jamais inscrit sur ces satanées listes. Ce n'est donc pas de mon plein gré que j'intégrerais leur apprentissage. Et je compte bien le leur faire savoir. Si je dois en passer par Aymeri, je n'hésiterai pas.

— Tu crois qu'il va te rendre ce service, se moqua Fer.

— Il n'aura pas le choix. Ce n'est pas en tant que négociant de Macline qu'il me recevra dans son salon, mais en tant qu'apprenti potentiel de la Confrérie de Mantaore. Il fera suivre mon message ; il le fera ou je lui ferai avaler sa toge.

— Ne te montre pas irrespectueux envers lui, lança Athora. Tes manigances contre Aymeri sont devenues trop vivaces. Tu vas t'attirer des ennuis si tu continues de la sorte.

— Ce que je dis contre cet arriviste bedonnant est la pure vérité. Tu crois vraiment que l'Institut du Commerce est la seule à soudoyer les marchands et à escroquer les paysans ? Ne sois pas si crédule, maman. Aymeri n'est pas le dernier. C'est lui qui tient la laisse.

— Peu importe, coupa Sirus. Ne change pas de sujet. Tes discordes avec Aymeri sont de notoriété publique et, quand bien même il accepterait de faire suivre ton message, je ne crois pas que tu puisses aller à l'encontre de la décision d'un maître. Leur choix s'est arrêté sur toi et, bien que je sois en peine d'en comprendre les raisons, je doute fort qu'ils te réforment de cet apprentissage pour le futile motif que tu veux mener ta barque de prison en prison. Au mieux, tout ce que tu leur montreras par cette missive, c'est que tu n'as aucun sens du devoir…

— Justement, c'est bien ce que j'espère. Je veux qu'ils se mettent en tête qu'ils se sont trompés de gars.

— Et s'ils n'avaient pas commis d'erreur ? » intervint Teichi.

Seïs le fixa d'un air étonné et, après une minute de réflexion, haussa les épaules.

« Je ne me fais pas trop d'illusions. Et franchement, je pense que vous non plus. Bon Dieu, soit les Tenshins se sont mis à fumer des Herbes à Prophètes à tel point qu'ils ne savent plus ce qu'ils racontent, soit ils ont complètement perdu les pédales. Vous me voyez vraiment tenir une épée ? La dernière fois, j'avais l'âge d'Antoni.

— Oui et tu te débrouillais plutôt bien, assura son jeune frère.

— Ouais, pour se prendre une rouste, ajouta Fer, en le dardant d'un sourire fielleux.

— Si mes souvenirs sont bons, tes entraînements au rokush t'ont plus souvent envoyé au tapis qu'à la victoire. Je garderais mes réflexions pour moi à ta place.

— Ah oui ? Et pourquoi…

— Ça suffit, coupa Athora. On dirait deux gosses. Vous avez passé l'âge de ces chamailleries. Il serait sans doute temps de vous en rendre compte. »

Les deux hommes se jetèrent un regard venimeux et se détournèrent l'un de l'autre de concert.

« J'ai une question », dis-je brusquement, interrompant du même coup les querelles qui couvaient de nouveau. Comme on ne m'avait pas entendue depuis le début du repas, j'eus la chance d'attirer tous les regards. « Euh… je me demandais en quoi consistait l'apprentissage à Mantaore… Oui, enfin, que fera Seïs une fois là-bas ? »

Ce dernier me dévisagea d'un regard impénétrable. Sirus se racla la gorge, se servit un verre de vin et m'expliqua finalement d'une voix solennelle : « En réalité, nous l'ignorons. L'art des maîtres est un secret bien gardé. Même le Renégat n'en a jamais trahi les termes. Je ne suis pas en mesure de répondre à ta question, nul ne sait ce que les novices apprennent lors de leur initiation.

– Ce qui est certain, en revanche, ajouta Athora, c'est que les apprentis qui ont la chance de réussir l'enseignement des Tenshins se retrouvent ensuite en charge des plus hauts offices du royaume. Ils entrent au conseil du roi, participent à la vie politique et militaire du royaume.

– Ils sont les chefs de notre armée, précisa Fer. Ils sont au-dessus des ducs, des princes et quelques-uns murmurent qu'ils sont au-dessus des rois. Leur charge de travail est incommensurable. Ils sacrifient leur vie au service du pays. Il faut avoir les épaules solides pour supporter l'existence qu'ils mènent. »

Il regarda Seïs droit dans les yeux en ajoutant ces dernières paroles. Son cadet ne prit pas la peine de répondre.

« Mais quant à savoir ce qu'ils apprennent aux novices… mystère, déclara Sirus. Et un mystère jalousement conservé depuis des millénaires.

– Donc si je comprends bien, Seïs va partir bientôt pour Dieu sait où, apprendre Dieu sait quoi pour devenir l'un des hommes les plus puissants du gouvernement. »

Mon résumé aurait dû faire sourire, mais je n'obtins pas l'effet escompté. Tous les yeux se braquèrent sur Seïs, qui se mordillait les lèvres, et nous tombâmes dans une profonde réflexion. L'idée de Seïs chef militaire à la solde de la monarchie avait en effet de quoi laisser songeur.

« Vous oubliez un détail, dit Antoni d'une voix fébrile. Un détail qui a une importance capitale.

– Lequel ? » demanda Teichi.

Antoni releva la tête, ravi d'avoir attiré notre attention. Un sourire satisfait étira ses lèvres. Et c'est d'une voix de conteur de foire qu'il déclara : « Les Tenshins sont immortels. »

Trois jours à peine s'étaient écoulés. Trois jours. Non seulement la nouvelle de la nomination de Seïs avait déjà fait le tour de la ville, mais celle de son manque d'entrain n'était pas passée inaperçue. Cet imbécile de gouverneur n'avait pas pu tenir sa langue. Il fallait avouer que Seïs lui servait sur un plateau l'occasion de prendre sa revanche sur toutes les entourloupes qu'il avait manigancées, en particulier celles qui avaient eu pour but de ternir sa réputation.

Seïs n'avait pas attendu longtemps pour rédiger un billet à l'adresse des Tenshins afin de leur apprendre leur méprise et le peu d'ambition qu'il avait d'entrer au sein de leur Confrérie. S'il avait pris soin de sceller sa lettre, le gouverneur n'avait pas pris la peine de respecter la teneur confidentielle de sa missive. Seïs était fou de rage lorsqu'en traversant une rue du Bourg, un ivrogne répandait la rumeur à tour de bras en vociférant à qui voulait l'entendre : « Voilà que les maîtres embauchent les pendards ! » Le visage de Seïs avait viré à l'écarlate et je crus qu'il allait le battre jusqu'à lui faire ravaler sa langue. Au lieu de quoi, il m'ordonna de rentrer à la maison d'un ton sec et se dirigea droit vers le palais du gouverneur. J'ignore ce qu'ils se dirent. Une chose est sûre : lorsque Seïs rentra à la maison, il était accompagné d'un garde de l'Amir. À la tombée de la nuit, ils franchirent la barrière. Seïs ouvrait la marche et Sin-Lin, le geôlier, le surveillait du coin de l'œil.

Nous étions passés à table, las d'attendre son retour. Sirus était assis dos à la cheminée, avec la mine effroyable d'un coupeur de tête. Athora avait déposé le plat principal entre nos assiettes, du veau accompagné d'un vin blanc de Sos-Delen. Elle entama le service et remplit généreusement nos écuelles. Un silence de plomb persistait. Sirus ruminait, les sourcils froncés. Je m'étais bien gardée de lui dire ce qui s'était passé en ville.

« Naïs, j'ai oublié l'eau, me dit Athora. Veux-tu bien aller en tirer au puits ?

J'acquiesçai et enjambai le banc aussitôt, avant de m'arrêter sur le seuil de la porte. « Mon oncle ?

— Qu'y a-t-il ? »

Je ne répondis pas et regardai Seïs approcher. Il était tout bonnement déplorable. Son visage était rouge et tuméfié à hauteur des pommettes, les yeux injectés de sang. Sa lèvre inférieure était fendillée. Sa chemise pendait sur son pantalon, tâchée d'alcool et de quelques traces de sang. Il était ivre. Il marchait la tête basse, les mains dans les poches, les pieds traînassant mollement sur le sol, les cheveux tout ébouriffés.

Le pas lourd de Sirus m'avertit qu'il n'était pas très loin. Je descendis les marches à toute vitesse et m'avançai dans la cour. Seïs releva la tête et me considéra avec une morgue qui me frappa comme un coup de poing. Sirus franchit la porte telle une tornade dès qu'il aperçut le geôlier. Pour tout l'or du monde, je n'aurais pas échangé ma place contre celle de Seïs. Ce dernier dirigea un regard pâteux sur son père qui se posta devant les deux hommes et croisa les bras sur la poitrine.

« Qu'a-t-il encore fait ? » demanda Sirus en guise de préambule au gardien.

Sin-Lin prit une mine désolée. Il se racla la gorge. « Plusieurs méfaits, mon ami, je le crains. »

Les yeux de Sirus se teintèrent de colère. Derrière nous, Athora et les trois garçons sortirent sur le perron.

« Quels méfaits ?

— Ben... euh... » Sin-Lin prit un air gêné, presque cocasse, chez cet homme aux épaules aussi larges que celles d'un taureau. « ... Il a tenté de faire avaler de la cire au gouverneur. » Sirus le regarda, abasourdi. « Comme je te le dis... Mes aïeux ! Paraît qu'Aymeri était rouge pivoine quand les gardes sont intervenus. » Seïs se fendit d'un sourire goguenard à ce souvenir. « Soi-disant, il voulait voir si la cire était de bonne qualité et fermait aussi bien la bouche d'Aymeri que le cachet des lettres...

— Ouais et l'expérience n'était pas concluante, souffla Seïs avec ironie.

— Boucle-la ! coupa Sirus d'un ton sec, puis reportant son attention sur le geôlier : Que s'est-il passé ensuite ?

— Les gardes l'ont proprement fichu dehors. Il a de la chance d'être apprenti de Mantaore, sans quoi il aurait pu compter ses abatis. Les corniauds de Mal-Han sont pas des tendres, mais ils sont pas fous non plus. Ils n'auraient pas tenté le diable en abîmant le protégé des Tenshins, sinon c'est leurs abatis qu'ils auraient pu recompter. Et tout pauvret qu'il était, une fois libre, il aurait dû rentrer chez lui bien content d'avoir écopé de quelques bleus plutôt que d'une bonne raclée. Mais non. L'idiot, il est allé se saouler dans une taverne de La Ruche en beuglant à qui voulait l'entendre qu'il foutrait une dérouille au gouverneur. Il a dégotté quelques pots de peinture rouge, Dieu sait où, et a badigeonné la voiture d'Aymeri dans la cour de chez lui. » Sin-Lin sourit. « Le petit a écrit sur la portière : Le sans-couille. Sacredieu, j'aimerais bien voir la tête d'Aymeri en lisant ça demain matin... »

Antoni étouffa un rire, la main sur la bouche. Teichi se mordit la lèvre et détourna les yeux de Seïs qui s'esclaffait ouvertement, malgré le regard furibond de son père.

« Là, les gardes ont remis la main dessus, poursuivit Sin-Lin, et l'ont traîné jusqu'à l'Amir par la peau du cul. T'imagines pas les efforts que j'ai dû faire pour pas qu'on le jette dans les oubliettes de la cité. Par Orde ! Comme il a été nommé apprenti, on peut pas l'y envoyer tout de même. Le chef a dit de te le ramener avant que la nouvelle fasse le tour de la ville. Mais, eh Sirus… faut pas qu'il recommence ses bêtises, sinon le chef et moi, on pourra plus rien faire pour lui. Tu comprends ? »

Sirus acquiesça d'un air grave. Ses joues étaient tellement rouges qu'on aurait dit que le sang ne circulait plus que dans son visage.

« Ne t'inquiète pas, dit Sirus, je veillerai à ce que cela ne se reproduise pas. Merci de me l'avoir ramené. »

Son ton me fit frissonner et tua dans l'œuf toute envie de plaisanter. Seïs ne daigna pas lever la tête et fixait les pavés d'un air défait. Il tenait à peine debout et oscillait de gauche à droite comme s'il était sur le pont d'un navire en pleine tempête.

Sin-Lin repoussa une mèche de cheveux blancs qui se collait sur son front en sueur. Il fit craquer son dos en se redressant, puis il inclina la tête vers mon oncle. « Bon, il est temps que je rentre à la maison. Michette va m'attendre… Le bonsoir. » Il se tourna vers Athora et la salua.

« Vous direz bonjour à Michette de notre part, dit ma tante.

— Je n'y manquerai pas », répondit Sin-Lin avec un sourire, juste avant de tourner les talons.

Un silence incommodant sombra sur la cour. Sirus observait la silhouette de Sin-Lin décroître sur le sentier. Sa tenue vestimentaire un peu débraillée suggérait qu'à l'Amir les gardiens s'étaient payé un peu de bon temps à siroter du vin.

Je regardais l'ombre du garde s'éclipser derrière le rocher noir qui marquait l'entrée de la propriété. Hormis les reniflements du shar-pei, le silence persistait. Fer se rapprocha de son père, les bras noués dans le dos. Son visage reflétait une telle acrimonie qu'elle semblait vouloir éclater comme un feu d'artifice. Je tournai la tête vers Teichi, qui me renvoya un regard inquiet. Antoni, à ses côtés, déglutit bruyamment.

Un bruit sourd claqua brusquement dans la cour. Athora sursauta en lâchant un cri de surprise. Seïs porta la main à son visage et essuya d'une main tremblante les gouttes de sang qui perlaient de sa lèvre inférieure. Son regard se traîna lentement jusqu'à son père et se figea sur son visage. Un rictus étira ses lèvres avec effronterie.

« Tu me fais honte, dit Sirus d'une voix rauque, sans toutefois élever le ton. Tu aurais mérité de croupir dans les cachots de Macline comme n'importe quel vaurien. Tu ne mérites ni l'honneur qui t'est fait, ni l'intervention de ce brave Sin-Lin. Alors, maintenant, écoute-moi bien. Ouvre grand tes esgourdes. Tu te tiendras à carreau les prochains mois ou tu seras banni de la maison. Définitivement. Et crois-moi, lorsque les Tenshins viendront te chercher, tu partiras. Ai-je été suffisamment clair ? »

Le trouble envahit un instant le visage de Seïs. Son teint pâle fit ressortir la trace des doigts de Sirus sur sa joue. Ses yeux ancrés dans ceux de son père avaient du mal à ne pas remuer dans leurs orbites. Il parut prendre une profonde inspiration.

« C'est facile pour toi de te débarrasser de moi. Une bouche en moins à nourrir, mais tu n'as pas ton mot à dire dans cette décision…

— C'est ce qu'on va voir, l'interrompit sèchement Sirus. Tes simagrées, c'est terminé. Tu vas filer droit, c'est moi qui te le dis.

— Sinon quoi ? »

Sa voix reprit de l'assurance.

« Sinon je te ferai vite comprendre où se trouve ton intérêt puisque c'est la seule chose que tu entends… Ha ! Ha ! Ha ! Je gage que tu riras moins dans quelques mois lorsque les Tenshins vont s'occuper de toi. Ils risquent de se montrer bien moins tendres que j'ai pu l'être par le passé. Mais comme tu ne comprends que la loi des poings, je peux aussi précéder leurs enseignements. Ça ne me plaira pas plus qu'à toi, mais si tu m'y obliges, je n'hésiterai pas. Te voilà averti. »

Seïs avait beau toiser son père avec audace, je percevais sa respiration haletante. On aurait dit qu'il se trouvait au sommet d'une montagne, prêt à tomber dans le vide d'un instant à l'autre.

La gifle et les paroles de Sirus avaient dû le dégriser séance tenante, mais pour plus de sûreté, Sirus ajouta d'un ton qui ne souffrait aucune protestation : « Va cuver ton vin dans la grange. »

Il n'attendait aucune réponse. Aussi, tourna-t-il brutalement les talons pour passer entre sa femme et Fer, avant de pénétrer dans la maison sans se retourner. Seïs regarda son père disparaître dans la cuisine, puis son regard flotta jusqu'à sa mère. Athora le dévisageait d'un air consterné, les lèvres pincées. Elle secoua la tête d'un air désolé et rejoignit son époux à l'intérieur de la maison en faisant claquer ses talons sur les dalles. Une ride se creusa entre les sourcils de Seïs tandis qu'il regardait la silhouette de sa mère passer la porte.

« Tu l'auras bien mérité », lança Fer.

Pendant un instant, en voyant un éclat de fureur jaillir dans ses yeux, je crus que Seïs allait lui sauter à la gorge. À ma surprise, il se fendit d'un sourire caustique.

« C'est toi qui m'as inscrit », déclara Seïs.

Les yeux de Fer luirent dans la pénombre comme deux lames. Il pouffa. « Je t'assure que je n'imaginais pas que ça marcherait si bien. Les résultats sont hors de toute proportion, se moqua-t-il. Tu as entendu papa. »

Il lui désigna d'un geste agacé la porte ouverte de la grange. Seïs cracha par terre un liquide rougeâtre qui tacha les dalles. Puis ses yeux noirs croisèrent ceux de son frère. Je frissonnai. Une grimace menaçante fit disparaître toute bonhomie du visage de Seïs. Il humidifia ses lèvres et épongea le sang d'un coup de langue acéré. Le sous-entendu était limpide. Fer carra les épaules comme s'il s'apprêtait à lui rentrer dedans. Au lieu de quoi, il fit volte-face et gronda : « Vous trois, dans la maison. Allez ! »

Il s'avança vers Antoni et Teichi, qu'il saisit brutalement par le bras, et les entraîna dans la cuisine. « Naïs, tu viens », m'ordonna-t-il sèchement avant d'entrer.

Seïs m'adressa un regard appuyé. La colère lui avait roussi les joues et le sang qui avait maculé son menton lui donnait un air d'esclave retenu par des chaînes contre son gré. Son regard se prolongea sur moi un moment avant que je ne me ressaisisse.

« Qu'est-ce que tu regardes ? fit-il d'un ton sec.

— Rien... Il n'y a rien à regarder. »

Un rictus traversa son visage. Je baissai la tête et me dirigeai vers le puits, les épaules voûtées. Avant de tourner à l'angle de la maison, je me retournai brièvement vers la cour. Seïs marchait d'un pas mal assuré en direction de la grange, les bras ballants. Je repris mon souffle et tentai d'effacer l'envie que j'avais de lui courir après. Je me hâtai d'aller tirer l'eau au puits et de rentrer à la maison.

Dans la cuisine, le calme qui m'accueillit était rafraîchissant. Sirus mangeait le nez dans son assiette. Son visage était tendu comme du cuir tanné.

Je me dirigeai vers l'établi et versai le contenu du seau dans un pichet. Je le posai ensuite sur la table et m'installai à ma place, entre Teichi et Antoni. Ce dernier affichait une mine déroutée et avait le bon sens de conserver le silence. En m'asseyant, Teichi m'accorda un coup d'œil navré. À l'inverse, Fer observait la porte de la cuisine comme s'il voulait ruer dedans.

Quand la voix de Sirus explosa dans la cuisine, je sursautai sur mon siège : « Bon Dieu, qu'est-ce que je dois faire de lui ? » Sa question n'était posée à personne en particulier. Aucun de nous ne fut assez stupide pour lui répondre. Son poing s'abattit sur la table qui vacilla dangereusement de gauche à droite, renversant du même coup le verre de vin d'Athora qui se garda bien de pester. « Je ne vais tout de même pas le battre toute sa vie pour qu'il daigne se comporter en homme !

— Ne t'inquiète pas, dit Fer d'une voix matoise, il n'aura plus le choix lorsqu'il sera à Mantaore. »

Sirus acquiesça en adressant un coup d'œil oblique à son aîné. « Je leur en souhaite bien du plaisir à ces Tenshins. Il a Ethen au corps. »

Athora soupira. « Je t'ai déjà dit de ne pas jurer ! » s'exclama-t-elle.

Mon oncle grogna et avala une lampée de soupe en fronçant les sourcils. Athora détestait lorsque l'un de nous avait l'audace de jurer sur le nom d'Ethen, le dieu des Ténèbres, le royaume de l'Autre Côté. Athora le craignait ; comme la plupart des gens, elle le redoutait et lui imputait tous les malheurs du monde, des meurtres aux boutons de fièvre. Dans nos légendes sacrées, il était toujours flanqué du dieu de la guerre, Fylarse, et du dieu des morts, Elanaros. C'était la Triade. Dans les ouvrages des prêtres d'Orde, ils étaient symbolisés comme trois griffons assemblés en triangle autour d'une carte représentant nos cinq continents.

« Seïs n'est pas un mauvais garçon », intervint Athora d'une voix basse.

Elle me jeta un coup d'œil.

« Il ne nous donne pas beaucoup d'exemples de sa grandeur, lança Fer d'un ton cinglant.

— Maman a raison, coupa Teichi. Seïs n'est pas un… brigand ; il ne fait rien de véritablement mauvais…

— Agresser une personne n'est pas un crime selon toi, Teichi, répliqua sévèrement Sirus. Sacredieu ! Est-ce ainsi que je vous ai éduqués ? » Il laissa tomber sa cuillère sur la table dans un bruit de métal. « Seïs est paresseux. Il ne travaille pas pour gagner sa vie. Il vadrouille toute la sainte journée où bon lui semble. Il manque à tous ses devoirs en ne prenant pas femme et en outrageant la plupart des filles de bonne famille qui auraient pu être un excellent parti pour nous. Il jette la honte sur notre maison et s'acoquine avec toutes les putains de Macline. N'est-ce pas suffisant pour le traiter de brigand ?... Je refuse que tu prennes sa défense, Teichi. Il ne mérite pas que quelqu'un plaide en sa faveur. Je ne lui pardonnerai pas ce dernier affront ! »

Jamais je n'avais vu Sirus plongé dans une telle colère.

« À mon avis, Seïs n'agit pas ainsi sans raison, déclara Teichi.

— Ah oui et quelles raisons pourrait-il avoir pour se comporter comme un bandit ? s'exclama son père.

— Eh bien… » Teichi parut chercher ses mots et ce fut avec prudence qu'il dit à mi-voix : « Je ne crois pas que l'argent soit le motif qui pousse Seïs à brigander. Je crois plutôt qu'il aime les ennuis.

— Ça ! Pour sûr, nous l'avions remarqué.

— Je veux dire que… que parfois j'ai l'impression qu'il se punit. »

Les yeux de Sirus s'agrandirent. Fer lâcha un grognement de dédain et préféra siffler son verre de vin.

« Se punir de quoi ? demanda Sirus, mais étrangement son ton s'était un peu radouci.

— Je… je ne sais pas, répondit Teichi. Seïs n'est pas un mauvais garçon. Je suis persuadé que, s'il se comporte ainsi, c'est que quelque chose le tracasse. J'ai l'impression parfois qu'il maraude pour éviter de trop penser.

— Seïs est un lâche, voilà ce qu'il est », explosa Fer. Teichi secoua la tête, mais Fer lui coupa la parole : « Je m'en tiens à tes propos. N'est-il pas capable d'affronter ses ennuis comme un homme doit le faire ? Non, il ne le peut pas. Seïs se dérobe. Voilà ce que moi, je vois. »

Athora considérait Fer d'un regard terne. Elle se pinçait les lèvres et triturait sa serviette entre ses doigts d'un geste nerveux. Je sentais son malaise croître à mesure que le ton de Fer devenait dur. Elle ne supportait pas que ses deux fils se querellent.

« Tu te trompes, dit Teichi avec aplomb. Seïs nous a déjà démontré par le passé le courage dont il peut faire preuve. Ce n'est pas une question de lâcheté. Il s'agit d'autre chose. »

Le souvenir des falaises de Farfelle me fit un instant frissonner. Teichi croisa mon regard avant de se poser sur son aîné et son père.

« Autre chose ! se moqua Fer. Tu trouverais n'importe quel prétexte pour excuser son comportement. On ne juge pas les hommes pour leurs paroles, Teichi, mais pour leurs actes. Et ceux de Seïs sont loin d'être brillants… Regarde, il n'y a pas un soir depuis des mois où l'on ne parle pas de lui pour autre chose que critiquer son attitude.

– C'est faux. Et j'en veux pour preuve une nomination d'apprenti que Seïs te doit. Tu voulais sans doute le mettre dans l'embarras en l'inscrivant. Or, moi, j'y vois le témoignage qu'il a plus d'importance que tu sembles le croire.

– C'est toi qui as inscrit Seïs sur les listes ? » s'étonna sa mère.

Fer cracha un nouveau grognement. « Si vous voulez mon avis, dans un mois ou deux, on va se rendre compte qu'ils se sont trompés de bonhomme et ce sera la fin de cette histoire grotesque.

– Il faut reconnaître qu'il y a de quoi s'interroger, dit Sirus sur un ton radouci. Bon Dieu, je ne vois pas plus Seïs porter une arme que Naïs devenir une putain de Dame Lanay.

– Sirus ! » s'exclama Athora d'un ton réprobateur.

Je ne pus m'empêcher de sourire lorsque mon oncle m'adressa un clin d'œil goguenard.

« À mon avis, reprit Teichi, si les Tenshins l'ont choisi pour novice, nous ne devons pas revenir sur leur décision, mais au contraire, nous interroger sur ce qui l'a motivée. »

Sirus braqua un regard intrigué sur son fils. Il paraissait soudain songeur. Fer eut un petit rire cavalier qui retomba dans le silence.

Antoni se pencha vers moi et me souffla à l'oreille : « Selon toi, pourquoi l'ont-ils choisi ? »

Je haussai les épaules. « Pas pour calmer les foules en tout cas. »

Sirus et Athora quittèrent la cuisine dès la fin du repas et nous laissèrent débarrasser la table. Je ramassai la vaisselle sale. Antoni nettoyait la table tandis que Teichi rangeait le pain dans la huche et le jambon dans le dressoir. Fer tisonna le feu et s'installa sur la bergère en face du foyer. Il alluma l'une des pipes de son père et se plongea dans la contemplation des flammes.

Je m'apprêtais à verser de l'eau dans la cuvette lorsque Teichi posa à côté de moi une assiette remplie à ras bord de viande et de restes de légumes. « Porte-lui. »

Je hochai la tête en esquissant un sourire. Je pris l'écuelle et me dirigeai sans attendre vers la porte d'entrée. Fer m'observa d'un œil réprobateur.

En refermant le vantail de l'entrée, je l'entendis déclarer à Teichi d'un ton de reproche : « Quand cesseras-tu de le materner ?... »

Je traversai la cour sous une discrète lune en croissant qui se découpait au-dessus du faîte des arbres. Une brise du soir, légère et parfumée, m'enveloppa. J'entrai par la porte entrouverte de la grange. Une profonde obscurité m'accueillit. En avançant à tâtons dans l'allée sablonneuse, je discernais tout juste les contours des stalles et la silhouette des chevaux. J'achoppai contre un seau vide et faillis renverser l'assiette par terre. Je me rattrapai cahin-caha à la barrière d'un box.

« Seïs », appelai-je. Le silence me répondit, entrecoupé par les couinements des cochons dans leur enclos. « Seïs ! »

Je me cognai contre le recoin d'un établi. Je pestai en frottant ma hanche douloureuse.

« Si les filles de la bonne société de Macline t'entendaient, elles en rougiraient de honte, me lança-t-il en riant.

– Uniquement parce que je suis la cousine d'un vaurien et que ça jase en ville que je puisse encore dormir dans la même chambre que toi. Tu veux bien allumer la lanterne ou ton dîner passe par terre ! »

Je perçus le son familier de la paille froissée et le bruit de ses pas. Puis le crépitement d'une flamme. Il alluma la lampe à huile suspendue à l'un des pilastres de la grange et la braqua dans ma direction. Un flot de lumière jaunâtre m'aveugla. Je plissai les yeux et mis quelques minutes à m'habituer à la lueur.

« Tu penses à tout, déclara Seïs en lorgnant d'un air appété l'assiette que je tenais dans les bras.

– Tu remercieras plutôt Teichi. Si ça ne tenait qu'à moi, je t'aurais laissé mourir de faim. »

Il émit un grognement, puis haussa les épaules avec indolence. Il s'approcha et renifla l'assiette comme un loup affamé. Il me la prit des mains en saisissant une cuisse de poulet dans laquelle il mordit d'un coup de dents.

« Je n'ai pas besoin d'entendre tes sarcasmes », siffla-t-il en mâchouillant bruyamment.

Il me tourna le dos et se dirigea vers les meules de foin entassées dans un recoin de la grange. Il se laissa tomber au milieu de la paille et posa l'assiette sur ses genoux.

Je secouai la tête en le regardant dévorer comme s'il n'avait pas mangé depuis des jours. Je me rendis compte qu'il n'avait même pas pris la peine de retirer les traces de sang qui maculaient sa lèvre inférieure. Je le rejoignis sur les bottes et m'installai à ses côtés en ignorant ses coups d'œil amusés, probablement grisés par les vapeurs d'alcool. Si ses joues avaient perdu de leur rougeur, ses yeux ne semblaient pas avoir retrouvé tout leur bon sens. Des brins de paille jouaient dans ses cheveux ébouriffés. Il devait certainement somnoler lorsque je suis arrivée.

Je sortis un mouchoir de la poche de ma robe et l'empêchai d'avaler tout rond une tomate. « Attends », lui ordonnai-je.

Il fit la moue et accepta de mauvais gré de poser l'assiette à ses pieds. Je crachai sur le mouchoir, attrapai son menton entre mes doigts et l'obligeai à me faire face.

« Bon sang, t'es obligée de faire ça ? se plaignit-il en grimaçant.

– Arrête de geindre. »

J'appliquai le mouchoir sur son menton et nettoyai la meurtrissure de sa lèvre par légers attouchements pour ne pas la rouvrir. Le tissu blanc de mon mouchoir se teignit rapidement de brun.

« Pourquoi tu fais ça ? » me demanda-t-il en me lorgnant du coin de l'œil.

Je ne répondis pas tout de suite. J'achevai de retirer les traces de sang et lâchai son visage une fois que j'eus terminé. Je gardai le linge taché dans ma main. Je ramenai mes jambes contre ma poitrine et posai mon menton sur mes genoux.

« Je ne sais pas. Tu ne le mérites pas, c'est le moins que l'on puisse dire… Qu'est-ce que tu veux ? Je dois être un peu sotte de me préoccuper de toi.

– Sûrement. »

Sa réponse laconique mourut dans le silence. Il haussa les épaules et récupéra son assiette à ses pieds. Il acheva son dîner, mais curieusement, il semblait avoir perdu l'appétit. Quand il eut fini, il se releva et s'étira en levant les bras au ciel. Puis il se dirigea d'un pas mou vers l'un des seaux posés près du box de Ponce. Il but son comptant, s'aspergea le visage et se frotta brièvement le menton et les joues. Il revint ensuite s'asseoir près de moi et étira ses jambes sur la paille.

J'observai du coin de l'œil les gouttelettes perler sur son front. Il semblait plongé dans ses réflexions, le regard jeté vers l'extérieur, sur les bois à peine éclairés d'un rayon de lune. Il regardait toujours plus loin. Plus loin que notre monde trop étriqué à son goût, comme si la forêt elle-même était pour lui une barrière.

« Je ne comprends pas pourquoi tu es en colère », avouai-je. Il plia les jambes et me dévisagea d'un regard sombre sans répondre. « Je comprends que tu en veuilles à Aymeri de ne pas avoir tenu sa langue. Je comprends que tu puisses t'imaginer qu'on veut se débarrasser de toi, mais d'avoir été choisi parmi des milliers d'autres jeunes gens, est-ce si pénible pour toi ? »

Il posa ses poignets sur ses genoux. « Je ne te demande pas de comprendre.

— Soit ! Ce n'est pas ça qui m'empêchera d'essayer... Pourquoi as-tu eu le besoin de t'enivrer une fois encore ? La correction que tu as infligée à Aymeri ne te satisfaisait donc pas ? »

Il braqua sur moi un regard acerbe et cracha par terre.

« Qu'est-ce que ça peut bien te faire ? s'exclama-t-il. Mêle-toi de tes affaires. Ça me changera.

— Tu n'es désagréable que lorsque tu as quelque chose à te reprocher. Tu gagnerais du temps à me le dire. »

Il n'avait pas son pareil pour m'agacer et, au regard noir qu'il me lança, la réciproque devait être vraie.

« Alors ? Qu'as-tu l'intention de faire à présent ? demandai-je sèchement. Tu vas humilier notre famille par de nouveaux moyens ou peut-être même t'enfuir pour éviter de te mesurer aux maîtres ? »

Ses yeux s'agrandirent de colère. Il m'attrapa brutalement par le menton et m'attira vers lui avec rudesse. « De la part de Fer, ces mots-là ne m'étonneraient pas le moins du monde, mais si je t'entends de nouveau prononcer de telles conneries, je te garantis que je te ferai passer l'envie de recommencer. »

J'affichai d'un sourire narquois. « Ah oui ? Et que feras-tu pour y parvenir ? »

Il rapprocha son visage du mien à tel point que je sentis son souffle m'effleurer. Une vague odeur de menthe poivrée.

« Ne sois pas trop curieuse. »

Je ricanai ouvertement et ne cherchai pas à dissimuler mon ton de défi. Je repoussai sa main. Il me lâcha sans se faire prier et recula sur les bottes de paille. Il bascula en arrière et croisa les bras sous sa nuque. « Ne crois pas posséder autant d'influence sur moi. Ton joli minois ne te donne pas ce pouvoir. »

J'éclatai de rire. « Tu détournes le sujet, déclarai-je. Qu'as-tu l'intention de faire ?

— Tu verras bien.

— Seïs ? »

Mon ton soudain suppliant me surprit moi-même. Il releva la tête, étonné, avant de fixer le plafond d'un air songeur.

« Tu devrais rentrer à la maison. Si mon père découvre que tu as enfreint les règles, tu risquerais de te retrouver punie à ton tour et condamnée à passer la nuit avec moi dans cette grange putride.

— D'abord, j'aime cette grange, contrairement à toi. Ensuite, passer la nuit avec toi, ma foi, ça ne sera pas vraiment différent des autres nuits. » Je soupirai. « Quand… quand tu ne dors pas à la maison, je me sens seule. » Il détourna les yeux comme si je l'avais blessé. Il se redressa sur les fesses et conserva le silence. « Et puis… bah ! Je me suis habituée à tes ronflements », ajoutai-je pour briser le malaise qui s'insinuait entre nous.

Le trouble se dissipa aussitôt.

« Qui te dit que je m'habitue aux tiens ? me lança-t-il d'un ton moqueur.

— Je ne ronfle pas !

— Pire, tu parles et tu baves sur ton oreiller. »

Je lui lançai un regard faussement furieux et éclatai de rire. « Peut-être bien, mais, moi, au moins, je ne me lève pas la nuit pour nettoyer mes draps à la rivière.

— C'est arrivé une ou deux fois quand j'étais môme, me dit-il en me pointant du doigt. Et nom de Dieu, il y a quelquefois des rêves fichtrement réels. »

Il dessina des cercles avec son index autour de sa tempe. Je secouai la tête devant son indécence sans cesser de rire. Il eut un bref sourire, puis pencha la tête et posa son menton sur ses genoux.

« Je n'ai aucune envie de partir, me confia-il d'un ton las. Mais… » Il se tut, leva les yeux vers la porte. Mars passa devant à toute allure et disparut dans les bois.

« Mais ? »

Il toussota et tourna la tête vers moi. Ses yeux noirs me pénétrèrent comme deux flèches. « Mais, même si je n'en ai pas envie, je ne crois pas que rester ici soit une bonne idée.

— Pourquoi ? » m'étonnai-je sottement.

À peine eus-je formulé la question que je me la reprochai.

Seïs eut un fragile sourire dénué de joie. Une lueur caustique traversa son iris. Ma respiration s'affola aussitôt. Je cherchai subitement l'air qui me manquait. J'inspirai ; mes poumons se gonflèrent et, pourtant, j'avais l'impression de ne pas respirer.

Un coup de langue appuyé sur ses lèvres et gorgé de sous-entendus me fit reculer aussi sec sur la botte de paille. Pas assez vite toutefois. Il me saisit brusquement par le poignet et m'écrasa contre son torse. Je me fis soudain l'effet d'une poupée de chiffon dans ses bras. Mon cœur se mit à battre la chamade et ma bouche se dessécha.

Des bruits de pas percèrent près de nous. Je m'arrachai à contrecœur au regard de Seïs et considérai le shar-pei qui buvait goulûment dans un seau. Mars releva sa tête fripée et planta ses petits yeux gris dans les miens. Des frissons s'égayèrent le long de mon échine. Un sursaut de lucidité me rattrapa et me saisit à la gorge, comme si on cherchait à m'étrangler. Je tentai d'arracher mon bras de la main de Seïs. Il refusa de me lâcher et m'étreignit plus près, au point que ses lèvres se retrouvèrent à quelques centimètres des miennes. Mes yeux s'écarquillèrent et je lui lançai comme un jet de pierre : « Je ne suis pas l'une de tes putains ! »

Ses yeux s'arrondirent, stupéfaits. Il lâcha aussitôt mon poignet et me considéra comme si je l'avais giflé. J'allais m'enfuir quand il noua sa main autour de ma nuque.

« Je sais. » Il caressa ma joue avec une tendresse qui me déconcerta. Je fermai un instant les paupières, privée de toute volonté. « Tu crois que c'est ce que je pense de toi ?

— Il m'arrive de ne pas savoir ce que tu penses de moi », murmurai-je.

Il glissa sa main libre le long de mon cou, de mon bras qui se couvrit de chair de poule, puis noua ses doigts entre mes doigts. « Idiote... C'est ça que je pense de toi. »

Il serra ma main. J'ouvris les yeux et le considérai, médusée. Ma lèvre inférieure frémit ; ma bouche était sèche comme un désert. Tout mon corps trembla contre le sien. Quand il pencha son visage vers le mien, une tempête sourdait de chaque parcelle de mon corps.

Pourtant, l'illusion s'effaça. Ce n'était qu'un doux rêve. Il dévia volontairement sa trajectoire et appuya son front contre le mien.

« J'peux pas, l'entendis-je murmurer. Bon sang ! Naïs… Tu es… tu es… moi… »

J'étais incapable de dire quoi que ce soit, pas plus que je ne trouvai le courage de m'écarter de lui. J'étais sans force.

Seïs se recula brusquement. Il me dévisagea d'un regard bouleversé et se redressa comme si Ethen lui-même était derrière lui. Il reflua au milieu de la grange et se retrouva acculé contre l'un des piliers. Il se laissa glisser jusqu'à se retrouver agenouillé, talons contre fesses.

« Je vais partir. »

Sa phrase résonna dans ma tête comme le tintinnabulement d'une cloche et mit du temps à se creuser un chemin dans ma conscience. Mon monde s'écroula. Je ne trouvais rien d'autre à répondre qu'un « je sais » aussi évasif qu'insipide. Je me relevai à mon tour, époussetai ma robe d'un geste distrait afin d'ôter les fétus de paille. Je pris une profonde inspiration et tentai de calmer les tremblements de mes doigts. Mon cœur me faisait mal comme si quelqu'un avait posé une enclume dessus et la frappait à coups de marteau. Je m'avançai vers la porte de la grange d'un pas chancelant. Il me suivit du regard, le dos collé au pilastre.

« Tu sais pourquoi, n'est-ce pas ? » me demanda-t-il lorsque j'eus atteint l'entrée.

Je déglutis péniblement et me forçai à répondre : « Oui, je le sais. »

CYCLE II

MANTAORE

An 2075

Qu'est-ce qu'elle foutait là ? Elle ne pouvait pas me faire appeler depuis le vestibule ? Non, bien sûr que non ! Il fallait qu'elle entre. Exprès, à tous les coups, pour essayer de me faire culpabiliser.

J'étais à moitié à poil, en compagnie de deux charmantes hôtesses prêtes à exaucer tous mes souhaits. Vela, la rouquine à la poitrine plantureuse, et sa compagne Myrtille, une grande blonde filiforme, aux mains délicates.

Et Naïs…

Naïs, plantée devant moi, entre deux tentures. Elle martelait le sol du bout du talon et dissimulait sa colère derrière une indifférence notoire en contemplant la scène libertine dans laquelle je me vautrais corps et âme.

Non, bon Dieu, ce n'était pas un endroit pour elle !

J'aurais aimé effacer de son regard cinglant la petite lueur que je percevais. Mais qu'est-ce que je pouvais faire d'autre, à part endurer en silence sa tristesse et agir comme si de rien n'était ? Faire comme si de rien n'était, c'était ma spécialité, non ? J'excellais en la matière. Une véritable escroquerie.

Naïs s'approcha de l'alcôve dans laquelle j'étais confortablement étendu entre les deux déesses, la tête raide et altière, les mains ramenées devant elle, comme pour les empêcher de trembler. La lumière des chandelles jouait sur ses boucles noires qui déferlaient en cascade jusqu'à la courbure de ses reins. Dans cet endroit, on aurait dit un rubis au milieu des pièces de cuivre. Mon cœur palpitait douloureusement dans ma poitrine lorsqu'elle s'arrêta au bord du lit. Son regard me fit l'effet d'un coup de poing. Je repoussai les deux jeunes filles couchées sur mon flanc. Ni Myrtille, ni Vela ne prêtèrent attention à ma cousine. Que connaissaient-elles de moi de toute façon ? Rien… Rien de plus que mon corps, quelques nuits, vautré dans l'alcool et le sexe. Rien de ce qui pourrissait dans ma tête. Personne ne le savait. Personne ne le saurait.

Je m'assis sur le rebord du lit et enfilai ma chemise. « Qu'est-ce qu'il y a ? » demandai-je d'un ton brusque.

Son visage se contracta. Une lueur d'hostilité mourut dans ses yeux noirs. « Un cavalier est arrivé à la maison, dit-elle d'une voix figée. On t'attend.

– Un cavalier ?

– La deuxième lune est pour ce soir », me fit-elle remarquer.

Je déglutis péniblement tout en me redressant. L'alcool que j'avais ingurgité me fit tanguer. Je parvins à retrouver mon équilibre avec la grâce d'un babouin en me raccrochant au mur voûté de l'alcôve ; ce qui fit rire la belle Myrtille. « Eh, Seïs, t'as besoin d'aide pour t'habiller ! » se moqua-t-elle.

Je lui adressai un signe de la main pour qu'elle se taise. Au lieu de quoi, elle éclata de rire. Naïs ne daigna pas lui adresser un regard, tout juste si elle semblait avoir conscience de la présence des deux femmes nues dans mon dos. Je ne me faisais pourtant pas trop d'illusions. Sûr qu'elle les avait vues et bien vues, du reste.

Je rajustai ma chemise et la rentrai dans mon pantalon. Je contemplai à la dérobée les yeux bruns de Naïs, soulignés par ses longs cils noirs. Mon regard s'égara un court instant sur ses lèvres vermeilles avant de s'en détourner, comme si j'étais un gosse fautif.

La deuxième lune, songeai-je, en nouant mes chausses, *est-ce que je l'avais vraiment oubliée ?*

« Tu es juste venue ici pour m'annoncer qu'un cavalier m'attendait à la maison ? »

Mon ton était aussi sec qu'une trique ; je ne pouvais pas m'en empêcher, comme si me montrer odieux envers elle pouvait effacer ce que je ressentais pour elle.

« Bien sûr, dit-elle, Sirus m'a envoyée te chercher. »

J'attrapai ma redingote sur une chaise et la jetai avec nonchalance sur mon épaule. « Le cavalier pouvait attendre.

— Pas celui-là.

— Pourquoi pas celui-là ? »

Elle haussa les épaules et, sans plus rien ajouter, exécuta une volte-face avant de s'engager entre les banquettes. Elle traversa la grande salle de séjour de Dame Lanay. Quelques hommes lui jetèrent des regards de gourmandise en admirant sa démarche et ses gestes aériens. Malgré mon envie de leur crever les yeux, je ne pouvais pas vraiment leur en vouloir de contempler ses hanches délicieuses, son cou gracile, ses pommettes parsemées de taches de rousseur, sa poitrine discrètement dissimulée par son corsage. Et surtout cette inconscience indéniable qu'elle était belle.

Avant de quitter la maison de la vieille matrone, je remerciai Vela et Myrtille pour leurs petites attentions. Elles me jetèrent un regard de connivence et Myrtille se pencha sur sa compagne. Elle l'embrassa, tout en gardant les yeux braqués dans ma direction. Je contemplai cette petite mise en scène, un sourire en coin, et exécutai une révérence.

« Tu sais ce qui t'attend, Seïs, quand tu reviendras », me lança Myrtille, en m'envoyant un clin d'œil.

Je hochai la tête en souriant, les saluai, puis emboîtai le pas de Naïs, qui s'était vivement éclipsée du hall de la maison. Je sortis rapidement dans la rue du Bon Plaisir. Ce n'était pas son véritable nom, mais les habitants du quartier lui préféraient ce nom équivoque à celui de « Peupliers ». Un soleil aveuglant se déversait entre les demeures mitoyennes du quartier. Je clignai des paupières plusieurs fois. La rue était bondée de monde. À cette heure de la journée, rien n'était plus normal. La Ruche portait trop bien son nom. Je jetai un large coup d'œil parmi la foule et aperçus Naïs marchant d'un bon pas entre deux charrettes remplies de pailles. Je dévalai aussitôt la volée de marches et me précipitai derrière elle. Elle avançait, les épaules en avant, comme si elle était prête à charger, et je la suivais, la mine penaude tout en essayant de la lui cacher aussi bien que possible.

J'avais beau connaître par cœur chaque maison du quartier, chaque boutique, chaque troquet, je ne me lassais jamais de contempler La Ruche. Si ce quartier n'était pas fait pour Naïs, en revanche, il était mon terrain de jeu. J'y côtoyais depuis si longtemps chaque habitant que parfois j'avais l'impression de vivre ici depuis ma naissance, ce qui au fond, n'était pas loin d'être le cas. J'avais passé plus de temps dans ces cabarets minables au fond des caves et dans les bordels de Lanay qu'à Point-de-Jour. À douze ans, je chapardais des confiseries dans l'échoppe de Gale au bout de la rue du Bon Plaisir, avec les cireurs de chaussures du quartier. Avec les années, mon trafic s'était amplifié et diversifié. Ce fut la raison pour laquelle je fis rapidement connaissance des geôles de l'Amir. Je fréquentais peu les garçons de mon âge, sauf pour les escroquer de quelques sous. Je m'acoquinais auprès de marchands peu scrupuleux, peu regardant sur l'âge… peu regardant sur tout d'ailleurs, à l'exception des avantages que je pouvais leur fournir. On surveille moins les gosses que les marauds reconnus. Je fréquentais un certain nombre de coupe-jarrets, qui m'auraient probablement coupé en rondelles si je les avais roulés, et toute une kyrielle de traîne-savates tout juste bons à n'attirer que des ennuis. Je traficotais quelquefois avec des marchands d'alcool qui fournissaient essentiellement les tavernes clandestines et constituais, à plusieurs reprises, de bonnes réserves de Sirop de Glanmiler dont je refourguais le tout au vieux sommelier de la ville, Fin de Brué. Mais ma spécialité, c'était de jouer les mandataires. Un marchand cherchait à revendre un produit ? Qu'à cela ne tienne ; il suffisait qu'il m'en fasse part. Ou bien, un caravanier cherchait des mercenaires très peu scrupuleux pour un convoi ? Aucun problème, l'affaire était réglée dans l'heure. J'étais l'un des meilleurs intermédiaires du quartier, sinon de la ville. J'étais le fils de La Ruche. Le meilleur dans mon domaine.

Tout en scrutant les deux maisons en torchis qui clôturaient le quartier, je me rapprochai de Naïs. « Tu ne m'as pas répondu, lui fis-je remarquer. Qui est ce cavalier ?

— Tu t'en soucies maintenant ? »

Elle m'adressa un regard oblique qui me glaça de la tête aux pieds et accéléra encore le pas. Je ne pouvais pas lui en vouloir. J'avais tout fait pour susciter son dédain. Depuis des mois, je m'évertuais à démolir ce qu'il y avait entre nous. Je me montrais grossier, pénible, menteur. Je me disais que tôt ou tard, je franchirais les limites de ses bonnes dispositions. Il était clair qu'aujourd'hui j'y étais parvenu.

On marcha en silence sur le chemin jusqu'à Point-de-Jour.

Dans la cour, un pur-sang blanc comme de la neige nous regarda approcher. Je sus tout de suite, sans l'ombre d'un doute, que c'était un Éliago des steppes de Latifer. Il était immense, des jambes sans fin, un poitrail fier et des yeux bleus électriques. Une selle de belle facture était posée sur son dos, ornée de vieux signes tribaux sur tout le pourtour, et une besace en cuir pendait sur son flanc.

Naïs lui accorda tout juste un coup d'œil avant de pousser la porte et de pénétrer dans la pénombre de la cuisine. Je pris une profonde inspiration et m'avançai derrière elle, aussi motivé que si je devais me rendre à ma propre pendaison. Je ne me faisais aucune illusion. Voilà longtemps que je n'en avais plus.

Un bref instant, je me retournai vers les futaies et songeai qu'il serait facile de me sauver et de disparaître. *Tu parles, bougre d'âne, tu crois qu'ils te retrouveraient pas !* Je secouai la tête et entrai.

Dans la cuisine, toute la famille était rassemblée autour de la table. Ça n'aurait pas été plus solennel si j'étais entré dans la salle des conseils royaux de Hom-Tar. Mon père dominait la pièce comme à son habitude, dos à la cheminée, et croisait les bras sur la table. Il était flanqué de Fer, qui affichait son air de croque-mitaine, et de ma mère qui se maltraitait les doigts de nervosité. Antoni et Teichi étaient là, assis sagement à leur place respective et me dévisageaient avec beaucoup d'intérêt.

Mon regard s'arrêta sur un homme qui me renvoya mon regard sans la moindre retenue. Il était sobrement vêtu : une chemise de lin noir sans dentelle, un pourpoint jeté par-dessus ses épaules en cuir bleu foncé et un haut-de-chausse gris. Il portait les vêtements classiques d'un cavalier habitué aux voyages. Pas d'habits excessifs, ni encombrants, ni clinquants. Ses cheveux noirs étaient attachés en queue de cheval sur la nuque et rien ne débordait sur son visage. Une frange épaisse et bien taillée lui tombait au ras des cils et rehaussait la couleur vert bleu de ses yeux. Il avait des sourcils très fins et bien dessinés, une bouche charnue, des pommettes hautes et fières, un menton déterminé et une barbe de trois jours.

À mes côtés, Naïs le dévorait des yeux, comme pour se venger de m'avoir ramassé dans le lit d'une autre. Je ne lui fis pas le plaisir d'être jaloux.

Le cavalier se leva de sa chaise, en silence. J'aperçus un long fourreau d'Hedem noir accroché à sa ceinture et la garde d'une épée richement ouvragée en forme de cheval. Antoni se penchait tellement en avant, le nez presque collé contre le manche, qu'il manqua de se casser la figure, tête la première. Il se redressa, eut une grimace, déglutit et feint de n'avoir rien fait tandis que mon père lui adressait son regard de fossoyeur. Antoni baissa la tête, avant de relever les yeux vers moi et d'esquisser un sourire. Antoni était fou de joie à l'idée que je puisse un jour prétendre à la Confrérie de Mantaore. Il y voyait la possibilité d'aventures là où, moi, je n'y percevais qu'une suite sans fin de contrariétés et d'obligations.

Le cavalier contourna la table et avec une grâce exemplaire, s'inclina, poing sur le cœur, à la manière de tous les ronds-de-cuir d'Elisse.

« Mon nom est Tel-Chire d'Elisse », se présenta-t-il, d'une voix ni solennelle, ni familière, mais d'une neutralité équivoque.

J'eus un rictus pour masquer ma surprise. J'aurais presque pu entendre les rouages de mon cerveau se mettre en branle. J'avais besoin d'une clope.

Tel-Chire d'Elisse… Bon Dieu, c'était sans doute l'un des personnages les plus célèbres de tout le royaume. Ça ne pouvait être qu'une mauvaise blague, hein ? Son nom était braillé par tous les bardes dès qu'un riche marchand en invitait un à sa table, honoré à chaque fête royale dès qu'on portait un toast. De quoi être envieux. Non content d'être un Tenshin de renommée, il était un parent du roi. Dès qu'on ouvrait un livre d'histoire, on tombait nez à nez avec sa biographie et les innombrables récits narrant ses exploits, tant à la guerre qu'à la cour. Sa Geste prétendait qu'il avait collé une sacrée raclée au Prince de Noterre quelques siècles plus tôt. Rumeur ou vérité ? Allez savoir. Quoi qu'il en soit, il me paraissait difficile de trouver un meilleur pedigree que le sien. Que dis-je, un palmarès !

« Tu dois être Seïs ? » me demanda-t-il, pour la forme.

Je hochai la tête d'un air désinvolte sans le quitter des yeux. Que je ne veuille pas lui montrer une quelconque faiblesse de ma part ou qu'il me soit impossible de me soustraire à son attraction, dans l'un comme dans l'autre cas, je ne parvenais pas à me détacher de son regard et je détestais cette sensation.

« Je suis ton guide jusqu'à Mantaore, m'annonça-t-il. As-tu des questions à me poser avant que nous prenions la route ? »

Je me grattai la tête avec un sourire. « Hum… j'imagine que oui. »

Tous les yeux se braquèrent sur moi avec une inquiétude cocasse. Mon père me regardait déjà avec cet air qui semblait dire « si tu dis une seule connerie, je t'enterre dans le jardin avec le chat ». Je me retins de rire devant leur visage angoissé, parce qu'un Tenshin pointait son nez à la maison, devant leurs yeux admirateurs, parce qu'un type prétendait détenir sur nous tous les pouvoirs, devant leur crainte sanctifiée, parce qu'il se faisait appeler « Maître » comme si ce nom lui procurait à lui seul notre respect.

Un éclair passa dans les yeux du Tenshin.

« Pourquoi moi ?

— Pourquoi pas ! »

Sur un ton détaché, cette réponse ne m'aurait pas surpris, mais sur ce visage placide, elle m'agaça.

« Vous ne m'en direz pas davantage, hein ? » Je n'attendais pas de réponse particulière et Tel-Chire d'Elisse ne m'en fournit pas. « Que ferez-vous si je refuse de vous accompagner ? »

Il y eut un flottement dans l'air. Le regard de mon père se transforma en nœud coulant. Ma mère se mit à se dandiner sur sa chaise, et Fer… ah Fer… il aurait sans doute dévoré son bras jusqu'au coude pour étouffer sa colère.

Tel-Chire croisa les bras dans son dos. « Je n'ai pas l'intention de te forcer à me suivre. Tu es libre de choisir. Être apprenti n'a jamais été une obligation.

– Ah ! C'est intéressant. Dans ce cas, je suis libre de vous envoyer choisir un autre singe pour votre cirque. »

Tel-Chire esquissa quelque chose qui pouvait s'apparenter à un sourire amusé, mais il semblait tellement déplacé sur son visage qu'il en était plus inquiétant encore.

« Libre à toi de me dire non. Tu as d'ailleurs raison : bien d'autres jeunes gens seraient enchantés de prendre ta place. Réfléchis bien cependant, avant de dédaigner ma proposition.

– Je présume que vous pourriez me frire sur place si je refusais votre offre. »

J'adressai un coup d'œil moqueur à Antoni. À maintes reprises, il m'avait rebattu les oreilles avec cette histoire abracadabrante de je-ne-sais-plus quelle bataille d'Elisse où Tel-Chire aurait levé la main vers les cieux et embrasé d'un geste toute une compagnie d'hommes armés jusqu'aux dents. Encore une légende sur les talents présumés des Tenshins. Il en existait plein dans les besaces des vieux. Y en a même qui prétendaient qu'ils pouvaient voler ou transformer des biches en femmes pour s'accoupler avec elles.

Tel-Chire ne sourcilla pas et, sans se départir de son ton neutre, déclara : « Je pourrais sans doute le faire, mais je n'y trouverais qu'une bien pâle consolation. Dis-moi plutôt pour quelles raisons tu refuserais cette opportunité. »

Il m'adressa un regard si étrange que durant l'espace d'une minute, j'eus la détestable impression qu'il savait déjà tout de moi, jusqu'à mes pensées les plus troublantes. J'avais beau refuser de voir en lui autre chose qu'un homme, j'aurais été aveugle ou simplement idiot si je n'avais pas perçu le halo ténébreux qui l'entourait comme une cape. J'avais déjà rencontré trop d'hommes qui empestaient la mort. De véritables coupeurs de têtes. Lui, il en était recouvert, jusque dans ses yeux presque vides. Il puait le sang.

Je n'oubliais pas cette pensée et la rangeai dans un coin de ma tête. « Eh bien, la seule raison qui me pousse à ne pas vous suivre est que j'ignore les motifs qui vous incitent à vouloir m'emmener.

— Nous savons beaucoup de choses que la plupart des gens ignorent.

— Et que savez-vous ? »

À ma plus grande surprise, il sourit ouvertement et me regarda d'un air presque insolent. « Il existe des règles à Mantaore et l'une d'elles exige que pour découvrir ce que je sais, il faut venir avec moi. »

J'éclatai de rire sous les coups d'œil austères de mon père et de Fer, tandis que Tel-Chire semblait soudain s'amuser de la situation.

« Voilà qui clôture cette conversation, n'est-ce pas ? Nous sommes face à une impasse, me semble-t-il.

— Une impasse ? s'étonna-t-il.

— Ouais, on dirait. Je ne vous accompagnerai que si vous me dites ce qui motive ma nomination. Or, vous ne me l'avouerez que si je vous suis. Nous sommes donc dans une impasse.

— J'avais bien compris », argua-t-il avec une brusque froideur.

Tel-Chire se recula et s'installa sur le rebord du banc. Il demanda poliment à Teichi de lui faire passer son verre. Mon frère s'exécuta aussitôt et fit glisser le hanap sur la table. Le Tenshin le saisit en le remerciant, puis sirota son vin en silence.

Les regards se collaient à nous comme des moustiques sur un bras.

« Je suppose que ce n'est pas la seule raison qui motive ton refus », me lança Tel-Chire.

J'évitai de tourner la tête vers Naïs, terrifié à l'idée de me trahir. Je me concentrai sur le Tenshin. « Croyez ce que vous voulez. Je n'ai pas à me justifier.

— Je pense que tu as peur. »

Fer releva la tête et me fixa comme un monstre de foire. Une clope, pensai-je.

« La provocation ne fonctionne plus sur moi depuis que j'ai cinq ans. Et puis, pensez ce que vous voulez, ça n'a pas tellement d'importance. Ça ne m'empêchera pas de dormir ce soir.

— Mantaore n'est pas une prison », me dit-il sans se décourager.

Je le regardai, soudain amusé. « Ce n'est pas ça qui pourrait me faire peur, lui assurai-je.

— Tu es coutumier des cachots de l'Amir. »

Je n'étais pas surpris qu'un Tenshin soit au courant de mon passif. Sin-Lin avait beau omettre quelques petites effractions en échange de deux ou trois bouteilles de Sirop de Glanmiler, certaines étaient consignées dans le registre de la prison pour faire bonne figure.

« C'est ma deuxième maison, me moquai-je.

— Dans ce cas, on peut penser que tu ne crains pas l'austérité d'une demeure ?

— C'est sûr que les cachots ne sont pas très reluisants. Un peu de paille pour faire son lit, un pot pour chier et un autre pour boire. Si on file quelques biftons, on a une petite bouteille de vin.

— Tu es habitué à la solitude ? »

Je secouai la tête. « Plutôt. Quelques rats pour passer le temps.

— L'attente ?

— Je m'occupe d'un rien.

— Alors je présume que tu crains de ne plus pouvoir agir à ta guise, n'est-ce pas ? »

Je n'arrivais pas à m'ôter de l'esprit qu'il en savait plus qu'il ne voulait le montrer.

« Mantaore n'est pas une prison. Considère-la plutôt comme un centre d'enseignements hors du commun qui te permettra d'accéder à une liberté que tu ne soupçonnes sans doute pas. Ici, tu laisses ton potentiel sous-employé. » Il exécuta un geste comme si c'était une grande déception. « Je t'offre l'opportunité de vivre détaché des chaînes dont tu te crois ligoté, et d'accéder à une liberté que seul ton nouveau statut pourra te conférer.

— Vous avez répété avant de venir, raillai-je. Vous prétendez qu'un Tenshin est libre… » J'eus un ricanement moqueur. « Me prenez pas pour un con. Un Tenshin passe son temps à vivoter dans la boue, au milieu d'un champ de bataille, ou à la cour, à cirer les pompes des seigneurs terriens. »

Un léger sourire flotta sur ses lèvres. Un sourire à vous décarcasser une charogne. Il décroisa les jambes et les recroisa dans l'autre sens.

« Je ne me fie pas aux apparences, déclara-il, un tantinet caustique. Un novice a une chance sur mille d'achever son apprentissage. Si tu réussis, tu seras libre de choisir la vie que tu désires. Mantaore n'exige qu'une seule contrepartie des efforts qu'elle aura fournis pour te former : une fidélité indéfectible envers la Confrérie et la monarchie d'Asclépion. »

J'émis un nouveau rire caustique. « Il semble qu'il y ait des failles dans votre système. »

Une tension jubilatoire parcourut la pièce. Ma mère attrapa son verre de vin et le vida d'une traite.

« En effet, concéda Tel-Chire. C'est pourquoi, désormais, nous choisissons nos apprentis avec plus de soin que par le passé. Il devient malheureusement de plus en plus difficile pour eux d'achever leur noviciat ; et beaucoup de ceux qui auront été nominés rentreront chez eux sans titre.

— Qu'est-ce qui vous permet de croire que je ne suivrai pas le même chemin que Noterre ? »

Je savais pertinemment la réaction que j'allais susciter en prononçant son nom.

« Seïs ! s'exclama mon père en tapant du poing sur la table. Je te conseille de tenir ta langue ! »

Tel-Chire semblait s'en moquer. Assis sur le banc, il irradiait de lui une force tranquille qui semblait sourdre de chaque pore de sa peau, jusque dans ses yeux clairs aussi limpides que du verre.

« Rien ne me permet de savoir si tu épouseras les vues de Noterre ou non, m'avoua Tel-Chire. Néanmoins, je fais confiance à mon intuition. »

Tu ne me prendrais pas pour un bon petit chiot obéissant par hasard ?

Un sourire tira les lèvres du Tenshin à l'instant précis où cette pensée me traversa l'esprit. Je le considérai avec suspicion. Son visage reprit la fermeté d'une serrure de coffre-fort. Je me grattai la gorge d'un air pensif.

« En admettant que j'accepte de vous accompagner, que se passera-t-il si j'échoue ?

– Simple. Tu rentreras chez toi.

– Et si je réussis ?

– Tu choisiras la manière dont tu voudras mettre en pratique les préceptes que tu auras appris à nos côtés. Rien ne t'empêchera de rentrer à Macline si tu le désires une fois ton initiation achevée. Nous requérons cinq années de ta vie pour déterminer si tu es l'homme que nous croyons et pour te former, ce qui est en réalité bien peu pour acquérir un savoir millénaire. Au cours de ces cinq ans, tu auras tout loisir de réfléchir à ton avenir. Si tu réussis ton apprentissage, les routes qui te seront offerte seront non seulement multiples, mais aussi longues et pavées de richesses. Si, en revanche, tu échoues, tu n'auras en aucun cas perdu ton temps. L'enseignement que nous dispensons te servira toujours sous diverses formes. Les nominés sont en général très sollicités à la fin de leur initiation, qu'ils aient réussi ou non. Mantaore est avant tout une école, une école où il y a bien peu d'admis et encore bien moins de diplômés. En tant que telle, Mantaore t'offre une chance unique de te prémunir pour ta vie future. Certes, il y a des règles à respecter qui ne te plairont sans doute pas, mais elles sont là pour garantir notre sécurité à tous. La vie n'y est pas si mal. Trois repas chauds par jour, un lit dans lequel dormir, un toit au-dessus de ta tête et un savoir que beaucoup jalousent… » Il s'interrompit un instant et se pencha vers moi. « Un grand penseur disait que le savoir est la clé : tu commanderas et tu seras libre.

– Sauf que pour atteindre cette liberté, j'ai l'impression qu'il va me falloir museler pendant cinq ans tout désir d'indépendance. »

Il haussa les épaules. « Ma foi, si tu te crois plus libre aujourd'hui… »

J'eus un petit sourire. Il marquait un point. Comment aurais-je pu me sentir libre sous le regard méfiant de mon père qui soupçonnait ou attendait toujours la faute, sous les yeux de Fer, qui ne manquait pas l'occasion de me rabaisser et de me juger, sous ceux de ma mère qui m'accablaient de remords ? Je n'étais pas non plus libre de contempler Naïs avec le regard dont j'aurais souhaité l'envelopper. Quant à Antoni et Teichi, ils ne se faisaient plus d'illusions sur mon compte, mais ils espéraient tous les deux un miracle.

Lentement, je m'arrachai au regard de Tel-Chire. Mes yeux croisèrent ceux de Naïs, adossée à la cloison. Elle se tenait droite, les mains ramenées sur son ventre. Son visage n'exprimait rien de précis, sinon la forme de sa bouche discrètement pincée, les petites rides au coin de ses yeux et la teinte presque nacrée de son iris. Je perçus toute sa détresse et au-delà, une conviction que j'avais moi-même ignorée jusque-là. Je rassemblai mon courage et, presque indépendamment de moi-même, je déclarai : « Je vais chercher mon sac. »

Si Tel-Chire fut surpris de ma décision, il n'en laissa rien paraître. À mon avis, bien avant d'arriver à Macline, il savait qu'il ne repartirait pas seul.

Je contournai brusquement la table avant que tout mon courage ne s'effrite et me précipitai dans ma chambre. Je m'agenouillai près de mon lit, passai la main sous le sommier et retirai mon vieux sac de jute. J'y avais déjà soigneusement enfoui des vêtements chauds, des biscuits et des tranches de viande séchée, ainsi qu'une gourde remplie de Sirop de Glanmiler. Je glissai la lanière en travers de ma poitrine, enfilai des chaussettes épaisses et mes bottes d'Hedem dont la semelle était encore crottée. Je passai mon pourpoint de cuir brun sur mes épaules, tout en considérant d'un air satisfait le maigre sac que je transportais. À l'intérieur, toute ma vie était empilée.

Malgré les belles paroles de Tel-Chire, je ne me faisais aucune illusion sur la nature de cet apprentissage. Je comptais bien peu m'en sortir avec tous mes abatis. Il me suffisait, pour m'en convaincre, de jeter un coup d'œil au visage glacial de mon compagnon de route.

Avant d'ouvrir la porte, je me retournai et considérai longuement ma chambre avec une nostalgie qui m'étonna. Les deux lits superposés m'évoquaient toujours le même souvenir, celui d'une petite fille qui laissait sa main choir par-dessus la rampe dans l'espoir que je la saisisse pour la consoler lorsqu'elle faisait un cauchemar. À cette pensée, j'eus un léger pincement au cœur et je regrettai de ne pas l'avoir attrapée chaque fois qu'elle me l'avait tendue.

Je pris une profonde inspiration et fis volte-face. Lorsque je pénétrai dans la cuisine, Naïs croisa mon regard, s'y enfonça si profondément que je crus qu'elle me rentrait dans la peau. Ma main se resserra sur la bandoulière de mon sac et je détournai rapidement les yeux.

Tel-Chire réajustait son chapeau près de la porte d'entrée. Mon père et Fer l'entouraient. Les conversations s'interrompirent si tôt que j'apparus à l'angle du couloir et tous les regards se vissèrent sur moi.

« Je suis prêt », dis-je, sans vraiment songer que ce put être le cas. Il était déjà trop tard pour reculer.

Mon père délaissa aussitôt notre invité et s'approcha de moi, le visage sévère. Je finis par me demander quelle ânerie j'avais pu commettre en si peu de temps.

Une fois devant moi, il me toisa d'un long regard, des « désolés » plein les prunelles qui m'agacèrent. Je me sentais alors trop petit, trop misérable devant lui. Quand il me fixait ainsi, je savais ce qu'il pensait: *Seïs, tu es capable de bien mieux, pourquoi fais-tu ça ?*

Puis, un sourire traversa son visage. Aussi furtif qu'un éclair. Pourtant, il suffit à faire manquer un battement à mon cœur. Il leva une main poilue, grosse comme la patte d'un ours, et l'abattit d'un coup franc sur mon épaule.

« Fais attention à toi », me dit-il.

J'ouvris des yeux comme des soucoupes et me retrouvai incapable de dire quoi que ce soit. De toute façon, mon père ne me laissa pas le temps d'ouvrir la bouche. Il s'écarta de moi et se dirigea vers la porte en traînant sa jambe droite derrière lui comme un boulet. Il frôla Tel-Chire, à qui il adressa un regard indéfinissable ; ils avaient l'air de se parler à mi-voix. Puis, il sortit de la maison sans rien ajouter et sans se retourner. Ébahi, je le regardai s'éloigner dans la cour, les joues en feu. Il laissa la porte entrouverte et des rayons de soleil se faufilèrent dans la cuisine, éclairant le visage de notre invité. Froid et acéré comme du fil barbelé.

Je dus serrer le poing pour me calmer. Mon père était de ces hommes élevés à la dure par un fermier de Macline, dont le père avait été fermier avant lui et son père avant lui…

Ma mère fit crisser les pieds de sa chaise. En dépit de tous ses efforts pour se retenir, une pellicule de larmes envahissait son regard. Elle se força à sourire et déposa un baiser sur ma joue.

« Ne fais pas de bêtises une fois là-bas », me dit-elle. Une ride se dessina sur son front. Elle détourna les yeux vers la fenêtre entrouverte lorsqu'elle sentit les larmes monter et fit mine de les ignorer lorsqu'elles commencèrent à rouler sur ses joues.

Je déglutis péniblement en la regardant pleurer, sans savoir de quelle manière réagir. « Je ne te promets pas d'y arriver, mais j'essaierai. »

Elle esquissa un sourire amusé en levant les yeux au ciel. Puis elle passa le revers de sa main sur sa joue et effaça la trace de ses larmes. « Fais bien attention à toi. Ne commets pas d'imprudence et surtout tiens-toi tranquille, énuméra-t-elle en lissant le col de ma veste. Obéis bien à tes maîtres… Surtout, ne fais pas de bêtises. Ah ! Je suis fière de toi, mon garçon. Oui, très fière. »

Antoni enjamba le banc et se précipita vers moi. Il croisa les bras sur sa poitrine étroite, sans poils et sans muscles, et me toisa un bref moment sans rien dire. À quatorze ans, Antoni avait autant l'aspect frêle des adolescents que leur caractère, à mi-chemin entre l'enfance et l'âge adulte, là où les repères se heurtent les uns aux autres. Ses boucles blondes et son teint de pêche lui valaient les attentions des jeunes filles de son âge et les faveurs libertines des putains de Lanay. Il m'horripilait parfois à jacasser constamment ou à se moquer de tout et n'importe quoi, tournant à la dérision la moindre discussion. Il ne tenait pas plus en place qu'il ne pouvait s'arrêter de plaisanter et de raconter des histoires à dormir debout.

Je l'enlaçai et tapotai son crâne avec tendresse.

« Fais gaffe grand frère… Cette fois, tu n'as pas affaire aux coupe-jarrets de La Ruche. C'est pas les mêmes que tu auras en face de toi, hein ? Oublie pas ça et reviens vite. »

Je hochai la tête.

Comme s'il manquait soudain de force, il laissa ses bras retomber le long de ses hanches. Puis il s'écarta. Malgré le sourire qu'il affichait comme une belle devanture, des larmes obscurcissaient ses yeux.

« Je te ramènerai un souvenir, qu'est-ce que t'en dis ? »

Il éclata de rire, essuya ses yeux du revers de la main. « Une épée, par exemple, proposa-t-il. Ça serait un bon début.

— Je verrai ce que je peux faire », lui promis-je.

Il grimaça, leva son bras et le laissa retomber. « Bah ! Contente-toi de te ramener toi-même. Ça me suffira amplement.

— Compte là-dessus. Si tu crois qu'on se débarrasse de moi si facilement !

— Ah ça ! J'en doute pas. Comment disait Lanay : T'es comme de la mauvaise herbe, tu repousses toujours là où on t'attend pas. »

Je pouffai de rire et, bien que sachant pertinemment qu'il détestait ce genre de geste, je pinçai sa joue entre le pouce et l'index. Une ride de contrariété se découpa entre ses sourcils blonds. Il repoussa ma main avec un sourire. Je reculai, levai les deux mains comme si je renonçais. Antoni éclata de rire, puis me suivit des yeux tandis que je m'approchais de Teichi. Il se tenait debout près de la table, une mèche de cheveux noirs dans les yeux.

Avant que je n'aie le temps de dire quoi que ce soit, il déclara d'une voix professorale : « Ne t'emporte pas inutilement. Réfrène tes impulsions. Réfléchis avant d'agir… C'est bien là ce qui te fait le plus défaut. »

Je secouai la tête, amusé. « Ne t'inquiète pas pour moi. Je ferai attention.

— C'est ça, oui. Comme si je pouvais te croire ! »

Je ricanai en lui adressant une légère tape sur l'épaule. Avant d'avoir eu le temps de retirer ma main, il la saisit avec une rapidité qui me surprit. De tous ceux de la famille, Teichi était celui qui mesurait tout, dans ses moindres proportions ; il mesurait une situation, un contexte, un débat, un sourire ou un clin d'œil. Il n'agissait jamais sur l'instant sans avoir pris le soin d'y réfléchir. Ce n'était pas un fonceur. Il n'était jamais spontané pour quoi que ce soit. Et pourtant, sous ses allures d'intellectuel rébarbatif, s'asseoir à ses côtés, parler avec lui, c'était comme d'être enveloppé d'une chaude couverture. On se sentait bien avec lui. Tout paraissait toujours plus simple, plus calme et tout prenait un sens.

Teichi conservait à mon égard une indulgence que je ne me serais pas moi-même accordée. Il avait mille raisons de me haïr, mille raisons de m'ignorer et, surtout, mille raisons de me coller son poing dans la figure. Deux ans plus tôt, j'avais séduit, sans aucun scrupule, la jeune fille des Pâtis, Philippine, une grande rousse assez jolie. J'avais délibérément ignoré les sentiments de Teichi. J'avais foncé tête baissée un jour parce qu'elle était là et que je n'avais pas envie d'être seul. N'importe quel gars aurait mis son poing dans la gueule du sale type qui aurait eu l'audace de poser la main sur la fille de ses rêves, mais pas lui. Il ne me fit aucun reproche. Aucune remarque. Et paradoxalement, ce fut son silence qui éveilla en moi quelque chose qui s'apparentait à de la culpabilité.

Teichi lâcha ma main. « Sacredieu, s'exclama-t-il en souriant, j'ignore si c'est pour toi qu'il me faut prier ou les Tenshins qui vont se frotter à toi. Quoi qu'il en soit, je prierai ; dans l'un et l'autre cas, vous en aurez sûrement tous besoin.

— Je te remercie de ta confiance, me moquai-je.

— Oh ! C'est parce que je te connais que je préfère prendre mes précautions. Ton impulsivité te perdra et je gage que les Tenshins te donneront plus de fil à retordre que les soldats de la garde. Alors pour une fois, fais-moi plaisir, évite donc de n'en faire qu'à ta tête, écoute maman, et obéis à tes maîtres.

— T'inquiète pas pour moi. Je fais toujours très attention à m'en sortir indemne.

— Tu es très fort quand il s'agit de te battre, persifla Fer du fond de la pièce, mais quand il faut prendre des décisions sérieuses, il n'y a plus personne. »

Tel-Chire tourna la tête vers mon âne bâté de frère aîné et le considéra d'un œil perçant avant de reporter son attention sur moi. Je fulminai, les poings crispés.

« Fer a raison, tu sais, dit Teichi. Tu es très fort pour te battre, mais tu prends des décisions trop hâtives. Prends-le temps de les mûrir, veux-tu ? »

Je me mordis la langue en jetant un regard vipérin à Fer et hochai la tête machinalement. « Je ferai de mon mieux », dis-je, sans en penser le moindre mot.

Teichi fit mine de me croire et m'adressa un sourire avenant auquel je répondis du mieux possible.

Fer se tenait dans l'embrasure, les mains dans les poches. Un rai de lumière coulait sur son visage et éclairait d'une manière dérangeante le noir irisé de ses yeux. Son regard posé sur moi, comme une dague sur une veine, me prenait aux tripes. Je sentais le flot de colère m'envahir comme l'eau qui monte dans une marmite lorsqu'elle bout.

Il retira une main de ses poches et me la tendit. Sa main ouverte ressemblait pourtant à un poing.

« Tu ne dis rien. Voyons Fer, pas même un mot aimable ? »

L'une de mes principales faiblesses était sans nul doute d'être incapable de savoir quand il fallait que je ferme ma grande gueule. Aaaah ! C'était plus fort que moi. Si je ne l'asticotais pas un peu, si je ne le poussais pas à bout de nerfs, je ne trouvais pas le sommeil le soir venu. Nous étions devenus très forts à ce jeu-là.

Il haussa les épaules en silence et retira sa main d'un geste brusque. Une grosse veine palpitait sur son front. Sa colère était si palpable dans la pièce que j'avais l'impression de pouvoir la toucher du doigt et la crever en y plantant l'ongle.

Mantaore le faisait jubiler. Il était bien placé pour savoir combien je tenais à mon semblant de liberté et à la vie que je m'étais construite. Une page de ma vie était en train de se tourner. J'aurais presque pu la sentir s'envoler sous mes doigts, poussée par une main inconnue qui semblait, comme les fileuses du destin, tresser les mailles de mon existence. Appelez ça la fatalité ou la destinée ou encore un sacré hasard. J'avais l'impression que j'aurais pu dire n'importe quoi, que j'aurais pu prendre la tangente aussi loin et aussi vite que possible, Mantaore m'aurait rattrapé d'une manière ou d'une autre.

Je jetai un coup d'œil sur la cour illuminée de soleil. La chaleur se déversait dans la clairière où était plantée Point-de-Jour. Le vent s'était calmé. Du fond de la pièce, je sentais son regard me piquer les épaules. J'en éprouvais une odieuse douleur, comme si on avait fourragé ma poitrine et mes tempes en même temps. Je fis volte-face et la contemplai.

Naïs était adossée contre le mur, les mains nouées en prière devant elle. Ses yeux s'accrochaient aux miens comme un noyé à une bouée au milieu de la houle.

Je jetai un bref coup d'œil à ma mère qui, par chance, discutait avec notre invité. Tel-Chire, en revanche, lorgnait chacun de mes gestes avec une discrétion qui rendait à peine perceptible sa curiosité. Je choisis de l'ignorer et m'approchai d'elle. Sa lèvre inférieure tremblotait. Son teint était encore plus pâle qu'à l'accoutumée. Elle n'arrêtait pas de triturer ses doigts. Une fois devant elle, je ne sus quoi dire. Elle non plus. Elle se contenta de lever une main tremblante vers mon visage et caressa ma joue avec tendresse. Sa main était chaude et moite. Je retins mon souffle lorsqu'une larme coula de son œil et brilla sur sa pommette avant de tomber sur le sol. J'aurais presque pu entendre le clapotis de la goutte d'eau chutant sur le plancher. Je relevai les yeux vers elle après avoir considéré la tache noire sur le bois et croisai son regard bouleversé. Cinq ans, c'était fichtrement long.

J'étais incapable de la prendre dans mes bras. Tous les muscles de mon corps étaient contractés et me faisaient mal. Mon esprit pataugeait dans le brouillard où mes pensées s'engluaient. Je me trouvais con. Comme chaque fois. Je me penchai vers elle et déposai un furtif baiser sur sa joue. Le contact de sa peau sur mes lèvres suffit à faire naître cette boule dans mon ventre ; ce désir, planté là comme un couteau. Je m'écartai vivement d'elle comme un gosse pris en faute pour avoir reluqué sous les jupes des filles. Je réajustai ma gibecière sur mon flanc.

Je détournai les yeux de son visage blême, de ses yeux mordorés qui semblaient hurler, et m'éloignai vers la porte à reculons. Il existe des moments dans la vie où l'on souhaiterait être un autre, je jure que c'était le cas ce jour-là.

Je me plantai aux côtés de Tel-Chire et de ma mère, et c'est d'une voix distante que je dis : « On peut partir. »

Tel-Chire hocha la tête et salua chaudement Athora en lui promettant de prendre soin de moi. Dans sa voix, j'entendis ce son bien connu, d'une hypocrisie criante. Il se dirigea ensuite vers la porte, mes deux jeunes frères sur ses talons comme de bons petits chiots. Ma mère les accompagna. Je lui emboîtai moi-même le pas après avoir pris une profonde inspiration.

Dans la cour, le soleil déversait une lumière chaude et aveuglante qui me fit plisser les yeux.

La main de Tel-Chire s'enroula sur le pommeau de sa selle et il enfourcha sa monture avec aisance.

« Seïs, tu es prêt ?

— Ouais, fis-je, pas franchement convaincu.

— Alors, très bien. Allons-y. Une longue route nous attend. »

Je passai un rapide coup de langue sur mes lèvres desséchées. Pas par anxiété, mais j'étais étonné. Je fixai l'Éliago du Tenshin. Puis je jetai un coup d'œil sur Ponce qui se prélassait dans le corral. Là, je compris. Mon regard croisa celui de Tel-Chire. *Plus aucun doute, mon pauvre Seïs, tu es destiné à marcher jusqu'à ce que mort s'ensuive.*

« Que le temps se montre clément avec nous », dit Tel-Chire, en talonnant sa monture.

L'Éliago dandina de l'arrière-train et s'engagea sur le sentier.

Mon cœur se mit à battre en le regardant s'éloigner. Bon Dieu, je partais. Je fis un petit geste en direction de ma famille, poussai ma salive au fond de ma gorge et tournai les talons.

Te retourne pas, te retourne pas, me répétai-je en écrasant les pavés de la cour. Mars me courait après en jactant. Je baissai les yeux sur lui ; je vis son petit regard triste poinçonner sous les bourrelets de peau, comme s'il comprenait que je partais.

« Fais bien attention à toi, Seïs, cria ma mère en écho.

— Reviens vite, frangin », s'écria Antoni.

C'est alors que j'entendis ses pas, ses chaussures frappant les dalles, le bruissement de ses jupes et sa respiration folle. Elle enroula ses bras autour de ma poitrine et colla sa joue brûlante entre mes omoplates. Son parfum m'enveloppa tout entier et me fit tourner la tête.

Sur le chemin, le cheval de Tel-Chire s'immobilisa.

« Deux choses, murmura-t-elle. La première, te cure pas le nez avec les doigts comme tu fais d'habitude et la seconde, si tu m'oublies, je te promets de te bourrer les fesses de coups de pieds jusqu'à t'en faire roussir les joues. C'est pas une parole en l'air, Seïs Amorgen, je le ferai.

– Ouais et toi, morveuse, si tu t'amuses à fouiller mes affaires pendant mon absence, tu redécouvriras l'expression "prendre un bain". Crois-moi sur parole.

– Pff ! Je les connais déjà tes affaires, imbécile. Si tu crois qu'elles m'intéressent…

– C'est ça ! ricanai-je. Allez, fous le camp, morveuse, je t'ai assez vue. »

Au lieu de me lâcher, elle resserra les bras autour de ma poitrine.

Je ne sais pas pourquoi, je me mis à fredonner une vieille chanson que les gardes chantaient entre eux au moment de revoir leur épouse : « Quand par la force des ans, nous serons vieux et tremblants ; À l'heure où chacun s'attarde, à fouiller dans son passé, il sera doux d'évoquer… » Naïs délaça ses doigts lentement. « Ah ! Les toits du Prie-Dieu, et sous ses sous-sols amoureux, où nous répandions le sperme de nos vingt ans enflammés, ô maîtresse, vous laissez en nos corps de bien beaux germes… »

Elle rit. Je ne me retournai pas, ni pour la voir pleurer et rire à la fois, ni pour regarder une dernière fois les membres de ma famille au milieu de la cour.

J'avançai à pied derrière un Tenshin. Un type qui avait quoi ? Plus de mille cinq cents ans d'existence, qui avait sûrement baisé plus de femmes qu'un sultan dans un harem, qui s'était vautré dans la richesse plus que tous les rois d'Asclépion et qui avait sûrement connu plus de malheurs, de mensonges et de conneries que tous les habitants du royaume réunis. Je m'embringuais derrière Tel-Chire d'Elisse en route vers un destin inconnu qui commençait très sérieusement à me foutre les jetons. Je me demandais ce que ces types, ces Tenshins, attendraient de moi une fois à Mantaore : une oreille attentive, une discipline de fer, un esprit éclairé ou prendre une pastèque dans les dents en connaissant sur le bout des doigts la définition du mot « silence » ? Je me demandais surtout dans quelle panade je m'étais enlisé et pour quelles raisons elle m'était tombée dessus sans crier gare. Qu'est-ce que j'avais fait pour mériter ça ?

Mon cerveau turbinait lorsque nous franchîmes le pont de Rovenne au-dessus du fleuve El-Kassen. Le cheval de Tel-Chire me devançait, mais il conservait une allure tranquille et semblait m'attendre lorsque je traînaillais derrière.

Mon esprit était engourdi, comme après une nuit à veiller et à picoler. Je commençais à avoir la trouille, mais ce n'était rien en comparaison de ce qui m'attendait. Je connaîtrai la peur. Ça, c'était la seule chose dont j'étais vraiment certain.

À la nuit tombée, nous fîmes halte à quelques kilomètres après le pont de Rovenne, à la lisière de la forêt et de la voie royale conduisant à Elisse. Tel-Chire alluma un feu sans que je puisse déterminer avec certitude de quelle manière il s'y était pris. Ce qui était certain, en revanche, c'est qu'il n'avait pas de pierre à briquet dans ses poches.

Je m'assis face au feu, les jambes tendues, et me calai sur les coudes, le nez levé au ciel. Un ciel d'encre, sans nuages, sans étoiles, mais avec les deux lunes du dieu Tothen parfaitement visibles au-dessus de la cime des arbres.

Je guignais mon compagnon du coin de l'œil. Le jeu des flammes se reflétait sur son visage et une lueur rousse clignotait dans ses yeux. Il retira la selle de l'Éliago, la déposa près du feu et s'installa en face de moi. Il ramena sa sacoche sur ses genoux et extirpa un paquet enveloppé dans un tissu jaune. Ses doigts fins et calleux déplièrent le morceau d'étoffe avec la minutie comique d'un joueur de cithare accordant toutes ses cordes. Ce type semblait si renfermé sur lui-même que je savais déjà, avant d'avoir échangé plus de quatre mots avec lui, qu'il n'était pas du genre à sacrifier de la place à la spontanéité. Tout devait être réfléchi à l'avance. Je me demandais s'il méditait la question avant d'aller pisser.

Il mangea des biscuits secs, calfeutré dans le silence. Il entrecoupait ses bouchées de quelques rasades de ce que je pensais être de l'eau. Je doutais que Messire Tel-Chire noyât son flegme dans une flasque d'alcool.

Je me mis à le fixer ouvertement. Des centaines de questions combattaient au coude à coude dans ma tête. Je savais qu'il n'y répondrait pas ; je ne pris pas la peine de les lui poser. Le moment venu, il me dirait tout ce que je voulais savoir.

J'avais encore du mal à croire que Tel-Chire d'Elisse dînait en face de moi. Pas un livre d'histoire n'omettait de décrire, à grand renfort de détails, le fameux Tenshin. Élève du premier maître de la Confrérie de Mantaore, parent d'un roi, combattant acharné. Voilà ce qui revenait le plus souvent dans toute biographie de Tel-Chire, mais au bout du compte, je ne savais pas grand-chose sur lui. En tant que Tenshin, le mariage lui était interdit. En tant qu'immortel, il ne pouvait pas procréer. Sa vie intime était un mystère. Ses pensées, un tombeau. Il parlait peu, se montrait peu. Il n'aimait pas pavoiser. D'après ce que je savais, il ne raffolait pas du faste de la cour d'Elisse et des fêtes luxueuses du palais de Hom-Tar. C'est pourquoi il avait choisi de se mettre au service du duché de Lantir, au sud-ouest d'Asclépion, loin des parades. Il avait opté pour une vie simple. Il conseillait le duc de Lantir et vivait au château de For-Bel, à la pointe du cap des Perles.

Bref, j'étais face à l'un des hommes les plus fascinants et les plus mystérieux du pays.

Je me laissai tomber en arrière en soupirant, la tête dans l'herbe. Pourquoi moi bon Dieu ?

« Tu devrais manger », me dit-il brusquement.

Je relevai la tête, étonné qu'il sache encore comment ouvrir la bouche. Tel-Chire referma le bouchon de sa gourde et la posa près de sa selle. Pendant un court instant, je me demandais si je l'avais vraiment entendu parler. Son visage aurait pu être une statue de pierre, je n'aurais pas vu de différence.

Je ne l'écoutai pas. Je me couchai en chien de fusil et lorgnai les flammes jusqu'à ce que mes paupières s'alourdissent. La fatigue s'enroula autour de moi et se creusa si profondément que je m'endormis tout de suite.

Dans la nuit, des éclats de voix de plusieurs caravaniers me réveillèrent en sursaut, à moins que ce ne fût ce foutu rêve qui me turlupinait des nuits entières. Ce trou noir, cette gueule infernale qui m'entraînait par les chevilles vers des gorges profondes, sans espoir de remonter et de revoir un jour la lumière du soleil, hormis ce ciel zébré de rouge, comme du sang dégoulinant des nuages au lieu de la pluie.

Je me redressai sur les coudes, hagard, en me demandant où j'étais. Je me rappelai soudain Tel-Chire et ce voyage au bout de l'enfer. La fatigue croula sur mes épaules à cette pensée. J'avais bien besoin d'un petit remontant pour effacer le goût de bile qui envahissait mon palais. Je m'apprêtais à prendre la flasque que je dissimulais dans la poche de ma veste quand mes yeux s'arrêtèrent sur Tel-Chire. Un sourire fendit mes lèvres. Il était assis en tailleur, le dos des mains posé sur les genoux, paumes offertes vers le ciel. Ses yeux étaient grands ouverts et fixaient Dieu sait quoi d'un air aussi cave qu'un cadavre. Il émanait de lui quelque chose d'effrayant qui eut raison de mon sourire sarcastique. Ce type n'était pas humain. S'il n'y avait eu sa barbe de trois jours et les torsades de ses cheveux dans la brise du soir, on aurait dit une statue. Tout était froid, immobile, sans saveur, jusqu'à ses yeux d'archer aussi glacés qu'une tempête de givre.

« Bon Dieu, mais qu'est-ce que vous faites ? » m'exclamai-je.

Ses yeux bougèrent dans leurs orbites à la vitesse d'un aigle et se posèrent sur moi. « Jusqu'à présent, je dormais.

— Dormir comme tout le monde, c'est pas votre truc, c'est ça ?

— Qu'est-ce que tu entends par "dormir comme tout le monde" ?

— Pour commencer, fermer les yeux, ensuite être allongé et, pourquoi pas ? Ronfler. »

Il cligna des paupières. Était-il surpris, mécontent ou bien fatigué ? Je n'en avais pas la moindre idée.

« Dis-moi une chose, Seïs, quand tu t'endors dans un quartier comme La Ruche, tu dors sur tes deux oreilles ? »

Je ricanai. « C'est ça et, lorsque je me réveille le matin, je pourrais toujours chercher mes bottes, peut-être même mon futal.

— Qu'est-ce qui te fait croire que tu es plus en sécurité ici qu'à La Ruche ?

— Trois raisons : la première, c'est qu'on pionce à dix mètres de la tour de guet du Pont de Rovenne, surveillée par une demi-douzaine de gardes. La deuxième, les voleurs de caravane sont pas très malins, c'est vrai, mais ils ne sont pas encore assez débiles pour attaquer les convois pile en face d'une barbacane et se préoccuper de deux types qui, manifestement, ne leur apporteront pas un sou.

— La troisième ? »

J'émis un petit ricanement. « Je pionce à côté d'un Tenshin. Ma préférée, personnellement. »

Il eut un vague sourire. « Ton raisonnement se tient... à un ou deux détails près. D'abord, c'est à croire que tu ne connais pas les gardes des tours de guet. Passé minuit, ils sont fins bourrés. Ensuite, ce n'est pas tant les voleurs qui m'inquiètent. Enfin, souviens-toi d'une chose : un ennemi attaque toujours là où on l'attend le moins, à l'heure où on l'attend le moins. Si tu veux survivre, pare à toutes les éventualités et ne crois pas que ta bonne étoile veillera toujours sur toi, et moi non plus d'ailleurs, autrement je ne donne pas cher de ta peau. »

Je haussai les épaules d'un air indifférent et me rallongeai sur mon sac. « J'ai du mal à imaginer que vous laisseriez crever votre petit protégé sans lever le petit doigt !

— En règle générale, je protège ceux qui ont envie de survivre ainsi que ceux qui le méritent ne serait-ce qu'un peu. Pour le moment, tu ne sembles rentrer dans aucune de ces deux catégories. Maintenant, repose-toi bien sur tes deux oreilles, dit-il en appuyant sur les derniers mots. Nous reprendrons la route dès le lever du soleil. »

Je grommelai. « Pour aller où ?

— À Mantaore. »

Je fis la grimace, mais j'aurais eu beau tordre la bouche dans tous les sens tout le reste de la nuit, cet empaffé ne m'aurait pas donné de meilleure réponse.

Un bras sous la nuque, je tentai de trouver le sommeil. Sauf que, pas de chance, chaque fois que je fermais les yeux, cette image obsédante du trou noir resurgissait et s'enfonçait si durement dans ma carcasse qu'elle me foutait une trouille de tous les diables. Alors, je fixai le ciel entre les feuilles du chêne faute de mieux. Je percevais brièvement, au rythme des oscillations des branches, l'éclat argenté de la lune irisée qui me lorgnait comme un œil.

Je dus, malgré tout, m'endormir parce qu'au matin la pointe de la botte de Tel-Chire vint me fouiller les côtes sans scrupules.

« Debout. C'est l'heure. »

Je me relevai sur les coudes, le visage tuméfié de sommeil, pour constater que le jour n'était pas encore levé. À peine une teinte mordorée et un brouillard humide qui dévalait les collines à l'assaut de la forêt.

Je bâillai, grommelai bruyamment en me redressant comme un vieillard, la main frottant mes reins douloureux. Tel-Chire s'en moquait éperdument. Il avait déjà rangé ses effets et sellé son cheval. Il monta d'un bond sur le dos de l'Éliago et l'élança sur le sentier d'un coup de talons. Il semblait avoir totalement oublié ma présence et me laissait me débrouiller tout seul derrière.

J'éteignis rapidement ce qui restait de braises rougeoyantes à coups de bottes et me ruai derrière lui en courant sans cesser de le maudire.

Le soleil me cuisait le sommet du crâne. Mes ampoules aux pieds étaient un calvaire. Le vent fouettait mon visage couvert de sueur. J'avais les joues en feu. Ma houppelande en laine pendait piteusement sur mon épaule, et je l'aurais volontiers jetée aux loups pour m'en débarrasser si j'avais imaginé un instant ne pas en avoir besoin plus tard. La contrée de Sarroes pouvait être inondée sous un soleil torride le mercredi et noyée sous des torrents de pluie le jeudi.

Mes bottes en Hedem s'enfonçaient dans une herbe grasse qui moutonnait sous un vent léger. Partout où je levais la tête, les rayons du soleil irisaient les pâturages à perte de vue. De petits bosquets chétifs s'accrochaient de-ci de-là aux pans des coteaux et semblaient avoir été oubliés là par mégarde. Sarroes semblait aussi vide qu'un désert. D'ailleurs, en un sens, elle ressemblait à un désert, hormis qu'à la place des dunes de sable, des montagnes d'herbes et de maquis épars s'étendaient à perte de vue.

Plus on avançait vers le nord, plus l'idée que Tel-Chire nous menait droit vers les montagnes d'El-Sharan prenait forme. Ensuite, après un détour vers l'est, puis à nouveau vers l'ouest, je compris que la route ne serait pas aussi évidente. Il brouillait les pistes. Pour qui ?

Après quelques jours de marche forcée, je m'en fichais comme d'une guigne. J'avais affreusement mal aux pieds. J'avais faim ; j'avais soif. Tel-Chire nous accordait tout juste une halte par jour sur le coup de midi. Il m'obligeait à marcher dès les premières lueurs de l'aube jusqu'au crépuscule et grignotait parfois du temps sur la nuit lorsque les deux lunes éclairaient le sentier. Je soupçonnais qu'il n'ait aucun besoin de lumière pour percer les profondeurs de la nuit. À travers les mèches noires de sa frange, on pouvait entrevoir ses yeux de verre aussi perçants que ceux d'un félin.

Quand on quitta les collines de Sarroes, je réalisai que mes pieds n'étaient jamais allés si loin. J'en éprouvais une sorte d'excitation enfantine la combattant à une détresse puérile de me retrouver si loin de chez moi. J'avais parcouru, au bas mot, un peu plus de trois cents kilomètres et Macline me manquait déjà comme le sein manque au nourrisson.

Après les tertres verdoyants parsemés de quelques arbres rachitiques et émaciés, une grande plaine dorée se dévoila devant mon regard rongé de fatigue. L'Éliago enfonça ses longues jambes blanches dans les steppes de Latifer et disparut presque entièrement sous les hautes herbes. Elles s'élevaient de deux bons mètres de hauteur environ et s'étiolaient sous la main du vent qui ployait sur les terres gigantesques des steppes. Non content que la chaleur crût en proportion, je ne voyais pas à un mètre devant moi. Je suivais machinalement le cheval de Tel-Chire dont la queue blanche chassait les hordes de moustiques. J'avalai deux demi-douzaines d'insectes dès les premières heures de marche. Je m'écorchai les mains en écartant les herbes tranchantes comme des rasoirs. Je pestai dans ma barbe contre ces foutus Tenshins et je me fichais bien que Tel-Chire puisse m'entendre ou non. Je suais à grosses gouttes. La lanière de mon sac me coupait l'épaule et m'irritait la peau à cause de la transpiration. À la fin de la matinée, le bout de mes doigts était déchiré et en sang. Si Tel-Chire n'avait pas été un Tenshin, je crois que j'aurais tenté de le désarçonner pour lui voler son cheval et me faire la belle. Pour couronner cette journée mémorable, les steppes commençaient à s'élever progressivement. On prenait de l'altitude.

Dans l'après-midi, je me coupai tout le côté gauche de la main sur l'une des herbes et pissai le sang.

« Merde ! J'en ai marre, explosai-je. Si j'avais du feu, je cramerais toutes ces foutues herbes jusqu'au désert ! »

L'Éliago s'immobilisa. Tel-Chire pivota sur sa selle. Il me jeta un coup d'œil moqueur, du moins c'est ce qui me semblait ; sur son visage marmoréen, il n'était pas facile de trancher. Il se pencha, ouvrit l'une des sacoches suspendues au flanc de son cheval et extirpa un large coupe-coupe. « Tiens », me dit-il en envoyant la machette par-dessus son épaule.

Je la récupérai au vol, fou de rage. « Vous n'auriez pas pu me la donner plus tôt ? »

Il donna un coup de talon sur le flanc de sa monture qui reprit la route. « Tu n'avais qu'à la demander. »

Je serrai les poings et les desserrai aussitôt en sentant les picotements des plaies sur mes phalanges. Je grommelai entre mes dents et lui emboîtai le pas avec l'idée fleurissante que j'arrangerais bien son joli minois avec le coupe-coupe.

La machette en main, je coupai les herbes, les déchiquetai, les broyai en imaginant volontiers la face du Tenshin placardée sur les tiges.

Nous montions sur des pentes à peine perceptibles à l'œil nu, mais fichtrement sensibles dans les mollets. En levant la tête pour ne pas perdre de vue Tel-Chire au milieu de cette nasse épaisse et dorée, j'entrapercevais les montagnes derrière le voile subtil des herbes. La cordillère des Amors. La chaîne de montagnes longeait l'océan en un gigantesque ruban d'à-pics noirs d'est en ouest. Elle s'arrêtait aux portes des marais de Kan-Tie. J'espérais sincèrement qu'au dernier moment, nous bifurquerions pour rester dans la vallée, mais c'était inutile. On se dirigeait droit sur la cordillère. La route était encore longue avant de pouvoir atteindre les montagnes. J'entrevoyais leur silhouette taillée à coups de hache dans la lumière éblouissante des steppes, comme d'immenses pions noirs posés sur un échiquier.

Lorsque le jour déclina, Tel-Chire ordonna une halte près d'un maigre cours d'eau qui était parqué là, comme s'il s'était perdu. Je me laissai tomber sur les berges. Je tirai mon sac vers moi, déballai ce qui me restait de nourriture et grignotai une tranche de viande séchée et des biscuits d'un air morne. Après quoi, je bus mon comptant d'eau au ruisseau et remplis ma gourde à ras bord. Je me rinçai le visage, m'aspergeai le dos. Un peu ragaillardi, je basculai en arrière, les bras en croix.

« Est-ce qu'on est encore loin ? demandai-je d'une voix bougonne.

— Oui. »

Sa franchise me fit l'effet d'une douche glacée. Je me redressai péniblement sur les fesses, le cherchai du regard et le trouvai assis en tailleur près de la ravine, les yeux dans le vague.

« Bon Dieu ! Où me conduisez-vous ? Ne me dites pas à Mantaore ou bien…

— Ou bien ? » fit-il.

Au lieu de pouvoir satisfaire mon envie de mutinerie, il affichait un visage imperturbable, sans la moindre trace de moquerie.

« Ou bien rien, concédai-je, sans chercher à cacher le mépris qu'il m'inspirait. Je ne peux rien faire contre vous. Je le sais, vous le savez… Bordel, je suis sûr que vous adorez ça.

— Pas vraiment », me répondit-il de ce ton neutre qui me foutait en l'air.

À ce moment-là, j'acquis la certitude qu'il me faudrait au bas mot quelques siècles de tentatives pour parvenir à éveiller en lui quelques émotions humaines. Je ne perdais pas espoir de pouvoir un jour craqueler sa cuirasse. Je me fis la promesse d'y employer désormais une bonne partie de mon temps. Je voulais voir jusqu'où l'on pouvait pousser un homme entraîné avant qu'il explose.

« Où va-t-on ? » réitérai-je obstinément.

Il prit une profonde inspiration, tout en fixant de son œil vert les miroitements du ruisseau. « Je ne peux pas te le dire.

— Pourquoi ?

— Pour plusieurs raisons.

— Lesquelles ? » insistai-je.

Il soupira. « Très bien ! Premièrement, parce que tu es vulnérable. Les apprentis sont des proies faciles. » Il pointa son pouce. « Deuxièmement, tu es une denrée rare et précieuse, et beaucoup sont ceux qui aimeraient te mettre le grappin dessus. » Il déplia son index. « Troisièmement, tu es le fil qui pourrait guider des personnes malintentionnées au siège de Mantaore. »

Il laissa sa main retomber sur son genou.

« Comment est-ce possible ? demandai-je, interloqué. Je veux dire : comment pourrais-je mener qui que ce soit dans un endroit que je ne connais pas ? Je ne suis jamais allé plus loin que les collines de Sarroes de toute ma vie.

— C'est inutile. Tu n'as pas besoin de connaître le site pour renseigner ceux qui le recherchent.

— Je ne comprends pas.

— Bien sûr que tu ne comprends pas. » Je fronçai les sourcils et m'apprêtais à lancer quelques noms d'oiseaux lorsqu'il m'interrompit : « Quand tu fermes les yeux, tu crois continuellement que tu ne pourras plus les rouvrir et ça t'effraie. À cause de ce cauchemar que tu fais souvent, ce trou noir… Quand tu vagabondes dans La Ruche, tu te sens bien, non pas parce que tu maraudes ou n'en fais qu'à ta tête, mais parce que tu sais que dès que tu ouvriras la bouche, ce sera pour mentir. Quand tu as couché avec la femme que convoitait ton frère, ce n'était pas parce que tu te sentais seul, mais parce que tu voulais te rapprocher de ce que tu ne peux pas posséder. Quand tu te rends dans le lit des putains, c'est pour oublier ce que tu désires vraiment, lorsqu'il fait trop chaud, lorsque la tension est trop lourde, lorsque ta raison perd pied…

— Ça suffit ! » le coupai-je d'un ton sec.

Je le considérais aussi médusé que furieux. Mon corps était trop fatigué pour ressentir la colère qui couvait dans ma tête, pourtant j'avais l'impression que les limites de mon crâne étaient soudain devenues trop étroites pour la contenir. Tel-Chire se tut et détourna les yeux pour contempler la cordillère des Amors. En le regardant, je me demandais si sa jolie figure aurait une vague expression de surprise si la mort venait le faucher subitement.

« Vous êtes entré dans ma tête.

— En effet, avoua-t-il sans fard. Je ne suis pas le seul à posséder un tel don. Certaines personnes ont des esprits puissants capables de percer la carapace qui protège les pensées. C'est pourquoi je ne peux pas te révéler où nous nous rendons. Tu le découvriras bien assez tôt. »

Je n'ignorais pas l'existence de tels individus qui usaient de ce don dans des histoires pas très nettes. Jusqu'à présent, je n'avais jamais envisagé en être la victime et je devais avouer que cette idée me déplaisait fortement.

« Quels intérêts ces types auraient-ils à vouloir nous suivre ? demandai-je, en tentant de rester calme.

— Mantaore protège d'innombrables secrets.

— Lesquels ? »

Un sourire abscons jouas sur ses lèvres. « Eh bien, pour commencer, nos apprentis, dit-il d'un ton pince-sans-rire.

Nos livres, également, qui sont de véritables trésors de connaissances, ainsi que d'autres choses encore que tu découvriras en temps et en heure.

— Qui cherche à s'approprier ces secrets ?

— À ton avis ? »

Il m'énervait à répondre à une question par une autre question.

« Noterre. »

Il eut un hochement de tête évasif et saisit son outre. Il fit sauter le bouchon, but quelques gorgées d'eau et la reposa à ses côtés.

« Pourquoi ? Qu'est-ce qu'il cherche ? demandai-je.

— Ce qu'il a toujours souhaité… le pouvoir.

— Ça, je l'aurais deviné. Mais pourquoi Mantaore ?

— Pour quelles raisons serais-tu important pour lui ? »

Je haussai les épaules, dépité. « Je n'en sais fichtre rien.

— Tu es un apprenti. En tant que tel, tôt ou tard, tu seras son ennemi. Tu crois qu'un homme dans sa position peut se permettre de laisser grandir un nouveau pion qui pourrait se dresser entre la monarchie et lui ?

— Je suppose que non.

— Bien sûr que non, rectifia-t-il. C'est pourquoi nous sommes contraints d'effectuer quelques détours. Par prudence. Mantaore est à l'abri depuis des années. Les personnes qui connaissent son emplacement se réduisent à un petit groupe de privilégiés. C'est bien suffisant. Il nous faut donc garantir que leur nombre reste tel que nous l'avons décidé et préserver ce qui se cache derrière les murs de Mantaore. Il serait fâcheux que nos petits apprentis connaissent une fin tragique à cause de notre négligence, n'est-ce pas ? »

Si c'était de l'humour, ça ne me fit pas rire.

Tel-Chire se tut et observa de nouveau le ruissellement de la ravine, à moins que ce ne fût les broussailles de l'autre côté. Je m'en désintéressai. Je me renversai en arrière, fourrai ma houppelande entre mon sac de jute et ma tête, puis fermai les yeux. Les bruits des steppes s'amplifièrent aussitôt. Les cris des oiseaux nocturnes augmentèrent en décibels ; le vent chantait en caressant les herbes qui pliaient ; les moustiques tournoyaient comme un essaim d'abeilles, prêts à piquer et boire mon sang jusqu'à s'en faire exploser la panse.

Une main se posa brusquement sur ma bouche. Par réflexe, je voulus me relever, mais un bras caressa mes côtes et m'écrasa au sol. J'ouvris les yeux, hagard, et entrevis Tel-Chire dans l'obscurité. Il posa son index sur ses lèvres. Je hochai la tête. Il relâcha la pression de sa main et recula à croupetons. Dans un silence absolu, il fit glisser son épée hors de son étui en Hedem. Son sabre miroita d'une lumière argentée sous mes yeux éberlués, avant qu'il ne le cale le long de son avant-bras. Tandis que je me redressais sur les coudes, il me fit signe de ne pas bouger. Accroupi, mais avec prestesse, il se dirigea dans les frondaisons et disparut, me laissant seul sur les berges. La lune était basse, cerclée de nuages sombres. Je ne distinguais rien.

Puis un cri.

Je sursautai et relevai le col pour tenter de voir au travers des buissons. Du mouvement. Les herbes ployèrent sur ma droite. Je m'agenouillai, une main posée à plat sur le sol, comme si j'étais prêt à courir. Des bruits de pas percèrent et se rapprochèrent du bivouac. Une silhouette. Deux. Trois.

Mon cœur se mit à cogner férocement dans ma poitrine. Je ramassai mon sac et le jetai dans les herbes pour le cacher. À reculons, je l'imitai, abandonnant les berges du ruisseau moins ombragées, et me glissai dans les broussailles.

J'avais perdu de vue Tel-Chire et l'Éliago. À plat ventre, les couilles aplaties dans les cailloux, je transpirais. Je fixais les ombres qui se découpaient parmi les herbes, les yeux grands ouverts. Un éclair fendit subitement la végétation, comme si l'orage qui couvait venait enfin d'éclater. Or, les nuages étaient aussi compacts et noirs que du charbon.

Reste pas là. Reste pas là, bon Dieu. Je me mis à ramper sur le sol en essayant de me fondre dans la terre quand j'aperçus briller sur la berge la lame du coupe-coupe. *Bon Dieu !*

Un nouveau cri explosa et me rentra sous la peau. Des éclairs orangés se mirent à zébrer les steppes. Je relevai la tête, calé sur les coudes. Je compris soudain. Ce n'étaient pas des éclairs. C'était des flammes, des foyers de flammes qui embrasaient l'herbe comme des bouquets de pailles, avant de s'éteindre aussitôt.

Je rampai à l'opposé des cris et des faisceaux de lumière qui perçaient la nuit. J'avais l'air d'un lâche, mais je m'en foutais comme d'une guigne. Quel bel apprenti je faisais !

Quand j'entendis le craquement de brindilles sous un pied, il était déjà trop tard pour me sauver. J'eus tout juste le temps de me retourner pour éviter la longue lame brune et tordue qui allait m'embrocher. Une espèce d'escogriffe aux cheveux noirs et poisseux me souriait à pleines dents… enfin ce qui lui en restait. Un foulard rouge noué autour du cou, il avait la gueule d'un taureau, le museau aplati et cassé, des yeux globuleux d'un jaune insolite et un teint brun crasseux. Le type avait beau avoir la gueule de travers, il avait l'air de savoir ce qu'il faisait, avec le regard qui dit « mon petit gars, t'en as plus pour longtemps ».

Le Foulard Rouge fit voltiger son épée dans sa main d'un air de défi.

« Tes dernières paroles, me dit-il en riant, découvrant des dents pourries de tabac, noires et méphitiques.

— Ton tabac… dans quelle poche tu l'as planqué ? Ça m'évitera de chercher quand tu seras mort », lui jetai-je d'un ton fanfaron.

L'escogriffe cracha par terre et me dévisagea d'un regard de tueur. C'était le moment ou jamais. Je balançai un coup de pied dans l'épée qui valsa en arrière, lui retournant le bras. Il la laissa échapper au milieu des herbes en hurlant de rage.

« Tu crois que j'ai besoin de ça pour te tuer », me lança-t-il en gloussant.

Je ne restai pas pour le savoir. Je me redressai d'un bond et m'élançai vers la ravine en espérant y trouver la machette.

Une main se referma sur mon épaule au moment où je dépassai les broussailles et me précipita sur les berges. Je m'affalai de tout mon long, tête la première. Je me retournai sur le dos avant que l'escogriffe décide de s'asseoir sur mes reins. De face, il opta pour m'aplatir le ventre à califourchon. Ses mains énormes et calleuses entourèrent aussitôt mon cou, comme il l'aurait fait pour tuer un jeune coq vaniteux. Ses doigts me compressèrent la carotide. En quelques secondes, je me mis à suffoquer. Je paniquai. Je gesticulai et tentai d'agripper d'une main tremblante son foulard rouge. Mes poings qui volaient dans tous les sens semblaient l'amuser. Il me lorgnait d'un regard vorace, ce regard qui disait à quel point il prenait plaisir à exercer son métier. Son haleine putride me rentrait dans le nez. Du vieux tabac. J'avais un goût de sang dans la bouche. Je sentais toute mon énergie quitter mon corps. Par un heureux coup de chance, je réussis maladroitement à lui décocher une droite qui le fit saigner du nez. Il secoua la tête comme un cheval, fit gicler les gouttes de sang et partit d'un franc rire.

« Vas-y, gamin, défoule-toi », se moqua-t-il.

Ce salaud faisait durer le plaisir. Il laissait à mon cerveau le temps de comprendre qu'il allait cesser de fonctionner une bonne fois pour toutes. *Merde ! Pas maintenant. Pas maintenant. Juste avant que…*

Les larmes me piquaient les yeux. J'allais mourir à l'orée de ma vie, tué par un Foulard Rouge, un vulgaire voleur de caravanes. J'allais mourir à quelques mètres d'une machette coupante.

Mes doigts repliés autour de ses mains dans un dernier espoir, j'étouffais et me débattais vainement. Un voile rouge sang sombra sur mes yeux. J'étais en train de m'évanouir.

Non…

Un flot d'air inonda soudain mes poumons. La pression autour de mon cou se relâcha ; le contact gluant des mains du Foulard Rouge s'évanouit. J'ouvris les yeux sur la lune haute et grise, découpée sur un monceau de nuages noirs comme de l'encre. Mes poumons étaient en feu ; ma gorge m'élançait. Je basculai sur le flanc, pris d'une violente quinte de toux. Je crachai par terre ce qui ressemblait à du sang et de la bile mélangés. Puis, à bout de force, je me renversai de nouveau sur le dos et pris plusieurs goulées d'air profondes et délicieuses.

Tel-Chire, agenouillé à ma droite, me considérait en silence avec ses yeux de verre. Il était à peine échevelé et sa toilette, à l'exception d'une fine pellicule de poussière, semblait sortir de chez le tailleur.

« Tout va bien ? » me demanda-t-il. J'opinai d'un air distrait. « Bien. Alors, relève-toi. »

Il se redressa, épousseta son pourpoint pour en faire tomber la terre et se dirigea vers la ravine. Je m'assis par terre, les bras ballants, la gueule en feu. Je me frottai les yeux et, quand je les rouvris, je me retrouvai nez à nez avec le cadavre du Foulard Rouge. J'eus un sursaut de recul. Un flot de sang coulait autour de sa gorge lacérée. Ses yeux sombres et globuleux me fixaient d'un air vitreux.

Par chez nous, on était habitués à la mort. Pas un hiver sans qu'on ne soit obligé de transporter des cadavres dans les collines de Sergale à cause du froid et de la disette. L'année de mes treize ans, la peste avait fait des ravages en ville. Les maladreries avaient poussé comme des champignons. On avait dû brûler les dépouilles. Un vrai feu de joie dont les odeurs de chairs calcinées avaient envahi toute la forêt. Les querelles de taverne, les rixes en pleine rue se terminaient une fois sur trois au cimetière. J'avais déjà vu des cadavres. Le vieux Umbriglio, poivrot notoire, qui était mort dans ses glaires au coin de l'un des bordels de Lanay. Les gens l'y avaient laissé pourrir pendant cinq jours avant que les autorités sanitaires de la ville viennent nous en débarrasser. La mort n'impressionnait personne là-bas.

Pourtant, je regardai ce type qui avait tenté de me tuer avec une vague horreur. Il gisait là, devant moi, avec cette mine patibulaire figée, la bouche tordue sur un cri qu'il ne poussa jamais, et des flots de sang qui s'écoulaient encore par vagues hors de sa gorge.

« Rassemble tes affaires, me lança Tel-Chire. Nous partons. »

Je me redressai péniblement sans lâcher des yeux le cadavre sanguinolent du Foulard Rouge. Je me frottai les mains l'une contre l'autre pour me débarrasser de la terre qui me collait à la peau. Je tournai ensuite les talons et me dirigeai vers les berges du ruisseau. Je ramassai le sac, que j'avais jeté dans les broussailles, ainsi que le coupe-coupe.

« Viens là », m'appela Tel-Chire.

Il vérifiait la selle de sa monture. Je passai la bretelle de mon sac par-dessus ma tête et le rejoignis sans broncher. Tel-Chire bondit sur l'Éliago et me tendit la main. Je le considérai, étonné.

« Nous n'avons plus de temps à perdre, me dit-il. Ils vont revenir plus nombreux. Alors dépêche-toi. »

Je pris sa main. Il me hissa sans peine derrière lui et l'Éliago s'engagea entre les herbes sans qu'on ait besoin de le pousser. D'abord, au petit trop, puis au galop.

La rivière s'effaça. Le bruit des eaux se corroda. Il n'y eut plus que le bruissement doucereux du vent contre ma peau brûlante et le son lancinant des sabots du cheval sur le sol rocailleux des steppes. Sur nos arrières, je la sentais. Une présence diffuse qui se rapprochait sans cesse.

« Accroche-toi », souffla Tel-Chire. À contrecœur, je posai une main sur sa taille, l'autre sur l'arrière de la selle. Tel-Chire se pencha légèrement en avant.

Au moment où les ombres lointaines semblèrent gagner du terrain sur nous, malgré l'allure soutenue de l'Éliago, le cheval rejeta sa crinière en arrière, poussa un hennissement qui ressemblait au cri furieux d'une femme. Ses jambes se mirent à se mouvoir à une telle vitesse que les herbes devinrent floues dans mon champ de vision. Ses sabots ne semblaient plus toucher terre. Tel-Chire menait tambour battant l'Éliago qui galopait comme s'il volait, ses jambes fines, opalines, s'étirant devant lui comme des jets de flèches, se plantant dans la terre pour mieux rebondir dans les airs.

Les ombres s'estompèrent.

Le cheval ne ralentit la cadence que lorsque l'aube dessina dans l'horizon des faisceaux de lumières rougeoyants. L'herbe se faisait plus éparse et plus courte à mesure que nous nous rapprochions de la cordillère des Amors. Sa longue silhouette grandissait, étalant son ombre noire sur le désert de rocailles que je discernais au-delà des broussailles.

Sur les coups de midi, Tel-Chire tira sur les rênes. L'Éliago s'arrêta un bref instant, secoua sa crinière dans une brise presque fraîche, puis repartit au pas. J'en profitai pour me retourner et contemplai les steppes jaunâtres glissant à perte de vue vers le sud, sans l'ombre d'un Foulard Rouge.

« Ce n'étaient pas des Foulards Rouges, déclara Tel-Chire, coupant mes pensées comme une hache sur une bûche.

— Je l'ai vu autour du cou du type que vous avez massacré.

— En effet, reconnut-il. Toutefois, ce n'étaient pas des voleurs de caravanes. C'est ce qu'on a voulu nous faire croire.

— Alors qui étaient ces hommes ?

— Selon toi ? »

Un Lantirien pure souche, songeai-je. *Toujours à répondre à une question par une autre.*

« J'en sais rien. Si vous me le disiez ? »

Tel-Chire m'offrit brièvement son profil et son œil perçant. « Des soldats de Noterre. »

Je faillis m'étrangler avec ma propre salive. Un vent glacial parut s'engouffrer sous ma chemise et sécha ma sueur en quelques secondes.

« Ça me flatte d'être si important ! ironisai-je.

— Tu es une proie facile tant que tu n'es pas à Mantaore. Toi ainsi que tes compagnons.

— Mes compagnons ?

— Oui. Vous êtes six à avoir été nominés au rang d'apprenti. Je mettrais ma main à couper qu'ils ont été attaqués en chemin… » Il s'interrompit, parut prendre une profonde inspiration et ajouta d'un ton grognon : « Ce qui m'inquiète, c'est que Noterre ait pu découvrir de façon si précise notre itinéraire ainsi que le jour où je devais venir te chercher.

— Comment aurait-il pu l'apprendre ?

— Ma foi, ce n'est pas très difficile, je suppose, en particulier lorsqu'un imbécile de gouverneur déclame dans toute la ville qui a été élu, n'est-ce pas ? »

Je ne pus retenir un ricanement. « C'est évident ». Je me rappelais avec un profond plaisir l'expression de terreur qui avait envahi le visage d'Aymeri lorsqu'il m'avait vu foncer sur lui. « J'ai une question.

– Je t'écoute.

– Qu'arriverait-il si Noterre mettait la main sur le siège de Mantaore ? »

Il me sembla le voir sourire, mais je n'en aurais pas juré.

« Mantaore… murmura-t-il. Sais-tu que par deux fois déjà nous avons été contraints de déplacer le site de la Confrérie ? » Il soupira. « La première fois, lorsque Noterre a trahi l'ordre évidemment ; la seconde, lorsque ce fut le tour de Kal-Hem de rompre son serment. Depuis longtemps, Noterre nous cherche et il n'est pas prêt de renoncer à ses projets. N'imagine pas qu'il reste paisiblement derrière ses frontières à attendre que son rêve lui tombe tout cuit dans la bouche. Ce n'est pas le genre d'hommes à rester oisif. Toutefois, je te garantis qu'il lui faudra davantage que ces espèces d'oripeaux pour ne serait-ce que nous écraser un orteil. »

Sa dernière phrase sonna comme un défi dans sa bouche. J'en fus surpris. Cela ressemblait à une émotion.

« Pourquoi ne pas l'éliminer simplement ? »

Il eut un grognement. « Tu crois que nous n'avons pas essayé ? »

J'éclatai de rire. « Seriez-vous en train d'insinuer qu'il est meilleur que tous les Tenshins du Ponant réunis ? » me moquai-je.

Il haussa les épaules. « Je dis seulement qu'il est bien protégé. »

Il se tut brusquement et sa tête opéra un virage sur la droite. Ses paupières se plissèrent en examinant une nouvelle étendue plane et inculte. Un voile de colère sombra sur son visage. Ses yeux étrécis scrutèrent les steppes silencieuses. Un silence absolu et inquiétant. Trop calme. Bien trop…

… de mouvements. Les doigts secs de Tel-Chire me saisirent par le bras et me poussèrent tellement fort au bas du cheval que je basculai sur les fesses au moment où une flèche fusait au-dessus de ma tête. Le sol des steppes n'était qu'un champ de caillasses. Je sentis mon épaule me rentrer dans le cou en heurtant le plancher des vaches et les cailloux du désert me grêlèrent la peau de petits points rouges. Je lâchai un juron.

Tel-Chire sauta à pieds joints à mes côtés. « Ils insistent ! » souffla-t-il d'un ton vipérin. Il serrait dans sa main droite sa longue épée à lame courbe encore rougie du sang de la veille. Dans la gauche brillait le coupe-coupe. Il me le lança.

« Sers-t'en cette fois-ci », me conseilla-t-il sans me regarder.

Je fulminai en m'aplatissant au sol, le nez dans les cailloux. Les flèches pleuvaient au-dessus de nos têtes dans un bruit de soufflet détestable.

L'Éliago s'éloigna au galop, manquant de peu de se faire embrocher. Très vite, il ne fut plus qu'une tache blanche dans l'étendue grisâtre qui conduisait aux Amors.

Je parvins à atteindre un énorme rocher, comme un tumulus planté au milieu de nulle part. Je me tassai derrière lui et, pour m'aider à attendre que l'orage passe, je sifflai une goulée de ma gourde, du Sirop de Glanmiler frais et fort qui me réchauffa l'estomac. Les flèches tempêtaient au-dessus de ma tête, crevant la terre, et les rubans de caillasses explosaient parfois en une constellation de poussières.

Une silhouette me frôla. Une longue épée en forme de T passa sous mes yeux. Le type me regardait sans bouger, un sourire presque jovial posé en travers du visage. J'aurais dû comprendre qu'il ne s'agissait pas d'un Foulard Rouge, pour la simple et bonne raison qu'il n'en portait pas. Mais j'étais comme pris de fièvre. Les flèches tombaient autour de nous et m'aiguillonnaient les nerfs, au même titre que les cris gutturaux des soldats qui tombaient comme des mouches. Et le Sirop de Glanmiler peut-être bien aussi. J'avais l'impression qu'on me rentrait des éperons dans les flancs. Bon sang, je ne voulais pas mourir comme ça, embroché comme un gigot. D'ailleurs, je ne voulais pas mourir du tout.

Je dressai mon coupe-coupe devant moi, prêt à m'en servir d'une manière ou d'une autre, et, franchement, je ne savais pas comment. Les modiques leçons d'armes auxquelles on m'avait traîné gamin venaient de fondre dans ma tête comme neige au soleil.

L'homme qui me faisait face, sourire aux lèvres, avait des cheveux blonds en bataille que le vent poussait dans tous les sens. Ses yeux gris clair me fixaient avec une lueur de moquerie. Une petite cicatrice courait sur l'arête de son nez et une seconde sur son sourcil gauche. Son sourire s'élargit. Il leva son épée, qui avait l'air de peser des tonnes. Je crus qu'il allait l'abattre sur ma pitoyable machette en me sectionnant le bras avec. Au lieu de quoi, il bascula son arme en arrière et embrocha un type sorti de derrière le rocher, le foulard rouge en travers de la gorge, qui se mit à cracher des flux de sang comme une fontaine.

« Eh ! Petit, fais attention, tu risquerais de te blesser avec ça », me lança le blondinet en ricanant.

Je regardai mon coupe-coupe, les yeux emplis de colère. Ma main tremblait en serrant le manche enroulé de cuir. Mon orgueil chiffonné me faisait davantage souffrir que la poignée de l'arme fichée dans ma peau. Je relevai des yeux haineux sur le type aux cheveux blonds avec l'envie de lui défoncer ses jolies dents scintillantes. Il était bien plus grand que moi, avec des épaules larges et des bras aussi longs que musclés. Les manches de sa chemise étaient relevées jusqu'aux coudes comme s'il prenait garde à ne pas se salir. Il portait à la taille une dague, qu'il saisit et me tendit par le manche.

« Essaie plutôt ça. Tu y arriveras p't-être mieux. »

Il bondit comme un jaguar, avec une aisance quasi surnaturelle, sur un nouvel assaillant à qui il trancha la gorge, aussi nettement qu'un boucher, une escalope de viande.

Je me penchai en avant, les mains à plat sur les genoux pour éviter un nouveau tir de flèches quand j'aperçus cette lueur déconcertante dans son regard, cette sorte de jubilation effrayante que semblait lui procurer la tension du combat.

Une flèche siffla près de mon oreille et je tombai à genoux sur les cailloux. Je cherchai Tel-Chire du regard et ne mis pas deux secondes à l'apercevoir à trois mètres de moi. Son sabre, à la lame fine et étincelante, tournoyait avec une grâce redoutable et, dans un déluge de sang, les membres découpés d'une seule rotation de son poignet s'envolaient dans les airs. Des hurlements rampaient dans mes oreilles et tétanisaient chaque muscle de mon visage. J'avais entendu un paquet de choses horribles au cours de ma vie, mais ces gémissements-là me donnaient une furieuse envie de vomir. Je retins mon souffle quand, de la main droite de Tel-Chire, ouverte comme une offrande, sortit une gerbe de flammes qui embrasa comme une torche une flopée de soldats.

« Nom de Dieu ! » murmurai-je.

Les flammes surgissaient de son poing incandescent comme une boule de feu. Sa peau semblait ignifugée jusqu'au coude et le feu ne brûlait même pas ses vêtements. Les soldats parurent danser, le feu léchant leur chevelure, leurs oripeaux et cet épiderme crasseux qui s'embrasait comme des fétus de paille. De longues volutes de fumée empoisonnèrent le ciel d'un bleu azuré et recouvrirent la lumière du soleil.

Ma bouche s'affaissait quand une main m'empoigna par la nuque et me propulsa à plat ventre. « Encore ! » m'exclamai-je, dépité.

Un caillou s'enfonça rudement dans ma poitrine, un autre dans mon entrejambe. De la sueur coulait et m'irritait les yeux. En tombant, je lâchai la machette, qui alla s'écraser un peu plus loin dans la pierraille. Je resserrai mes doigts autour de la dague en bois de santal lorsque Blondinet apparut comme un ange, se dressa dans toute sa splendeur et transperça la gorge de mon assaillant d'un seul coup franc et précis. J'entendis clairement un os craquer comme une branche rompue. Il y a des sons qui vrillent le cerveau, comme le crissement d'un ongle sur un tableau noir, comme le cri d'une femme que l'on blesse ; le bruit des os qui craquent est le pire de tous.

« Alors petit, t'as tous tes abatis ? » me lança Blondinet, avec cet éternel sourire aux lèvres puant de sarcasme. Je me relevai sur mes jambes, en me disant que s'il m'appelait encore une fois « petit », je lui fracasserais le nez. Le type pouffa de rire et enfonça ses deux globes gris dans les miens.

« J'aimerais bien voir ça », fit-il.

J'émis un grognement de dédain tandis qu'il rengainait sereinement son arme dans un long fourreau d'Hedem pourpre. Toujours la dague à la main, je regardai autour de moi la vingtaine de cadavres aux foulards rouges. Sur certains d'entre eux, retournés comme une crêpe, face contre terre, fleurissait une grosse tache rouge sur leur chemise. Sur d'autres, le feu avait dévoré leurs vêtements et les avait tellement brûlés qu'il ne restait plus grand-chose à secourir. L'odeur de chair brûlée était aussi terrible que leur vision. Je détournai les yeux, croisai ceux du blondinet qui s'esclaffait.

Ce type venait de tuer des hommes et il s'en moquait. Il riait. Je fronçai les sourcils, serrai de nouveau les doigts sur le manche de la dague.

« T'inquiète mecton, t'auras ta chance », pouffa-t-il.

Je m'apprêtais à desserrer la mâchoire pour lui répondre lorsque Tel-Chire m'interrompit : « Que fais-tu ici ? »

Blondinet cessa de rire et traîna son regard indolent vers mon compagnon de voyage. « Al-Talen m'a dit que vous auriez sûrement besoin d'un petit coup de main. Je n'avais rien d'urgent à faire, alors je suis passé voir un peu par ici...

— Al-Talen a vu juste, le coupa Tel-Chire en s'essuyant les mains sur son pantalon. Tu tombes à pic. C'est de bon augure que tu nous aies trouvés si vite.

— Mon vieux Tel-Chire, tu sais bien que je peux sentir l'odeur de ta vieille carne à des kilomètres à la ronde. Franchement pour un Éliago, c'est déjà une honte d'empester, mais pour un Tenshin. Tu pourrais faire un effort pour ton entourage. Quelle image tu penses donner de nous ? Voyons, je te le demande...

— Tu as fini tes enfantillages ? » l'interrompit de nouveau Tel-Chire avec impatience.

J'observai la scène avec intérêt. Blondinet haussa les épaules sans effacer son sourire malicieux. « Où est ta vieille carne ?

— Je l'ai envoyée aux frontières des Amors, répondit Tel-Chire.

— Le petit n'a pas de monture ? » Il m'adressa un clin d'œil amusé. Tel-Chire ne répondit pas. « Ouais, tu ne changeras jamais, déclara Blondinet en frottant son menton imberbe. Avec les bandes de charognards qui traînent par ici, tu aurais pu lui donner un cheval. »

Tel-Chire s'obstina au silence, le visage sec. Il sortit un mouchoir de sa poche, le plia soigneusement en deux et fit glisser sa lame entre les deux pans de l'étoffe.

« Tharus a également rencontré quelques amis inattendus sur le chemin de Magdamée, déclara-t-il. Il les a mis en déroute.

– L'apprenti ? demanda Tel-Chire.

– Il va très bien. Il est arrivé hier matin tout tremblant, aux bords des larmes, mais je crois qu'il avait plus peur de Tharus que des soudards de Noterre. » La figure de Tel-Chire se fendit d'un étroit sourire. « Bref, poursuivit Blondinet, j'ai aperçu une manade en venant, un peu plus au nord, vers les Amors. » Il pointa du doigt la ligne des montagnes. « Il lui faut un cheval. Ce n'était que l'avant-garde. Le reste de la troupe bivouaque au nord-est, à l'embouchure du canyon de Soawf. »

Tel-Chire acquiesça. Il déplia son mouchoir pour le ranger proprement dans sa poche et rengaina son arme avec l'adresse de l'habitude.

« Oui, très bien, finit-il par dire. Ne perdons pas de temps dans ce cas, puisqu'il nous faut marcher jusqu'aux Amors. »

Tel-Chire et Blondinet avançaient côte à côte. Je traînais les pieds derrière eux. L'homme tenait les rênes d'un yearling aquilin aux yeux sombres et inquisiteurs, qui n'arrêtaient pas de me jauger avec cette lueur narquoise semblable à celle de son maître. Comme de bien entendu, ma lâcheté récente me donnait l'impression que toute la planète s'était liguée contre moi. Je ruminais ma colère. Je me sentais aussi péteux que le chef de la garde maclinienne, Fiche-de-Blate et sa face de fouine, et franchement c'était peu dire. Les épaules avachies, la tête basse, j'observais, muré dans mon silence, les deux hommes devant moi. Blondinet était vêtu d'une manière assez similaire à celle de Tel-Chire : bottes d'Hedem noir, chausses de lin, chemise et tunique en cuir tanné. Rien dans les costumes des deux hommes ne permettait de différencier leur dignité de maître d'un simple écuyer, à l'exception toutefois de leurs armes, qui pendaient à leur ceinture. Blondinet arborait sur le devant de sa tunique un écusson du duché de Glanmiler, une chope de bière placardée sur un fond jaune et un ciel bleu.

Comme tous les Tenshins du Ponant, chaque maître choisissait un lieu où exercer sa fonction. Tel-Chire était du duché du Lantir, au sud du royaume. Et Blondinet ?

Le duché de Glanmiler se partageait sous la tutelle de trois maîtres : Tharus de Pitre-en-Bout, Cimen Josse-enbourre et Den Piggletonne. Trois Tenshins. L'un d'eux, Tharus, était déjà arrivé au site de Mantaore en compagnie d'un apprenti. Il ne me restait donc que deux gars. Deux possibilités : Cimen ou Den ?

Blondinet tourna la tête vers moi et avec un sourire, me lança : « Alors, à ton avis ? »

Un truc dur comme de l'acier s'insinua dans mes veines, un truc qui ressemblait fort à de la colère. « Foutez le camp de ma tête ! »

Blondinet s'immobilisa, fit volte-face et croisa les bras sur la poitrine. Son regard malicieux se mua en quelque chose de plus sec et de plus métallique. Je me foutais qu'ils soient contrariés. Je détestais cette sensation d'être profané. Leur esprit pénétrait le mien à leur guise, chapardant la moindre de mes pensées, de mes rêves, de mes secrets.

Blondinet s'avança vers moi. « Je suis désolé, me dit-il contre toute attente. C'est une vieille habitude. Pour notre sécurité. Si ça peut te rassurer, je ne perçois que tes pensées immédiates ; je ne vais pas farfouiller dans le capharnaüm de ton esprit. »

Pâle consolation.

« Peu importe. Ne le faites plus. »

Blondinet haussa les épaules d'un air navré. « Bah ! C'est comme si tu me demandais d'arrêter de boire ou de fumer, une fois que tu l'as dans la peau, comme une vieille manie, tu ne peux plus t'en défaire. »

Cela ne suffit pas à amoindrir ma colère, mais au moins j'étais fixé : c'était Den Piggletonne qui me donnait une tape sur l'épaule pour me revigorer. Den, le cavalier des steppes de Latifer. Le type qui préférait crier à la face du monde qu'il était le fils d'Orde, notre Dieu Créateur, plutôt que d'avouer que sa mère avait pris la tangente quand il était gamin pour finir pute dans une ville du sud. Le gamin errant recueilli mille ans plus tôt par Tel-Chire d'Elisse, notre Sauveur. Le noceur de ces dames qui biberonnait les seins comme les bocks de bière. Le seul Tenshin de l'est et de l'ouest qui puisse rouler sous une table ivre mort et se relever le matin sans avoir perdu de sa superbe.

Bon Dieu, c'était Den Piggletonne qui roulait un bras sur mes épaules. Selon moi, c'était l'escroquerie la plus faramineuse du royaume : élire au rang de maître un type plus souvent aviné que le plus vieux poivrot de La Ruche, mais ça, c'était avant de me rendre compte que les Tenshins étaient tous cinglés à leur façon.

Les yeux de Blondinet se mirent à clignoter comme deux chandelles. Un sourire se dessina sur ses lèvres. Par Orde, j'avais vénéré cet homme du berceau jusqu'à mes dix ans, en me répétant que je voulais lui ressembler une fois en âge d'avoir du poil au menton. Aujourd'hui, tout me semblait aussi terne et sans saveur qu'un matin pluvieux.

« Bah, ne te fais pas tant de mouron, me dit Den alors que je repoussais son bras. Mantaore n'est pas si terrible, tu verras. Entre nous, il n'y a que ce bon vieux Tel-Chire pour nous gâcher le paysage. »

Tel-Chire fit mine de ne pas l'avoir entendu tandis que Den se fendait la pipe. Je haussai les épaules sans répondre, détournai les yeux pour contempler les montagnes noircies de suie et repris la marche sans les attendre.

Les herbes se clairsemèrent peu à peu avant de s'éclipser totalement de notre champ de vision. Un amas de rocailles noirâtres remplaça le doré des frondaisons. Une terre aride s'étendait jusqu'aux montagnes anguleuses. Sur les pentes desséchées, des tapis d'euphorbes verdâtres s'égaillaient jusque sur les hauteurs vertigineuses des Amors. Un ciel zébré de volutes blanches s'accrochait aux pics rocheux comme le voile des mariées. Des oiseaux, de grands rapaces, voltigeaient au-dessus de nos têtes, au cœur des gouffres et des aspérités de la montagne. J'achoppais constamment sur des piles de cailloux, des pierres saillantes, pointues, des pierres rondes, mélangées aux graviers et au sable noirâtre qui rappelait la cendre. Un paysage lunaire qui semblait sans fin. J'avais un mal fou à imaginer que, derrière la chaîne de montagnes, la houle, l'écume, le vent frais s'écoulaient sur les rivages.

Les deux hommes marchaient derrière moi.

« Où est-elle ta manade ? demanda Tel-Chire.

— À l'embouchure d'Otaris », répondit Den.

J'écoutais d'une oreille distraite. J'avançais sous ce soleil de plomb qui embrumait mon cerveau, en me faisant l'effet d'être un automate. Je me cherchais des excuses pour tenter d'expliquer pourquoi je marchais sous ce soleil torride qui aurait fait cuire un œuf sur une pierre plate, mais, finalement, tout ce qui me venait en tête, c'était des excuses toutes plus pitoyables les unes que les autres. Macline me manquait. J'aurais donné tout mon tabac pour revoir les maisons oblongues de La Ruche, les vieilles gargotes puant la sueur et le mauvais alcool, la vieille Lanay engoncée dans un corset trop petit pour son opulente poitrine. J'aurais tout vendu au diable pour ne pas être là, dans ce reg tavelé de pierres où il n'y avait pas âme qui vive.

On fit halte à la nuit tombée, derrière une ligne de rochers noirs dressés là en sentinelles. Nous n'étions plus très éloignés de la cordillère. Le ruban cendreux des montagnes nous défiait à chaque heure passée dans le désert.

Je m'éloignai des deux hommes à peine arrêtés et m'installai contre l'un des blocs de pierre granitique. Je grignotai en silence deux morceaux de viande séchée choisis sur le pouce.

Tel-Chire partagea son dîner avec Piggletonne, soit une demi-tranche de lard et ce qui ressemblait vaguement à une tartelette au fromage. Depuis le début de notre voyage,

Tel-Chire se contentait de quelques tranches de viande et d'une bonne rasade d'eau. Il mangeait peu, buvait peu.

Les deux hommes discutèrent un moment, puis Tel-Chire se mit à fixer le désert de pierrailles. Den ne se formalisa pas de la soudaine absence de son compagnon introverti. Il bascula en arrière, calé sur les coudes et me scruta d'un regard pénétrant sans se départir de sa mine enjouée.

Je crachai un jet de salive par terre et me détournai de lui à mon tour. J'appuyai ma tête contre le rocher et expirai profondément. Puis, je saisis mon havresac et en extirpai une petite escarcelle de cuir. Un bien précieux dans ce trou perdu où, à part des euphorbes inutiles, il n'y avait pas un brin d'herbe à des kilomètres à la ronde. Je tirai les ficelles de ma bourse et me roulai une cigarette avec des Herbes à Thaumaturges.

L'œil envieux de Den épousait le moindre de mes gestes tandis que je collais le papier d'un coup de langue. L'herbe bien tassée, le papier bien roulé, je tins la cigarette entre l'index et le médius. Je la fixai un moment en songeant que c'était la plus belle chose du monde, puis je la fis rebondir dans ma main et l'envoyai à Piggletonne. Il la saisit au vol. Comme moi, il la regarda longuement, huma son parfum acidulé avec une légère pointe de menthe. Puis, il se releva et se traîna nonchalamment jusqu'à moi. Il se laissa tomber à mes côtés, s'adossa à la pierre tandis que je me roulais une autre cigarette.

« Du feu ? » fis-je.

Den se fendit d'un sourire en secouant la tête. La cigarette entre ses doigts, il la porta à ses lèvres, l'y accrocha et d'un claquement du majeur et du pouce, embrasa l'extrémité de la sèche. D'abord stupéfié, je fixai son sourire fier, puis je m'en détournai d'un haussement d'épaules. Peut-être que les Tenshins transformaient les femmes en biches pour s'accoupler finalement.

Den aspirait la fumée et la recrachait, les yeux errant sur l'étendue de pierres. Une odeur délicieuse s'enroula autour de nous, un parfum légèrement épicé.

Quand ma cigarette fut prête, il me fit signe de l'encocher. Il approcha sa main de mon visage et sous mes yeux sidérés, réitère son petit tour de prodige, claqua des doigts et alluma ma cigarette.

On fuma en silence, plongés dans nos pensées.

Après avoir jeté mon mégot d'une pichenette, je balançai mon regard sur Den, puis Tel-Chire, immobile et assis en tailleur.

« Comment faites-vous ça ? demandai-je, en pointant du menton la main de Den.

— Faire quoi ? » lança Piggletonne, toutes dents dehors.

Den était le genre de type à plaisanter de tout et n'importe quoi, y compris quand il était sur le point de massacrer un ennemi à coups d'épée ou lorsqu'il n'était pas certain de s'en tirer avec tous ses membres.

« Le feu… Comment manipulez-vous le feu ? »

Den ricana. « C'est un secret », fit-il, la bouche en cœur.

Tel-Chire m'adressa un regard amusé qui me déconcerta.

Ces types sont cinglés.

« Je vois… Alors je récapitule : vous êtes capable de lire les esprits et vous jouez avec le feu, quitte à vous brûler les doigts. À quelles autres prouesses dois-je m'attendre ? Vous vous accouplez avec des biches, dansez à poil sur la lune ?

— À ton avis ? »

Tous les Tenshins étaient-ils aussi agaçants ou étais-je tombé sur les deux pires ?

« Vous vous foutez de moi ?

– Prends ton mal en patience, dit Tel-Chire. Tu nous suis pour apprendre, non ? Tu auras bien assez tôt les réponses que tu cherches et sans doute bien plus que tu ne pouvais l'espérer.

– M'est avis que pour les trois quarts, tu regretteras d'avoir posé la question, renchérit Den. Tous les apprentis le regrettent toujours.

– C'est pour me foutre la trouille que vous dites ça, je suppose. »

– En aucune façon. » Il m'adressa un clin d'œil. « Je sais déjà que tu es mort de peur. »

Je ricanai sans enthousiasme. « Je pourrais vous surprendre.

– J'attends de voir ça.

– Pari tenu. »

À l'aube, Tel-Chire vint cajoler mon sternum de la pointe de sa botte. Je ronchonnai en me redressant laborieusement, le dos maltraité par les pierres du désert, et le bombardai d'un regard noir qu'il dédaigna ouvertement.

Le soleil était tout juste levé et déjà la chaleur était étouffante. Le ciel de ténèbres se craquelait en zébrures colorées, variant du jaune au rouge. L'ensemble était d'une beauté à couper le souffle. Je jetai mon sac sur mon épaule lorsque j'aperçus l'Éliago de Tel-Chire campé dans l'ombre d'un gros bloc de granite noir. Je supposais qu'il avait rallié les bouts durant la nuit. Tel-Chire vérifiait le contenu de ses sacoches avec la vigilance d'un garde-frontière. Et, tandis que je le regardais farfouiller dans ses havresacs, je me fis la réflexion désagréable que j'allais encore me coltiner le chemin à pieds pendant que les Tenshins se pavaneraient sur leur pur-sang.

« Je pense que ça n'arrivera pas, me coupa Den dans mes pensées. Regarde. »

Il pointa du doigt le nord-est, en direction des montagnes. Dans la pénombre d'un à-pic gigantesque qui s'accrochait à la surface huileuse d'un ciel sans nuage, comme un ongle planté dans la chair des dieux, la silhouette d'un cheval caracolant sur les euphorbes se découpait sur le squelette sombre de la montagne.

« M'est avis qu'il se sera fait la belle bien avant que nous l'ayons rejoint », remarquai-je remarquer.

Le reg était traître. On n'en voyait jamais la fin. Le temps s'étirait par ici, de la même manière que la terre semblait se rallonger à mesure que nous faisions un pas dans la caillasse. Le cheval blanc comme neige était un point minuscule dans l'horizon, au milieu des ombres mouvantes.

« C'est un cheval sauvage, ajoutai-je.

— Ouais, fit Den, et un beau. »

Je soupçonnais qu'il put le distinguer mieux que moi de son œil perçant.

« Jamais on ne l'approchera, déclarai-je, avant de boire goulûment à mon outre.

— Je te parie le contraire. »

Den bondit sur le dos du yearling. Il me tendit la main pour m'aider à grimper derrière lui. Comme paraître ridicule une fois par semaine suffit amplement, je la dédaignai. Je pris appui sur le dos du cheval et me hissai laborieusement sur la selle, en m'écrasant les testicules au passage sur la bordure de cuir. Dès que je fus installé, il éperonna sa monture.

Les chevaux trottèrent sous un soleil brûlant qui me cognait contre la nuque. Je transpirais abondamment et colorais ma chemise. Je détestais cet endroit. Il y faisait trop chaud, trop lumineux, avec ces ombres croissantes qui s'étiraient sur nous comme des tentacules et cette impression obsédante de vide sidéral. *Comme le trou noir.*

Den était cependant d'une compagnie plus agréable que celle de son comparse, entendu qu'un muet aurait été plus loquace. Il me racontait à grand renfort de détails scabreux ses équipées nocturnes dans les tripots de Magdamée, sa rencontre, un soir où il était fin bourré, avec un prétendu messager d'Orde qui vendait au passage des amulettes pour la fécondité. Dans la mesure où il m'avait avoué, une heure plus tôt, s'être envoyé une almée sur deux du tripot, je me mis à douter de l'efficacité de ladite amulette. Il me décrivit la beauté des grandes allées pavées de la ville marchande sous les velums tirés jour et nuit, les innombrables échoppes et éventaires des marchés journaliers, les maisons d'un blanc perlé aux toits plats, les multiples escaliers qui montaient sur les terrasses écrasées sous le soleil. Il me narrait la fraîcheur des gargotes plongées dans l'obscurité, les longues nuits à jouer aux cartes, à gagner, à empocher de véritables fortunes – sans tricher, selon lui, mais je n'en croyais pas un traître mot. Il disait, avec du vague à l'âme dans la voix, qu'il ne regrettait ni les steppes, ni leur désolation, ni son errance d'autrefois, qu'il aimait bien cette vie-là où il s'était fait un nom.

Il poursuivit sa diatribe en ajoutant avec un sourire : « Ah ! Au fait, Seïs, un conseil d'ami : lorsque nous serons arrivés à Mantaore, cache soigneusement cette petite bourse de cuir que tu gardes sous ta chemise ou elle ne fera pas long feu. Al-Talen est le potentat de la cité mantaorienne et ce saligaud ne laisse rien filtrer. Il fait main basse sur tout ce qu'il y a de bon et de précieux en ce monde. » Il se mit à énumérer les faits sur ses doigts : « Pas de femme, pas d'alcool et pas d'Herbes, mon jeune ami.

– En d'autres termes, une prison.

– Eh non, une école, rectifia-t-il, un sourire narquois aux lèvres. Dans une prison, tu peux toujours t'arranger pour marchander une clope ou un bock de bière. À Mantaore, si tu y parviens, non seulement je te paye une bombonne de Sirop de Glanmiler dans la meilleure gargote de la ville à la fin de ton noviciat, mais en plus, je te fais le serment de me prosterner à tes pieds comme un dieu aux pouvoirs inégalés. »

J'éclatai de rire. « Je tiens le pari.

– Tu devrais faire attention aux serments que tu prêtes », se moqua Tel-Chire.

— Je fais confiance à ma bonne étoile, dit Den. Si le morveux arrive à coincer Al-Talen, il mérite au moins ça. »

Il pouffa de rire en se tapant gaiement le genou. Je ne doutais pas que Piggletonne avait déjà dû essayer par le passé, au temps de son propre apprentissage. J'avais toutefois un cran d'avance sur Den à la grande époque: j'avais l'habitude de négocier. J'étais Maclinien. C'était dans mon sang. Ce que j'ignorais, en revanche, c'était qu'Al-Talen avait également l'habitude des petits malins dans mon genre, trop prompts à faire confiance à leur bonne étoile, à croire qu'un vieux de la vieille était forcément aussi crétin qu'un grabataire et à imaginer que, quoi qu'il arrive, il s'en sortirait toujours d'un sourire charmeur. *Ne jamais sous-estimer son adversaire,* aurait dit Tel-Chire avec complaisance. Ouais, et je n'allais pas tarder à en faire l'expérience.

D'une tache blanche minuscule perdue dans l'horizon, l'étalon se transforma peu à peu en une silhouette magnifique aux contours bien définis. Il gambadait sur un plateau. À mesure que l'on se rapprochait, je distinguais de mieux en mieux ses crins d'une blancheur virginale, sa ligne parfaite, son poitrail fier, et quand enfin nous fûmes près de lui, ce regard bleu translucide qui se braqua aussitôt dans le mien. C'était un véritable Éliago des Steppes de Latifer. Un monstre blanc dissimulé derrière un regard à fendre un mur en deux et capable de semer sur une longue distance des troupes entières de soldats surarmés.

J'étais au-delà de l'ébahissement. Mon cœur cognait à mes tempes, cognait dans mon front, dans ma nuque, dans ma poitrine, dans mes jambes. Je ne parvenais plus à détacher mon regard de cet animal.

« Je t'avais dit qu'il te plairait », me souffla Den.

J'étais incapable d'ouvrir la bouche. Je baragouinai un « oui » qui se transforma en borborygme ridicule. Je me laissai couler sur le sol et me ramassai tant bien que mal sur mes deux pieds, sans le quitter des yeux. Avais-je vraiment peur qu'il tourne les sabots et mette les bouts ? Je n'en sais rien, je n'en sais fichtrement rien. En revanche, je savais, comme si on m'avait introduit cette idée dans la tête, qu'il m'était destiné. Il n'y avait pas d'autres mots pour définir ce qui me faisait marcher si vite vers lui. Il m'était destiné. Je ne me l'expliquais pas. Je ne cherchais d'ailleurs pas à l'expliquer. C'était comme ça. Aussi étrange que cela puisse paraître, aussi grotesque que cela puisse être. Les Tenshins m'avaient conduit droit à lui, à moins qu'il ne soit venu droit sur moi ?

Je marchai sur les pierres qui roulaient sous mes bottes. Les deux hommes restèrent derrière moi, juchés sur leur propre monture à une distance respectable de l'étalon.

« Eh ! fit Den. Méfie-toi, les Éliagos n'apprécient pas beaucoup le contact des hommes. »

J'enregistrai l'avertissement, mais je m'en foutais. Je m'arrêtai à moins d'un mètre, haletant, comme si j'avais sprinté sur des kilomètres. Un clairon tonnait dans ma tête. J'avais l'impression que mon crâne allait exploser et qu'on ramasserait des bouts de cervelle aux quatre coins du désert sous les yeux bleu pâle de l'étalon.

Même si je ne comprenais pas le flot d'émotions qui m'envahissait, j'avais le sentiment que lui le savait. Qu'il savait pour mes cauchemars, pour le trou noir, pour mon départ de Macline aux côtés des Tenshins, et qu'il connaissait les raisons qui nous poussaient l'un vers l'autre sur ce reg stérile.

Planté sous ses yeux bleus délirants d'intelligence, je me sentais comme un gamin fébrile, avec une parfaite conscience de mon insignifiance.

L'Éliago restait immobile, les sabots enfoncés dans la caillasse. Je fis un pas prudent vers lui. Il ne broncha pas pendant un moment. Puis soudain, il m'expulsa en pleine figure une bouffée d'air fétide, plus quelques postillons bien choisis. Je grimaçai, la bouche tordue, et m'essuyai le visage du revers de la main. L'étalon dénuda ses dents blanches, quelques herbes jaunâtres et moisies coincées entre ses incisives. Les lippes retroussées, il avait l'air de se payer ma tête. Je le bombardai d'un regard corrosif qui sembla le faire glousser de plus belle. Il hennit, secoua sa crinière et avança ses naseaux vers mon visage. Je reculai, sur la défensive.

« Tu veux peut-être qu'on te tienne la main ! » me lança Den.

Va te faire foutre, claironnai-je dans ma tête et j'aurais mis ma main à couper qu'il l'entendit aussi clairement que si je l'avais crié à voix haute.

« Eh, petit ! Reste poli si tu ne veux pas que je t'inculque les bonnes manières. »

Je me retournai, les nerfs à fleur de peau, et lui adressai un regard agacé. Je comptais lui répondre quand le pur-sang me heurta brusquement le front d'un coup de chanfrein. Je le considérai, médusé.

« Je crois qu'il t'aime bien, dit Tel-Chire. Tu devrais le monter. Nous n'avons pas de temps à perdre. Fais vite. »

L'Éliago me dévisageait, toutes dents découvertes, m'affichant comme une pancarte de promotion ses gencives rose bonbon.

Je grognai. « Je ne vais pas le monter à cru, bon sang.

— Tu as le choix. Tu le montes ou tu marches. »

Je n'étais pas un grand cavalier, j'avais même une sainte horreur des chevaux, mais il était hors de question que je le leur avoue. J'inspirai profondément, puis jetai ma houppelande en travers de son dos, jugeai sa hauteur au garrot-trop élevée à mon goût - sa capacité à me faire un coup de pute de dernière minute, après quoi seulement, je daignai poser mes deux mains à plat sur son dos, puis me hissai tant bien que mal à califourchon.

À peine trouvai-je un semblant d'équilibre qu'il se cabra, comme s'il avait été piqué par un moustique, et me jeta à terre. Les pierres me rentrèrent dans les reins tandis que je tapais du pied et jurais à tous les vents.

« Tu as fini de t'amuser ! » me lança Den en s'esclaffant.

Je lui adressai un coup d'œil venimeux par-dessus mon épaule qui le fit ricaner de plus belle.

À la deuxième tentative, il me jeta à terre aussi vite que la première fois.

« Bon sang ! Ce n'est qu'un cheval, se moqua Den. Tu veux peut-être qu'on te le tienne pendant que tu montes.

— Boucle-la », grognai-je.

Je me calai de nouveau sur le dos de cet âne déguisé en pur-sang. Je roulai mes poignets dans sa crinière avant qu'il ne décide de me balancer à nouveau dans le désert et attendis. D'abord, il ne bougea pas, renifla comme un gosse déçu, puis se mit à lever la tête à plusieurs reprises comme s'il disait bonjour à quelqu'un. Je commençais à croire qu'il s'habituait enfin à ma présence, quand ce bougre d'âne se mit soudain à se cabrer et caracoler dans tous les sens. Je me cramponnais à sa crinière, en lâchant des jurons à la pelle comme si ça pouvait changer la tournure que prenait la situation et faire cesser le rire de Den. J'avais l'impression de participer à un rodéo, le cul tapant son dos comme un yoyo.

« Ne lâche pas ! » me criait Den, plié en deux.

Brusquement, l'Éliago se figea, le cou tendu vers le sud. Den se tut aussitôt et, comme Tel-Chire, tourna la tête dans la même direction. Je scrutai à mon tour le désert, lunaire, rocailleux et désespérément vide.

Quoique…

« Il faut partir », dit Tel-Chire avec son flegme habituel.

Je frissonnai en cherchant à distinguer des ombres sous les coups brûlants du soleil, mais je ne discernais rien de plus qu'une étendue infinie et déprimante.

Tel-Chire donna un coup de talons sur les flancs de sa monture et la propulsa au grand galop vers les montagnes.

« Je te conseille de t'accrocher », me dit Den, puis à son tour, il tira sur les rênes et précipita son cheval vers les nuages de poussières soulevées par son camarade. Je les regardai s'éloigner, les yeux ronds comme des billes, puis je fixai le désert sans être sûr de comprendre ce qui se passait.

Sans crier gare, le pur-sang se mut entre mes cuisses. Il hennit bruyamment, comme s'il poussait un cri de guerre, puis ses jambes se mirent à accélérer. Les paysages commencèrent à défiler sous mes yeux dans des ombres floues et indistinctes. Des champs de pierres et des tapis d'euphorbes. Des montagnes de plus en plus hautes, de plus en plus noires qui s'étiraient dans les vapeurs solaires. Des trouées et des cavités dans la roche immobile, noire et rutilante qui semblaient grouiller. Le soleil déclinait dans mon dos et embrasait la terre dans un mélange de couleurs bariolées.

Le dos cassé, les mains emmêlées dans les fils de soie blancs de ma monture, mon cœur battait au même rythme qu'elle, cadencé, vif, noué dans les rouages de l'adrénaline et de la vitesse.

Un sifflement claqua soudain à mes oreilles. L'Éliago ralentit l'allure. À notre hauteur, Tel-Chire, le visage battu par la course, me désigna d'un geste de la main une large brèche qui s'engouffrait entre les montagnes.

« Le canyon d'Otaris », me désigna-t-il.

Mon cheval bifurqua sèchement sur la gauche et pénétra comme une flèche dans le sillon rocheux.

L'Éliago galopa entre les parois ombreuses qui s'élevaient à des hauteurs vertigineuses sans montrer la moindre fatigue. Les monts des Amors nous dominaient pleinement, tels des géants d'ébène aux têtes couronnées de blanc. La neige coiffait les à-pics. À certains endroits, elle s'était affaissée, gobée par d'énormes anfractuosités dans la pierre. Autour des pitons dressés comme un poing, les bourrasques se gonflaient de flocons blancs, épais, et balayaient les hauteurs dans des hurlements assourdissants qui me donnèrent la chair de poule.

L'Éliago avançait avec la mesure d'un métronome, si bien que, bercé par les légères secousses de sa croupe, je finis par m'assoupir à moitié couché sur son garrot, le nez dans sa crinière qui sentait l'herbe fraîche et le soleil. La nuit étendait ses ombres. Mais ni elles, ni les murmures obséquieux de la montagne ne purent avoir raison de ma fatigue.

Je me réveillai, étonnamment énergique, avec les premiers rayons du soleil. Je m'étirai, le dos droit, les bras levés vers un ciel limpide, en poussant un soupir.

Nous avions abandonné le couloir sombre derrière nous et nous longions à présent un fleuve gigantesque de couleur jaune foncé. Nous étions ceinturés par des gorges aux sommets pointus qui se dressaient comme des palissades défensives autour d'une cité.

« Ah ! Le petit est enfin réveillé », s'exclama Den, en souriant.

Les deux hommes chevauchaient de part et d'autre de mon Éliago.

« Est-ce qu'on est encore loin ? demandai-je.

— Non, nous sommes tout près, me dit Tel-Chire.

— Tu ne sens donc pas cette odeur ? renchérit Den.

— Quelle odeur ?

— Ouvre tes narines, imbécile. Respire », me dit-il en brassant l'air devant sa poitrine bombée.

Je lui décochai un regard revêche et respirai à pleins poumons. « Le sel.

— Les embruns de la mer, rectifia Piggletonne.

— Mantaore se situe près de l'océan ? »

Den adressa un clin d'œil à Tel-Chire. « Oui, peut-être bien.

— Où sommes-nous exactement ?

— Au nord-est du canyon d'Otaris, dit Tel-Chire.

— Le fleuve ? » demandai-je en désignant d'un coup de menton le torrent sur ma droite.

— Peu de personnes savent qu'il existe un fleuve par ici.

— Un lieu oublié depuis des lustres, ajouta Den. Il n'y a pas beaucoup de monde qui s'aventure de ce côté-ci des Amors. On prétend que ces montagnes au-dessus de ta tête renfermeraient la dépouille endormie d'un Talen. »

J'éclatai de rire. « Un Talen ? Ben voyons, ce sont des contes pour enfants.

— Pour toi peut-être, mais pour bien des gens, les Talens font partie de la légende sacrée d'Ethen le Maudit, dit Tel-Chire.

— À d'autres ! J'ai lu le livre d'Orde. Les Talens seraient les gardiens du royaume de l'Autre Côté d'Ethen et puis quoi ? On n'a pas besoin de voir des monstres ailés dans le ciel pour foutre la trouille aux gens, y en a bien suffisamment sur terre.

— Voilà un fait sur lequel nous sommes d'accord, dit Den, mais que veux-tu ? Les légendes ont la vie dure. Les gens ont besoin de définir le mal, de lui donner un visage. Les Talens remplissent en partie ce rôle et évidemment Ethen fait office d'enseigne, "Venez nous rendre visite aux entreprises *À tout malheur est bon,* nous vous garantissons la qualité de nos services et le prix à payer s'élève à la valeur de votre âme." La plupart des gens trouvent réconfortant d'avoir un visage à maudire tous les soirs en se couchant… Mais qu'importe, les Talens sont peut-être une fiction ou peut-être pas et cela n'a en soi aucune espèce d'importance. En revanche, ce qui compte, c'est que les gens y croient et que leur foi sincère envers ces monstres nous serve. »

J'étais stupéfait que Den puisse tenir un tel discours. Plus simplement, j'étais stupéfié qu'il ait des opinions sur autre chose que les putes de Magdamée et la fermentation du Sirop de Glanmiler.

« En quoi ça vous sert au juste ? demandai-je.

– Simple. À l'exception de quelques montagnards qui ne voient jamais la vallée, personne n'est assez fou pour s'aventurer dans cette contrée des Amors. Mantaore est assurée de ne pas voir survenir à l'improviste des visiteurs peu patriotes qui voudraient nous chercher des noises.

– Et les Talens ? » me moquai-je.

Il haussa les épaules en souriant d'un air avide. « On n'a encore jamais vu par ici de grosses bestioles de quinze mètres de haut qui auraient fait passer des dragons pour d'ordinaires lézards. Alors fais pas dans ton froc, tu ne risques pas de te retrouver nez à nez avec un chien de garde de l'Autre Côté. »

Le fleuve se nommait le Heilong. Dans le langage commun, on le traduisait par « le fleuve du Dragon Jaune », à cause des limons charriés depuis les plateaux lœssiques du sud-est. Le cours d'eau serpentait entre des pitons rocheux surnommés « Les Gardes Noirs » parce qu'ils ressemblaient aux pièces d'un échiquier.

L'Éliago ralentit l'allure, puis s'arrêta brusquement sous une colonne de roche. Je relevai les yeux lentement, persuadé qu'une fois que je l'aurais vu, le château perdrait déjà un peu de sa magie, mais lorsque je le vis enfin, je compris que rien ne l'enlèverait jamais.

Sur un large plateau semi-circulaire à flanc de fleuve, un gigantesque édifice aux teintes noires s'élevait entre les falaises érigées comme des fers de lance. Devant, une enceinte fortifiée, une porte, puis un pont en bois richement sculpté qui traversait le Heilong et reliait une plage de sable blanc au plateau. Les Gardes Noirs s'ouvraient en éventail sur une calanque bordée par des falaises aux puissants contreforts tandis que le fleuve poursuivait sa course en direction des hautes montagnes.

« Voici le plateau de l'Ourdos, me dit Tel-Chire.

— Bienvenue à Mantaore », renchérit Den.

Je répétai sottement comme si la Confrérie n'était pas réelle, mais quelque chose de mystique : « Mantaore… »

Ses tours sombres, enclavées dans la montagne, ne pouvaient pas être réelles, pas plus que les oriflammes blanches voletant dans la brise marine avec la légendaire couronne d'Astrée poinçonnée sur l'étoffe. Non, rien de tout ceci ne pouvait être réel. J'allais me réveiller d'une minute à l'autre pour me rendre compte que ce n'était qu'un rêve.

Dès que nous franchîmes la colonne de roche, un olifant claqua dans le cirque pour annoncer notre arrivée.

Sans quitter des yeux la muraille, je demandai : « Combien de personnes vivent ici ?

— Une petite quinzaine, me répondit Tel-Chire.

— Sans compter nos nouveaux apprentis, ajouta Den. Parfois davantage lorsque nous sommes tous réunis. Malheureusement, cela arrive trop peu souvent. Nos devoirs respectifs nous retiennent dans les lieux que nous avons choisis d'honorer.

— Les tripots de Magdamée ne comptent pas », se moqua Tel-Chire.

Den pouffa alors que j'en étais tout juste à me remettre du trait d'humour de Tel-Chire.

« Qui habite ici ? »

Den se frotta le menton. « Des personnes triées sur le volet. Quelques-unes désiraient un lieu reculé pour la méditation, un refuge spirituel que Danel leur a accordé. Les autres sont des serviteurs dévoués à la Confrérie. Pour finir, nous-mêmes. Nous ne vivons pas ici à l'année comme je te l'ai dit, mais, parfois, nous y séjournons lorsque les temps se font plus cléments et nous libèrent de nos obligations. C'est une bonne chose qu'il y ait de nouveaux novices entre ces murs. Cela devrait mettre un peu d'animation. Voilà longtemps que ce n'était pas arrivé.

– Combien de temps ?

– Depuis l'élection de Taranis des Échelles », répondit Tel-Chire.

Un bail ! Taranis était le dernier Tenshin à avoir vu le jour, environ six siècles plus tôt. La trêve officieuse établie avec Noterre était sans doute l'une des raisons qui justifiaient le recul du nombre de maîtres depuis cette époque, ce qui signifiait que les nouvelles élections ne présageaient rien de bon pour l'avenir.

« À cette époque, combien d'apprentis avaient été nominés ? demandai-je, en donnant un coup de langue sur mes lèvres au goût de sel.

– Huit au total », dit Tel-Chire.

J'écarquillai les yeux. « Et un seul fut élu !

– En effet.

– Bon sang, mais quels sont les critères de sélection pour devenir maître ? Vous leur demandez de décrocher la lune ? »

Tel-Chire haussa les épaules, un sourire discret quoique sardonique au coin des lèvres. Il me guigna d'une œillade insatiable comme s'il allait me gober tout entier, mais il ne répondit pas.

« L'intelligence, la rapidité de réflexion, la vélocité du corps, le caractère, la résistance... autant de critères physiques que moraux, énonça Den. Néanmoins, nos choix ne se fondent pas sur un archétype précis. Rien n'est préétabli.

– Si vous ne vous basez pas sur des aptitudes déterminées, qu'est-ce qui vous permet de faire ce choix ?

— Une intuition, répartit Tel-Chire.

— Une intuition ?» Il hocha la tête. « Et les apprentis, comment les choisissez-vous ? poursuivis-je.

— Ah ! Les apprentis, soupira Den. Les apprentis, c'est une autre affaire. C'est presque plus compliqué de les dénicher que de les élire parangons de l'ordre. »

Je relevai des yeux avides vers Den. En me voyant, il éclata de rire. « Combien de fois t'a-t-il posé la question ? demanda-t-il à Tel-Chire.

— Moins de fois que je ne pouvais l'espérer. Il sait tenir sa langue, même si cela le taraude de m'assaillir de questions.

— Le maître a parlé ! » s'exclama Den, en affichant un sourire réjoui, puis en penchant la tête vers moi d'un air de connivence, il ajouta : « Tous les compliments sont bons à prendre et crois-moi sur parole si je te dis que tu pourras les compter sur les doigts d'une main à la fin de ton noviciat. »

Si c'était un compliment, je ne l'avais pas saisi.

« Maître ? » m'étonnai-je.

Tel-Chire tourna sa figure sèche et menue vers moi avec une lenteur surnaturelle, comme la tête d'une mante religieuse, avec ses deux yeux verts aussi acides que de la gnole. Un sourire abscons joua sur ses lèvres, puis se dissipa. Ce seul sourire suffit à me coller la vesse.

« Le maître va chercher son élève, déclama Den d'un ton solennel. Le maître sera dur, mais il protégera son élève. Le maître est l'autorité suprême. Autocrate le jour, confident la nuit. Le maître est là, dans l'ombre des cauchemars, de la sueur et du sang. Il guette la faille qui le condamnera, la faiblesse qu'il détruira, et se nourrit des espoirs, de la force et du courage dont il usera. Le maître veille et libère son savoir. Il donne et donnera jusqu'à ce que la soif soit enfin étanchée. Et l'élève prend et prendra tout, puisant sans limites, comme une tique absorbant le sang en dépit de son ventre rond sur le point d'éclater. Le maître fera partie de son élève. Il s'insinuera en lui, le tancera quand il le faudra, l'embrassera quand il le devra, et il remplira son cœur et son âme au point que deux vies ne feront plus qu'une, qu'un pouvoir deviendra multiple et que l'amour infusera comme des feuilles de thé. Deux créatures et une seule entité. C'est seulement là, quand la peur, la sueur et le sang auront été versés, qu'ils sauront. »

J'étais à la fois fasciné et à moitié mortifié, la bouche entrouverte, gobant les mouches. Den récitait la préface de ce qu'il convient de nommer le Credo des guerriers, une antique leçon qu'il avait apprise par cœur, que j'apprendrai par cœur et qui, même si à l'époque je l'ignorais encore, ferait de moi une personne à jamais divisée.

Tel-Chire ne cillait pas. Je tremblais de la tête aux pieds.

« Que sauront-ils ? » demandai-je d'une voix chevrotante qui m'étonna.

Le visage de Den s'illumina. Il ressemblait à ces vieux conteurs de foire assis autour du feu, déblatérant des histoires de fantômes pour effrayer les gamins, avec le reflet des flammes jouant au fond de ses prunelles.

« Si l'intuition était bonne ! »

J'écarquillai les yeux tandis que Piggletonne exultait, le sourire remonté jusqu'aux lobes de l'oreille. Je secouai la tête et haussai les épaules. Je voulus poser la question qui me brûlait la langue depuis des jours : pourquoi moi ? Pourquoi diable étais-je là ? Tel-Chire détourna cependant les yeux et lorgna la porte ouverte de Mantaore, éludant du même coup cette fugace tentative d'étancher ma curiosité.

Den se rattacha rapidement les cheveux avec une lanière en cuir, tirant ses mèches blondes et rebelles en arrière. Il réajusta son pourpoint dépenaillé, remonta son col autour de sa nuque puis rabaissa ses manches jusqu'à ses poignets.

Je le regardai faire, mi-amusé, mi-étonné. Il me jeta un bref coup d'œil et me fit signe du menton en désignant ma chemise poussiéreuse, maculée de sueur.

« Arrange-toi », me conseilla-t-il.

J'obéis machinalement, l'envie d'une cigarette se faisant soudainement ressentir. Je rangeai les pans de ma chemise dans mes chausses et enfilai mon antique pourpoint en Hedem marron foncé.

Nous franchîmes la porte voûtée sans rencontrer personne. Ni garde, ni faction. Je supposai qu'un lieu comme celui-ci, rempli de maîtres rompus en l'art de la guerre, capables de faire frire un œuf d'un simple claquement de doigts, n'avait aucun besoin d'être gardé.

Nous pénétrâmes dans une cour pavée, ceinte de bâtiments oblongs en pierre noire. Au-dessus, trois niveaux de terrasses et des arcades peintes à perte de vue s'enfonçaient dans les falaises.

Tel-Chire et Den sautèrent de cheval au bas des escaliers. Je les imitai. En mettant pied à terre, un vent froid et humide s'engouffra par la porte et me fit frissonner.

« Mieux vaut t'y habituer dès maintenant, me dit Den. Par ici, le vent est un invité coutumier.

— La pluie et la glisaille aussi dès qu'vient l'automne », coupa une voix.

J'exécutai une volte-face vers un souterrain suffisamment large pour faire passer les chevaux et découvris un petit bonhomme trapu avec une barbe jaunâtre, des cheveux blancs hirsutes et deux gros yeux gris larmoyants, recouverts d'une fine pellicule blanche. Le vieil homme n'était pas aveugle, mais il ne devait plus en être très loin. Il portait les vêtements traditionnels des paysans : une large chemise de coton beige surmontée d'un sayon bleu clair qui rebondissait sur son ventre bedonnant, des chausses brunes et des sabots en noyer aux pieds assortis à des chaussettes d'un rouge écarlate.

« Bel'bête, déclara le vieillard en jetant un coup d'œil expert à l'Éliago. J'vais m'occuper d'tout ça. Allez-y, Sansaïs. Vos montules sont entle d'bonnes mains. »

Tel-Chire lui remit les rênes de sa monture. « Merci Gassiope.

– C't'un nouveau, constata Gassiope en me toisant de son œil jaune vitreux, comme s'il calibrait l'envergure d'un vantail afin de le caler parfaitement dans le cadre qui lui était destiné.

– En effet, dit Tel-Chire.

– Il est jeune c'lui-là.

– Un peu, oui.

– Pas tlès costaud non plus, remarqua le vieil homme qui désigna mes bras d'un coup de menton.

– C'est vrai.

– Il a l'œil des chiens sauvages. »

Tel-Chire acquiesça.

« Vous'lez avoil du tlavail avec c'lui-là, fit-il en mâchouillant sa lèvre inférieure. J'peux le palier. Il sent comme l'faucon.

– Comme les faucons ? s'étonna Den.

– Oui, Sansaï. Comme l'faucon, sauvage et sol'taile. »

Den se pencha vers moi et m'observa avec un sourire narquois sur les lèvres. « Peut-être bien », conclut-il, en se frottant le menton d'un air méditatif.

Gassiope daigna enfin s'adresser à moi en tendant son cou invisible vers mon visage de manière à me faire inhaler les miasmes de son haleine. Foutre ! Il sentait les Herbes à Prophètes à plein nez. J'en avais fumé quelquefois à Macline, dans les tripots ou les arrière-boutiques de quelques marchands pas très honnêtes. J'en avais gardé un très mauvais souvenir : un épouvantable mal de crâne au matin (mais ça, ce n'était pas le pire), un estomac qui n'avait plus rien à rendre, hormis ses propres sécrétions (mais ça non plus ce n'était pas le pire) et des cauchemars horribles pendant des jours (et ça, c'était le pire). Si cela avait été des monstres, je crois que je n'en aurais pas été si perturbé. Mais ce n'étaient pas des démons, ce n'étaient pas des monstres de contes de fées. Non, c'était autre chose, comme le trou noir. Il m'aspirait dans son maelström sinistre, m'arrachait les membres en me laissant tomber avant que je ne m'écrase sur cette terre stérile, sous ce ciel zébré de rouge, face à cette déferlante de squelettes humains. Je renonçai à fumer les Herbes à Prophètes pour leur préférer les Herbes à Thaumaturges. Elles n'accomplissaient aucun miracle, leurs pouvoirs narcotiques étaient quasi inexistants et elles étaient agréables à fumer.

« Mon nom est Gassiope. J'suis le maîtle des éculies, le maîtle des cuisines et des doltoirs. J'suis plesque le maîtle en tout ici. » Il rit, déployant sous mes yeux sa rangée de chicots noircis. « Viens m'voil si t'as b'soin de qu'que chose, quoi qu'tu veuilles. J'suis le guélisseur aussi. Et j'gage que t'aulas b'soin de moi bientôt. »

Il parlait d'un air débonnaire avec un accent tempéré des villes de Sos-Delen. Je ne percevais pas une once de méchanceté dans la voix du bonhomme, ni dans son faciès abîmé. Par contre, j'aurais misé cent sacs qu'il m'aurait jeté son sabot en travers des fesses plutôt que de se plier à mes quatre volontés.

Pour corroborer mes pensées, Den me lança en riant : « Ouais, méfie-toi, c'est un véritable chien de garde.

— Je m'en souviendrai. Je suis Seïs Amorgen. »

Je lui tendis la main qu'il serra d'une poigne ferme et sans façon.

« Ravi », fit Gassiope. Il renifla bruyamment avant de me demander en fixant l'Éliago : « C'te bête, el'polte un nom ? »

Le pur-sang tourna la tête dans ma direction et plongea ses yeux bleu électrique au fond des miens. Je l'observai un bref instant, puis déclarai comme si le nom s'était mis à clignoter dans les airs : « Elfinn. »

En réponse, l'Éliago hennit en secouant la tête de bas en haut.

« Elfinn, répéta Gassiope d'un air satisfait. C'est que c'est un beau nom que v'là. J'gage qu'il lui va lud'ment bien.

– Prends soin de nos montures, dit Tel-Chire au petit homme. Elles n'ont pas eu beaucoup à manger ces derniers temps.

– Poul sûl, acquiesça Gassiope. J'm'en vais les noulir comme des plinces.

– Parfait. Quant à nous, allons-y. Nous sommes attendus. »

Il me désigna l'escalier en pierre.

« Oh ! Gassiope, intervint Den, fais préparer un repas pour nos apprentis. Quand ils en auront fini, ils auront probablement très faim. »

Le sourire et le ton sarcastiques de Den ne me rassurèrent pas. Gassiope opina du chef, tous chicots dehors.

« Allez, petit, c'est l'heure », fit Den en emboîtant le pas de Tel-Chire. Celui-ci traversa l'esplanade et se dirigea vers une large porte en bois, surmontée d'une fresque en oves peinte en vert olive. Il la poussa et pénétra dans la pénombre d'une vaste pièce aux volets tirés. Den s'effaça devant la porte et m'adressa un clin d'œil d'encouragement.

J'entrai dans un somptueux salon qui, malgré l'austérité du mobilier, était d'une élégance indéniable. Une longue table en chêne, flanquée de nombreuses chaises matelassées, était disposée au milieu de la pièce et avalait à elle seule la moitié de l'espace. Sur les murs, d'innombrables tapisseries poussiéreuses dissimulaient la nudité des pierres noires et réchauffaient la salle. Quelques chaises curules ainsi que des banquettes drapées épousaient des alcôves enchâssées dans les murs. Les fenêtres closes étaient ornées de vitraux, représentant des dragons et autres chimères tirées de nos légendes.

Mon regard fureta sur toute la salle, puis se posa sur les hommes installés autour de la table. Six au total.

Les cinq premiers étaient assis à droite de la pièce, alignés comme de bons petits soldats. Le sixième se tenait debout, en bout de table, les mains croisées devant lui comme un prêtre sur le point de déclamer un sermon. Il me fixait d'un regard de chasseur. Avec ses longs cheveux argentés, bien lustrés dans son dos, sa tunique opaline qui lui descendait jusqu'aux talons et cet œil de tueur froid, je ne pouvais guère me tromper sur l'identité de cet homme : Al-Talen Brance-Tarqua. Ce type n'était certainement ni le plus grand, ni le plus fort du monde, n'empêche qu'il foutait la trouille de ce seul regard. Il était le fils d'un tailleur de Dan-Serre et d'une fileuse de soie qui pensaient s'être trompés de gosse quand ils avaient vu le museau d'Al-Talen dans son berceau (tout ça, parce que, déjà tout môme, il récitait des lignes de chiffres plutôt que d'aller jouer avec ses camarades). Il avait fait son apprentissage aux côtés de Malchen de Noterre. Rien de moins. On disait que les deux hommes se seraient volontiers entretués si Danel d'Elisse, leur maître d'armes, n'avait pas veillé au grain et foutu des raclées à la pelle pour les obliger à se tenir tranquilles. Puisqu'ils ne pouvaient pas se tuer comme ils en avaient envie, ils se mirent sur la gueule régulièrement. S'ils n'avaient pas été Tenshins ou seulement malins, ils seraient tous les deux en train de nourrir les vers.

Voilà donc le despote de Mantaore.

Brance-Tarqua était à la fois majestueux et marmoréen, avec sa mâchoire carrée, son teint pâle, ses rides au coin de ses yeux d'un bleu profond, ses pommettes tranchantes et son nez crochu. Quel âge avait-il ? Une quarantaine d'années à peu près au moment où il était devenu Tenshin, mais c'était assez difficile à dire. Décrire ce type, c'était comme vouloir attraper une mouche avec des baguettes. On pouvait toujours essayer, mais avant d'y arriver, il faudrait se lever de bonne heure. Al-Talen était le genre d'hommes qu'il était impossible de dépeindre parce qu'on resterait toujours loin de ce qu'il était vraiment, autant dans son apparence physique, aussi cinglante que la course d'un fouet, que dans son tempérament aux multiples facettes. Ce qu'il montrait n'était jamais la vérité ou plutôt, c'était toujours une forme de la vérité, mais on était toujours trop loin du compte. Il était insaisissable et saisissant. Je devais admettre qu'il y avait quelque chose de merveilleux et de tout aussi dérangeant à se retrouver devant lui.

« Bienvenue à toi, Seïs Amorgen », me dit-il d'une voix claire et paisible.

Tous les yeux étaient braqués sur ma carcasse ainsi que sur mes deux compagnons de voyage. Les cinq hommes assis à la table étaient jeunes, entre vingt et trente ans, et pas un ne ressemblait à son voisin. Du haut de mes dix-huit ans, j'étais le benjamin des apprentis.

« Merci », dis-je, succinct.

Tel-Chire et Den s'avancèrent au milieu de la pièce et se plantèrent en face des cinq.

« Avez-vous fait bon voyage ? demanda Al-Talen.

— Des plus instructifs », répondis-je.

Brance-Tarqua fronça les sourcils qui se rejoignirent pour former une ligne droite. J'étais déjà certain qu'on ne s'aimerait pas. Al-Talen était le genre d'homme pour lequel l'autorité était une seconde nature, voire, dans son cas, LA première. Quant à moi, j'étais plutôt habitué à me frotter à l'autorité suprême pour lui hurler à la face d'aller se faire foutre.

« Quelques exercices d'armes en cours de route, ajouta Den en s'arrachant un ongle d'un coup de dent. De quoi nous maintenir en forme.

— Des soudards de Noterre, précisa Tel-Chire. Une avant-garde.

— Où ont-ils attaqué ?

— Dans les steppes une première fois, puis aux frontières des Amors.

— C'est inquiétant », conclut Al-Talen en passant une main soucieuse sur son menton parfaitement rasé. Tel-Chire hocha la tête. « Den, il serait appréciable que tu te charges de cette affaire, reprit Al-Talen.

— J'y comptais bien. Je partirai dès demain matin. » Il se frotta les mains l'une contre l'autre. « Je vais m'amuser un peu. À ne rien faire, mes jambes s'engourdissent et mes bras me démangent, dit-il en riant. Je rentrerai en Glanmiler tout de suite après leur avoir réglé leur compte. Le duc ne peut pas se passer de moi…

— Cesse de flagorner ! » coupa Al-Talen d'un ton sec.

Den eut un petit sourire en coin et croisa les bras sur la poitrine, apparemment accoutumé à supporter le tempérament impérieux de Brance-Tarqua. Un des cinq, en revanche, un garçon aux cheveux blonds sursauta sur son fauteuil et se retint de pousser un cri de surprise.

« Très bien, reprit Al-Talen. À présent, nous voilà tous réunis autour de cette table… Pour commencer, bienvenue à vous six, Messieurs. Nous étions impatients de vous accueillir et je suis ravi que vous ayez tous accepté de vous joindre à nous… »

Ses paroles me firent sourire. Comme si nous avions vraiment eu le choix.

« … Mon nom est Al-Talen Brance-Tarqua. Vous voici à Mantaore pour une durée de cinq ans à compter d'aujourd'hui. Nous sommes ici pour vous enseigner les fondements de notre ordre et déterminer si vous êtes dignes de porter notre nom dans le but de servir les dieux et le roi en œuvrant au sein de la Confrérie. Ces cinq années seront avant tout placées sous l'égide du travail, de la rigueur et de la loyauté. Nous nous engageons à partager en votre compagnie un savoir millénaire et précieux. Nous attendons en échange que vous vous engagiez à l'apprendre et à respecter le secret de cet enseignement. Autrefois, les apprentis qui trahissaient ce principe étaient punis de mort. J'espère que nous n'aurons pas à en arriver à de telles extrémités… »

Un frisson parcourut le petit gars blond et se répercuta sur les quatre autres.

« Néanmoins, vous avez été choisis parmi une multitude de jeunes gens, continua Al-Talen. Il va sans dire que ce choix n'est pas fortuit. Nous plaçons ainsi de grands espoirs en chacun de vous. Nous sommes convaincus que vous ne trahirez d'aucune manière les préceptes qui vous seront enseignés ici… »

Le nom de Noterre claironna dans ma tête. Je ne pus m'empêcher de sourire et malgré mon visage baissé sur la table pour le dissimuler, j'étais certain qu'Al-Talen le surprit. Je relevai les yeux sur le despote de Mantaore et, lorsque je vis qu'il me regardait, je n'en fus pas étonné. Il lisait mes pensées. J'aurais presque pu le sentir pénétrer mon cerveau telle une anguille se faufilant sous un rocher. Tant pis. J'étais incapable de m'ôter le nom de Noterre de l'esprit et, d'ailleurs, je n'avais aucune envie de le faire. À mon plus grand étonnement, un sourire furtif traversa le visage d'Al-Talen.

« Vous êtes six au total, poursuivit-il néanmoins. Vous serez répartis par groupes de deux, sous le commandement d'un maître, un Sansaï. Celui de Tel-Chire ici présent, celui de Cimen Josse-en-bourre et, pour finir, le mien. Tharus de Pitre-en-Bout aurait dû remplir cette fonction. Hélas, il ne pourra se joindre à nous. Cimen Josse-en-bourre se chargera donc de cette dure tâche de faire de vous des Tenshins potentiels. En tant que maîtres, nous serons à la fois intransigeants et justes. La mission d'un Tenshin est capitale. Chaque acte, chaque parole peuvent déterminer la voie qu'empruntera le royaume. Le sort d'Asclépion ainsi que celui de la monarchie dépendent de leurs serviteurs. Notre rôle est de vous préparer à accomplir ce qu'exigent la royauté et le pays afin de garantir leur survie respective, à œuvrer pour une bonne tenue de l'administration, de l'armée et du gouvernement de manière générale. Nous tenons à faire de vous des érudits aussi bien que des guerriers. Un chef militaire sans tête est inutile et risquerait de générer plus de dégâts que de bienfaits. Les Tenshins ne se réduisent pas à de simples soldats sachant manier une arme et exécuter quelques tours de prestidigitation. Les Tenshins sont en effet de rudes combattants, résignés parfois devant leur destin, des experts en toutes armes, non seulement celles connues en Asclépion, mais aussi dans d'autres pays, ainsi qu'en techniques de combats dont vous aurez à votre tour connaissance. Néanmoins, nous sommes également des conseillers. Vous apprendrez donc l'art d'administrer les affaires civiles et militaires. Vous vous enrichirez d'une dimension éthique. Vous apprendrez l'obéissance, la discipline et l'obédience envers votre suzerain et vous acquerrez aussi de nombreuses vertus en vigueur au sein de la Confrérie. En contrepartie de ce laborieux apprentissage, vous obtiendrez des pouvoirs considérables. Et je le sais, chacun d'entre vous y songe, ceux qui achèveront leur noviciat seront dotés du plus précieux des présents : le don d'éternité. »

Al-Talen se frotta les mains l'une contre l'autre, comme les pattes d'une mouche, puis croisa les bras dans son dos avant de reprendre : « Toutefois, il n'est pas gratuit. Il faudra vous battre pour l'obtenir et nous prouver que vous êtes dignes de ce cadeau. Du reste, et j'entends bien que vous le compreniez, le don d'éternité n'est pas celui de l'immortalité. Ne l'oubliez pas. Voilà une chose qui serait dangereuse. La mort peut vous faucher d'un coup d'épée ou dans un accident malheureux que vous ne pourriez empêcher. Il vous faut être prêt à l'affronter et à l'admettre. Un Tenshin se doit d'accepter son destin et de faire face à l'inévitable. Nous vous enseignerons à dégainer la mort et à ne pas la craindre. Vous y puiserez une force considérable. Cependant, pour parvenir à un tel résultat, la route sera longue et pénible, votre initiation, un dur parcours. Je ne vous mentirai pas en prétendant que Mantaore vous offre un séjour de plaisance entre ses murs. Vous êtes ici pour vous confronter à vous-même, à vous connaître et vous surpasser. Vous nous haïrez sans aucun doute ; vous vous détesterez également, vous-même, ainsi que les uns les autres. Gardez néanmoins à l'esprit que nous ne sommes pas seulement là pour vous maltraiter. Nous ne sommes pas vos ennemis. Si vous avez le moindre problème, n'importe lequel, venez nous quérir sans délai. N'attendez pas qu'il soit trop tard… »

Il se tut et jeta un coup d'œil vers Tel-Chire pour être sûr, semble-t-il, de n'avoir rien oublié. Tel-Chire hocha la tête d'un mouvement quasi imperceptible. Je me serais volontiers délesté de ma cagnotte pour savoir ce qu'ils se disaient.

Les Cinq les observaient. Le blond était tassé dans son fauteuil et s'il avait pu disparaître dans sa chaise, il aurait sûrement saisi sa chance. J'en étais venu à me demander ce qu'il fichait là tant le courage, ou simplement un peu de caractère, paraissait lui faire défaut. En revanche, un rouquin situé en bout de table, à la gauche d'Al-Talen, me jaugeait d'un regard incisif sans faire mine de se dissimuler. Il me fixa un long moment, bouche close et visage verrouillé, puis ses yeux vagabondèrent sur ses voisins. Je savais ce qu'il était en train de fabriquer, puisque justement j'agissais comme lui : il cherchait à savoir qui méritait d'être ici et qui n'y avait pas sa place. Dans quel groupe me rangeait-il ? Voilà une question intéressante.

« Bien, j'ai assez parlé pour aujourd'hui, enchaîna Al-Talen. Il est temps de vous soumettre à votre première leçon… »

L'air étouffant de la pièce parut brusquement de plomb. Tous les regards obliquèrent sur Al-Talen. Le mien compris. Le blond se disloqua sur sa chaise et se massa contre son dossier. Pendant un instant, je crus qu'il allait fondre en larmes. J'étais persuadé que c'était lui que Tharus de Pitre-en-Bout avait tiré des griffes des soudards de Noterre et qui s'était mis à sangloter une fois arrivé ici.

« Je vous propose, Messieurs, de vous laisser entre vous quelques instants, de manière à ce que vous fassiez plus ample connaissance, poursuivit Al-Talen. Je vous laisse également la prérogative de choisir votre partenaire pour cette première épreuve. Lorsque ceci aura été fait, je vous enjoins de franchir cette porte… »

Il pointa une porte située à sa droite, étroite et basse.

« … par groupe de deux et par intervalles de vingt minutes. Avez-vous compris ? »

Le silence persista dans la pièce. Al-Talen fronça les sourcils.

« Oui », répondis-je au nom des autres qui fixaient la porte en question.

Al-Talen inclina la tête vers moi, puis lentement, il contourna la table, passa derrière ses congénères et quitta la pièce sans se retourner.

« Bon courage, Messieurs », dit Den en emboîtant le pas à Al-Talen.

Tel-Chire m'adressa un étrange regard dont je fus incapable de déceler ce qu'il sous-entendait, puis il sortit à son tour de la salle.

La porte se referma sur la pièce devenue soudain étouffante et ténébreuse. Ma chemise me collait à la peau. D'un geste agacé, je détachai le tissu de ma colonne vertébrale et retirai ma gibecière. Je la jetai sur la table. Quand elle heurta le bois, le blond sursauta sur son siège. Personne à part moi ne sembla y prêter attention.

Les Cinq étaient immobiles et silencieux. Le rouquin m'observait. Ses doigts pianotaient sur la table. Il poussa sa chaise en arrière en faisant crisser les pieds sur les dalles, et se releva. Il arrangea sa chemise, encore noire de poussière et jaunie de sueur, en tirant sur les pans pour les rentrer dans une grosse ceinture en cuir avec une boucle tape-à-l'œil en forme de gueule d'ours, ce qui correspondait assez bien à son physique abrupt et ses traits noueux. Il s'approcha de moi et me tendit une main large et calleuse.

« Je m'appelle Lampsaque Clairefond, me dit-il d'une voix rauque. Je suis d'Astin. »

Astin était la ville principale du duché de Lantir. En fait, Lampsaque Clairefond était né dans une petite bourgade au sud d'Astin, un trou à rat selon lui. Il était fils d'une famille nombreuse et était né, les pieds dans la boue, d'un père métayer et d'une mère occupée à élever sa ribambelle de gamins. Sa tignasse rousse, qui volait dans tous les sens, et ses yeux bleus presque turquoise lui avaient valu un paquet d'ennuis. Son père, qui aimait bien la picole, s'était mis à croire que sa femme s'était fait sucer la pomme par le chef du village, parce qu'il était roux lui aussi, alors que le brave métayer était aussi brun que la noirceur du monde. Ses frères, qui se mirent à le croire aussi, s'en prirent au jeune Lampsaque, ce qui lui valut pléthore de taloches et de coups de pied au cul. Après ses frères, ce furent les sacs à vin des comptoirs qui se moquèrent de ses cheveux, ce qui expliquait son nez de travers et sa lèvre creuse. Renvoyé de l'école pour avoir collé une rouste à un morveux qui se fichait de lui à neuf ans (il l'avait jeté tête la première dans les gogues de l'école), renvoyé d'un ranch pour incompétence à quinze ans (en fait d'incompétence, le rancher en question avait un peu trop ouvert son clapet et, un matin, il se leva les pieds dans la merde : Lampsaque avait ramené la fosse à purin dans toute la maison et fait entrer les cochons dans la cuisine et le salon), renvoyé de chez ses parents à seize (son père lui avait flanqué une raclée de trop ; Lampsaque avait fait son paquetage et, le matin, son paternel ainsi que tous les habitants du village avaient pu lire en grosses lettres « COCU » sur la façade de la maison), à dix-sept ans, retour à la maison après avoir éclusé les tavernes du Lantir et les pépins. Son père était si content de le revoir qu'il lui mit un pain avant de l'envoyer au travail. Et le destin du petit Lampsaque en était resté là, à nettoyer la merde dans les écuries jusqu'à ce qu'il reçoive une soi-disant nomination d'apprenti qui, au lieu de lui valoir les félicitations de ses pairs, déchaîna une nouvelle suite de plaisanteries de mauvais goût. Mais le petit Lampsaque, persuadé que cela pouvait changer toute sa vie, attendit patiemment son heure en endurant comme un brave les joutes verbales douteuses (pour s'aider à endurer, il se cognait la femme de son frère aîné dans les latrines, tous les matins, avant le petit déjeuner).

La première fois que je croisai son regard ce jour-là, je sus tout de suite que j'avais affaire à un homme rude, habitué à la vie austère des paysans d'Asclépion, habitué à se prendre des claques et habitué à y répondre de bon cœur. D'emblée, je sus qu'on deviendrait amis.

« Seïs Amorgen, me présentai-je à mon tour en lui serrant la main. Je viens de Macline.

– Voici Ion de Miel, déclara-t-il en me désignant le blond terrassé de peur. Il vient de Mayveith… »

Mayveith était un petit village en bordure d'océan, en Lantir. Quant à Ion de Miel, il était le fils d'un petit bourgeois aussi gauche que crétin qui avait fait fortune par un heureux hasard (le hasard en question était une caravane que des pirates avaient détroussée, mais mal, car ils avaient oublié une caisse entière de lingots estampillés Elisse). Le vieux Miel se l'était appropriée, l'avait soigneusement cachée et, petit à petit, avait bâti son empire de textiles luxueux, soie, satin et autres étoffes venues de loin. Il s'était acoquiné avec quelques racailles de l'Institut du Commerce à qui il raconta un soir de beuverie de quelle manière il était devenu riche, si riche, disait-il, que le roi lui-même en aurait été vert de jalousie. La jolie histoire n'était pas tombée dans l'oreille de sourds et, le lendemain même, ils rançonnèrent le vieux commerçant en le menaçant d'envoyer toute sa famille bouffer les pissenlits par la racine, à commencer par son fils unique. Le vieux Miel avait payé, tant et si bien qu'au bout de trois ans, ses lingots d'or étaient devenus un lointain et beau souvenir. Ne lui restait que son commerce, fort heureusement lucratif, mais pas pour longtemps. Les crapules de l'Institut ne le crurent pas lorsque le vieux Miel se mit à sangloter qu'il n'avait plus d'argent, qu'il leur avait tout donné. Ils lui brisèrent les deux jambes lors d'un premier avertissement, puis attendirent sa femme à un coin de rue lors d'un second. Ils ne lui firent aucun mal, mais elle eut la frayeur de sa vie. Il n'y eut jamais de troisième fois. Le vieux Miel se pendit dans sa chambre un matin de printemps et c'est son fils unique qui le découvrit. Trois jours après, Ion recevait sa lettre de nomination.

Ion m'adressa un petit signe de tête craintif auquel je répondis vaguement.

« … Je te présente Tolsin de Mitre, poursuivit le rouquin sur un ton magistral, en me désignant l'homme à la droite d'Ion, d'Ol-Hane… »

Ol-Hane était une immense ville frontière en bordure d'océan. L'une des cités les plus militarisées d'Asclépion. Elle se situait en face des tours d'Alinie qui gardaient la Principauté de Noterre.

Tolsin de Mitre, à l'inverse d'Ion le blond, était un grand brun élancé au teint cuivré propre à cette région de Glanmiler. Il avait de petits yeux noirs enfoncés dans leur orbite et brillants d'intelligence. S'il semblait chétif de corps, il paraissait néanmoins actif. Et je ne me trompais pas. Tolsin était le genre de garçons incapable de rester en place plus de quelques minutes. Il était toujours obligé de s'occuper les mains, de parler, de bouger, d'agir. Il était le fils d'un ancien gouverneur de la ville d'Ol-Hane et d'une mère guérisseuse. Il avait fréquenté une grande école d'Ol-Hane qui enseignait la philosophie, la politique et l'histoire. C'était un élève assidu qui ne manquait aucune leçon, qui accomplissait chaque devoir le cœur sincère et l'esprit vif. Tolsin avait vingt ans lorsqu'il reçut sa nomination. Il partit pour Mantaore sans avoir touché une bière de sa vie, ni lécher les seins d'aucune femme, ni avoir commis la moindre connerie qui aurait pu lui valoir une raclée. Tolsin était le fils parfait, hormis que, parfois, il en avait ras le bol d'être parfait.

« … Len-Mar Mipponne, dit Lampsaque, de Tal-Hir… »

Ville du sud, en Lantir. Jolie cité portuaire, pour ce que j'en savais.

Len-Mar était aussi costaud que Lampsaque était poil-de-carotte. Des épaules aussi larges que des cuisses, des bras longs et musclés, un cou de taureau, une balafre sur le front et un léger bec de lièvre. Il me dévisageait d'un œil noir avec cette lueur, au fond des prunelles, de ceux qui aiment se battre pour la bagarre. Len-Mar était le fils d'un honnête marchand qui faisait de l'argent en brassant des bières (ce qui avait sûrement aidé le père et le fils à virer poivrots avant l'âge de quinze ans). Son père était si honnête que jamais il n'arnaqua ses clients en coupant son alcool avec de l'eau croupie, jamais il ne s'aboucha auprès des membres de l'Institut du Commerce, jamais il ne trompa sa femme avec une bourgeoise de la ville qui, sur les dires de Len-Mar, écartait les cuisses plus vite qu'une putain et jamais il n'entra dans la chambre de son fils le soir quand tout le monde était couché. Quand il eut seize ans, Len-Mar plia les gaules après avoir mis le feu à sa jolie demeure dans le riche quartier des marchands. Il ne remit plus les pieds à Tal-Hir, traîna ses guêtres un peu partout en Asclépion en évitant soigneusement de côtoyer les autorités qui l'auraient volontiers fait pendre s'il l'avait attrapé. Il travailla dans les fermes en tant que journalier, séjourna dans des tavernes où il fit le service, éclusa quelques bières et jeta dehors des types plus pintés que lui. Chaque fois, on le remercia gentiment après l'avoir vu démolir quelques visages. S'il était à cette table aujourd'hui, il devait en bénir son père, qui pensait que ça lui attirerait des ennuis en l'inscrivant sur les listes. Il reçut sa lettre de nomination au fin fond de la campagne du nord, dans les collines de Kan-Tie où grouillent plus d'alligators que d'êtres humains, si bien qu'il se demanda un bon moment par quel miracle les Tenshins étaient parvenus à lui mettre la main dessus.

« … et Théo Edgetore de BonneVille », termina le rouquin.

En Dan-Serre, au nord des montagnes d'Estarane. Une ville marchande de taille moyenne qui avait vu naître, voilà trente ans, un type aux cheveux blancs, avec un teint pâle qui lui donnait un air malade, des yeux clairs presque voilés qui, le temps faisant, devraient le rendre aveugle, un corps osseux avec des joues creuses, des lèvres fines et rodées. Un albinos. On les appelait les Oteines — les voleurs de vie. Ils n'étaient pas beaucoup aimés. La plupart des gens en avaient peur à cause de leurs airs spectraux, de leur peau translucide et de leurs yeux rouges ou blanchâtres. On les accusait d'amener le mauvais œil. Théo avait subi toute sa vie les conséquences des superstitions populaires. Un jour, des types lui étaient tombés dessus au coin d'une rue lorsqu'il était âgé de quinze ans et l'avaient battu à mort. Il s'était réveillé le nez dans le sang sous les yeux des badauds qui l'avaient laissé croupir dans son vomi pendant deux jours entiers. Quand il était enfin parvenu à rentrer chez lui, sa mère lui avait dit en regardant les croûtes de sang : « Bah ! Ça devait bien arriver un jour. Je suis surprise que tu sois encore vivant ». Ce jour-là, il comprit que, s'il voulait survivre, il devrait se battre. Il cogna donc tous ceux qui lui cherchaient des poux, se fit enfermer six fois à l'Amir, mais pas ses agresseurs, puis trouva un travail chez un forgeron qui ne craignait pas sa couleur de peau. On le retrouva mort dans sa forge six mois plus tard. On accusa Théo de l'avoir tué. Il s'échappa avant que les miliciens lui mettent la main dessus et, perclus de colère, partit réclamer vengeance. Il tua trois types à coups de couteau et prit la tangente vers l'est où il s'achemina à expier ses péchés. C'est la femme du forgeron, qui avait toujours cru en son innocence, qui l'inscrivit sur les listes en pensant que ça lui sauverait peut-être la vie.

Je réalisai en regardant les visages de chacun que l'éventail de personnalités était des plus insolites et pourtant, même à l'époque, j'étais encore loin du compte.

« Enchanté », dis-je, laconique.

Le rouquin se gratta le nez d'un air distant en fixant l'étroite porte enchâssée dans l'angle de la pièce. Ion le blond suivit son regard, aussi pâle que s'il se trouvait devant un fantôme.

« Qu'y a-t-il au-delà de cette porte ? » demanda-t-il.

Le rouquin haussa les épaules et me lança un coup d'œil méditatif.

« Nous ne le saurons qu'une fois de l'autre côté, dit Théo l'albinos.

– Par groupe de deux, précisa Tolsin le futé.

– Il faut faire des équipes », dit Ion le blond.

Un profond silence accueillit cette réflexion. On se mit tous à se jauger du coin de l'œil sans aucune décence, même Ion et Tolsin qui étaient, somme toute, les deux moins cinglés de la bande, ouvrirent grand leurs mirettes et nous taillèrent en pièces pour voir qui avaient les meilleures. Je me faisais l'effet d'une pouliche de compétition.

« Le rouquin, je veux bien faire équipe avec toi », déclara finalement Len-Mar le bagarreur.

Lampsaque leva un regard tellement mauvais vers le bagarreur que je crus qu'il allait lui sauter à la gorge pour lui faire avaler sa langue.

« J'ai pas envie de faire équipe avec toi », répondit-il de but en blanc.

Len-Mar le toisa avec colère. Il mâchouilla sa lèvre inférieure, comme s'il grignotait les vilaines pensées qui lui venaient en tête.

En considérant les hommes autour de cette table, je me fis la réflexion que les Tenshins n'avaient pas choisi n'importe quels gars pour accomplir cet apprentissage. Ils avaient tous quelque chose de sauvage, de douloureux dans leur besace, des tas de souvenirs difficiles à enquiller et, au fond d'eux, autant de colère. *Des loups,* songeai-je. *On a tous des gueules de loups pas très finauds, prêts à tout bouffer pour soulager leur conscience.*

« Avec qui veux-tu faire équipe ? demanda Théo l'albinos au rouquin.

— Avec lui », dit-il en me pointant du doigt.

L'albinos secoua la tête, un sourire fade sur les lèvres. « C'est dommage, dit-il, tu m'as devancé. Tant pis. Len-Mar, puisque nous sommes deux seconds choix, que dis-tu de faire équipe ensemble ? »

Len-Mar examina l'albinos. « Ouais, je suis d'accord. »

L'albinos parut satisfait. Il se leva de table. « Puisque nous avons choisi, permettez-nous de commencer cette épreuve. »

Je n'y voyais aucun inconvénient. En l'occurrence, ce n'était pas vraiment une question. L'albinos se dirigea vers la porte sans attendre, talonné par Len-Mar le bagarreur. « Tu es prêt ? » lui demanda-t-il.

Le bagarreur grogna pour toute réponse. L'albinos abaissa la poignée et ouvrit la porte. Un flot de lumière filtra par le vantail entrouvert. Théo nous adressa un regard lourd de sens avant de franchir le trou béant et de disparaître sans une once d'hésitation dans la brume spectrale.

« À dans vingt minutes », nous dit le bagarreur, dans un sourire mi-figue mi-raisin. Puis à son tour, il disparut dans l'embrasure. La porte se referma derrière lui dans un bruit de gonds rouillés. On la fixa tous les quatre un long moment dans un silence religieux, attendant qu'un bruit distinctif perce le calme ambiant et la tension sous-jacente.

Or, il n'y eut rien, hormis le son lancinant de notre propre respiration.

Le rouquin se tourna finalement vers moi. « Tu es d'accord ? »

J'eus un haussement d'épaules. Je m'écartai de la table, les mains dans les poches, et, sans rien ajouter, me promenai jusqu'à l'une des fenêtres au fond de la salle. Je m'adossai au mur et jetai un œil par l'interstice entre les volets. La pièce donnait sur le chemin de ronde qui serpentait à l'avant de la bâtisse. Par moment, quelque chose d'irrépressible me poussait à regarder la porte, quelque chose qui ressemblait presque à de l'excitation, avec tout ce qu'elle peut générer : impatience, angoisse, fièvre…

« Finalement, il semblerait que nous soyons contraints de faire équipe, dit Tolsin le futé à Ion le blond. J'espère que ce choix involontaire te satisfait ?

— Il ne me déplaît pas, dit Ion. À votre avis, qui y a-t-il derrière cette porte ? »

Le rouquin roula des épaules sans répondre. Il poussa la chaise devant lui, se laissa tomber dessus comme le malheur sur le monde et bascula en arrière sur le dossier en bois.

« Nous le saurons bien assez tôt, remarqua Tolsin.

— J'étais juste en train de me demander si cette épreuve ferait appel à nos facultés physiques ou intellectuelles, renchérit Ion avec anxiété.

— Très probablement les deux, répondit Tolsin le futé. Maître Brance-Tarqua nous a spécifié que l'office d'un Tenshin ne se limite pas aux seuls combats. Nous devons posséder autant d'aptitudes physiques que spirituelles.

— Ouais, en clair : être capable de causer un peu avant de cogner », grommela Lampsaque.

J'eus un petit rire.

« C'est un peu réducteur, non ? » fit Tolsin.

À son tour, le rouquin fit claquer son profond rire de gorge. « C'est ça, réducteur. »

Ion le blond baissa la tête lorsque Lampsaque braqua un regard pincé sur lui. Il tremblait sur sa chaise. Ses jambes semblaient le démanger, comme si des fourmis s'étaient faufilées dans son pantalon. Ion était le genre de types qu'il fallait occuper par tous les moyens avant une épreuve afin de lui faire oublier sa peur. En revanche, quand les yeux de Lampsaque croisèrent ceux de Tolsin, le futé soutint son regard sans faillir. Le rouquin ne broncha pas et Tolsin était assez malin pour garder bouche close.

Je laissai mon regard voguer vers la lumière qui pénétrait fébrilement par les persiennes à claire-voie et écoutai d'une oreille distraite la voix douce de Tolsin tentant par des détours de rassurer son nouveau partenaire. Par intermittence, j'entendais le grognement distinctif de Lampsaque. Lorsque je me lassai des remparts et tournai la tête vers l'intérieur de la pièce, je vis qu'il m'observait d'un regard dur, les bras croisés sur la poitrine. La toile de fond des voix angoissées de Tolsin et d'Ion semblait chatouiller son point de tolérance.

« C'est l'heure », dit Lampsaque, au moment où je songeais à m'allumer une clope.

Il se releva et se dirigea vers la porte sans laisser le choix ni à Tolsin et Ion, ni à moi. Il enfonça la poignée et me jeta un coup d'œil avant d'ouvrir la porte. Voyant que je n'esquissais pas un geste, il me lança : « Alors ? Tu te bouges ?

– Pourquoi, papi ? T'as besoin de moi pour ouvrir la porte ? »

Son visage se fendit d'un sourire et me regarda me redresser, m'étirer et enfin le rejoindre d'un pas indolent. J'imaginais que si je ralentissais encore un peu l'allure, cette foutue porte disparaîtrait de mon champ de vision ou que je serais tellement vieux et claqué que la franchir ne ferait plus de différence avec le couvercle de mon cercueil. Mais Lampsaque a poussé la porte et nous sommes entrés.

La pièce était lumineuse, blanche, vide. Les murs étaient nus. Je ne distinguais pas les pierres, comme si elles avaient été enduites de chaux. La salle était spacieuse et de forme circulaire. Il n'y avait ni fenêtre, ni porte, hormis celle que nous avions empruntée.

Un homme était immobile au milieu de la pièce. Tel-Chire. Il nous regardait avancer sur ce sol pavé d'albâtre avec cette impavidité qui me donnait envie de le bourrer de coups, juste pour le voir cligner des paupières.

Ses yeux malachites nous fixèrent quelques minutes. Puis sa voix sentencieuse résonna dans la pièce close comme un tombeau : « Voici l'antichambre d'Aurepue, dit-il. Une porte mène à la connaissance… »

Une porte apparut à sa droite. Magnifique, ornée de rinceaux et d'un heurtoir en cuivre.

« … L'autre conduit à la solitude et l'ignorance… »

Une autre entrée parfaitement identique à la première se découpa sur sa gauche.

« Le jeu est très simple, poursuivit-il. Trouvez la porte qui vous donnera accès au savoir et vous aurez mérité un bon bol de soupe chaude et un lit douillet. Si vous n'y parvenez pas, d'autres épreuves vous seront proposées, plus dures et plus longues. Tel sera le châtiment de l'ignorance qui pousse les sots dans le lit des sots. Les portes sont closes. Elles ne s'ouvriront que lorsque vous aurez énoncé à voix haute votre choix. Pour vous aider dans cette tâche, vous aurez le droit de poser une question aux gardiens de la porte. Une seule et unique question… »

Deux hommes surgirent brusquement de la lumière évanescente. Leur visage était caché derrière un capuchon d'une houppelande blanche pour l'un, noire pour l'autre. Un peu trop dualiste à mon goût.

« Sachez Messieurs, que l'un des gardiens ne vous dira pas la vérité, tandis que l'autre sera contraint de vous la dévoiler, ajouta Tel-Chire. Vous avez vingt minutes pour résoudre cette énigme. Après quoi, quoi qu'il advienne, la porte du non-savoir s'ouvrira d'elle-même et vous devrez l'emprunter. » Il s'inclina devant nous, poing sur le cœur, puis il s'éloigna vers l'une des portes et s'évanouit dans la lumière.

Lampsaque me regarda d'un air déconfit. Je haussai les épaules pour toute réponse.

« Finalement, je crois que j'aurais préféré une épreuve physique. Je suis pas très doué pour cogiter », m'avoua-t-il.

Cet idiot aurait vraiment mieux fait de la boucler. À croire que les dieux s'étaient entendus pour exaucer son vœu précisément ce jour-là. Les deux sentinelles relevèrent leur bras droit comme de parfaites marionnettes. Elles tenaient dans leurs mains un large gourdin, bien lisse, bien plat, comme une spatule en bois.

« Bordel ! Qu'est-ce que ça veut dire ? » m'exclamai-je.

Lampsaque n'eut pas le temps de me répondre. Les deux gardiens se jetèrent sur nous comme des chiens enragés. Ces derniers étaient plutôt petits et trapus, mais le premier coup de gourdin qui m'atteignit au ventre faillit me faire tomber. Le second me jeta à terre. Lampsaque reçut la même correction. Les jambes fauchées, il releva la tête vers moi. Une grimace de colère et de douleur tordit son visage.

Les deux sentinelles se tenaient debout devant nos misérables carcasses, le gourdin frappant en cadence leur main gauche. Je ne discernais toujours pas leur visage caché dans l'ombre de leur pèlerine. L'idée me vint malgré tout que nous avions sans doute affaire à ces salopards de Tenshins, probablement Den et Al-Talen.

Les gourdins nous narguaient en passant sous nos yeux. Je me redressai péniblement sur mes jambes. Si tôt debout, la masse m'accueillit et me renvoya au tapis. En heurtant le sol, la moutarde me monta au nez. Lampsaque n'eut guère plus de chance et embrassa les dalles.

À la troisième tentative, j'envoyai un coup de poing dans la poitrine de l'un des gardes et refluai au fond de la pièce rapidement avant de sentir la rugosité du bâton frotter mon postérieur. Lampsaque se défendit d'une bonne droite. La seconde qu'il tenta trancha l'air. Le gourdin lui coupa les jambes. Il s'écroula de nouveau sur le sol. Je fonçai vers lui en essayant d'éviter le rondin de l'homme en noir. Je tombai trois fois avant de l'atteindre. On se releva dos à dos, aussi furieux qu'un chien à qui on aurait piqué son os, et on tenta de riposter tant bien que mal. Le gourdin se colla à mon oreille et pendant les minutes qui s'ensuivirent, j'entendis des crépitements déplaisants bourdonner dans mon crâne, comme le grouillement d'insectes dans un sous-sol crasseux. Lampsaque se fit éclater le nez contre les pavés à deux reprises. Du sang barbouilla le sol d'albâtre.

« Tu as une idée ? beugla Lampsaque en courbant l'échine afin d'éviter la tête plate du gourdin de l'homme en blanc.

— Je cherche », rétorquai-je.

J'arrêtai la massue avec mon avant-bras avant qu'elle ne me fracasse le visage. La douleur me remonta jusqu'à l'épaule. Je me demandai si le garde ne m'avait pas brisé le radius tant la souffrance qui me submergea faillit avoir raison de mon équilibre.

Réfléchis, allez réfléchis, Seïs, m'exhortai-je, en courant comme un cabri à travers la pièce.

« Que savons-nous ? » fit Lampsaque d'une voix calme.

Sa sérénité au milieu des coups de gourdin était rassurante, quoique peut-être un peu surprenante en la circonstance.

« Que l'un des deux ment, répondis-je.

— Exact… On peut pas se contenter de demander à l'un d'eux de nous indiquer simplement la bonne porte.

— Nan. Une chance sur deux qu'il ne nous débite pas des bobards. On peut pas courir ce risque. » Je me baissai pour éviter un autre coup et reculai au fond de la pièce. « Je meurs de faim, me plaignis-je, et je suis crevé. J'ai pas envie de me lancer dans une autre aventure après celle-ci.

— Entièrement d'accord… J'ai une idée ! s'exclama-t-il, comme s'il avait découvert l'utilisation de la poudre à canon. Si on leur cassait la gueule, tu crois qu'ils causeraient ? »

J'éclatai d'un rire sincère, malgré la singularité de la situation. « J'ai comme l'impression que ce sont eux qui nous cassent la gueule », lui fis-je remarquer.

Le rouquin haussa les épaules comme si ce n'était qu'un détail. Il se pencha, pivota sur lui-même et envoya un coup de pied dans le dos de l'homme en blanc. Celui-ci bascula en avant, heurta le mur et se récupéra en exécutant une pirouette audacieuse. Il fit volte-face et asséna au rouquin un violent horion qui lui éclata la pommette droite. Il chancela, faillit perdre l'équilibre, mais se redressa cahin-caha, sans prendre la peine de tâter sa joue fendue.

« La question est forcément complexe, supposai-je.

— Sûrement, convint Lampsaque en grimaçant.

— Si tu es… celui qui détient la vérité… dis-moi quelle est la porte de la connaissance, déclarai-je sans m'adresser à personne en particulier, puis je me repris aussitôt : non, non, ça ne marchera pas.

– On ne peut pas enfoncer l'une de ces portes, lança Lampsaque.

– Essaie toujours. »

Une ondée de douleur vrilla son visage déjà bien amoché. Comme lui, je distinguais de moins en moins les mouvements du rondin. Mon temps de réaction était de plus en plus lent. Je me baissais trop tard et le bois me percutait de plein fouet. Mes poings me faisaient mal à force de brasser du vent ou d'empêcher la matraque de me fendre le visage en deux.

« Il ne doit plus rester beaucoup de temps, remarquai-je.

– D'accord, d'accord… Tout ce que nous savons, c'est que l'un des deux ment, il faut nous en servir, dit-il.

– Vraiment ? T'en es sûr ? » m'énervai-je.

Il ne me fit pas la grâce de répondre. Il repoussa l'homme en blanc contre l'un des murs, mettant toute sa force dans son geste. Pendant un bref instant, il s'évanouit dans la lumière. Lampsaque ne le vit que trop tard réapparaître sur ses arrières.

« Attention ! »

Mon cri se perdit dans le son rauque du gourdin qui l'atteignit aux reins, puis sur la nuque. Il se renversa, tête la première sur le sol. Je me précipitai vers lui et l'aidai à se redresser. Il chancela et bascula contre moi. Sa respiration était lourde comme du plomb. Il cracha par-dessus mon épaule et se raccrocha à mon bras pour ne pas s'écrouler par terre. J'eus presque des remords à le propulser contre le mur lorsque les deux gardes se ruèrent sur nous dans un jeu parfaitement coordonné. Lampsaque se cogna violemment la tête contre les pierres, mais ne perdit pas connaissance.

L'homme en blanc s'approcha de lui et attendit patiemment qu'il se redresse en jouant de sa massue.

« Reste par terre », lui hurlai-je quand il fit mine de vouloir se relever ; de toute façon, il retomba sur les fesses, à moitié sonné.

Je reçus un matraquage en règle. Mon dos et mon torse n'étaient plus qu'un gigantesque hématome violacé et douloureux. Mes phalanges étaient à vif et je préférais ne pas songer à l'état de ma figure. Pourtant, malgré la souffrance lancinante qui s'inscrivait sur mon corps, j'éprouvais un sentiment de rage inconditionnel envers ces deux nabots armés qui nous prodiguaient une raclée mémorable.

L'homme en noir se jeta sur moi. Je ne reculai pas. *Mieux vaut mourir à honneur, qu'à honte vivre,* aurait dit mon père. Je fermai mon poing et fendit l'ombre de sa pèlerine. Je touchai un visage et je fus certain de lui briser quelque chose. J'entendis le son singulier d'un os qui se fracture : sa mâchoire, son nez ? Ça n'avait pas d'importance du moment qu'il souffre. J'en éprouvai une satisfaction qui m'arracha un cri de triomphe. J'étais enragé. Je profitai du léger flottement que lui causa mon action pour lui décocher un bel uppercut, puis un direct du gauche. Il tituba d'avant en arrière tel un ivrogne.

Au moment où je m'apprêtais à lui jouer mon final en lui envoyant un crochet du gauche, il m'insuffla un coup rude sur le sternum qui me fit valser jusqu'au mur. Il me rattrapa par le poignet avant que je ne me fracasse contre les pierres et me retourna le bras dans le dos. Ma vieille blessure se mit à suinter, comme le sang de la panse d'un cochon éventré. Je poussai un hurlement de douleur quand mon épaule se déboîta et se mit à pendre dans le vide. Je crus que j'allais tourner de l'œil. Mais bon sang, j'aurais préféré être mort. Je me redressai sur mes jambes tremblotantes et essuyai mon front couvert de sueur. J'aurais dû rester par terre, attendre que le temps qui nous était imparti touche à sa fin. J'étais incapable de faire preuve de bon sens. Teichi disait toujours que mon arrogance me jouerait des tours. Ben voilà, les jeux étaient faits.

L'épaule pendante et douloureusement lourde, je tentai de profiter d'une nouvelle ouverture. Mon poing manqua sa cible et fendit l'air. L'homme en noir réagit avec une célérité incroyable. Je reçus derechef une rossée qui aurait fait rougir Fer de délectation. À demi conscient, je me retrouvai acculé contre le mur, le bras droit devant mon visage pour parer les soufflets du gourdin, l'autre inutile.

Là, à me prendre coup sur coup parce que je ne voulais pas tomber sur les dalles, la réponse me parut soudain d'une clarté équivoque.

« Si tu étais à la place... de l'autre... quelle porte... désignerais-tu... comme celle étant... la porte de la connaissance... ? »

Je crus que ma question ne franchirait jamais mes lèvres. Lourde, plombée, elle s'accrochait à ma langue à la fois pâteuse et noyée dans le sang.

L'homme en noir suspendit son geste. Le rondin se leva au-dessus de moi tel un gros nuage sombre. Je l'observai avec angoisse, prêt à recevoir le prochain coup et à tomber bel et bien cette fois-ci. Au lieu quoi, il tourna la tête vers l'intérieur de la salle et tendit son bras en direction de l'une des deux portes. Celle de droite.

Je me redressai péniblement. En passant, j'examinai l'homme en noir, cherchant en vain à percer les ténèbres de son capuchon. L'impression qu'il n'y avait rien, hormis le néant au-delà de la houppelande, persista, et les deux sentinelles continuèrent à me faire l'effet de deux spectres évadés de l'Autre Côté. J'avais senti la face du gardien sous mes phalanges, pourtant j'imaginais que si j'enfonçais de nouveau le poing sous la capuche, je ne brasserais que du vent.

D'un pas chancelant, je rejoignis Lampsaque, agenouillé contre l'un des murs. Son nez saignait ; sa lèvre était fendue. Un œil au beurre noir ornait sa figure, mais l'autre se planta dans les miens. Je glissai un bras sous ses aisselles et l'aidai à se remettre debout. Il s'accrocha à moi et commença à se diriger laborieusement vers la porte de droite, tel un pantin qui en aurait reçu l'ordre. Je l'arrêtai aussitôt. Il me décocha un regard surpris. Mon bras enroulé autour de ses reins le soutint quand je le sentis fléchir contre mon flanc.

« Tu vas pas t'écrouler maintenant, dis-je dans un sourire.

— Va te faire foutre, tu peux courir. Je suis comme une taupe, mon vieux.

— Une taupe ?

— Ouais, je quitte jamais un bon terrain. Grouille-toi. J'ai pas envie que tu sois obligé de me porter comme une mariée. » Il voulut m'entraîner vers la porte de droite. Je le retins. « Qu'est-ce que tu fais, bon sang ? grommela-t-il.

— Si t'as envie de te taper de nouvelles épreuves, vas-y, te gêne pas et passe cette porte.

— Qu'est-ce que tu racontes ? »

J'eus un sourire. « Ce n'est pas la bonne porte. »

Sa paupière intacte battit sur son œil intact. « Je ne comprends pas. C'est pourtant celle-ci que la sentinelle a désignée.

— Oui, n'empêche que c'est pas la porte de la connaissance.

— Ah ! Qu'est-ce qui te le fait croire ? fit-il avec une touche d'ironie.

— Si l'homme en noir est celui qui dit la vérité, alors, il a dû nous révéler la pensée de celui qui ment puisque je lui ai demandé de se mettre à la place de son congénère. Et si c'est le menteur, alors…

– … alors il aura dénaturé la pensée de son complice puisqu'il est obligé de mentir. Donc la bonne porte est forcément celle de gauche et non celle de droite.

– Exactement. Tu vois que t'es pas aussi con que tu le croyais. Allez viens, jeune mariée, c'est l'heure de la nuit de noces. »

En le traînant vers la porte, il adressa un regard victorieux aux deux gardiens immobiles, et son majeur tendu.

Je poussai la porte de gauche.

Après l'éblouissante lumière de la pièce d'Aurepue, la pénombre de la salle nous parut bienfaitrice. Quoi qu'il y ait au-delà de cette porte, on s'en moquait désormais éperdument du moment que nous puissions quitter cette antichambre des supplices.

La pièce semblait de nouveau s'ancrer dans la réalité. Une grande table en chêne était disposée au centre de la salle, flanquée de chaises damassées en velours lie-de-vin. La lumière fébrile de quelques chandelles éclairait deux méridiennes couchées à flanc de mur, entre deux grosses commodes en merisier.

Près d'une large baie ouverte sur une terrasse, Tel-Chire contemplait la ligne chatoyante du coucher de soleil qui coiffait les Gardes Noirs d'une couleur de sang.

Je traînai Lampsaque sur une méridienne et l'aidai à s'asseoir sur de volumineux oreillers en velours. Il s'adossa en gémissant contre le mur et laissa ses pieds pendre dans le vide.

« Ça va aller ? lui demandai-je.

— C'est bon, j'ai pas besoin d'une nounou », marmotta-t-il, en souriant.

Je levai le bras de dénégation en souriant.

« Toutes mes félicitations, déclara Tel-Chire. Vous avez passé la première épreuve avec brio. Vous avez mérité un bon repas et une nuit de sommeil. Demain, nous envisagerons une première leçon…

– C'est une plaisanterie ? » maugréai-je.

Tel-Chire tourna la tête et m'adressa l'un de ses regards flegmatiques à vous désarmer un coupeur de tête. Son indifférence me rendit fou de rage, d'autant plus qu'il connaissait parfaitement nos sentiments : la douleur, la colère et la peur. Et, malgré l'acuité de son esprit, il ne cherchait en aucun cas à les apaiser.

Je m'avançai vers lui, le bras gauche noué en travers de la poitrine. Mon épaule démise m'élançait de la nuque à la hanche, me prouvant mille fois que mon bras était toujours accroché là où il devait être. *Tant que tu as mal, c'est que tu es en vie,* disait Lanay.

« Qu'y a-t-il, Seïs ? me demanda Tel-Chire d'un ton neutre.

– Oh ! Vous savez très bien ce qu'il y a, Sansaï, dis-je en appuyant sur le dernier mot. Vous nous avez sciemment envoyés dans l'arène au milieu des lions sans même une arme pour nous défendre. Je croyais que le rôle d'un maître était de protéger son élève, pas de le trahir.

– Voilà de bien grands mots. Il existe deux sortes de guerriers, Seïs, le combattant éclairé et le combattant ignorant. Celui qui a attendu d'être aux prises de situations malaisées pour apprendre à s'en sortir n'est pas avisé. En revanche, celui qui se préoccupe de toutes les situations, de toutes les solutions envisageables ainsi que des détails de l'action est un soldat sage.

– C'était une leçon ? m'écriai-je. Vous vouliez nous donner une leçon ! »

Je serrai le poing.

« Ne fais pas l'enfant. Pourquoi es-tu venu, à ton avis, sinon pour apprendre ? Du reste, ta colère est infondée. Tu as triomphé de l'épreuve. Tu as montré que tu étais intelligent. Ce dont je n'ai jamais douté, ni pour l'un ni pour l'autre. »

Il considéra Lampsaque affalé sur la banquette. « Vous avez fait preuve d'habileté et de courage. » Son regard revint sur moi. « Tu aurais pu rester au sol et attendre la fin de cet exercice. Tu ne l'as pas fait. Voici un acte digne d'un guerrier. Tu n'es pas sage, mais tu as le courage nécessaire pour le devenir. Cette épreuve est injuste, dis-tu, et tu as raison, mais elle est aussi révélatrice de ce que vous êtes.

— Révélatrice ? balbutia Lampsaque.

— En effet. Vous avez fait preuve de détermination, de courage, d'intelligence et d'une grande entraide entre vous. Vous avez démontré des facultés exceptionnelles pour résister à la douleur et pour y répondre, des aptitudes à vous défendre, ainsi qu'à vous surpasser. Cette expérience était nécessaire afin de mieux vous connaître. On ne sait jamais ce qui pousse dans le ventre d'un apprenti tant qu'il n'a pas été mis à l'épreuve. Nous soupçonnons des capacités ; nous supposons de grandes potentialités, cependant, nous ignorons si, dans l'action, elles peuvent être mises en application, si ces facettes que nous avons perçues en chacun de vous resurgiront ou se laisseront submerger par la panique. Vous venez de nous donner la preuve que tel n'est pas le cas. Vous avez bien travaillé et vous méritez à présent d'aller vous restaurer et de vous reposer. Ceci étant dit, Seïs, si tu veux rester là à me sermonner, je t'en prie, je t'écouterai toute la nuit s'il le faut, mais sache que dès demain matin, nous nous mettrons au travail quoi qu'il arrive. Je peux m'abstenir de dormir pendant plusieurs jours. Penses-tu pouvoir suivre ce rythme ? » Il n'attendit pas de réponse et ajouta : « Cinq ans, c'est extrêmement peu pour vous enseigner un savoir séculaire. Nous n'avons pas de temps à perdre. »

Il avait parlé d'une traite, d'une voix égale. Un instant, j'aurais souhaité faire taire ma colère par le seul moyen que je connaissais, en enfonçant mon poing dans sa figure trop parfaite. Je repoussai néanmoins l'idée, d'abord parce que mon épaule gauche ne semblait pas encline à répondre favorablement à cette requête, ensuite parce qu'il m'aurait probablement tué d'un geste, peut-être même d'une seule pensée. S'il m'arrivait parfois d'agir sur des coups de sang et de me montrer stupide, je savais quelquefois me montrer lucide devant l'inéluctable défaite. Ne combattre que lorsqu'on est sûr de gagner. Je ne sais plus qui a dit ça, en tout cas, c'était fichtrement vrai.

« Voilà qui est sage », déclara-t-il.

Il me cogna le front d'une pichenette. Si j'hésitais encore à le haïr jusqu'à maintenant, j'éprouvais désormais un véritable dégoût pour cette créature inhumaine. J'aurais voulu lui faire avaler jusqu'au fond du gosier ce sourire rassasié, satisfait de m'avoir rabaissé à mon niveau ridicule d'apprenti, incapable de me défendre contre ses intrusions.

« Tu le pourras bientôt, me confia-t-il, en tapotant mon épaule valide. N'aie crainte, gamin. Du reste, je ne te rabaisse pas à ton rang d'apprenti, c'est toi qui viens de le faire. Quant à moi, je considère un apprenti comme une personne capable de devenir maître et non comme le dépositaire de mon propre pouvoir. Cela dit, pour parvenir à clore ton esprit à mes intrusions… » Il répéta mon propre mot sciemment. « … il te faudra faire preuve d'une chose dont tu es totalement dépourvu pour l'heure.

— Qu'est-ce que c'est ? demandai-je avec brusquerie.

— De la maîtrise. Tu es incapable de contrôler tes pulsions. À l'intérieur de ton esprit, une véritable tempête fait rage. Or, si tu ne la maîtrises pas, jamais tu ne pourras m'empêcher de lire tes pensées, pas plus que tu ne parviendras à lire les miennes. De la maîtrise, Seïs, et du sang-froid. Ton impulsivité peut se révéler une excellente arme en certaines circonstances, dans d'autres, toutefois, elle pourrait t'être fatale. Enregistre mon conseil dans un coin de ta tête. Tu pourrais en avoir besoin dès demain matin… Maintenant, montre-moi cette épaule. » Il prit mon bras entre ses mains avec délicatesse sans me demander mon avis. Il tâtonna d'un air expert autour de la clavicule, puis le long de mon omoplate. « Ce n'est pas la première fois que tu te démets cette épaule, remarqua-t-il. Tu es prêt ?

— Prêt pour quoi ? fis-je. Êtes-vous habilité à soigner les apprentis ?

— Ne t'inquiète pas. J'ai remis suffisamment d'épaules en place pour arranger la tienne. »

Il étira mon bras vers lui. Je grimaçai de douleur. Il cala sa main droite contre mon torse, prit appui avec son pied sur la table derrière moi afin de s'équilibrer tandis que j'écrasai fermement mes doigts contre le rebord.

Puis il tira. Un bruit sec claqua dans la pièce. Une douleur aigüe inonda toute ma poitrine comme si, au lieu de remboîter l'épaule dans son axe, il me l'avait tout simplement arrachée. *Plutôt que de garder un membre malade qui pourrait infecter tout le corps, se délester du membre malade, comme tout membre atteint de la gangrène, le couper avant la mort.* Je réprimai un cri en serrant les dents. Ma tête se mit à tournoyer et j'aurais sans doute tourné de l'œil si Tel-Chire ne m'avait pas maintenu contre la table.

« Évite de trop bouger ton bras, me conseilla-t-il. Demain, tu t'en porteras très bien. »

Il s'éloigna ensuite en me laissant nauséeux et s'approcha de Lampsaque étendu sur la méridienne, en train de roupiller. Il se réveilla en sursaut lorsqu'il sentit le poids de Tel-Chire sur la banquette. Il ouvrit les yeux et regarda autour de lui d'un air hagard en lançant des « Foutre ! » à travers la pièce tandis que Tel-Chire inspectait ses blessures.

« Il y a beaucoup de sang, dit-il, mais ce ne sont que des égratignures. Tu t'en remettras… Je vais vous conduire aux cuisines. Salie devrait avoir préparé le dîner. Gassiope jettera plus tard un coup d'œil sur vos ecchymoses… Tu peux marcher ? » demanda-t-il au rouquin.

Lampsaque grogna un « oui » qui se révéla être un « non » plaintif quand ses jambes flanchèrent. Tel-Chire passa un bras sous l'aisselle du rouquin et l'aida à se tenir debout. Une vague de douleur passa sur son visage. Je me précipitai vers lui et glissai mon bras valide sur ses reins.

« Je vais m'occuper de lui », dis-je à Tel-Chire en lui jetant un coup d'œil dédaigneux.

Tel-Chire s'écarta sans renauder et passa devant nous afin d'ouvrir la marche. Je compris plus tard que je venais de faire exactement ce qu'il attendait de moi. Veiller sur mon partenaire.

Le rouquin se laissa trimbaler comme un vieux sac, son amour-propre en bandoulière, ce qui ne l'empêcha pas de ruminer tout le long du chemin en prétendant que sa grand-mère le porterait mieux que ça. À l'angle d'un couloir, je faillis le laisser choir par terre en déclarant que sa grand-mère se serait sûrement débrouillée pour ne pas prendre une déculottée comme son crétin de petit-fils. Ce à quoi il répondit qu'il avait agi ainsi uniquement pour ne pas froisser ma dignité en sauvant mon petit cul.

La cuisine était immense. Jamais je n'avais vu de pièce plus vaste pour confectionner des plats. Une grande table en noyer était disposée contre l'un des murs et cerclée de bancs. À ses côtés, un large comptoir carrelé était garni d'ustensiles de toutes sortes. Au-dessus de la desserte était fixé un gigantesque hâtier muni de crochets où pendaient les broches à rôtir. Plus loin, le long du mur en face de la table, quatre fours étaient placés les uns à côté des autres, attenants à une grosse cheminée où les flammes étaient en train de lécher amoureusement le cul d'une marmite en terre cuite. Deux fenêtres basses bordaient le foyer et s'ouvraient sur une petite cour pavée.

Je traînai le rouquin jusqu'à l'un des bancs contigus à la table et l'aidai à s'asseoir. Il gémit, grogna, me repoussa et finit par me remercier d'un signe de tête lorsqu'il sentit le contact du bois sous ses fesses meurtries. Il se cala ensuite contre le rebord de la table et s'épongea le front du revers de sa manche noircie de sang.

Tel-Chire s'approcha du comptoir et extirpa deux verres et une cruche. Il les déposa sur la table devant nous. « Buvez. »

Je versai le contenu de la cruche dans nos deux verres sans me faire prier. Du vin. L'alcool glissa au fond de ma gorge et déversa sa douce chaleur dans mon ventre et mes veines habituées à recevoir leur lot de chimères. Un bref instant, la douleur lancinante de mon épaule devint un écho lointain, avant de resurgir de plus belle.

Tel-Chire s'assit sur le banc en face de nous et s'adossa au mur. « Ne vous habituez pas trop au vin, nous dit-il, c'est un privilège par ici. »

J'émis un grognement en sifflant mon verre et me reversai rapidement une deuxième rasade.

« Où est Gassiope ? demanda Lampsaque.

— Il va arriver. »

Le rouquin me fit signe qu'il serait enclin à m'imiter en avançant son verre dans ma direction. Je le remplis à ras bord.

« L'albinos et le bagarreur ont-ils réussi l'épreuve ? m'enquis-je en reposant mon verre sur la table. Enfin, je veux dire Théo et Len-Mar… »

Lampsaque m'accorda un regard amusé. « Tu as donné des surnoms à tout le monde ?

— Ouais, possible. Mais tu n'aimerais pas le tien. »

Il secoua la tête en faisant la grimace. Il avait compris.

« Alors ? »

Tel-Chire releva la tête et passa la langue sur sa lèvre inférieure. « Ils ont échoué, dit-il.

— Où sont-ils à présent ?

— Ils travaillent. Vous les verrez demain matin.

— Qui étaient ces hommes ? demanda Lampsaque. Les deux nabots que vous nous avez envoyés pour nous botter les fesses ? »

Cette fois, ce fut moi qui gloussai. Je n'étais pas le seul à donner des surnoms.

« C'était Den et Al-Talen, n'est-ce pas ? » insistai-je à mon tour.

Une expression d'amusement traversa les traits éthérés de Tel-Chire.

« Pourquoi eux plutôt que moi ? répartit-il. Non, messieurs, ce n'était pas eux.

— Qui alors ? » pressa le rouquin.

Tel-Chire se mordilla la lèvre, une vieille habitude quand il n'avait aucune intention d'en dire davantage.

Gassiope entra dans la pièce en claudiquant, les bras chargés d'un tonneau en chêne. Ses petits yeux jaunes nous dévisagèrent, puis se détournèrent, comme s'il se fichait de notre présence. Il marcha jusqu'au comptoir sur lequel il déposa le baril. Il fit sauter le couvercle, sans nous adresser ni une parole ni un regard, et extirpa des feuilles séchées du tonnelet. Il les disposa sur l'établi en ordre, quatre ou cinq feuilles étalées les unes à côté des autres. Puis il se dirigea vers la marmite qui bouillait sur le feu. Avec une spatule, il mélangea le contenu. Il attrapa ensuite deux bols en terre cuite recouverte d'une couche de peinture verte craquelée, versa le liquide gluant du faitout, s'approcha du comptoir et immergea les feuilles dans une espèce de gruau gélatineux où l'avoine avait une couleur plutôt bizarre. Il remua à nouveau le mélange qui se colla à sa cuillère et nous apporta les bols.

« Mangez, dit-il d'une voix râpeuse.

— Ces feuilles que vous avez mises, qu'est-ce que c'est ? demandai-je en guignant du coin de l'œil l'intérieur de mon bol.

— Des feuilles de sauge, répondit-il. Maintenant, mangez. C'est pas bon quand c'est floid. »

Lampsaque ne se fit pas prier. Il enfonça sa cuillère dans la soupe et avala sans rechigner.

« Merci bien, Borlémir », dit Tel-Chire au petit homme râblé.

Le nom me fit sourciller. Borlémir… Je relevai la tête de ma soupe, regardai Tel-Chire avec surprise, puis tournai sur mon siège et dévisageai la petite créature ventripotente qui rangeait soigneusement son baril dans les entrailles du comptoir.

« Borlémir ? » répétai-je.

Le bonhomme sortit la tête de son étagère et jeta un coup d'œil par-dessus son établi. « Quoi ?

— Je ne comprends pas, dis-je. Je croyais que vous vous appeliez Gassiope. »

Le vieil homme éclata de rire et se redressa entièrement derrière le comptoir.

« Ah oui ! Pas tlès obselvateul c'lui-là, déclara-t-il à Tel-Chire.

— Ils sont jumeaux, me souffla Lampsaque entre deux cuillères de gruau.

— Jumeaux ! »

Je détaillai le vieillard courtaud et son ventre bedonnant, ses cheveux effilés et ses yeux jaunes voilés. S'il existait une différence entre les deux frères, je ne la voyais pas.

« Toujouls pas ! » se moqua-t-il. Il s'approcha de mon siège et braqua ses deux billes jaunâtres sur moi. « Allez, regalde mieux. Tu vas tlouver. »

Une petite cicatrice sur le sourcil gauche. Une tache brune au coin de l'œil droit. Le nez de travers… non, pas le nez. Gassiope avait également l'arête tordue. Je lui désignai l'entaille et la tâche sombre. Il acquiesça d'un sourire édenté. « Mieux, dit-il. Y a peut-êtle qu'que chose à en tiler finalement. »

Tel-Chire sourit sans nous quitter des yeux.

« Les deux autles vont pas talder à aliver », dit Borlémir en se dirigeant de nouveau vers le comptoir.

Je me tournai face à Tel-Chire et lui adressai un regard interrogateur. « Tolsin et Ion ? Ils ont réussi ? »

J'étais estomaqué que le blond malingre et chétif soit parvenu à survivre aux coups de gourdin ; quant au futé, je supposais qu'il était non seulement plus malin que ce que j'imaginais, mais aussi assez rapide pour échapper aux mains agiles des deux gardiens.

« Il semblerait, en effet, qu'ils aient réussi l'épreuve, dit Tel-Chire. Vous avez l'air surpris tous les deux. Pourquoi ? »

Haussement d'épaules.

« Len-Mar et Théo semblaient plutôt costauds, dis-je. Pourtant, ils ont échoué. Tolsin et Ion ont la corpulence de deux chiots à peine sevrés et n'ont pas franchement l'air d'être habitués aux taloches…

— … et pourtant, eux, ils ont réussi… Pour quelles raisons avez-vous surmonté cette épreuve tous les deux ? » nous demanda-t-il en nous observant l'un l'autre.

Lampsaque laissa tomber sa cuillère dans son bol.

« Je ne suis pas sûr », avouai-je.

Tel-Chire se tourna vers le rouquin. « Pourquoi ?

– Ben, nous avons trouvé la réponse à l'énigme, répondit-il.

– Oui, en effet. Ce n'est pourtant pas la seule raison qui vous a permis de passer l'épreuve.

– Avoir pris une rossée sans se plaindre », lançai-je.

Il esquissa un sourire. « Entre autres choses, oui. »

Évidemment !

« Vous avez également fait preuve de solidarité l'un envers l'autre. Vous vous êtes soutenus, parfois au risque de vous mettre en danger.

– Ce n'est pas le cas de Théo et de Len-Mar, c'est ça ? fit Lampsaque.

– En effet. »

Je n'étais pas surpris. L'albinos et le bagarreur étaient le genre d'hommes habitués à être seuls, à se battre et se défendre seuls. Personne n'était jamais venu les aider. Pas étonnant qu'ils n'aient pas été solidaires l'un envers l'autre. Ils n'avaient pas la moindre idée de ce que signifiait la confiance, pire, ils s'en méfiaient.

« Enfin, la sagacité et la vivacité d'esprit sont des qualités primordiales pour un maître, dit Tel-Chire. Un bon combattant n'est pas seulement fort. Cultiver l'intelligence et le courage est un devoir quotidien. Tolsin et Ion n'en sont pas dépourvus. C'est pourquoi ils vont nous rejoindre. Par ailleurs, je vais vous donner un conseil, Messieurs, ne vous fiez jamais aux apparences d'un individu. S'il paraît vulnérable, il peut très bien faire preuve de malignité et vous envoyer tout aussi vite au cimetière qu'un être pourvu de muscles. Les apparences sont trompeuses. »

Trompeuses, oui. Je me demandais d'ailleurs jusqu'où Tel-Chire trompait son monde derrière sa façade imperturbable. ?

L'idée aussi que les équipes que nous avions formées n'étaient peut-être pas le fruit du hasard se creusa un chemin dans mes pensées. Les loups avec les loups, les sages avec les sages… La question était de savoir où se situait ma place.

« Tu te trompes, me coupa Tel-Chire. Quel intérêt aurions-nous de joindre deux individus identiques ? La meilleure façon d'apprendre est d'écouter et de profiter du savoir que peuvent offrir vos semblables. Ne t'imagine pas que Théo et Len-Mar sont seulement des hommes forts ; ils possèdent bien d'autres qualités que tu ne soupçonnes pas encore, peut-être eux non plus d'ailleurs. Tolsin et Ion ne sont pas juste intelligents et, eux aussi, ils doivent apprendre à voir plus loin que ce qu'ils s'imaginent être. Vous êtes tous différents ; vous avez tous vécu une vie différente et jusqu'à vos pensées ou vos idées, que vous manipulez différemment. Par contre, tu as raison sur un point : les équipes ne sont pas fortuites et nous les espérions ainsi. Toutefois, nous avons laissé libre cours à vos décisions et c'est vous-même qui vous êtes choisis. Quant à savoir qui tu es dans tout ceci, tu le découvriras toi-même, tu l'apprendras, comme tu apprendras à connaître tes compagnons… »

Il fut interrompu par le bruit de la porte. Tolsin et Ion pénétrèrent dans la pièce dans un état auquel je ne m'étais pas préparé. Bon sang, ils avaient tous deux l'air de sortir du bain, le visage lisse, sans plaie, sans l'ombre d'une ecchymose sur leur faciès d'ange.

À mes côtés, Lampsaque fronça les sourcils et bougonna quelque chose que je ne compris pas, mais je me doutais qu'il ne s'agissait pas d'un compliment.

Tolsin écarquilla les yeux en apercevant nos gueules cassées. Il se précipita vers nous. « Par Orde ! Vous allez bien ? » nous demanda-t-il avec une sincère inquiétude.

Sa gentillesse me fit l'effet d'un coup de poing dans la figure et mon amour-propre en prit pour son compte. « Oui, marmonnai-je froidement.

– Ils ne vous ont pas ratés », remarqua Ion le blond, perspicace.

Lampsaque esquissa un sourire forcé. Je ne pris pas cette peine. Je me retournai sur le banc. Mon regard croisa furtivement celui de Lampsaque et je crus entendre le juron qui tournoyait derrière son œil noir.

Ion et Tolsin s'installèrent sur la banquette, aux côtés de Lampsaque, et reçurent tous deux un bol de soupe.

Tel-Chire nous observait. Voulait-il peser nos âmes ou simplement entrevoir ce que nous pensions les uns des autres et ce qui germait de bon ou de mauvais dans nos ventres d'asticots ? Outre la douleur de mon épaule, j'éprouvais une antipathie flagrante pour Ion le blond, son air perpétuel de condescendance et sa veulerie sous-jacente. Je n'aimais pas les lâches, peut-être parce qu'au fond, je l'étais moi-même un peu. Je préférais reporter sur les autres le mépris que je m'inspirais. Cela étant, je me trompais rarement sur les gens. En vadrouillant dans les ruelles de La Ruche, c'était une qualité essentielle pour ne pas finir, comme bien des types, baignant dans son sang au coin d'une rue. Dans mon domaine d'activités, je côtoyai bon nombre de coupe-jarrets sans cervelle, mais aussi des marchands peu scrupuleux, brillants et lâches. Je me méfiais de ce genre de vermine comme de la peste. Prêts à tout pour leur part de pouvoir, pour gagner, pour survivre. Ils auraient vendu leur mère pour un casse-dalle de Chez Lucie. Ne jamais montrer le moindre signe de faiblesse, voilà l'une des leçons de La Ruche.

Tel-Chire me dévisageait de son œil inexpressif. Il n'avait pas fait que retenir cette leçon, il l'avait parfaitement ingérée au point que plus rien ne perçait la vitrine.

« Il existe plusieurs rangs au sein de la caste des guerriers, dit-il soudain en me regardant, et plusieurs niveaux de compétence. Un guerrier apprend toute sa vie. Tout au début, un homme n'a pas l'impression de progresser en dépit des heures d'entraînement qu'il endure jour après jour. Il se sait malhabile et incompétent. Lors d'un stade médium, le guerrier commence à prendre conscience de ses défaillances et il remarque peu à peu les faiblesses des autres. À un degré supérieur, l'homme acquiert une plus grande confiance en ses capacités. Il peut alors prendre des décisions de son propre chef. Au-delà de ce niveau, il y a ceux dont l'expression du visage ne révèle rien de ce qu'ils pensent, qui ne font étalage ni de leur savoir-faire ni de leur lacune, quoique certains puissent parfois feindre l'ignorance[1]. »

Tous les regards convergèrent vers Tel-Chire. Le maître dispensait une leçon, mais je crois qu'on était tous les quatre plus surpris de constater que le Tenshin était capable d'aligner plus de trois mots d'affilée. Néanmoins, Lampsaque buvait goulûment ses paroles, comme il avait avalé le gruau. Tolsin semblait les méditer, la main calée sous son menton et Ion paraissait peiner à les assimiler, ou songeait-il à son prochain bain plutôt qu'aux paroles du Sansaï ?

« Et toi ? » m'interrogea Tel-Chire.

Je sentis le rouge de la frustration me monter aux joues. Tel-Chire l'ignora.

« Je me demandais si ce n'était pas un moyen élégant de nous faire comprendre que vous étiez au sommet de la chaîne, répondis-je.

— Qui te dit que ce n'était pas une façon de te faire comprendre que tu t'avances peut-être un peu vite et que tu tires des conclusions hâtives sur les individus qui t'entourent.

— Vous compris, je suppose.

— En effet. »

Je regardais Borlémir remplir mon bol de gruau. « J'en conclus qu'à vos yeux, je ne suis même pas au stade médium de votre apprentissage ».

Il eut un petit rire. « Tu es encore tout en bas de l'échelle, petit. Tu n'as pas commencé l'ascension, tout comme tes compagnons.

— Cela signifie-t-il pour autant que je sois dépourvu d'intuition ?

— Non, bien sûr. Au contraire, ton empathie est particulièrement développée. Non seulement tu ressens les êtres qui t'entourent, mais tu fais aussi confiance à ton instinct. Ce qui à mon sens est une précieuse qualité. Ce que je te reproche, en revanche, c'est de ne pas savoir faire preuve de modération dans tes propos. Tu t'accordes vite à ranger les gens dans des cases toutes faites. Je ne prétends pas que tes jugements soient erronés, je dis seulement qu'ils ne se réduisent peut-être pas à cela. »

Ce qu'il m'agaçait à tomber juste à chaque fois.

« Je n'ai pas fini mon investigation, finis-je par déclarer.

— C'est très bien. N'oublie pas qu'un être lâche peut dissimuler sa veulerie, tout comme un homme courageux peut dévoiler sa vaillance au dernier moment d'une bataille. Nul ne sait ce qu'il a dans le ventre tant qu'aucun obstacle n'est venu se mettre en travers de son chemin pour le lui révéler. L'un des rôles fondamentaux de Mantaore est de vous apprendre à sonder vos faiblesses ainsi que vos qualités. L'ultime niveau que cherche à atteindre le guerrier est celui qui mène à la voie sacrée de son art. Il prend alors conscience que son entraînement doit être infini et qu'il ne pourra jamais se satisfaire du labeur accompli. C'est pourquoi un guerrier doit connaître ses failles et chercher à les corriger tout au long de sa vie, sans jamais imaginer une seconde qu'il en fait suffisamment. Un guerrier ne doit jamais se croire ni supérieur, ni inférieur… Fin de la leçon. Maintenant, allez-vous reposer. » Il se tut et se leva de table. « Borlémir, voulez-vous conduire ces messieurs dans leur chambre ? »

Borlémir agita sa petite tête grêlée, enfoncée dans ses épaules.

« Occupez-vous également de soigner leurs plaies, ajouta Tel-Chire. Le novice Clairefond en a de vilaines sur les doigts et sur le sommet du crâne. »

Lampsaque baissa les yeux sur ses phalanges meurtries, les sourcils froncés, puis releva la tête du type bourré d'orgueil jusqu'à la moelle qui avait l'air de dire « J'ai connu pire dans ma vie de chien, t'inquiète pas pour moi. » Mais il préféra garder le silence.

« Bien, Sansaï, il sela fait selon vos souhaits. »

Tel-Chire inclina la tête. « Nous nous reverrons demain matin. D'ici là, passez une bonne nuit. »

Il se dirigea vers la porte et sortit sans se retourner.

« Les leçons sont plus dures que ce à quoi je m'attendais, se plaignit Ion à peine la porte fermée.

— Et tu t'attendais à quoi ? Une partie de plaisir ? ronchonna Lampsaque. On n'est pas à la pêche ici… Merde, pourquoi je parle à ce type ? »

Il se leva de sa chaise en se tordant le visage de douleur et s'appuya sur mon épaule quand il faillit perdre l'équilibre. Je ne cherchai ni à le retenir, ni à le soutenir ; il n'en attendait manifestement pas moins de ma part, ce qui le convainquit de me remercier d'un bref regard pour lui avoir évité une nouvelle humiliation. Mieux vaut se péter la gueule tout seul que de demander de l'aide pour l'empêcher. Ouais, je sais plus qui m'a dit ça un jour, mais c'est un peu con. Bah ! C'est peut-être moi qui l'aie dit.

« Je sais très bien qu'on n'est pas là pour s'amuser, dit Ion d'une voix fébrile. Et, en l'occurrence, ce n'est pas parce que tu es blessé et que tu n'as gagné qu'après avoir pris des coups, que tu dois te montrer désagréable à mon égard. »

Ion était rouge pivoine, mais le visage de Lampsaque vira au cramoisi. « Tu peux répéter ? » fit-il.

Ion se gratta la gorge. « Je dis que nous sommes tous dans le même bateau et que tu n'as pas à m'agresser sous prétexte que tu t'es fait tancer. »

Les yeux du rouquin lançaient des éclairs. « Je vais te montrer qui… »

Il était en train de claudiquer jusqu'à Ion quand je le rattrapai par le bras.

« Ouais, je sais pas vous, mais pour le moment je suis crevé. J'ai les nerfs en pelote et tout ce dont j'ai envie, c'est une bonne nuit de sommeil. »

Lampsaque se tourna vers moi, me toisa d'un regard furibond et fit sauter ma main de son bras. Je le lâchai sans renauder.

« Ce n'est pas une mauvaise idée, dit Tolsin. Je gage que demain sera une longue journée.

— Vous gagez bien », intervint Borlémir en mâchouillant une racine de réglisse.

Il boitilla jusqu'à la porte de l'arrière-cour et attendit qu'on le rejoigne. Lampsaque avança clopin-clopant derrière le vieil homme. Je restai sur ses talons au cas où il déciderait d'embrasser le sol.

« Pal ici », dit Borlémir.

Il ouvrit une porte basse et sortit dans la cour. C'était un patio rustique, pavé de dalles foncées avec des jarres en argile garnies de fleurs bourgeonnantes. Un escalier grimpait vers une terrasse et des arcades qui plongeaient dans la pénombre des falaises.

Borlémir nous fit emprunter les escaliers et s'enfonça sous l'une des longues arcades illuminées de torches, qui filait d'est en ouest, jusqu'à une porte en acier forgé. Il l'ouvrit sur une vaste pièce carrée à la fois austère et élégante. « Messire de Miel et Messire de Mitre, voici votre chambre », dit-il.

Ion et Tolsin s'avancèrent dans la pièce avec la circonspection d'un dresseur qui aurait fourré sa main dans la gueule d'un rottweiler.

« La bonne nuit, messieurs, nous dit Tolsin.

— À demain », lançai-je, accompagné d'un petit hochement du menton.

Les deux hommes refermèrent la porte derrière eux tandis que Borlémir poursuivait son chemin. Nous marchâmes dix mètres, puis il s'immobilisa devant une nouvelle porte.

« Votre chambre, Messire Amorgen et Messire Clairefond. »

Le rouquin clopina jusqu'à l'intérieur en saluant Borlémir. Je lui emboîtai le pas.

La chambre était assez spacieuse, d'une forme rectangulaire. Une grande cheminée trônait à droite de la porte d'entrée. Deux lits en dais lui faisaient face. Une large armoire ainsi qu'une malle étaient disposées aux côtés d'une baie à lancettes ouverte sur un atrium ceinturé par les falaises. Les Gardes Noirs nous dominaient. Deux fauteuils en taffetas faisaient face au foyer, dans lequel dansaient des flammes. Le rouquin se traîna jusqu'au siège et se laissa tomber dedans en poussant un soupir de soulagement. Je me dirigeai vers une commode en noyer, pris l'aquamanile en bronze qui était posé sur une plaque de marbre et versai l'eau dans une cuvette en métal. Je m'aspergeai le visage, retirai les souillures de sang séché. Mon oreille me démangeait et j'entendais encore des crépitements se fondre dans mes tympans comme une nuée de moustiques en rogne. Je trempai un linge propre dans l'aquamanile que j'avais récupéré dans la commode. Puis, je m'approchai du rouquin qui somnolait contre le dossier. Je lui tendis la serviette humide. Il la prit en me remerciant d'un regard appuyé. Je me dirigeai ensuite vers le deuxième fauteuil et, à mon tour, me laissai tomber sur les coussins. Je posai mon coude sur l'accoudoir et appuyai ma tête dans la paume de ma main. Lampsaque passait le linge humide sur son visage grimaçant quand je lui demandai : « T'aurais fait quoi au juste ?

— Qu'est-ce que tu veux dire ?

— Qu'est-ce que t'avais l'intention de lui faire ?

— À Ion ?

— Ouais. » Il semblait surpris. Puis une lueur que je connaissais traversa son œil intact. J'émis un ricanement. « Je m'en doutais, fis-je.

— Alors pourquoi tu poses la question ?

— Pour être sûr.

— De quoi ? »

Il appliqua le linge sur son nez. La serviette était déjà rouge sang.

« De savoir jusqu'où t'étais prêt à aller. »

Il rit, jusqu'à ce que son rire se transforme en quinte de toux. « Et toi ? fit-il après avoir craché un fond de glaires et de sang dans la serviette. Jusqu'où tu serais allé pour m'en empêcher ?

— Pas bien loin », avouai-je. Il m'adressa un coup d'œil amusé. Je me crus bon d'ajouter : « Dans l'état où tu es, une pichenette et tu t'écroules. »

Sa bouche fendue se tordit, puis il rit de plus belle. « T'as pas la langue dans ta poche, Amorgen.

— C'est ce qu'on me dit souvent. »

Un petit sourire traversa ses lèvres, puis il lorgna le feu comme une jolie femme. Quand la porte s'ouvrit dans un couinement, aucun de nous deux ne sursauta, trop épuisés pour relever le nez de notre fatigue.

Gassiope pénétra dans la chambre, les bras chargés d'un petit coffret en bois d'if veiné de rouge. Le petit homme ne boitait pas comme son frère, c'est de cette façon que je le reconnus. Il s'agenouilla près du fauteuil du rouquin. Tandis qu'il ouvrait la cassette en bois, je remarquai une belle entaille rougeoyante sur l'arête de son nez. Je sursautai et me redressai subitement. Le rouquin leva des yeux surpris dans ma direction. Gassiope saisit une petite boîte qu'il ouvrit avec ses grosses mains calleuses et enfonça son index dans une pâte rougeâtre nauséabonde.

« Bougez pas », dit-il au rouquin.

Il passa la pommade sur les phalanges abîmées de Lampsaque. Je m'approchai, les yeux ronds, et m'accroupis à ses côtés. Je le dévisageai ouvertement, examinant son nez, ses pommettes fardées de rouge et grêlées comme une terre après une tempête, son teint jaune poussiéreux et ses yeux voilés d'une gaze blanche.

« C'était vous ! » m'exclamai-je.

Lampsaque redressa la tête comme si elle pesait des tonnes et me regarda avec étonnement. Le vieil homme ne prit même pas la peine de relever les yeux.

« C'était vous, insistai-je.

— C'est impoltant ? maugréa-t-il entre ses dents.

— Bien sûr. Comment… comment…

— Comm't j'ai fait, moi, le p'tit glos, poul t'mettle une raclée qu'aulait fait pâlir d'honte ton p'vre père ? C'est ça que t'veux savoil ?

— Non… enfin… bon Dieu, vous êtes presque aveugle !

— J'vois suffisamment poul pouvoil m'défendle, me répliqua-t-il sèchement. Et même si j'voyais plus lien, j'poulais encole t'losser. T'fais assez de bluits poul ça. »

Le rouquin n'en revenait pas. « C'était vous dans l'antichambre d'Aurepue, répéta-t-il. Vous et votre frère ? » Gassiope acquiesça. « Vous n'y êtes pas allés de main morte, sacredieu, s'exclama Lampsaque. J'étais persuadé que c'était Den et Al-Talen. »

Moi aussi je l'avais cru.

« L'Maîtles nous ont d'mandé de pas vous faile d'cadeau. On a fait ce qu'ils voulaient, dit Gassiope. V'vous zêtes bien déblouillés. »

Il frôla l'arête de son nez cassé sans me regarder.

« Où vous avez appris à vous battre comme ça ? » demandai-je.

Il ricana. « Blanc bec, où t'clois qu'on l'a applis ?

— Les Tenshins vous l'ont enseigné, souffla Lampsaque.

— Sûl. Ici, on sait tous s'battle. Selviteurs et maîtles.

— Vous nous avez bien eus, dit le rouquin dans un demi-sourire.

— Ouais, dis-je, et je ne suis pas prêt de l'oublier. »

Gassiope me décocha un regard en coin et les paroles de Den me revinrent en mémoire : « Les chiens de garde de Mantaore ».

CYCLE III

À L'AUBERGE «SENS DESSOUS»

An 2076

Je patientais devant l'entrée, assise sur un banc. La pluie menaçait de tomber et j'avais omis de prendre une petite laine avant de me rendre en ville. Je me rongeais un ongle. J'étais à peu près certaine de commettre une ânerie. Sirus allait sûrement me tailler les oreilles en pointe et Athora, prétexter que je n'avais nul besoin d'en arriver à de telles extrémités. Ils essaieraient tous deux de m'en dissuader, mais j'avais pris ma décision.

Je fixai mes chaussures d'un air empressé. Dans la rue, les gens allaient et venaient. Le ciel bas et cotonneux ne décourageait pas les Macliniens. Le vacarme emplissait le quartier des marchands. Quelques vendeurs de journaux criaient les dernières nouvelles, et non des moindres : on allait bientôt célébrer la naissance de Gange d'Elisse, L'Unificateur. Asclépion était bâti sur trois duchés, chapeautés par une monarchie vieille de deux mille ans, et d'une Principauté dissidente presque aussi ancienne qu'elle. Jadis, Asclépion se constituait pour l'essentiel de populations tribales et les guerres étaient très fréquentes entre les clans. Gange unifia les domaines et les terres, mit fin aux ancestrales querelles qui divisaient les chefs et fit bâtir la majestueuse cité d'Elisse sur les ruines d'une citadelle primitive. D'après les parchemins, Gange fut sacré roi par le peuple, qui crût trouver en lui le guide suprême. Ce fut ainsi que la royauté et la dynastie des Elisse virent le jour. L'histoire raconte que Gange d'Elisse était un homme rude, sévère, mais avec le cœur au ventre. On disait de lui qu'il était un redoutable guerrier. Sa réputation était née des armes. Il mourut par les armes, mais pas de la manière dont il l'aurait souhaité.

Le vendeur de journaux annonçait une grande fête. À Macline, on aimait danser, boire et rire. On aimait parer la ville de fleurs, de bancs, de tables. On aimait discourir et se rassembler. Célébrer la naissance du fondateur de la monarchie d'Asclépion était plus un prétexte qu'un véritable engouement, mais on n'en oubliait pas pour autant la toute-puissance de la famille d'Elisse, mère nourricière de notre peuple. Celle-ci rythmait la vie de tous les habitants du royaume. Du simple paysan au seigneur terrien. Elle distribuait privilèges, bienfaits, diverses exemptions, et détenait le droit de vie ou de mort sur n'importe quel être vivant sur ses terres. Elle ordonnait les fêtes, les cérémonies dédiées aux Dieux et présidait chaque pèlerinage aux temples. Elle taxait le commerce et ceux qui vivaient de l'agriculture. Elle était liée à l'Institut du Commerce et à toutes entreprises privées qui engrangeaient des bénéfices. Elle plaçait les gouverneurs à la tête des villes, réglait les conflits latents entre seigneurs. Elle était le ferment de toute l'administration du pays, la main de la justice et détenait le trésor royal. À son service, les Tenshins étaient le bras armé de son ministère. Ils veillaient au bon maintien des lois, ainsi qu'à la survivance de la monarchie. Ils assuraient la pérennité royale, protégeaient les frontières et défendaient le peuple. On disait toujours : *quand un roi meurt, les Tenshins demeurent.*

Je jouais des talons sur les dalles pour patienter. Que faisait Antoni ?

Le vendeur de journaux s'éloigna dans la rue et la cohue quotidienne recouvrit son passage. Je réfléchis à la robe que je mettrais pour la fête, puis je me demandai si je pourrais m'y rendre.

La porte de l'auberge s'ouvrit enfin et Antoni fit irruption dans la rue. Il était assez élégant aujourd'hui. Il portait un pantalon brun avec des bottes en cuir crottées sur le talon, mais sa chemise blanche était impeccable et parfaitement repassée. Il avait noué ses cheveux blonds en queue de cheval avec une corde en cuir. Antoni n'était plus un enfant. Il avait quinze ans et arborait ainsi des vêtements d'adulte. Il était à présent doté d'une corpulence qui révélait davantage de l'homme qu'il s'apprêtait à devenir que de l'adolescent qu'il quittait peu à peu. Son visage conservait les traits fins de l'enfance, alors que ses frères, au même âge, n'en avaient déjà plus la trace. Mais, par certains côtés, on voyait percer la dureté et l'entêtement dont la famille Amorgen était indéniablement pourvue.

Il se frotta les mains l'une contre l'autre d'un air satisfait.

« Alors ? demandai-je en me relevant de mon siège.

— Impatiente ? fit-il.

— Bien sûr. Qu'a-t-il dit ? Accepte-t-il ? »

Le regard d'Antoni se perdit sur la rue surpeuplée. Il se mordilla la joue d'un air pensif. « Tu sais que je risque des ennuis en te filant un coup de main.

— Je sais, Antoni, et je t'en remercie mille fois.

— Des remerciements pourraient ne pas suffire à ma peine.

— Je t'offrirai ce que tu demanderas. Parle. Dis-moi.

— Ce que je souhaite ?

— Oui, à condition que ta demande ne soit pas exagérée. Je te connais. »

Il eut un petit sourire en coin et pencha la tête de mon côté. « Voyons, Naïs, je suis un garçon pondéré. Tout ce que je peux te demander entre forcément dans tes capacités à me l'offrir. Je suis Maclinien, ne l'oublie pas.

— Dans ce cas, n'omets pas que nous sommes deux ! »

Il acquiesça d'un air évasif, puis me dit : « Je saurai te rappeler cette promesse.

— Une promesse est une promesse, dis-je. Dans la famille, nous respectons notre parole.

— Eh bien, tout dépend, je suppose, de qui nous parlons, se moqua-t-il.

— Je ne suis pas ton frère.

— Son caractère pourrait avoir eu des répercussions sur le tien. Tu pourrais vouloir m'escroquer.

— As-tu donc une si basse opinion de moi, Antoni Amorgen !

— Non, non. Je suis seulement méfiant. »

Je tendis la main vers Antoni. « Une poignée de main devrait sceller notre accord. Respecte ta parole, et je ferai de même. »

Il prit ma main dans la sienne et inclina la tête. « Bien. Dans ce cas… tu as ce que tu voulais.

— Vraiment ? m'exclamai-je avec un grand sourire.

— Vraiment. Ils n'attendent plus que toi. Tu peux entrer. J'espère que tu es bien sûre de ce que tu veux.

— Nous verrons bien. »

Il s'écarta du passage et me laissa entrer la première dans l'auberge. Je poussai la porte, un rien nerveuse, et pénétrai dans la pièce principale de la taverne au « Sens Dessous ». Deux marches étroites descendaient sur un sol luisant de propreté et conduisaient à une allée qui scindait la pièce en deux. De part et d'autre, des rangées de tables et de chaises se partageaient l'espace entre des piliers de soutènement. Des drapeaux aux couleurs du duché dissimulaient la pierre ainsi que des chopines de bière exposées aux chalands sur des étagères. Au fond de la salle, un comptoir lustré s'étendait en demi-cercle devant des rangées de chopes et de bouteilles. Je m'approchai du vieil homme qui s'y tenait accoudé et m'inclinai devant lui.

« Maître Rampierre, saluai-je.

– Voici la jolie Naïs. Ton cousin m'a fait ton éloge, si besoin en était », déclara l'aubergiste d'une voix affable.

Istre Rampierre était un homme d'une soixantaine d'années qui avait passé sa vie entière dans cette pièce. La renommée de ses bières n'était plus à faire, son hospitalité non plus, et son auberge se désemplissait rarement. Voyageurs, caravaniers, mercenaires venaient souvent y séjourner ou boire un coup. Sa physionomie était débonnaire, mais ses yeux étaient assez perçants pour faire entendre aux clients qu'ici la bagarre et les ennuis n'étaient pas de mises, ce qui ne voulait pas dire qu'il n'y en avait jamais.

« Je cherche une aide, me dit-il. J'ai entendu dire que tu étais intéressée par cette offre.

– En effet, Maître Rampierre.

– Pour quelles raisons veux-tu travailler dans mon établissement ?

– Eh bien, Maître, tout d'abord parce que je souhaite désormais ne plus être à la charge de ma famille et m'assurer un pécule, ensuite parce que je connais la réputation de votre demeure et qu'il me plairait d'y travailler.

– As-tu conscience que ce travail peut être pénible, surtout pour une jolie demoiselle ? Il arrive très fréquemment que mes serveuses se fassent houspiller par nos clients.

– Je suis capable de me défendre », répliquai-je.

Rampierre jeta un coup d'œil sur Antoni qui hocha la tête. « C'est effectivement ce que ton cousin m'a laissé entendre. En règle générale, Arconn et Turios assurent le bon maintien de l'éthique au sein de « Sens Dessous », mais il peut arriver que mes filles soient amenées à gérer seules les mains baladeuses des inopportuns. Nous ne sommes pas dans La Ruche ici, malheureusement, je déplore parfois les mœurs de nos concitoyens.

— Je sais tout cela, Maître.

— Les horaires ne sont pas toujours très agréables et ils varient en fonction des clients et du temps qu'ils restent entre nos murs. Tu habites loin, n'est-ce pas un problème ?

— Non, Maître.

— Lorsque des chambres restent libres, mes filles peuvent y dormir. Je ne fais aucune exception. »

J'acquiesçai en souriant. « Je suis tout à fait prête, Maître Rampierre.

— Soit. La paie n'est pas fameuse, mais les repas sont offerts par la maison.

— Alors c'est parfait. Vous ne serez pas déçu. »

Il passa une main dans ses cheveux blancs. « Je n'en doute pas. Ta mère a autrefois travaillé ici.

— Je sais », avouai-je.

Il m'adressa un regard perçant. « Elle travaillait bien, me dit-il. Et elle était appréciée des clients. Tu n'as rien perdu de sa beauté. Orde ait son âme.

— Orde ait son âme, dis-je en cœur avec Antoni.

— Bien, l'affaire est donc réglée. Tu commences demain pour le midi.

— Très bien. Merci Maître Rampierre.

— Ne me remercie pas. Le travail est dur et tu gagneras ta pitance, crois-moi. À demain, Naïs.

— À demain. »

Antoni salua Istre Rampierre d'un hochement de tête, puis se dirigea vers la sortie. La journée était bien entamée et le soleil commençait à pâlir. On s'engagea tous deux dans la rue, l'un à côté de l'autre.

« Tu as eu ce que tu voulais, me dit mon cousin.

– M-hm.

– Tu savais que ta mère avait travaillé là ?

– Oui, Athora me l'avait dit.

– C'est pour ça que tu veux y venir aussi ?

– Non, pas vraiment. C'est une coïncidence, rien de plus.

– Ah bon. »

Antoni ne paraissait pas vraiment convaincu ; je ne cherchais pas à le persuader.

« En tout cas, quoi qu'il arrive maintenant, je ne suis au courant de rien, me dit-il. Tu te débrouilles avec les parents.

– Monsieur est très courageux, me moquai-je.

– Monsieur n'est pas suicidaire et Monsieur tient à ses privilèges.

– Ne t'inquiète donc pas. J'en informerai les parents dès ce soir et tu ne seras nullement mis en cause. Je te remercie de m'avoir aidée.

– De rien, sœurette. Tout le plaisir est pour moi et le marché n'en demeure pas moins équitable.

– Nous verrons lorsque tu m'auras demandé ta contrepartie.

– Elle peut attendre. Je n'ai pas encore décidé. Je n'aime pas gaspiller des opportunités.

– On dirait ton frère ! m'exclamai-je.

– Un bon négociant, répliqua-t-il.

– Un bon arnaqueur.

– Ce qui revient au même. »

Il émit un rire argentin et se frotta le ventre. « En attendant, je crève de faim. On se dépêche de rentrer. Je crois que maman a cuisiné du pot-au-feu pour ce soir. »

Mon premier jour de travail à l'auberge « Sens Dessous » se déroula sans problème, mais fut pénible pour mes pieds, mes reins et ma tête. Je virevoltais tout le jour entre les tables, courbais l'échine pour remonter les fûts de chêne de la cave, et le vacarme était incessant entre les murs de pierre. La salle ne dépeuplait jamais. Il y avait toujours quelqu'un à servir. Maître Rampierre restait derrière le comptoir, servait la bière, le vin et le Sirop de Glanmiler. Il distribuait ses ordres à trois serveuses, dont moi, deux cuisinières, un commis et deux videurs. Tout ce petit monde était une famille et ils m'accueillirent joyeusement. On me mit le pied à l'étrier tout de suite, en me faisant visiter la maison, le cellier, les chambres à louer. On m'expliqua l'étiquetage des bouteilles de bière et de vin, mes tâches à remplir dès que la pièce était moins pleine, pendant les heures creuses, le balai à passer, les tables à essuyer. La demeure de maître Rampierre était parfaitement tenue. Les chambres très propres. La salle principale toujours rangée et luisante. Maître Rampierre était exigeant, mais attentionné envers ses employés.

Le soir, je rentrai à Point-de-Jour sur les rotules, mais très contente de cette expérience. J'empochais trois sous la journée et cela augmenterait au fil du temps si je savais faire revenir les clients.

Le deuxième jour, Antoni vint manger le midi. Il s'installa dans un coin de la pièce, à une table qu'il partagea avec deux marchands du quartier à qui il fit la conversation comme s'il les connaissait depuis toujours. Antoni possédait le bagou de Seïs et une énergie qui ne laissait jamais indifférent. Les marchands parurent apprécier sa compagnie.

Il revint la semaine suivante et tenta de charmer l'une des serveuses, Sylène, qui l'envoya gentiment sur les roses. Elle vint dans les cuisines après qu'il fut parti et me prit à part pour me dire à quel point Antoni présageait de belles années. Il était beau garçon. Il ne laissait pas insensible et, à plusieurs reprises, Sylène revint me voir pour discuter de lui.

Au cours de la troisième semaine, Antoni revint à l'auberge « Sens Dessous » pour la troisième fois depuis le lundi. C'était un mardi. Il s'assit près du comptoir, derrière l'un des piliers, et commença à converser avec ses voisins de table. Deux marchands d'Astin.

Armée de mon plateau, je me rendis à sa table. « Monsieur Amorgen, voilà longtemps que je ne vous avais pas vu, lui dis-je en souriant.

— C'est que votre soupe est la meilleure du coin. Et votre sourire le plus fameux de la ville, n'est-ce pas ? demanda-t-il aux marchands.

— Il est vrai, Mademoiselle, que votre sourire est le meilleur accueil que l'on puisse trouver après une si longue route, me dit l'un d'eux, un homme du bel âge, distingué et bon vivant.

— Merci, dis-je. Que puis-je pour vous, Messire Antoni ? La même chose que d'habitude ?

— Le plat du jour, Mademoiselle, et une bonne bière du maître de séant.

— À votre guise. »

Je m'inclinai vers les marchands, puis m'éclipsai vers le comptoir. Je passai commande à Rampierre. Celui-ci remplit une chope de bière à ras bord, puis s'essuya les mains sur son tablier.

« Ton cousin semble apprécier notre cuisine, me dit-il d'un ton de connivence.

— Pas que votre cuisine, je le crains, me moquai-je.

— Attention qu'il n'aille pas embêter mes serveuses. »

Il m'adressa un clin d'œil.

« Je veille sur lui, ne vous inquiétez pas. S'il ne se comporte pas en gentilhomme, je lui apprendrai ce qu'est la galanterie.

— La petite Naïs qui se cachait derrière son cousin ne s'en laisse plus compter, plaisanta-t-il.

— La petite Naïs a bien grandi, répondis-je, en prenant la bière.

— Voilà qui est bien vrai. » Rampierre saisit une nouvelle chopine qu'il remplit avec autant de générosité. « Si tu veux prendre ta pause, tu peux le faire maintenant, ajouta Rampierre, tant que la salle n'est pas pleine. »

J'acquiesçai et m'éloignai aussitôt vers la table d'Antoni. Je déposai sa chope sous son nez et m'installai en face de lui.

« Tu déjeunes avec moi ? me demanda-t-il.

— Oui. »

Sylène nous apporta nos écuelles : ragoût, patates et bière à volonté. Antoni la dévorait du regard. Nous échangeâmes quelques mots avec elle. Il la fit rire et elle s'éloigna, la bouche en cœur.

« Antoni, tu es un vil charmeur, plaisantai-je.

— En quoi suis-je vil ? Je ne fais rien de plus que discuter avec elle et la complimenter à l'occasion. D'ailleurs, chacun de mes éloges n'est que la stricte vérité.

— Je n'en doute pas. Mais, méfie-toi, Sylène est déjà promise. Choisis mieux tes conquêtes la prochaine fois. »

Il fit la moue et siffla sa chope de bière. « À qui est-elle promise ?

— Le fils d'un charpentier, me semble-t-il, mais je n'en sais guère davantage.

— Bah, elle peut toujours changer d'avis. »

Je fronçai les sourcils. « Ne badine pas. Si elle te choisit, tu devras en supporter les conséquences et ne pas l'abandonner après en avoir usé. »

Antoni me regarda, les lèvres pincées. « Je ne suis pas Seïs. Il peut m'arriver de me comporter parfois comme lui, mais je ne suis pas lui. Je n'ai pas pour habitude de séduire les filles et de les délaisser ensuite.

— Ben voyons ! Je t'ai vu tourner autour de bien des filles et, que je sache, aucune n'est devenue ton épouse.

— Mais je n'ai sacrifié la vertu d'aucune d'entre elles ! Il faut bien que je fasse mes propres expériences pour trouver chaussure à mon pied. Sur quelle base trouverais-je une bonne épouse si j'ignore sur quoi fonder mon jugement ? Je ne peux pas bâtir mon opinion sur les deux femmes de ma vie, ma mère et ma cousine. J'ai besoin de connaître les femmes, ce qu'elles ont dans la tête, ce qu'elles sont. Peut-être trouves-tu que je flirte avec beaucoup trop de filles, pourtant ce n'est pas le cas. Je n'ai jamais touché aucune d'elles.

— Sauf au bordel », ricanai-je.

Il émit un petit rire amusé. « Ah, si tu prends en compte le bordel… Ce n'est pas la même cour de jeu. Il y a d'un côté les putains et de l'autre, la femme que l'on épouse.

— Ah ! Vous les hommes ! Toujours à vouloir qu'une femme se contente de remplir un seul rôle toute sa vie. Une femme, ce n'est pas que ça, Antoni. Ce n'est ni une épouse, ni une mère, ni une putain. Elle est tout à la fois et rien de tout ça. Que crois-tu ? Nous sommes bien plus complexes que cela. Nous n'entrons pas dans des cases toutes faites. »

Il finit de mâchouiller son morceau de viande, puis fit la moue. « Alors comment dois-je m'y prendre pour trouver la femme qu'il me faut ? Si je ne peux pas en essayer plusieurs, as-tu trouvé une autre recette ? » protesta-t-il.

Je m'accoudai à la table, le menton dans la main. Je réfléchis quelques instants, puis déclarai : « Je pense que lorsque l'on a en face de soi la chaussure qu'il nous faut, on le sait. Ni plus ni moins.

— J'en connais qui ont de mauvais yeux, dans ce cas, pour choisir leur chaussure. Je gage que ce bon vieil Aymeri a la rombière la plus insupportable de tout Macline. »

J'éclatai de rire. « Ça, je dois le reconnaître ! »

Je pris le pichet de bière et resservis Antoni. Celui-ci y trempa les lèvres, puis me demanda : « Au fait, quand as-tu l'intention de dire aux parents que tu travailles ici ? Ils commencent à se poser des questions sur ton absence. Dire que tu fais des courses et que tu traînes chez des amies ne va plus les satisfaire très longtemps.

— Je sais, je sais, mais…

— Tu as la trouille.

— Non… enfin, j'ai seulement peur qu'ils refusent que je travaille ici. Je n'ai pas envie d'arrêter. Je me plais bien à « Sens Dessous ».

— Je reconnais que la démarche n'est pas facile. Mieux vaut que tu leur dises plutôt qu'ils l'apprennent tous seuls. À Macline, rien ne se dissimule très longtemps.

— Je sais que tu as raison. Je le ferai. »

Antoni pencha la tête par-dessus la table. « J'attends de voir ça. »

Je fis la grimace, haussai les épaules, puis finis par me relever. « Tu verras. En attendant, cesse donc de séduire toutes les jeunes filles qui croisent ton chemin. » J'attrapai son assiette et sa chope et me dirigeai vers les cuisines tout en l'écoutant rire.

Alors que je traversai l'allée principale de l'auberge, je croisai le regard d'un homme assis en bout de table. Seul. Son visage était dissimulé sous une épaisse houppelande. Il était adossé au mur et sirotait tranquillement une bière. Malgré la pénombre et son capuchon rabattu sur sa tête, je distinguai clairement le reflet de ses yeux. Il me suivit du regard jusqu'au comptoir. Je posai mon plat et chuchotai à l'encontre de Rampierre : « Voilà trois ou quatre fois que cet homme vient ici. Il mange, il boit, mais il ne retire jamais son manteau.

— Oui, c'est un vagabond, un journalier, d'après ce que j'ai entendu dire. Il travaille pour les Pâtis dans leur ferme. Mais avec ces gens-là, allez savoir qui ils sont vraiment. Pour le moment, je ne m'en plains pas. Il paie comptant et ne cherche pas les ennuis. Tant qu'il se tient tranquille, je n'ai rien à y redire. »

Je haussai les épaules. « Je suppose que je n'ai rien à dire non plus, mais je n'aime pas son regard.

— Je demanderai à Arconn et Turios de le surveiller si cela peut te rassurer.

— Je vous remercie, Maître Rampierre. Je pense que ce n'est rien, c'est juste une impression.

— Il n'y a pas de problème, Naïs. »

Je lui adressai un sourire de remerciement et m'éloignai vers les cuisines.

L'homme resta jusqu'à la fin de son repas, puis il prit le temps de fumer une cigarette. Tout en poursuivant mon service, je vis la lueur rougeoyante de sa cigarette luire sous son capuchon. Ses yeux épiaient mes mouvements. Sylène se chargea de débarrasser sa table. Je l'entendis lui dire « Merci » d'une voix simple et chaleureuse, mais cela ne me rassura pas. Lorsque sa cigarette fut consommée, il se releva, arrangea son manteau et son capuchon, puis sortit en laissant quelques pièces sur la table. Arconn, le videur, le surveilla du coin de l'œil jusqu'à ce qu'il ait franchi la porte. Une fois encore, il ne fit rien d'exceptionnel et fut d'une discrétion exemplaire. Mais quand la porte se referma sur lui, j'en éprouvai un profond soulagement.

La fête qui devait célébrer l'anniversaire du fondateur de la monarchie se prépara dans la liesse. La ville se para pour l'occasion de fleurs, de lampions et de couleurs. De la musique inonda les rues : violons, mandolines et luths.

Je travaillai d'arrache-pied à l'auberge afin de pouvoir accueillir le flot de personnes qui ne manquerait pas d'envahir les bistrots. On décora la salle principale, étendit des bannières et alluma des bougies. On monta de la cave bon nombre de fûts, on installa sur le comptoir des chopes prêtes à être remplies. On monta un stand devant l'auberge. On fit préparer les chambres qui se remplirent très vite.

Le soir de la fête, j'avais déjà mal aux pieds et les reins en bouillie. Ma robe était bonne pour être changée à force d'être éclaboussée de bière et de boustifailles. Heureusement, la musique adoucissait mon travail et occupait les clients le temps de leur commande.

Dans la salle de « Sens Dessous », je ne pouvais plus faire un pas sans donner un coup de coude, devoir me faire toute petite pour passer mon plateau ou traverser l'allée à grand renfort de cris et de jurons. Je rembarrai quatre ou cinq garçons qui eurent l'indélicatesse de me mettre la main aux fesses. Je renversai la bière sur la tête d'au moins deux d'entre eux. Turios dut intervenir trois autres fois lorsque les hommes devenaient envahissants. Mes consœurs n'eurent pas moins d'ennuis. La soirée présageait d'être longue et épuisante.

Le jongleur acheva son tour sous les applaudissements. Il fit une courbette dans sa longue cape écarlate et s'écarta vers la cheminée pour laisser place à son comparse musicien et à un jeune barde qui salua la foule avec une révérence théâtrale. Le musicien prit son luth et entama quelques notes de musique qui plongea, un bref instant, la salle dans le silence. Puis le barde prit la parole. Les clients de « Sens Dessous » l'écoutèrent avec attention au bas mot quelques minutes, puis chacun alla de son commentaire et la voix du troubadour disparut dans le chahut.

Le plateau sous le bras, je pris la commande d'une table de trois marchands qui parlaient à haute voix pour se faire entendre les uns des autres. Je surpris leur conversation au moment où l'un, enhardi par les vers du troubadour, déclarait vivement : « Le pays n'a pas été uni bien longtemps. Ça, il oublie un peu de le dire.

– Sans le roi Gange, nous serions encore un peuple nomade, sans ville, plongé dans les querelles tribales, riposta son voisin de table.

– Tu as raison, voilà qui est pire que les guerres provoquées par son propre sang ! se moqua le premier. Ce barde ne parle pas du Renégat parce qu'on le lui interdit. Il se ferait taper sur les doigts. Tu penses vraiment que les temps étaient pires lorsque les peuples nomades d'Asclépion vivaient de trocs et de voyages ?

– Ça n'a pas tant changé, intervint le troisième. Nous marchandons et nous voyageons. Regarde où nous sommes. Ma femme dort à Ol-Hane ce soir et je suis ici en votre compagnie.

– Tu aurais bien voulu te coucher près de ta femme ce soir, rit le premier.

– C'est mieux que de coucher avec vous autres ! Quoi qu'il en soit, je suis d'accord avec toi, le roi Gange avait une noble ambition, celle de vouloir bâtir un grand pays en fédérant les clans. Il n'a malheureusement pas prévu que la plus grande des discordes viendrait de son propre fils.

— À présent, nous avons un seul ennemi, le Lion Blanc, dit le deuxième. À l'époque, les clans étaient ennemis les uns des autres. Vous pensez cela préférable aux attaques du Renégat ?

— Les temps de paix étaient plus fréquents qu'aujourd'hui et, pourtant, nous n'avions pas les Tenshins pour nous défendre. Le Lion Blanc est une tache sombre dans l'histoire du pays et je n'entends jamais un barde la chanter.

— C'est pour tenter de l'oublier, prétexta le deuxième.

— Ol-Hane a été attaquée plus de fois qu'il n'y a d'arbres dans cette forêt, dit le premier marchand. Lorsque tu verras ta maison brûler, tu ne penseras plus à l'oublier.

— Tout ceci n'est qu'une vaine conversation, le Lion Blanc est derrière ses frontières…

— À fomenter, oui.

— Eh bien, espérons qu'il fomente pour le prochain millénaire et non le nôtre, coupa le troisième. En attendant, cette jolie demoiselle attend que nous commandions. Excusez-nous.

— Je vous en prie, répondis-je.

— Nous prendrons trois bières, la poule et ses légumes.

— Parfait, je vous apporte ça tout de suite. » Je m'apprêtais à m'éloigner lorsque je m'interrompis. « Une fois, dis-je, j'ai entendu un barde chanter une chanson que l'on ne doit pas entendre très souvent. D'ailleurs, si je me souviens bien, le tavernier l'avait interrompu en plein milieu.

— Que disait-elle ? me demanda le premier marchand avec intérêt.

— Elle racontait qu'un lion, un mâle, ne naissait que pour prendre la tête de sa meute ou créer la sienne, qu'il naissait avec le pouvoir dans son sang. Je ne me souviens plus des vers. Je n'étais qu'une enfant. Mais je me rappelle qu'il disait que le Lion Blanc s'était éveillé, qu'il avait tenté de s'emparer du trône en tuant son père et qu'il avait échoué. Un autre lion était encore plus fort que lui et l'avait chassé.

— Ah ! On sait qui c'est celui-là, ricana le troisième marchand. Danel le Glorieux en personne. Le premier Tenshin. » Je hochai la tête et esquissai un sourire. « Il est vrai que l'histoire que vous avez entendue est rarement contée dans les auberges. Les bardes ont peur de la chanter de crainte de se faire houspiller.

— Voire de se faire jeter à l'Amir. Le pouvoir ne tolère pas que l'on rouvre ses vieilles blessures, dit le premier.

— Elles n'ont pas encore guéri surtout. »

Le premier acquiesça. « Enfin, écoutons ce que nous dit l'autre », dit-il en désignant le barde qui moulinait des bras et articulait son visage comme les plis d'une poupée.

Je les laissai profiter du spectacle et m'éloignai rapidement vers le comptoir. En me faufilant dans l'allée centrale, cernée de gens et de tables, je heurtai l'épaule d'un client. Je relevai la tête, prête à m'excuser, lorsque ma voix mourut dans ma gorge. Le vagabond était là et me dévisageait sous sa cape. Ses yeux d'un brun cendré étaient fixés sur moi. Son capuchon dissimulait ses traits et j'avais l'impression de ne voir qu'un grand vide et ses deux iris bistrés.

« Pardonnez-moi, me dit-il.

— C'est pas grave. »

Je m'engageai prestement vers le comptoir, cherchant des yeux Turios ou Arconn. Mais ces deux-là avaient plus fort à faire ce soir que de s'occuper d'une peur sans fondement. Je commandai les bières à Maître Rampierre, qui s'empressa de me servir, faisant valser les chopes, les bouteilles et les pichets. Tandis qu'il versait le liquide écumeux dans les verres, je ne pus m'empêcher de lui murmurer : « Il est revenu.

— Qui ça ?

— Le vagabond. »

Maître Rampierre releva la tête et son regard parcourut rapidement la salle. « Tu n'as rien à craindre. Ce soir, il y a trop de monde. S'il doit te chercher noise, ce n'est pas pour aujourd'hui. De toute façon, si quoi que ce soit se passe, je lui tomberai moi-même sur le paletot. N'aie crainte. »

Je ne pus retenir un sourire. « Je ne lui souhaite pas, Maître Rampierre », ricanai-je.

Tout sourire, celui-ci me tendit mes bières, que je posai soigneusement sur mon plateau. Je me dirigeai ensuite d'un pas pressé vers les trois marchands. Je déposai les bières, m'acheminai vers une autre table, pris d'autres commandes.

Alors que j'astiquai une table enduite d'alcool que venaient de quitter plusieurs personnes, le vagabond prit l'un des sièges en face de moi et alluma une cigarette tout en fixant le luthier qui jouait quelques notes. Mes doigts se mirent à trembler sur le chiffon. *Naïs, un peu de cran. Ce n'est que ton imagination.*

Je relevai la tête. « Que voulez-vous ? demandai-je sèchement.

— Une chope de bière, je vous prie, ainsi que n'importe quel plat qui peut remplir l'estomac.

— Je vais voir ce que je peux faire. »

J'étais prête à tourner les talons lorsqu'il reprit : « Il y a foule ce soir.

— Oui. C'est pourquoi j'ai peu de temps devant moi.

— Je comprends », dit-il d'une voix neutre.

Il inclina la tête. Le rebord de sa capuche tomba devant ses yeux. J'en profitai pour disparaître. Mes doigts tremblaient encore en me glissant entre les buveurs de bière. Je réajustai une mèche de cheveux qui était tombée sur mon oreille et tentai de me ressaisir.

Je servis d'autres personnes en attendant que l'assiette du vagabond soit prête. J'aurais aimé donner cette table à Sylène, mais vu le monde, ma demande aurait paru déplacée. Dès que je m'approchais de sa table, tout mon corps se mettait à suer et trembloter. *Un peu de maîtrise, bon sang.*

Je passai au milieu d'un groupe de mercenaires, reconnaissables à leur accoutrement et leur couteau très mal dissimulé dans leur ceinture. Turios et Arconn les gardaient à l'œil. Ils buvaient bière sur bière, concourant pour savoir qui tiendrait l'alcool mieux que les autres. Celui avec une grosse barbe noire, longue et hirsute, semblait remporter le concours. Ils avaient misé vingt sacs pour celui qui réussirait. Je transportai la dixième chope à leur table. Et comme c'était de mise dans cet établissement, à la dixième bière, il fallait payer ce que l'on venait de boire. Turios et Arconn s'étaient immédiatement rapprochés, connaissant l'humeur de ce genre d'individus imbibés d'alcool quand il fallait ouvrir la bourse.

Je posai les bières sur la table que les mercenaires s'empressèrent de saisir. Je coinçai mon plateau sous le bras et débitai un baratin bien rôdé maintenant : « Messieurs, voilà un bon concours. Dix bières, c'est peu souvent que l'on en sert autant sans que les clients ne roulent par terre.

— Des mauviettes, me répondit Barbe Noire.

— Vous êtes très fort à ce jeu-là. Je gage que vous pouvez en boire encore.

— Pour sûr, ma mignonne. Amène m'en tant que tu veux, je viderai toute ta cave. Tu peux me croire.

— Oh, je vous crois assurément. »

Je me rapprochai de celui qui semblait être le chef, guettant du coin de l'œil Arconn et Turios, qui ne perdaient rien de la scène.

« Ah, Messieurs, si vous arrivez sans tomber à la vingtième bière, le maître de maison vous offrira une tournée supplémentaire, dis-je.

– À la bonne heure. Vingt bières, un jeu d'enfants, hein, les gars ?

– Pour sûr ! s'écrièrent-ils tous en cœur.

– Je suis curieuse de vous voir à l'œuvre, assurai-je.

– Ah, ma jolie, tu peux t'asseoir avec nous et profiter du spectacle.

– C'est très aimable, mais qui vous apportera vos boissons dans ce cas ? »

Barbe Noire me lorgna du coin de l'œil. Sous les poils de sa barbe, je crus voir un sourire. « Tu manques pas de jugeote, fit-il.

– Merci bien... Allez, Messieurs, je vous aime bien. Si vous payez maintenant, je m'arrangerai pour que le tavernier fasse un petit geste pour vous. Qu'est-ce qui vous ferait plaisir ? Un bon souper pour accompagner la bière ?

– Ah ! V'là un bon commerçant, me lança Barbe Noire. Si la soupe est aussi bonne qu'on le dit. Va me chercher ça, ma jolie et, tiens, pour toi... »

Il me tendit sa grosse main râpeuse dans laquelle plusieurs pièces d'or étincelaient. Je tendis les doigts vers elles et les saisit, mais avant d'avoir eu le temps de les retirer, Barbe Noire m'attrapa par le poignet et m'attira sur ses genoux.

« Ah, ma jolie, pour ce prix-là, tu pourrais aussi rester avec nous.

– C'est très aimable de votre part, mais j'ai encore beaucoup de travail, répondis-je calmement et sans me débattre.

– C'est pas très gentil ça. On te paye grassement.

– Non, vous payez grassement mon patron, pas moi. Ça aurait été avec plaisir... »

Barbe Noire éclata d'un rire fort et obscène. Il me pinça les fesses et pencha la tête vers moi. Je tentai aussitôt de me relever.

« Ça suffit, dis-je. Vous avez un concours à finir.

— Il peut attendre.

— Vos amis, non. »

Je cherchai du regard Turios et Arconn qui commençaient à traverser la pièce d'un pas vif. Je n'aurais pas Barbe Noire par la gentillesse. Il me fallait de l'aide.

« Allez, ma mignonne, tu vas pas me laisser comme ça, fit-il en essayant de m'embrasser.

— Vous n'êtes pas au bordel ! » m'écriai-je en le giflant.

Sa joue devint toute rose malgré sa barbe. Ses amis se mirent à rire tellement fort que ses joues rougirent de honte. Il pressa mon poignet pour m'obliger à rester tranquille.

« On te paie pour satisfaire les désirs des clients, non ? me souffla-t-il en plein visage.

— Pas ceux auxquels vous pensez. Lâchez-moi maintenant. »

Je voulus me relever, mais Barbe Noire ne desserra pas sa prise et me colla contre sa poitrine. Arconn et Turios arrivèrent à brûle-pourpoint.

« Messieurs, vous faites du grabuge et dans cet établissement, il n'est pas de mise. Payez vos consommations, lâchez cette demoiselle et veuillez sortir sur-le-champ », dit Arconn.

Arconn et Turios étaient frères. Le premier était grand, massif et bien enrobé. Le second était fin, souple et ses muscles transparaissaient même au travers de ses chemises.

« Nous ne faisons que converser avec la demoiselle, protesta Barbe Noire.

— La demoiselle n'a pas l'air d'accord, lâchez-la, insista Turios.

— Vous autres, Macliniens, vous avez toujours une grande gueule. »

À ces paroles, les mercenaires qui accompagnaient Barbe Noire se redressèrent, les bras croisés en travers de la poitrine, et leurs doigts à portée de leur couteau. Arconn et Turios ne manquèrent pas de le voir. Ils serrèrent le poing.

« Peu importe d'où vous venez, dit Turios, les mercenaires de votre genre ne sont pas les bienvenus ici. Je vous laisse une chance de sortir sans dégâts.

— Oh ! Comme il est aimable ! »

Les hommes de Barbe Noire éclatèrent d'un rire gras. Arconn fut le premier à céder à la colère. Il attrapa le poignet de Barbe Noire et tenta de le lui retourner dans le dos. Celui-ci me lâcha sur le coup de la surprise, mais ne fut pas déstabilisé très longtemps. Il envoya un crochet à Arconn, qui tomba sur les fesses, heurtant au passage trois marchands qui s'écroulèrent sur une table. La musique cessa aussitôt et toutes les têtes se tournèrent dans notre direction. Turios, furieux que son frère soit au sol, se jeta sur Barbe Noire en criant « Enfoiré ! » Deux de ses nervis lui barrèrent la route. Turios décocha un premier coup qui éclata la pommette de l'un des hommes ; un second extirpa son couteau de son étui et le brandit devant lui en faisant de larges gestes. Turios reculait à chaque mouvement pour éviter les moulinets de la lame. Il fit un pas rapide sur le côté, saisit le poignet du type et serra tellement fort que le mercenaire laissa échapper un cri et le couteau. Son acolyte tenta de se jeter sur lui par-derrière, l'attrapant au collet. C'est alors que je vis, les yeux ahuris, le vagabond lui tirer les doigts en arrière si brutalement qu'un crac épouvantable éclata dans la salle. Le mercenaire poussa un hurlement. Barbe Noire, fou de rage, se rua dans le tas, emportant Arconn et Turios dans sa chute. Ils roulèrent au sol. Les clients s'écartèrent vivement sans rien perdre de la rixe. Quelques-uns s'y mêlèrent. Et les coups de poing fusèrent dans tous les sens.

J'entendais Maître Rampierre hurler: «Que le calme revienne! Écartez-vous, écartez-vous!» Mais nul ne semblait l'écouter et sa voix se perdit très vite dans le tumulte.

J'évitai trois fois que l'on me tombe dessus et au moins cinq ou six coups qui ne m'étaient pas destinés. Au septième, qui frôla mon oreille, j'attrapai un pichet de bière et me jetai sur Barbe Noire en criant tandis qu'il s'acharnait sur Arconn. Je lui explosai le bock sur le crâne. La bière se répandit sur son visage boursouflé et rouge. Il bascula sur le côté en gémissant et libéra de son poids Arconn qui était coincé dessous. Il se releva aussitôt et lui balança un coup de talon dans la mâchoire.

Quelqu'un m'attrapa par le bras et me repoussa dans la foule. Je manquai de me prendre un coup de gourdin dans le nez. Barbe Noire se redressa alors que je rassemblais tant bien que mal mes esprits. Il me chercha du regard, enragé, et me trouva rapidement. Je vis qu'il m'avait repérée et tentai de sortir du cercle où la rixe battait son plein. Malheureusement, la foule s'amassait. Je n'avais pas la place de m'enfuir. Faute de mieux, j'attrapai un couteau de cuisine qui traînait sur une table et en menaçait Barbe Noire qui se rapprochait subrepticement. Il pouffa de rire en voyant mon maigre couteau et sa lame rouillée. Mon visage se décomposa et un début de panique commença à m'envahir bel et bien.

«On fait moins la maligne», ricana-t-il.

Je déglutis et cherchai du regard une aide potentielle. Arconn et Turios se perdaient dans la mêlée. Au loin, j'entendais les cris affolés de Maître Rampierre qui appelait la garde. Mais, pour sûr, elle arriverait après la bataille. Comme d'habitude. Je serrai mes doigts autour de mon arme.

« Tu es toute seule, ma jolie », fit le mercenaire.

Dès qu'il fut à ma hauteur, je fixai des yeux l'épaisse main de Barbe Noire qui montait dans les airs et me dominait. Je savais que, d'un coup de cette main, je m'aplatirais contre un pilier comme une mouche sur une vitre. Je tentai le tout pour le tout. Je pris mon courage à deux mains et fonçai sur lui, tête la première. Je heurtai son torse aussi solide que du fer, m'écrasai le front et sentis une douleur se répercuter au fond de ma boîte crânienne. Barbe Noire brailla tout en ricanant et recula de quelques pas à peine. Il m'attrapa par les cheveux et les tira vers le haut. Je lâchai une plainte et tentai de m'arracher à sa prise. En vain.

« Pas mal, ma jolie. Tu manques pas de courage. J'aurais bien voulu voir ce que ça donnait au plumard ! »

Je me débattis, mais autant vouloir se battre contre un dragon. Il me propulsa sur le sol avec une telle rapidité que je sentis le vent fouetter mes joues. Je tombai sur les fesses, à moitié sonnée. Barbe Noire s'accroupit devant moi. Sa main se rapprocha comme une arme. Je déglutis en la découvrant au-dessus de ma tête. Soudain, je vis une autre main saisir la sienne, la retourner, puis un poing traverser mon champ de vision et s'aplatir sur son visage. Barbe Noire bascula en arrière et se retrouva couché sur le dos. Je levai les yeux sur le vagabond qui se jeta sur le mercenaire. Ce dernier se redressa assez pour parer le premier coup, et lui décocha un horion qui se perdit dans les profondeurs de la capuche. La tête du vagabond bascula en arrière et du sang gicla de la cape sur les dalles. Je fus parcourue d'un frisson et me relevai rapidement, comme si je pouvais lui prêter main-forte. Je n'eus pas besoin de trouver ce courage. Le vagabond rejeta son capuchon sur ses épaules et se rua sur Barbe Noire en poussant un cri sauvage. Il s'accroupit presque sur son ventre et le bourra de coups, au point que le visage du mercenaire devint aussi rouge qu'un champ de coquelicots. Le vagabond cessa lorsqu'il fut certain qu'il ne se relèverait pas.

Barbe Noire au sol, l'humeur belliqueuse des autres se dissipa aussi sec et le calme revint au moment où la garde pointait son nez. Les soldats macliniens mirent les inopportuns dehors à coups de pieds aux fesses après les avoir délestés de la somme qu'ils devaient à Maître Rampierre, plus un supplément pour la casse. Les clients reprirent leur place et retournèrent à leurs occupations sans qu'on ait besoin de le leur demander. Les serveuses et les commis remirent bon ordre dans la pièce, relevant chaises et tables, et lavèrent rapidement par terre. Arconn et Turios allèrent se rincer le visage au puits et reprirent leur poste comme s'ils n'avaient pas des bleus plein la figure. Les bagarres étaient si fréquentes, et les gens en avaient tellement pris l'habitude que tout revint à la normale en quelques secondes.

Pour ma part, j'étais un peu secouée, mais pas blessée, et j'en devais grâce au gars qui m'effrayait le plus dans cette pièce. Le vagabond se redressa et me chercha du regard. Je n'étais pas loin et je l'observai, encore hébétée. Il n'était pas très vieux, la trentaine tout au plus, et portait les vêtements traditionnels d'un paysan qui aurait revêtu ses frusques les plus belles pour la fête. Son visage était serein, en dépit du sang qui coulait de son nez, et tachait ses lèvres charnues. Au contraire de ses yeux bruns qui demeuraient distants, son visage paraissait plus chaleureux et plus engageant. Ses sourcils étaient presque blonds et ses cils noirs. Quelques taches de rousseur couraient sur l'arête de son nez. Il n'avait rien de très exceptionnel, mais certaines femmes devaient le trouver à leur goût.

Il me demanda si j'allais bien. C'est tout juste si je l'entendis tant Rampierre fit du bruit quand il parvint à ma hauteur.

« Naïs, Naïs, tout va bien ? Tu n'as rien de cassé ? me demanda-t-il vivement.

– Non, ça va. Ne vous inquiétez pas.

– Ah ! Ces rustres ! C'est incroyable... » Rampierre me prit par le bras et m'entraîna vers le comptoir. « Tu devrais aller prendre un peu l'air dans la cour, me dit-il. Retrouver tes esprits et boire un petit verre de vin si tu veux.

– C'est gentil, Maître Rampierre.

– Je t'en prie. Repose-toi un peu. »

Je suivis, bon gré mal gré, Maître Rampierre dans la salle et jetai par-dessus mon épaule des coups d'œil au vagabond, mais celui-ci me tournait déjà le dos et s'éclipsait vers la porte.

Je me fis servir un verre de vin dans la cuisine et pris quelques minutes pour moi dans la cour intérieure de l'auberge. Les chambres que louait maître Rampierre entouraient le patio sur deux étages. Les fenêtres étaient plongées dans l'obscurité, et, hormis une torche qui éclairait la cour, il n'y avait pas d'autres lumières. Je m'installai sur un banc qui jouxtait la porte de la cuisine, détendis mes jambes et poussai un soupir de soulagement. J'avais un peu mal au crâne et j'étais sûre que cet imbécile de Barbe Noire m'avait arraché une touffe de cheveux.

Je restai au bas mot cinq minutes tranquille. Tandis que je sirotais mon verre de vin, la porte de la cuisine s'ouvrit en trombe. Antoni fit irruption dans la cour, les joues rouges comme des forges. Il était tout essoufflé. Sa chemise pendouillait par-dessus son haut-de-chausse et ses cheveux partaient à tout va. Il s'arrêta devant moi et prit quelques secondes pour reprendre son souffle, les mains posées à plat sur ses genoux. Quand il parut respirer à nouveau, il bredouilla: «Papa, maman… arrivent… ici!»

Je me relevai d'un bond. «Quoi?»

Antoni s'essuya la bouche du revers de la main et se laissa tomber sur le banc. «Sin-Lin t'a vue dans la taverne, il l'a raconté à mon père.

— Oh bon Dieu! Il doit être furieux! Si tu me dis que tu m'avais prévenue, je te colle une rouste», fis-je en le pointant du doigt.

Il secoua vivement les mains devant lui. «Loin de moi cette idée, mais je te l'avais bien dit quand même... Qu'est-ce qu'on fait maintenant? On reste ici toute la nuit en espérant que Rampierre ne dira rien.

— Ah, bien sûr que si, il va leur dire. Avec ce qui vient de se passer, c'est fichu!

— Ouais, j'ai entendu les types de la garde en parler dehors tout à l'heure. Paraît qu'y a eu la foire ici et que t'étais en plein milieu.

— C'est bien résumé. Mais ça ne règle pas le problème.»

Je me laissai tomber à ses côtés et pris ma tête entre mes mains.

«Je ne vois qu'une solution, me dit soudain Antoni.

— Laquelle?

— T'as plus qu'à leur dire la vérité.»

Je laissai échapper un gémissement. «T'as pas une autre idée? marmonnai-je entre mes doigts.

— Tu peux toujours prétendre que tu as une sœur jumelle, mais je doute qu'ils y croient longtemps.

— Idiot!»

Il haussa les épaules. «Désolé, j'ai pas d'autre solution à te proposer.»

Je poussai un soupir si long que mes poumons se vidèrent d'un coup. Je regardai la cour, si tranquille en comparaison de la salle à manger de «Sens Dessous». On entendait bien le vacarme ambiant, mais il restait à l'écart, comme une bête retenue par des cordes.

«Bon, puisqu'il le faut.»

Je me relevai du banc, époussetai ma robe et tentai de redonner à ma coiffure un semblant de tenue.

«Tu es très bien», m'encouragea Antoni.

J'ébauchai un sourire forcé, soupirai une nouvelle fois et, à contrecœur, me dirigeai à l'intérieur de l'auberge, Antoni sur les talons.

Dès qu'on passa la porte, on fut happés par la chaleur et les odeurs de transpiration et de nourriture. À l'angle du comptoir, je les vis. Sirus et Athora étaient accoudés au bar et discutaient en compagnie de Rampierre. Athora souriait et buvait du bout des lèvres un verre de liqueur. À ses côtés, les doigts de Sirus pianotaient sur le bois. Son visage était sec. Nulle trace de sourire. S'il y a bien une chose que détestait Sirus, c'était le mensonge et la tromperie. Et voilà des semaines que je m'évertuais à lui dissimuler la vérité. Mon compte était bon.

Je triturai mes doigts nerveusement en avançant dans la salle. Athora fut la première à m'apercevoir et elle redressa la tête pour me regarder. Sirus braqua son œil noir et impénétrable dans ma direction. Je me sentis diminuer, pire, je me sentis comme un moucheron prêt à se faire écraser sous une chaussure.

Je m'arrêtai devant le comptoir, à moins d'un mètre de Sirus et d'Athora. Istre Rampierre me regardait d'un air sévère. Lui aussi savait. Je pouvais dire adieu à mon travail, à ma paie et à ma nouvelle indépendance. Seïs n'aurait pas fini de se payer ma tête s'il me voyait baisser la tête comme un condamné à mort, toute prête à supporter sans rien dire le sort que l'on me réservait.

« Bonsoir », dis-je d'une petite voix.

Je venais de batailler contre un malabar qui faisait trois fois mon poids et je prenais une voix de petite fille devant mon oncle.

« Bonsoir, Naïs, me dit Athora d'une voix égale. Nous avons appris pour la rixe. J'espère que tu n'as rien.

— Non, non. »

Je n'osais pas lever les yeux vers mon oncle. Comment Seïs faisait-il pour le braver ? Rien que son regard me donnait envie de m'enterrer tout entière.

« Je suis désolée. J'ai voulu vous le dire. Je n'ai pas osé. Je pensais que vous refuseriez. Mais je voulais tellement travailler ici », déclarai-je tout d'un bloc sans reprendre mon souffle.

Athora jeta un coup d'œil à son époux, puis son regard revint lentement se poser sur moi. « Pourquoi pensais-tu une telle chose ? me demanda-t-elle.

— Je… je ne sais pas. Travailler dans une auberge n'est sans doute pas le métier que vous voudriez me voir faire. Enfin, je suppose.

— Ta mère l'a bien fait ! » lança soudain Sirus.

Je levai les yeux vers lui, estomaquée, et ma bouche s'ouvrit sans pouvoir rien dire. Sirus ne me regardait pas et fixait obstinément sa chope.

« Ce que veut dire ton oncle, c'est que nous n'avons jamais pensé qu'un métier valait mieux qu'un autre », déclara Athora.

Antoni, dans mon dos, souffla « Bordel », mais aucun de ses parents ne l'entendit. Je n'aurais pas été sur le banc des accusés, cela m'aurait fait rire, mais dans les circonstances, ma mâchoire était trop crispée pour sourire.

« Je m'excuse, dis-je à nouveau. Je vous prie de le croire. Je ne pensais pas à mal. Je vous assure.

— Nous le savons, me dit Athora. Mais, pour ma part, je me sens offensée que tu aies manqué à ce point de confiance en nous.

— Je la trouve trop jeune pour travailler dans une taverne, voilà mon opinion, siffla Sirus. Sauf votre respect, Rampierre. »

L'aubergiste répondit un « ne vous inquiétez pas » tendu et se plongea, sans ajouter mot, dans le remplissage méthodique de ses chopines.

« Je me débrouille bien, mon oncle. Maître Rampierre n'a pas eu à rougir de moi. Je travaille dur pour gagner mon salaire. Je ne veux pas rester une charge pour vous.

— Une charge ! » s'exclama-t-il en redressant la tête comme un animal à l'affût. Son corps se déplaça tellement vite que même Antoni recula. « Si j'avais pensé une seconde que tu étais une charge, petite idiote, crois-tu sincèrement que je t'aurais prise sous mon toit il y a onze ans ? Crois-tu que la fille de ma sœur puisse représenter une charge ? Crois-tu que Célia m'aurait pardonné de le penser ? Crois-tu que… »

Il s'interrompit soudain, conscient que plusieurs personnes le regardaient. Il détourna la tête, siffla son reste de bière, puis d'un pas lourd, se dirigea vivement vers la sortie. Athora le regarda s'éloigner, aussi interloquée et troublée que moi-même. Elle prit quelques secondes pour retrouver ses esprits, puis me dit : « Finis ce que tu as à faire ici et tâche de ne pas rentrer trop tard. Nous en rediscuterons à la maison.

— Bien, ma tante.

— Et toi, Antoni. » Son œil se braqua dans celui de son fils. Antoni sentit qu'il allait passer un mauvais quart d'heure. Il renifla et s'avança bravement vers sa mère. « Tu le savais, n'est-ce pas ? Depuis le début, tu le savais et tu ne nous as rien dit ! Tu mériterais une bonne punition.

— Je ne suis pas une balance ! » protesta Antoni.

Le regard bleu nuit de sa mère vira au gris métal avant de reprendre sa couleur. « Je sais. J'ai seulement dit que cela méritait une punition, non que tu allais en avoir une. Continue de veiller sur ta cousine, c'est tout ce qui m'importe. »

Antoni n'en revenait pas. Il garda la bouche ouverte, stupéfait, et se contenta de hocher machinalement la tête.

« Bien. Maintenant, je vais devoir courir derrière votre oncle jusqu'à Point-de-Jour, encore que, j'aurai de la chance s'il n'a pas pris la charrette sur le coup de la colère. »

Athora soupira, nous dévisagea un bref instant, puis, à son tour, gagna la sortie. Dès qu'elle disparut dans la foule, Antoni se laissa tomber contre le comptoir.

« On l'aura échappé belle. Je n'en reviens pas.

— Tout n'est pas encore joué, murmurai-je. J'en ai bien peur.

— Le plus gros de l'orage est passé. Papa va se calmer tout seul et quand on rentrera, l'histoire sera déjà un souvenir. »

Je fixai l'ombre de la porte au fond de la salle. La présence de Sirus planait encore dans la pièce et son regard accusateur me poursuivait. Pourquoi fallait-il que cela me touche autant chaque fois qu'il prononçait le nom de ma mère ? De la part de n'importe qui dans la maison, je n'en éprouvais rien de particulier, mais dès lors qu'il s'agissait de Sirus, cela prenait des proportions démesurées.

« Un souvenir », répétai-je.

Je songeai à ma mère et l'absence de souvenirs. Je ne me souvenais pas de son visage, de sa voix ou de la couleur de ses yeux.

La silhouette de Rampierre se déroula au-dessus de moi. Ses petits yeux noirs se posèrent dans les miens et sa bouche se pinça plusieurs fois avant de dire : « Ce n'est pas bien d'avoir dissimulé la vérité. » Je hochai la tête, contrite. « Tu devrais rentrer chez toi pour ce soir. Discute avec ton oncle et ta tante, et nous aviserons ensuite. Je ne me mêle pas des affaires de famille. Tu as bien travaillé ici jusqu'à présent et, s'ils sont d'accord pour que tu reviennes à « Sens Dessous », alors tu seras la bienvenue.

— Merci, Maître Rampierre », murmurai-je.

On ne s'attarda pas et on quitta côte à côte l'auberge de « Sens Dessous ». Dehors, la fête était bien entamée et il y avait toujours foule dans les rues. Le stand dressé devant la taverne grouillait de monde. Le bruit survolait la ville comme un essaim d'abeilles. De la musique s'écoulait tout autour de nous et nous accompagna jusqu'aux portes de Macline. Lorsque l'on pénétra dans la forêt, nos oreilles étaient si habituées au tumulte que l'on ne reconnut le silence qu'une fois près de la maison. C'est seulement là qu'il nous sembla plaisant.

Quand on parvint dans la cour, nous eûmes la surprise d'apercevoir Sirus assis sur la première marche des escaliers, en train de fumer sa pipe. Un frisson glissa le long de ma nuque. Antoni me jeta un coup d'œil et tapota mon épaule avec tendresse.

« Pas de panique », murmura-t-il. Antoni regarda son père et s'arrêta devant lui. « Je suppose que je peux aller me coucher », fit-il.

Sirus se contenta de hocher la tête. Antoni passa à ses côtés sans se faire prier, m'adressa une dernière œillade d'encouragement, puis il poussa la porte. Un flot de lumière jaune éclaira un instant les marches et le visage terreux de Sirus, puis la cour replongea dans l'obscurité. Je me tenais devant mon oncle, les mains serrées, et je me concentrais sur la lumière rougeâtre que diffusait sa pipe. Sirus se poussa de côté et me laissa de la place pour m'asseoir. Je gardai le regard fixé sur la cour, incapable de bouger davantage ou de parler la première. Une petite brise fraîche circulait autour de nous et batifolait avec les feuilles des chênes.

« Ta mère se plaisait à travailler à "Sens Dessous", me dit-il soudain. Elle était plus vieille que toi. Les clients l'adoraient et je suis sûr que beaucoup revenaient pour elle. » Il se tut et le silence m'engloba tout entière. « Tu aurais dû nous le dire, reprit-il.

— Je sais. Je te demande pardon.

— As-tu si peur de moi ? »

Je tournai la tête, ébahie, puis observai le profil sombre de Sirus. Ses yeux demeuraient plantés sur le sol de la cour tandis que ses lèvres fines restaient figées en une ligne étroite. Il porta sa pipe à sa bouche et aspira. Enfin, sa main retomba sur son genou et il tourna les yeux vers moi.

« Je n'ai pas peur, mon oncle… sauf de te décevoir.

— Me décevoir ? fit-il, surpris.

— Oui, mon oncle. Je t'ai vu tant de fois tancer Seïs parce qu'il ne travaillait pas dans un endroit convenable que j'ai cru que…

— Seïs est un vaurien ! Un bigre de vaurien… Sais-tu pourquoi je t'ai installée dans sa chambre plutôt que dans celle de Teichi ? » Je secouai la tête. « Seulement parce que je pensais que ton caractère responsable, calme et réfléchi, apaiserait le chien sauvage qu'il peut être parfois. J'ai confiance en toi. Certes, le métier que tu choisis n'est pas celui que j'aurais aimé te voir exercer, mais s'il te convient pour l'instant, il me satisfait aussi. Je ne veux pas que tu me craignes. C'est ça qui me met le plus en colère.

— Je ne te crains pas, mon oncle, réitérai-je. Plus depuis que je suis une petite fille ! »

Sirus eut un sourire et posa sa grosse main velue sur mes cheveux. Je me blottis aussitôt contre son épaule. Son bras tomba autour de ma nuque et me serra contre lui. Son odeur musquée m'enveloppa et je me sentis en sécurité.

« Parle-moi de ma mère, s'il te plaît », murmurai-je.

Je sortis tard de la taverne et toutes les chambres étaient occupées, si bien que je ne pouvais pas dormir à « Sens Dessous ». Je n'aimais pas traverser la forêt de nuit, d'autant plus que la maison se situait dans les profondeurs de Shore-Ker, mais je n'avais pas vraiment le choix. Je marchai à l'aveuglette, cernée par des buissons et des ombres.

Une branche craqua soudain sur ma droite. Je m'immobilisai net au milieu de la route, tendis l'oreille et tournai la tête de droite à gauche. La forêt était sombre et dense. *Un rongeur sûrement,* pensai-je. Je me remis en route et accélérai le pas. Je passai un carrefour entre deux chemins sylvestres lorsque cette fois, au lieu d'un bruit, j'aperçus une lueur dans les sous-bois. Par réflexe, je m'accroupis sur le sentier et me rapprochai des frondaisons. Une fois au milieu des broussailles, je redressai légèrement la tête et scrutai l'obscurité. Plus rien. La lueur avait disparu. *C'est ton imagination. Rien de plus.* J'allais me relever, lorsque, au-delà d'un arbre, je la vis à nouveau scintiller. Une peur glacée commença à me gagner. Elle se mouvait rapidement, d'arbre en arbre, puis soudain une voix éclata : « Il n'a pas pu aller bien loin, bon sang. Trouvez-le. »

Je crus un instant qu'il pouvait s'agir de Foulards Rouges et je n'avais aucune envie d'être sur leur chemin. Mais, alors que je fixai la lueur, je reconnus non pas le foulard noué autour du cou des voleurs, mais une cotte de maille. *Des soldats,* songeai-je, *ou des mercenaires.*

Je commençai à reculer lorsque j'écrasai une branche morte sous mon talon.

« Qui va là ? » cria aussitôt le soldat.

À ma plus grande peur, il n'était pas seul. « Tu as entendu quelque chose ? dit un autre.

— Oui. Répondez, il ne vous sera fait aucun mal si vous vous montrez. »

Je ne répondis pas et me faufilai d'un buisson à l'autre, consciente que les soldats se divisaient pour mieux m'encercler. Ils étaient rapides et aussi silencieux que des chasseurs à l'affût. Je quittai le sentier et m'enfonçai profondément dans les bois. Je savais où j'étais. La rivière Belle-de-nuit s'écoulait non loin de là et, derrière elle, Point-de-Jour. Si je gagnais ses rives, j'étais sauvée.

Je passai derrière un tronc d'arbre quand une silhouette se découpa devant moi. Dans la pénombre, je ne distinguais pas ses traits ; je n'en avais aucun besoin. Il n'était pas vêtu d'une cotte de mailles, mais d'une cape d'un velours sombre et d'une capuche rabattue devant son visage. Il était assis par terre, un genou replié contre sa poitrine, et fixait le bas de la colline sur laquelle il était juché. Il tourna lentement la tête vers moi et me fit signe d'approcher d'un geste de la main. Dès que je fus à sa hauteur, le vagabond retira sa capuche et ancra son regard intrigué dans le mien.

« Ce n'est pas une heure pour rentrer, murmura-t-il.

— C'est vous qu'ils cherchent ? demandai-je de but en blanc.

— Non, ce n'est pas moi. »

Il posa un doigt en travers de ses lèvres et riva son regard sur le bas de la colline. Une cotte de mailles luit entre les arbres, puis deux, trois. Enfin, une quatrième ombre se détacha d'un chêne, sauf que celle-ci ne portait ni cotte de mailles, ni quoi que ce soit qui puisse la différencier d'un tronc d'arbre si elle n'avait pas bougé subrepticement dès le passage de l'un des soldats.

« Qu'est-ce... »

Le vagabond m'interrompit en plaquant une main épaisse sur mes lèvres. J'ouvris les yeux et, de surprise, tombai sur les fesses. Le vagabond relâcha sa prise et se pencha vers moi. « Suivez-moi », murmura-t-il.

Il se fondit dans les ombres et se dirigea vers le bas de la colline, à l'opposé des soldats et de la quatrième silhouette. Je me redressai aussitôt et m'élançai derrière lui en tâchant de faire le moins de bruit possible.

On descendit rapidement le tertre. Le vagabond emprunta un layon qui longeait un champ de blé, avant de se renfoncer au plus profond de la forêt. Au bout d'un moment, lorsqu'il fut certain que plus personne ne pouvait nous entendre, il s'arrêta.

« Je vous raccompagne chez vous, me dit-il. C'est plus prudent. C'est pas une heure pour une jeune fille. »

J'aurais volontiers protesté que j'étais en âge de me débrouiller toute seule, mais j'eus pour une fois l'intelligence de ne pas émettre de commentaires désobligeants.

« Qui était-ce ? demandai-je, tandis qu'il reprenait la route.

— Qui ? Les hommes avec la cotte de mailles ou celui qu'ils traquaient ?

— Les deux. »

Il m'observa un instant en silence comme s'il cherchait à percer mes pensées, puis il releva la tête et fouilla les alentours.

« Les types avec la cotte de mailles, ce sont des soldats du roi.

— Des soldats du roi ! m'exclamai-je.

– Chut ! Pas si fort. Celui qu'ils cherchent n'est peut-être pas très loin.

– Des soldats du roi ? murmurai-je.

– M-hm.

– Comment le savez-vous ?

– Je les ai observés.

– De loin et dans le noir, vous êtes arrivé à les identifier ? »

Le vagabond eut un sourire en biais. « J'ai beaucoup voyagé, me dit-il. Je reconnaitrais un soldat du roi entre mille.

– Vous avez déjà eu affaire à eux ? persiflai-je.

– Quelque chose dans ce goût-là. » Je le lorgnai du coin de l'œil. Ce qui eut pour effet de le faire rire tout bas. « Rien qui ne doit vous inquiéter, ajouta-t-il.

– Et je dois vous faire confiance parce que ? »

Il haussa les épaules. « Parce que j'aurais pu vous laisser où vous étiez ! »

Je me tordis la bouche. « Mouais. Dites-moi alors, à quoi reconnaissez-vous des soldats du roi ?

– À la manière qu'ils ont de bouger par escouade de trois hommes et à leur accent quand ils parlent. Ils sont d'Elisse.

– Et l'homme qu'ils cherchent ? Je l'ai aperçu dans les broussailles. Qui est-ce ?

– Ça, je n'en sais rien. Pas quelqu'un de recommandable sûrement. Je ne l'ai pas bien vu.

– Que faisiez-vous là à cette heure ? demandai-je, suspicieuse.

– À dire vrai, comme vous. Je rentrais chez moi quand je les ai vus. Je me suis montré curieux de savoir ce que faisaient des Elissins si loin de chez eux.

– Et vous habitez où ?

– Par là-bas. Après le pont. »

Il me désigna l'ouest d'un geste de la main.

« Et comment savez-vous où j'habite ? fis-je en me rendant compte qu'il avançait vers Point-de-Jour aussi facilement qu'en plein jour.

– C'est un interrogatoire, ma parole, se moqua-t-il. Pardi ! Ce sont les Pâtis qui me l'ont dit.

– Pourquoi leur avoir demandé ? »

Le vagabond s'arrêta et un sourire estampilla son faciès. « Je ne pensais pas vous en faire la confession ici, à cette heure tardive, mais disons dans ce cas que… je m'intéresse à vous.

– À moi ? m'étonnai-je.

– En effet.

– Pouvez-vous vous montrer plus précis ? »

Mon ton le fit ricaner. « Je ne voudrais pas me montrer discourtois.

– Faites un effort dans ce cas ! »

Je croisai les bras sur la poitrine.

« Soit ! Je vous trouve charmante. Croyez-vous que je sois venu si souvent à la taverne pour le seul plaisir de manger une soupe au petit rond ?

– Euh… Je ne me suis pas posé la question. Chacun fait ce qui lui plait. »

Un nouveau sourire traversa ses lèvres. « Ma confession est faite. Êtes-vous contente ? »

Je me grattai la gorge. « Je suis plutôt étonnée, avouai-je.

– Pourquoi ?

– À votre avis ? Je ne sais même pas qui vous êtes, d'où vous venez, et vous prétendez, comme ça, de but en blanc, me trouver à votre goût. J'ai de quoi être surprise, non ? »

Le vagabond pouffa de rire. Puis, il se tut tout aussi brusquement, braqua sur moi un œil mordoré et, finalement, déclara d'une voix presque moqueuse : « Mon nom est Brenwen Eschème. Par ici, on me prend pour un "Errant", comme on dit à Macline. D'où je viens, ma foi, de plusieurs endroits d'Asclépion. Je suis un journalier. Les Pâtis m'ont offert de travailler pour eux le temps des semailles.

— Et où êtes-vous né ?

— La naissance semble particulièrement importante à Macline, constata-t-il. Depuis mon arrivée, on a dû me poser cette question au moins cent fois. Je suis né dans un village du duché de Dan-Serre, au nord d'Elisse.

— C'est parce que, parfois, on peut en apprendre long sur les gens rien qu'en sachant d'où ils viennent.

— Ah bon ? » fit-il, sardonique.

En reprenant notre route vers Point-de-Jour, j'expliquai à Brenwen ce que Sirus m'avait lui-même appris et qu'en fait, tous les habitants de Macline s'entêtaient à croire : « Par exemple, si vous venez d'Elisse, il y a une grande chance pour que vous soyez pédant et que vous parliez d'un ton hautain en prenant les Macliniens pour des bouseux. Si vous venez de Magdamée, vous nous prendrez aussi pour des bouseux, mais des bouseux qui paient comptant, du coup vous serez plus poli avec nous. Par contre, si vous venez d'Ol-Hane, vous serez courtois, mais méfiant. Vous craindrez qu'on vous vole et vous surveillerez votre bourse. Et si vous venez d'Astin, alors vous serez sur un pied d'égalité : aussi bouseux, méfiant et discourtois qu'un Maclinien. »

À la fin de ma harangue, Brenwen rigolait à en perdre le souffle. « Voilà un bon résumé sur les mœurs de notre pays, ricana-t-il. Le pire, c'est que vous n'êtes sûrement pas très loin de la réalité. »

Je haussai les épaules, comme pour dire que je le savais déjà.

« Et qu'en est-il pour un type comme moi qui vient d'un village du nord ? demanda-t-il avec une curiosité non feinte.

– Vous n'entrez pas dans le tableau. Vous êtes un bouseux, un point c'est tout, et cela, pour Elisse, Macline ou toute autre ville comptant plus de mille habitants. »

Il passa la main dans ses cheveux blonds, puis avança sans cesser de sourire. « Ma foi, c'est ce que je dois bien être...

– Encore que, vous, vous n'entrez pas forcément dans ce schéma, l'interrompis-je.

– Ah oui ? Pourquoi ? s'étonna-t-il.

– Parce que vous êtes un Errant ! »

Il m'adressa un clin d'œil. « Eh bien, et qu'en est-il de vous ?

– Moi ?

– Oui, je ne connais que votre prénom pour l'avoir entendu à l'auberge. Je suppose que vous êtes Maclinienne.

– Pure souche ! plaisantai-je. Et mon nom est Naïs Holisse, fille de Teilenn et de Célia Holisse, mais ce sont mon oncle et ma tante qui m'élèvent.

– Vous êtes orpheline ? » me demanda-t-il comme s'il n'énonçait qu'un fait parmi d'autres.

« Oui, répondis-je simplement.

– J'en suis désolé, me dit-il. J'ai perdu ma mère aussi il y a longtemps. » Il eut un geste qui semblait dire des décennies. « Je ne m'en rappelle plus très bien désormais, sinon son sourire.

– Je n'ai pas de souvenirs du tout de ma mère. Elle est morte à ma naissance. »

Il hocha la tête pour dire qu'il comprenait. « J'ai entendu beaucoup de bien de votre oncle et de votre tante, dit-il. Les Pâtis les portent en grande estime.

– C'est réciproque. Votre emploi vous plaît-il là-bas ? demandai-je.

— Oui, mais il touchera bientôt à sa fin.

— Vous allez partir dans ce cas ? »

Brenwen me jaugea du regard. « Vous semblez pressée de me voir partir, nota-t-il sans émotion apparente.

— Non, le contredis-je aussitôt. Ce n'est pas ça. Ne vous méprenez pas. Je me demandais seulement ce que vous feriez une fois votre travail fini à la ferme des Pâtis.

— Je chercherai un autre travail, cela va de soi. Peut-être par ici. Peut-être pas. On ne peut jamais savoir ce qui se présentera à l'avance et si ce sera intéressant. Pour le moment, les Pâtis, plus tard, une autre ferme. Ce n'est pas ça qui manque dans les environs.

— La mauvaise saison arrive. Ça risque d'être difficile.

— Je sais. Vous avez trouvé un bon emploi. Peu importe les saisons, il y aura toujours des gens pour aller boire au troquet.

— C'est sûr », ris-je.

On arriva bientôt au ponceau qui traversait Belle-de-nuit. Brenwen enfonça les mains dans ses poches et jeta un coup d'œil aux alentours, comme s'il guettait quelque chose.

« J'espère que vos craintes me concernant se sont un peu dissipées, me dit Brenwen.

— Un peu, répondis-je. Je dois avouer que vos visites à la taverne, du reste avec votre capuche sur la tête, n'allaient pas sans susciter les commentaires.

— Moi qui pensais justement ne pas attirer l'attention.

— Eh bien, disons que c'est manqué. »

Il ricana. « J'en ai bien peur.

— Vous ne venez plus », lui fis-je remarquer. Son visage se tourna dans ma direction et parut un instant s'illuminer. Un éclair traversa ses yeux bruns. Je crus bon d'ajouter : « Je tenais à vous remercier de m'avoir aidée la dernière fois, lors de l'anniversaire du Roi Gange.

— Ce n'était rien. Je me serais senti coupable si cette espèce d'empaffé vous avait décorée d'un bel œil au beurre noir. »

— Et vous trouvez que ce n'est rien ? » plaisantai-je.

Il inclina légèrement la tête. « En tout cas, j'espère ne pas vous avoir offensée, me dit-il.

— À quel propos ?

— De mon affection à votre égard.

— Vous ne m'avez pas offensée, je vous l'ai dit. Seulement étonnée.

— Accepteriez-vous, dans ce cas, un rendez-vous ? Un rendez-vous, tout ce qu'il y a de plus honnête. »

J'eus un petit rire. « Non, je crois que non.

— Pour quelles raisons ? »

Brenwen ne parut pas insulté de mon refus, ni surpris.

« Eh bien, d'abord, parce que je crois peu aux promesses soi-disant honnêtes de la gent masculine, ensuite parce que je ne vous connais pas.

— Si ce sont vos seules raisons, m'autoriseriez-vous à revenir à la taverne afin de faire plus ample connaissance ? Vous verriez que mes motifs sont nobles ou, tout du moins, respectables.

— Je ne peux pas vous empêcher de venir à la taverne. Vous faites ce qui vous plaît. Quant au reste, nous verrons. Peut-être prendrai-je le temps de vous connaître. Peut-être pas. » Je lui adressai un petit signe de la main. « Je peux finir la route toute seule. Point-de-Jour est juste derrière ce rocher. Merci de m'avoir raccompagnée.

— Le plaisir était pour moi. »

Il me salua et me regarda un moment sans rien dire. Je lui rendis son regard. Je souris malgré moi comme si quelque chose, une force surnaturelle, avait tiré le coin de mes lèvres. Puis, je tournai les talons et me dirigeai vers la maison. Avant de franchir la barrière, je jetai un coup d'œil par-dessus mon épaule. Brenwen marchait sur le sentier, puis bifurqua soudain vers la gauche. Il monta sur le fossé et s'enfonça dans les bosquets. Je regardai fixement l'endroit où il avait disparu, et je songeai que sa demeure se trouvait exactement à l'opposé.

CYCLE IV

ŒIL POUR ŒIL

Le bras qui se tend, le muscle douloureux, la corde qui s'étire lentement dans un petit crissement délicieux, le bois qui se tord, qui travaille, la flèche encochée longue, effilée et mortelle, le frottement délicat du bois contre la corde et le bruit de la flèche lorsqu'elle s'envole et qu'elle file, file et file dans les ténèbres droit vers sa cible. Dans le mile. Une nouvelle flèche. Une nouvelle cible. Encore… Toujours les mêmes gestes précis, la même tension jouissive. Le carquois presque vide.

« C'est pas mal, me cria Lampsaque. Pour un bras gauche. »

Il bondit du rocher, traversa la plage au petit trot et marcha pieds nus dans le sable blanc.

« Boucle-la ou mon bras gauche va se faire un plaisir de te refaire le portrait. »

Il fit éclater son rire de gorge en s'affalant sur la plage, les coudes dans le sable. Je massai mon biceps tendu, légèrement douloureux, une douleur agréable.

« Tu as manqué ta cible à trois reprises, nota-t-il.

— Ah ! Je n'ai pas manqué la cible, mon vieux Lampsaque, je n'ai pas touché le centre… intentionnellement, cela va sans dire.

— Bien sûr, et les chouettes ont les dents qui poussent, tu le savais pas ? »

Il rit de plus belle tout en se redressant sur les fesses. Il ramena ses genoux contre sa poitrine et contempla la baie.

L'écume venait licher la grève et le vent soufflait âprement entre les falaises de la calanque.

« Qu'est-ce que tu attends au juste ? Tu veux que je te tienne la main ? Il t'en reste une à tirer », dit-il en jetant un coup d'œil à mon carquois.

Je souris et saisis la flèche. Je l'encochai et étirai la corde. Le contact de l'arc entre mes doigts me faisait tant l'effet d'effleurer une peau de femme, douce, délicate, qu'il ne me serait pas venu à l'idée de le manier avec brusquerie (même s'il m'était arrivé de manier quelques femmes avec brusquerie). Le vent se leva plus dru pour accueillir cette pensée morose.

« Fais attention. Il tourne par l'est », me dit Lampsaque.

Je ne répondis pas. La corde dans l'axe, je fixai la cible, placée à deux cents mètres de ma position. Une pancarte en bois, avec une étoile dessinée dessus à la peinture rouge, était rivée à la paroi d'une falaise en contrebas de la grève. Malgré la brume du soir, je la distinguais parfaitement, dans ses moindres contours. Mon bras se durcit lorsque je tendis l'arc. Mon biceps se contracta. La pression sur mon muscle se fit lourde et incroyablement délicieuse. La flèche partit. Elle fusa au-dessus du sable, fendit l'air et un bruit lointain comme un coup de marteau sur un clou, s'en fit l'écho.

« Pas mal, répéta Lampsaque, les yeux braqués sur la cible. Tel-Chire devrait être content. T'as fait de sacrés progrès au tir à l'arc.

— Je ne fais pas ça pour Tel-Chire, rétorquai-je froidement.

— Je sais.

— Quand je m'entraîne ici, au moins je ne l'ai pas entre les pattes.

— Je sais.

— Je n'entends pas ses sarcasmes à deux sous à longueur de journée : “Oh ! Seïs, où t'as pêché ces bras-là ? On dirait que t'as jamais tenu autre chose qu'une chope de bière..." Et j'en passe. Ici, finis les ordres comme on en donne à un bon petit chien obéissant : fais-ci, fais ça... Mais qu'il aille se faire foutre !

— Je sais.

— Au moins, ici, y a personne pour venir me chercher des noises. Je suis tranquille et j'ai tout loisir de me défouler.

— Je sais. »

Je baissai les yeux sur le rouquin qui souriait de toutes ses dents. « T'as fini de te payer ma tête », lançai-je. Il éclata de rire. « Je t'emmerde, c'est ça ?

— Non, du tout. Je m'étonnais seulement que tu n'aies pas repeint le portrait de Tel-Chire sur ta cible, se moqua-t-il.

— Je suis mauvais en dessin », grognai-je.

Il secoua la tête comme s'il avait affaire à un gosse irrécupérable. « Bah ! Je peux t'arranger ça si tu veux. Je me débrouille plutôt pas mal en caricature. »

Cette fois, c'est moi qui ris. « Faudra y songer dans ce cas. Je suis sûr que je serais bien meilleur au tir.

— Sûr », approuva-t-il, fendu d'un sourire.

Je ramassai mon carquois à mes pieds et me traînai jusqu'à sa hauteur. Je m'assis à ses côtés et renversai le carquois. Je le secouai et une petite escarcelle en cuir tomba dans le sable. Les yeux du rouquin se mirent à clignoter comme deux chandelles.

Je jetai un coup d'œil par-dessus mon épaule, puis, assuré que la plage était déserte, je défis les liens de ma bourse. J'en sortis du papier et des Herbes à Thaumaturges. Je roulai deux cigarettes que j'allumai avec une pierre à feu toujours fourrée au fond de mes poches. Le rouquin prit avec avidité celle que je lui tendis et se mit à tirer dessus comme un jeune puceau sur sa première conquête.

« Un jour, faudra que tu me dises comment tu t'y prends pour cacher tes trouvailles à Al-Talen, me dit-il en se laissant tomber sur le dos, la fumée roulant sous ses yeux lumineux.

– J'ai mes secrets, lui dis-je en souriant.

– Le peu que j'arrive à dénicher, je ne parviens jamais à le garder. Al-Talen me tombe sur le paletot à chaque fois, comme une mouche sur une merde, dès que je m'apprête à chaparder une herbe à Gassiope ou Borlémir. Pareil pour le vin. Bon Dieu, comment tu fais ?

– Pose pas la question. Tout ce que je trouve, on le partage. Alors, profite que je me coltine tout le boulot et ne te soucie de rien. Déjà le seul fait que tu le saches nous met en danger tous les deux. Ton esprit est pire que le mien, mon vieux Lampsaque. Tu ne gardes rien dans ta petite tête que l'on ne puisse entendre à quinze lieues.

– Et toi si p't-être ! me lança-t-il en collant son index à ma tempe. La dernière fois, si je me souviens bien, tu t'es fait coincer en beauté. Je ne comprends pas de quelle manière tu fonctionnes. Tu peux leur cacher tes herbes et le vin que tu fauches, mais le reste, bon sang, te file entre les doigts comme du sable. »

Il prit une pleine poignée de sable dans la main et le laissa filtrer jusqu'à ce qu'il n'y en ait plus dans son poing.

« Je sais. Tel-Chire se fiche de moi en me disant que mon cerveau est une passoire. Tout ce que je pense, il le sait. Tout ce dont je rêve, il le voit. Il dit que je ne crois pas posséder ce pouvoir, alors du coup, je ne le maîtrise pas. J'y peux rien, je n'y arrive pas.

– Ah ! Mon cher Seïs, toi et moi, on sait que ton plus gros problème, c'est ton impulsivité. Ton esprit est une tornade ininterrompue. Lâche du lest. Si tu ne gardes pas le contrôle de ton âme, tu ne parviendras jamais à maîtriser ta tête. Tant que tu laisseras parler tes tripes et non ta raison, tu ne réussiras pas et je puiserai tes pensées comme on puise de l'eau dans un puits », déclara Lampsaque en mimant Tel-Chire avec une telle perfection que j'en eus la chair de poule.

Je tirai sur ma cigarette, basculai à mon tour en arrière et rivai les yeux sur un ciel constellé d'étoiles.

« Pourquoi est-ce que tu viens ici tous les soirs ? me demanda le rouquin. C'est un rituel ou quelque chose comme ça ?

— Quelque chose comme ça… J'aime être seul.

— Ouais, j'avais cru comprendre. » Ses yeux se tournèrent vers le ciel. « T'as peut-être envie que je te laisse ?

— Non, tu ne me déranges pas.

— Bon sang, pourquoi tu aimes autant être seul ? Tu ne l'es pas assez ici ? »

J'éteignis ma cigarette dans le sable. « Je n'ai jamais eu beaucoup d'amis, lui confiai-je. Tu ne peux pas comprendre, je suppose. Toi, t'as passé toute ta vie au milieu de plein de gens.

— Sûr, six sœurs et huit frères, vaut mieux aimer la compagnie. Sans parler des grands-parents de ma mère qui vivent dans la maison voisine et des cousins de mon père de l'autre côté de la rivière. Mais je vais te dire une bonne chose, tu peux passer ta vie au milieu de plein de monde, n'empêche qu'y a des fois, même entouré de ta famille, tu peux te sentir sacrément seul.

— Oui, c'est sûrement ça le pire.

— Qu'est-ce que tu veux dire ?

— Ça me fout en rogne d'être au milieu de tous ces cons qui ne se rendent pas compte à quel point tu es seul. Ça me fout en rogne qu'ils soient autant aveugles ou qu'ils s'en battent l'aile. »

Le rouquin resta silencieux un moment, méditant mes paroles, puis il lança dans la nuit : « T'es bien cinglé tout de même. »

Son ton laissait entendre qu'il venait juste de le réaliser. Ça me fit marrer pendant trois bonnes minutes.

« Dans la course à la folie, t'es toujours en lice, ricanai-je.

— Oui, peut-être bien. » Il se releva sur les coudes et regarda la mer. « Tu aimes ça, hein ?

— Quoi ?

— La folie. »

Je passai un bras sous ma nuque. « Ouais, mais je ne suis pas assez fou pour oublier que je ne le suis pas. » Il m'adressa un coup d'œil interrogateur. « Un fou ne sait pas qu'il est fou, dis-je. Moi je sais que je ne le suis pas assez à mon goût. J'en conclus que je ne suis pas aussi taré que je veux bien le croire et le faire croire aux autres. »

Un sourire tira le coin de ses lèvres, puis il riva ses yeux clairs, si étrangement bleus, dans ma direction.

« Qu'est-ce qui te fait sourire ? demandai-je.

— Ça t'arrive d'être bavard ; tu nous déballes tes conneries comme un vendeur de camelote alors qu'au fond tu ne dis jamais rien.

— Et c'est ça qui te fait sourire ?

— Non, dit-il en secouant la tête. Pour une fois, tu m'ouvres ce que tu as dans la caboche. » Sa remarque retomba dans le silence. Je fixai les étoiles avec une boule au fond de la gorge. « Ça t'embête tant que ça de parler ?

— Tu crois que tu en dis plus peut-être, m'énervai-je.

— Tout le monde en dit plus que toi, même Théo, qui aligne pas trois mots dans la journée. Quand il l'ouvre, c'est pour dire quelque chose d'intéressant ou qui le touche de près. Toi, quand tu ouvres ton clapet, c'est pour sortir une connerie ou râler. »

Je m'apprêtais à parler, puis finalement je me ravisai, peut-être parce que je savais qu'il avait raison.

« Tu t'es jamais demandé pourquoi les maîtres ont choisi de nous faire faire équipe ensemble, dès le départ, et cela, même avant qu'on se soit rencontrés ? » me demanda-t-il.

Je me relevai sur les fesses, ramassai mes jambes et les ramenai contre ma poitrine.

« Je me suis posé la question.

— As-tu trouvé la réponse ? »

Je haussai les épaules et grommelai dans mon pantalon : « Je suppose qu'ils pensaient qu'on s'entendrait bien. »

— C'est ce que je me suis dit aussi, au départ.

— Tu n'y crois plus ? »

Il secoua la tête. « Nous sommes amis, tête de gland. Dès que je t'ai vu traîner ton vieux sac en bandoulière et ta gueule de déterré, j'ai su qu'on le serait. Bon sang, toi comme moi, on a grandi dans des familles trop grandes qui nous ont toujours regardés comme si on avait une patte folle. On a dérouillé pas mal dans notre chienne de vie ; on a donné des coups autant qu'on en a reçu en échange. On a assez de points communs pour bien s'entendre, ça, c'est sûr, et on a assez de divergences pour se foutre sur la gueule si on en a envie…

— Bon Dieu ! Où tu veux en venir ?

— On est… » Il hésita. Il fixa la crête des vagues, les lèvres pincées, en donnant l'impression qu'il n'allait plus ouvrir la bouche. « On est comme des jumeaux… Oui, je sais. Ça a l'air con. C'est pourtant l'impression que j'ai. C'est comme s'il y en avait toujours un plus fort que l'autre, comme si l'un de nous nourrissait l'autre.

— Qui est qui ?

— Bah ! Ce n'est pas bien dur de le deviner. Il suffit de jeter un coup d'œil sur ta carcasse et de voir que tu caches bien ton jeu. Tu veux jouer les idiots, mais tu ne l'es pas et, même si tu veux le cacher, tu n'y arrives pas tout à fait… Te fiche pas de moi. Je le sens. Tu puises en moi quelque chose. Seulement, je ne sais pas ce que c'est. C'est plus que de la force ou de l'énergie. C'est autre chose de plus… ah ! Je ne sais pas. »

Il tapa du poing dans le sable qui se souleva en un petit nuage de poussière.

« Par Orde ! Qui t'a fourré cette idée en tête ?

— Personne, je crois, me dit-il. Je le sais, c'est tout. C'est juste ce que je ressens. Le plus étrange dans tout ça, c'est que j'aime bien cette sensation. Ça me donne à croire que je sers à quelque chose pour une fois. Pas comme toi finalement.

— Qu'est-ce que tu veux dire ?

— Toi, tu t'imagines ne servir à rien, ne pas avoir ta place ici ou nulle part ailleurs. T'as pas encore saisi que si tu étais là, c'était qu'il y avait une raison précise à ça. Seulement, t'es plus têtu que ton Éliago. Et si tu veux mon avis, tant que tu n'auras pas compris que tu as ta place à Mantaore comme un véritable apprenti, ton cerveau restera une passoire. Il faut que tu réalises qu'il y a quelque chose en toi, quelque chose qui te rend spécial, quelque chose qui fait dire à Tel-Chire que tu es capable du pire comme du meilleur. Il n'y a qu'un seul obstacle à ton pouvoir, et c'est toi. Toi seul, mon ami. »

Je devais faire une tête bizarre parce que le rouquin au lieu de s'énerver, éclata de rire. Il se redressa, se planta devant moi et roula un bras derrière ma nuque. Il me fit basculer contre son épaule comme s'il voulait me souffler des mots doux à l'oreille.

« T'as peur ou quoi ? me lança-t-il.

— De quoi pourrais-je avoir peur ? dis-je en le repoussant. Bon Dieu, c'est Tel-Chire qui t'a fourré toutes ces conneries dans la tête ? Une autre façon tordue de vouloir m'inculquer son putain de savoir ?

— Si Tel-Chire voulait te dire quelque chose, il le ferait lui-même. Il n'a pas besoin de moi pour ça. Je suis ton équipier dans cette histoire, que ça te plaise ou non. Je suis là pour ça. Je te l'ai dit. Tu prends ce que je te donne, mes conseils et mes ragots de bouseux si tu veux, et tu la boucles. C'est tout. »

Il jeta sa cigarette et l'enterra dans le sable du bout du pied. « Je rentre. Je suis fatigué.

— Je te rejoins dans quelques minutes.

— Ouais, tu parles. »

Il s'éloigna, les mains dans les poches. Je regardai sa silhouette mourir derrière l'ombre d'un rocher. Au bout d'un moment, je m'en détournai et plongeai mon regard dans l'océan. Je n'avais aucune envie de rentrer. Je passais souvent mes nuits dehors. La vérité, c'est qu'entre les murs de ma chambre, je me sentais à l'étroit. Chaque pièce était trop petite et j'avais toujours l'impression que j'allais mourir asphyxié dedans, prisonnier des murs. Lampsaque m'avait dit un jour que j'étais comme un feu de cheminée, j'aurais mille fois préféré dévorer la maison tout entière plutôt que de devoir me contenter des bûches et que, calfeutré dans mes pierres, je ne pouvais aller nulle part.

Je retirai ma chemise, mon pantalon et mes bottes. Nu comme un ver, je me dirigeai vers la mer. J'entrai rapidement dans les eaux glacées de la mer du nord. Je m'immergeai jusqu'à la pointe des cheveux, nageai de la plage à la ligne rocheuse qui bordait la calanque, environ cinq cents mètres plus loin au nord. Je grimpai sur la plateforme de roche la plus éloignée du rivage, habillée d'un tapis d'euphorbes et de deux arbustes rabougris, et me laissai tomber parmi la végétation, les bras en croix. Nu sous les étoiles, je contemplai la lune, en espérant ne pas être dérangé dans mes rêveries par d'anciens cauchemars. C'était vain. Depuis quelque temps déjà, mon esprit ne trouvait plus la tranquillité. De bruits diffus, ils devenaient quelques matins aussi clairs que le ressac, comme si une dizaine de personnes murmuraient autour de moi. La première fois que toutes ces voix avaient pénétré ma tête, j'avais cru devenir dingue. Lampsaque croyait que j'avais attrapé un rhume. Tel-Chire était arrivé. Il avait compris tout de suite. Il avait gravement secoué la tête, puis il avait dit comme une évidence : « C'est bien. Tu progresses enfin. Tu seras malade quelques jours. Ça passera. »

Mais les voix s'étaient faites plus présentes et plus oppressantes.

Je nettoyais les écuries. J'entassais la paille dans un coin de la grange, remplissais les râteliers. Je lavais les box à grand renfort d'eau savonneuse. Je retirais les excréments des bêtes, versais l'eau dans leur abreuvoir. Puis la tonte des moutons. La traite des vaches. La sortie journalière des chevaux sur la plage pour qu'ils puissent se dégourdir les jambes. Puis donner à manger à toutes les bêtes. À boire. Puis nettoyer, encore.

Ceci pendant plus de deux mois consécutifs, sans interruption. Coucher à onze heures du soir, lever à quatre heures du matin. À peine le temps de se laver à la rivière et de se raser de frais. Les ablutions étaient obligatoires. Un guerrier se devait toujours d'être impeccable… au cas où la mort viendrait le faucher inopinément. Manifestement, Ethen faisait un grand cas de la toilette de ses moribonds lorsqu'ils pénétraient ses Enfers.

Si ces corvées s'en étaient tenues là, elles m'auraient semblé supportables du moment qu'elles me soustrayaient à la compagnie de Tel-Chire et, globalement, des Tenshins. Or, je n'avais pas cette chance. Al-Talen, éminent despote, me poursuivait de ses satires impitoyables. Pendant que je maniais la pelle et la fourche, ramassais le purin (que je rêvais de lui jeter à la tête), il me débitait ses leçons sur l'histoire d'Asclépion, du règne de Gange à nos jours. Je psalmodiais les doctrines de philosophie guerrière, le code ancestral de l'ordre de Mantaore et toutes les techniques d'armes que j'avais apprises jusque-là tandis que je soulevais et faisais des tas d'étrons dans la cour.

Voici le résultat de ma piètre emprise sur mon esprit. Al-Talen avait brisé mes filets sans aucune véritable difficulté un soir où j'étais moins sur mes gardes que d'ordinaire, comatant sûrement sur une bouteille de vin. Il avait découvert les cachettes où je dissimulais les Herbes à Thaumaturges et plusieurs pichets de Sirop de Glanmiler, mais surtout, il avait découvert mon fournisseur. Même si je chipais dans les pots de Borlémir et de Gassiope, je n'aurais pas pu trouver assez de bouteilles de Sirop, ni suffisamment d'Herbes pour ma consommation personnelle et celle de Lampsaque. J'avais embobiné l'un des paysans qui habitait la vallée et qui pourvoyait le château en céréales et légumes, en lui promettant monts et merveilles comme je savais si bien le faire. Al-Talen était tellement furieux contre moi et contre ce pauvre homme qui avait enfreint les règles qu'il le fit rouer de dix coups de fouet pour lui faire entendre sa bêtise en m'obligeant à regarder son châtiment. J'avais regardé sans ouvrir le bec. Après quoi, il l'avait renvoyé chez lui, et moi, dans mes appartements. Quand Lampsaque était entré dans la chambre, j'étais allongé sur le couvre-lit, les yeux rivés au plafond. Il m'avait appelé, m'avait demandé comment j'allais. J'avais levé la tête vers lui, lui avais jeté un bref coup d'œil sans répondre. Il avait tourné les talons aussi sec.

Al-Talen m'avait confisqué herbes et alcool. Ensuite, il m'avait envoyé remplir mes corvées en tonnant que j'allais apprendre à obéir et à me comporter en homme, et non comme ce semblant de traîne-savate (dans sa bouche, c'était un effroyable juron) débauché et grisé d'herbes prêtes à sucer le peu de cervelle qui me restait.

J'ai briqué les écuries, récuré les latrines avec une éponge, ciré les parquets, vidé les chiottes, nettoyé les cheminées.

Un matin où il me collait l'arrière-train un peu plus que d'habitude, que ça faisait déjà un moment que la moutarde me montait au nez et qu'il me sermonnait pour mon manque de discipline, j'explosai. Entre deux pelletées pour ramasser la merde des chevaux, je lui jetai par-dessus mon épaule: « Ça vous change un homme, le pouvoir. »

Pendant un moment, le silence me répondit. Je ne sais pas si c'était la peur qui m'empêchait de me retourner pour voir sa tête ou bien de la clairvoyance. Quoi qu'il en soit, j'enfonçai la pelle dans les profondeurs noires du box et l'entassai bien comme il faut dans un coin. Cela ne suffit pas. Al-Talen salit ses bottes dans la bouse et se planta devant moi. Il secouait la tête comme mon père quand il était à bout de nerfs: « Qu'est-ce que je vais faire de toi ? Seïs, grand Dieu, mais que vais-je faire de toi ?

— Une peau en descente de lit », suggérai-je, pas du tout impressionné.

Les yeux acérés d'Al-Talen s'emplirent de colère et j'étais certain qu'il devait faire appel à tous ses grands dogmes pour ne pas me coller sa main dans la figure.

« Je crois qu'un peu d'air frais va rafraîchir ton esprit », me dit-il. Et il m'envoya sur la plage courir dix kilomètres, en bottes. Je suai, jurai entre mes dents et la bouclai. En m'enfonçant dans la vase, je repensais à tous mes vices. Plus d'herbes à fumer, plus rien à boire. S'il continuait sur cette voie, je pouvais numéroter mes abatis ; j'étais sûr qu'il allait me couper la main pour m'empêcher de me branler. Le plus dur, tandis que je courais sous ses yeux attentifs, était de revoir sans arrêt, en leitmotiv de ma propre conscience, le visage du paysan roué de coups, ses pleurs, ses suppliques et les traces rouges qui zébraient son dos.

Quand j'eus couru mes dix kilomètres, Al-Talen me rappela à l'entrée du plateau de l'Ourdos comme un petit chiot. « As-tu compris la leçon ? me demanda-t-il.

— Je ne suis pas sûr de savoir ce qu'il y avait à comprendre… » Al-Talen secoua la tête. Je me grattai le menton. « … si ce n'est que je me suis rendu compte grâce à vous, qu'un homme peut prendre son pied en commandant à un autre. »

Ses joues rosirent légèrement, pas assez pour me faire ricaner, mais rien qu'un brin.

« Le pouvoir change les hommes, autant ceux qui le possèdent que ceux qui le subissent, me dit-il. Je crois que tu as encore envie de courir. »

Il me désigna la plage et les falaises de la baie. J'eus un petit sourire et hochai la tête.

« Vous croyez vraiment que vous avez une responsabilité envers moi, hein ? fis-je.

— Bien sûr, je suis là pour t'apprendre. Malgré toi, c'est autrement plus difficile. Si tu y mettais un peu du tien, nous y gagnerions tous deux, moi, du temps, et toi, du sommeil en plus. »

J'eus un ricanement qui arracha une grimace à Al-Talen. Je me dirigeai vers la plage en traînant les pieds. « Vous savez ce que je crois, moi ? C'est que vous auréolez votre absolutisme en parlant de responsabilités juste pour cacher votre jubilation et le plaisir que vous y prenez », dis-je en marchant à reculons.

Après quoi, je tournai les talons et me coltinai mes dix kilomètres supplémentaires. En grimpant les flancs abrupts des falaises, j'entrevis Tel-Chire qui s'approchait de la baie. Il s'arrêta aux côtés d'Al-Talen avec qui il échangea quelques paroles. Puis il repartit en sens inverse vers le château, sans que je ne puisse entendre un mot.

Après mes vingt kilomètres et de nouvelles journées à récurer les stalles ainsi qu'à lustrer les pavés des couloirs, ma décision était prise. Je barricadai tant bien que mal mes pensées et me creusai la tête pour lui rendre la monnaie de sa pièce. Il était exclu que je lui abandonne mes seuls plaisirs dans cet enfer qu'ils osaient nommer: école. Peu importait qu'une fois ma mission accomplie, je me fasse attraper, châtier de nouveau, obligé à prendre la place du paysan dans la cour, du moment que ma revanche soit consommée. Al-Talen méritait un bon vieux retour de bâton. M'était avis qu'il y avait trop longtemps qu'il se prenait pour le despote de Mantaore.

D'abord, il fallait commencer par le début: attendre qu'Al-Talen soit occupé avec ses poulains, Théo l'albinos et Len-Mar le bagarreur, et pénétrer ses pénates.

J'attendis qu'ils soient tous partis sur la plage pour quelques exercices matinaux avant de me faufiler dans ses appartements. Sa chambre était une vaste pièce rectangulaire. Les murs lambrissés lui conféraient un caractère chaleureux et paisible, un lieu idéal pour s'asseoir près de la cheminée et dévorer un livre. Deux grandes fenêtres à meneaux s'ouvraient sur le chemin de ronde de la façade ouest. Elles étaient bordées de tulipes rouges et bleues. Une grande cheminée, ceinturée de deux bancs, abritait un feu sur le point de s'éteindre. Devant l'âtre, une large bergère était disposée, damassée de velours et de taffetas d'un bleu nuit élégant. Un gigantesque lit s'enfonçait dans une alcôve encadrée de torchères, comme si Al-Talen avait peur du noir. En avançant au milieu de sa chambre, je me surpris à m'y sentir bien.

Je furetai rapidement dans la pièce à la recherche de mes herbes. J'étais persuadé que, par défiance, il les avait gardées à portée de main.

Je n'eus aucun besoin de mettre la chambre sens dessus dessous. La savoureuse odeur des Herbes à Thaumaturges m'indiqua l'endroit où elles avaient été soigneusement dissimulées. Mon odorat s'était affiné depuis mon arrivée à Mantaore. L'amélioration des cinq sens était immanente de notre entraînement : le goût, le toucher, l'odorat, l'ouïe et la vue. Je n'étais pas encore une fine lame ; mon esprit était percé de failles, mais je maîtrisais les cinq sens parfaitement. Les fragrances familières des Herbes me guidèrent jusqu'à elles. Al-Talen les avait rangées dans une malle en bois serti d'ornements en fer noir, dans laquelle je découvris pléthore d'herbes et de plantes, des livres de sorcelleries ancestraux, des encensoirs, diverses tuniques vieilles de plusieurs siècles et ma petite bourse en cuir. Al-Talen avait fait confiance à l'autorité dont il se croyait paré, et il était clair qu'il n'avait pas imaginé que je pousserais la rébellion jusqu'à profaner sa chambre. Il se trompait et j'étais loin d'en avoir fini.

J'attrapai le gousset, le fourrai expressément à l'intérieur de ma ceinture, puis, sans plus m'attarder, effectuai ce que j'avais prévu. Je savais la punition douloureuse, mais j'étais prêt à en supporter les conséquences. *Œil pour œil, dent pour dent.*

Deuxième étape : les cuisines. Plus difficile. Les cuisines étaient la pièce où se rassemblaient les apprentis et les gens de Mantaore. C'était un lieu de vie et c'était surtout le domaine de Salie, la cuisinière, et des jumeaux maléfiques.

Je dus attendre que Salie sorte pour se rendre aux gogues et que Gassiope et son frère fussent appelés ailleurs pour y pénétrer en toute sécurité. Je m'attaquai au tonneau de vin, puis au repas des maîtres. J'avais la chance que Gassiope et Borlémir fassent préparer un plat précis pour chacun des Tenshins. Privilège de la caste. Il était aisé de reconnaître l'assiette d'Al-Talen. Il ne mangeait que des légumes, matin, midi et soir.

La troisième étape nécessitait une légère attente. Elle se ferait en tout dernier lieu, si je ne tombais pas au cours de la bataille.

Une fois que j'eus quitté les cuisines, je retournai m'atteler à mon travail aux écuries. Je passai un peu de temps auprès d'Elfinn. Je le brossai, conversai avec lui en gardant cette obscure impression qu'il comprenait tout ce que je lui racontais.

L'escarcelle dans mon ceinturon semblait appuyer au creux de mon ventre comme le coude d'un poignard. Un gros nuage planait au-dessus de ma tête et c'était moi seul qui l'y avais mis. Œil pour œil… «*Il est indispensable pour un maître de posséder une résolution si inébranlable que même les dieux ne pourraient venir le dévier du but fixé*», déclarait Tel-Chire. Un bon précepte. Il en récitait quelques-uns qui possédaient un semblant de vérité et de sagesse, je devais au moins en convenir.

Assis sur la paille fraîche de la stalle avec Elfinn qui me scrutait de son regard opalescent, je fumais en silence. J'avais les yeux dans le vague quand le rouquin passa la tête par-dessus la barrière du box.

«Tu viens? me demanda-t-il. Le dîner est servi.»

Il me regarda et son visage se fendit d'un sourire. «Tu en as déjà trouvé d'autres. Là, franchement, mon vieux Seïs, tu m'impressionnes.» Je hochai la tête, éteignis la cigarette contre le mur et dissimulai le mégot dans la terre. «Bon Dieu, tu vas encore te faire punir. Combien de kilomètres vas-tu te farcir avant de comprendre?»

Je haussai les épaules. «Ce que j'ai compris, c'est qu'ils ne peuvent rien faire contre moi.»

Il soupira. «Tu te trompes, ils le pourraient, mais ils ne le font pas.

— Qu'ils le fassent, ça n'a aucune importance. Je veux voir de quoi ils sont capables.

— Je me demande parfois qui passe l'épreuve avec toi, les maîtres ou les élèves. »

Je ricanai. « Cela fonctionne dans les deux sens. Je ne veux pas d'un maître qui n'en a pas la carrure.

— Méfie-toi tout de même. Il viendra un moment où tu atteindras les limites de leur patience.

— Bah ! Que feront-ils ? Ils me renverront.

— Par exemple. Mais, je gage qu'ils ont plus d'un tour dans leur sac. M'est avis que ces corvées ne sont pas les pires qu'ils peuvent t'infliger. Tu devrais faire plus attention. Ces herbes valent vraiment que tu te fasses rosser ?

— Les herbes n'ont aucune importance. »

Il me considéra sans comprendre, comme si j'étais vraiment atteint de la carafe.

« Par Orde ! Alors pourquoi tu fais ça si tu t'en moques ? » J'ouvris les mains vers le ciel et un vaste sourire qui voulait tout et rien dire à la fois se coucha sur mes lèvres. « Par bravade, tu le fais par bravade, s'exclama-t-il en secouant la tête. Bon Dieu, Seïs, tu ne gagneras pas contre eux. Tout ce que tu vas réussir, c'est de te faire tricoter les côtes. »

Je me redressai péniblement, les jambes molles, et j'ouvris la porte de la stalle. Je passai aux côtés de Lampsaque et me dirigeai dans la longue allée terreuse des écuries.

« Bon sang ! Seïs, tu as entendu ? insista Lampsaque. Tu ne devrais pas chercher à les foutre en rogne.

— Pourquoi ? »

La question le surprit.

« Eh bien, ce sont nos aînés, si tu souhaites une réponse solennelle… qui peuvent nous réduire en cendres, pour une réponse plus pragmatique.

— Ils ne le feront pas, tu le sais aussi bien que moi, affirmai-je, sans être pourtant convaincu de mes propres paroles.

— Seïs, bon Dieu, écoute une minute. Peut-être qu'ils ne le feront pas, c'est vrai. Mais réfléchis… Ah ! » Il poussa un tel soupir que je crus qu'il s'était déboîté la mâchoire. « On a fricoté pas mal avec les ennuis quand on était mômes toi et moi, à la différence que, moi, ils me sont tombés dessus comme le malheur sur le pauvre monde et que, toi, tu t'es amusé à les chercher comme un chien son os... Fais pas cette tête, sacredieu. Je te connais aussi bien que ta pauvre mère qui a dû se ronger les sangs avec un fils comme toi. Je vais te dire une bonne chose, au départ, cette petite aventure, elle ne m'enchantait pas plus que ça…

— Et maintenant ? » fis-je.

Il chercha le mot juste ; je ne suis pas sûr qu'il fût satisfait quand il le prononça : « Ben, je la trouve plutôt… intéressante.

— Tu aimes les coups de savate ? me moquai-je.

— Je suis comme toi. Les coups, j'en ai l'habitude et ils ne me font pas peur. Cogne tant que tu veux, tant qu'il me restera des forces dans les jambes, je me relèverai pour t'épauler. Mais je vais t'avouer une chose : j'aime bien apprendre. Je n'ai jamais eu l'occasion d'aller à l'école. Dans le village où je vivais, y en avait pas. Fallait aller à Astin pour ça. Mes parents étaient trop pauvres pour nous y envoyer et on était trop nombreux. Trop de bouches à nourrir. De toute façon, tu penses bien que j'aurais pas été le premier sur leur liste. Bref, j'ai trimé comme un dingue pour aider en pensant, comme n'importe quel môme, que mes parents et mes connards de frères me regarderaient d'un autre œil si je bossais bien. C'était pas suffisant. Mais j'ai supporté. C'était pas grave. J'ai travaillé encore plus dur jusqu'à ce que j'en aie marre de tout ce cirque ridicule. Et je suis parti de la maison. Tu te rends compte, c'est en traînant dans les bars qu'un vieux, tout fripé, aux mains moisies, qui était scribe, m'a appris à écrire mon nom. Bon Dieu, Seïs, il a fallu que j'aie seize ans pour apprendre à écrire mon nom. J'ai mis quinze jours avant d'y arriver. Lampsaque, c'est toute une croisière en mer pour parvenir à l'écrire quand t'as jamais tenu une plume de ta vie. Le vieux, il m'a appris à la tailler, à la tremper dans l'encre et à dessiner les lettres. C'est tout ce que j'ai appris. La lettre de nomination, c'est le chef du village qui me l'a lue, ce bon à rien de rouquin que mon père a toujours pris pour mon géniteur. Ici, j'apprends tout ce dont je n'ai même jamais osé rêver, que je n'aurais pas pu rêver d'ailleurs, parce que je n'avais pas la moindre idée que ça puisse exister. L'histoire, la philosophie, l'alchimie, la religion, la magie et tout le tremblement sur les armes. Pardieu ! Seïs, avant d'arriver ici, je savais même pas que Noterre était un Tenshin. Je savais même pas qu'il avait failli devenir roi. Je savais rien de tout ça... Alors, ouais, mon pote, j'ai peut-être l'air d'un abruti en disant ça, mais peu importe les coups de pied aux fesses, les corvées et tout le reste, je suis content d'être là. Tu peux maudire Tel-Chire autant que tu le veux, mais il ne dit pas que des conneries et je suis sûr que tu le sais très bien. C'est un bon maître et il a assez prouvé sa valeur devant le reste du monde pour ne pas avoir à le faire devant son petit blanc bec d'élève qui se croit tout permis. Fais gaffe vieux, il t'arrive parfois d'ériger trop haut ton orgueil pour cacher à quel point tu te hais. » Il détourna les yeux en disant ces derniers mots. Il préféra ajouter : « Fais ce que tu crois juste. Quoi que tu décides, je serai toujours derrière toi pour t'épauler, pour le meilleur et pour le pire, hein ?... Ah ! Putain, c'est parfois dur de te parler. Mais j'essaie juste de te faire comprendre ce que je ressens.

— Je sais ce que tu ressens ».

Ce qui était la vérité.

« Toi alors, qu'est-ce que tu ressens, par Orde ? s'exclama-t-il. Qu'est-ce qui pousse dans ta petite tête pour que tu ne puisses pas rester tranquille cinq minutes et te plier aux lois ?

— La folie », répliquai-je, mi-figue mi-raisin.

Je refermai la porte coulissante des écuries derrière nous tandis qu'il gloussait.

Nous prîmes le chemin de la cour centrale en empruntant le souterrain qui traversait les bâtiments.

« T'es pas aussi fou que tu le dis, me rappela-t-il.

— Abstiens-toi de me citer... Tu veux savoir ? » Il opina. « C'est simple. Si tu ne mets aucune barrière entre un champ et moi, je n'ai pas envie de m'y rendre, mais si tu en fais poser une, je n'ai plus qu'une idée en tête, c'est de l'enjamber. Tu piges ?

— Pas vraiment. Pourquoi veux-tu absolument enjamber la barrière ? »

Je haussai les épaules et déclarai comme si ça pouvait tout expliquer : « Pour la liberté. »

Lampsaque éclata de rire et m'envoya une tape si brutale dans le dos que j'en crachai par terre. « Je n'y crois pas, me dit-il.

— Tu ne crois pas à quoi ?

— À la liberté. » Je faillis m'étouffer. Je lui jetai un regard consterné. « Je pense que nous ne sommes libres de rien, hormis d'accepter les cartes que nous ont distribuées les dieux. Pour le reste, nous sommes enchaînés au vaste monde comme un chien à sa niche. Le chien peut tirer sur sa chaîne autant qu'il le veut et s'avancer aussi loin qu'il le peut, mais à un moment donné, la chaîne va se rappeler à lui et lui rompre le cou.

— Tu penses vraiment ce que tu dis ? »

Il hocha la tête d'un air grave. J'étais persuadé qu'il le croyait vraiment. Lampsaque concevait la vie ainsi. Il avait vu trop de malheurs lui tomber dessus depuis qu'il était enfant pour imaginer qu'il put être libre un instant. Lampsaque était un homme sans imagination qui se cantonnait à ce qu'il connaissait, incapable de voir trop loin par peur de ne pas le supporter. Je me sentis obligé de lui dire que s'il ne croyait pas en la liberté, c'était uniquement parce qu'elle le terrifiait. Qu'il n'y avait pas plus angoissant que de pouvoir choisir soi-même sa propre vie, faire ses propres choix, parce qu'alors les conséquences dépendaient uniquement de celui qui avait pris cette liberté de décider. Il me répondit que j'avais raison, qu'il avait peur, mais que lui au moins, il l'avait accepté.

Dans la cour centrale, je quittai le rouquin en prétextant de rapides ablutions au fleuve. Il ne fut pas dupe. Il opina du chef, m'offrit l'un de ses sourires pince-sans-rire et s'éclipsa par la porte attenante aux cuisines.

Je grimpai promptement les escaliers, traversai l'esplanade, poussai la porte d'une vaste pièce rectangulaire, un salon au sol de marbre turquin, aux murs lambrissés, ornés de méridiennes, de tables et de guéridons soigneusement agencés. Je m'avançai à pas feutrés vers une seconde porte au bout de la pièce. Elle jouxtait la salle à manger des maîtres. Je m'agenouillai devant le vantail et dirigeai un œil droit dans le trou de la serrure. Je distinguais les trois hommes aussi parfaitement que si je m'étais trouvé dans la salle avec eux. Al-Talen était à la pointe de la table, vêtu de son habituelle houppelande blanche, les cheveux attachés en chignon. Tel-Chire me faisait dos. Je distinguais sa nuque découverte, ses cheveux noués en queue de cheval et l'impeccable pourpoint d'Hedem bleu qu'il portait. Cimen Josse-en-bourre était le troisième Tenshin assigné à l'éducation des apprentis. C'était un chevalier au sens strict du terme. Fin, musclé, courtois, sensible aux dames sans l'être trop, affectionnant la compagnie de ses confrères sans s'immiscer dans leur vie, froid, mais pas aussi fermé que Tel-Chire, souriant, mais moins que Den, sage, mais pas autant qu'Al-Talen. Il possédait toutes les qualités sans qu'elles ne soient exacerbées et prenait la mesure de ses défauts. Il en avait une si grande compréhension qu'il prenait un soin méticuleux à essayer de les gommer. Cimen passait son existence à améliorer ses capacités, façonner son caractère de manière à ce qu'il épouse parfaitement les dogmes de Mantaore ainsi que la propre moralité qu'il s'était choisi. Il était le Sansaï de Tolsin le futé et d'Ion le blond.

Les trois hommes étaient en train de dîner, sirotant des coupes de vin. Leur discussion fêlait le calme de la pièce.

Je posai un genou en terre dans un silence absolu sans un froissement d'étoffes. Un faux mouvement de ma part et c'en était fini de moi. Leurs cinq sens étaient extrêmement développés. Jouer un mauvais tour à un Tenshin résultait de la folie pure. Mon esprit était bandé. Mon corps était aussi immobile qu'une statue. Je me contraignis à ralentir les battements de mon cœur et à mesurer ma respiration. Les fenêtres étaient ouvertes et une brise pénétrait dans la pièce. C'était une chance. Elle dissimulait le faible son de mes poumons et de mes entrailles.

Al-Talen goûtait son plat en fronçant les sourcils. Ses yeux bleus enfoncés dans leurs orbites scrutèrent l'assiette avec attention.

« Gassiope aurait-il laissé tomber la salière dans ma soupe ce soir ! » s'exclama-t-il.

Tel-Chire tourna la tête vers lui. « Il aura eu la main leste pour ton assiette ; la mienne est très bien.

— La mienne est plus poivrée que salée, dit Cimen, mais c'est moi qui lui aie demandé.

— Bon, je présume que je n'ai pas eu de chance », dit Al-Talen, regardant sa soupe comme si tout le malheur du monde s'était figé dans son écuelle.

J'avais une furieuse envie de rire.

Al-Talen replongea malgré tout sa fourchette dans son assiette. Il plissa le nez au contact peu flatteur du goût. Il toussa et se saisit de son verre de vin pour le faire passer. Je jubilai. Il avala une bonne rasade. Si tôt qu'il l'eut en bouche, ses yeux s'agrandirent de dégoût. Tout le vin ressortit subitement par ses lèvres et son nez. Il éclaboussa sa soupe soi-disant trop salée et aspergea sa belle tunique blanche.

Tel-Chire le considérait, stupéfait. « Qu'y a-t-il ? demanda mon maître.

— Le vin », bredouilla Al-Talen.

Tel-Chire prit son verre, fit tourbillonner le vin, renifla son odeur, puis y trempa le bout des lèvres avec précaution. Il le fit tourner dans sa bouche et le recracha aussitôt dans sa coupe. « Il est salé », constata-t-il avec une placidité amusante.

Al-Talen releva des yeux brillants de colère. « C'est du sabotage ! »

Un instant, une petite coulée de peur se glissa insidieusement le long de ma nuque, mais Cimen coupa court à la brutale montée de fureur d'Al-Talen : « Le fût de chêne a certainement eu des carences. Pas de quoi fouetter un chat. »

S'il y avait bien une chose que le despote de Mantaore détestait par-dessus tout, c'était que l'on perturbe son repas. Il dînait à heures fixes, vingt heures pile tous les jours, veillait à une dernière leçon de ses poulains et partait se coucher à vingt-deux heures pour se lever à trois heures du matin. Tous les jours le même rituel. Al-Talen était aussi précis qu'une horloge.

« Tu as sûrement raison », finit-il par concéder.

Une ondée étrange traversa son visage. Tel-Chire s'en inquiéta aussitôt. « Quelque chose ne va pas ? »

Al-Talen était blanc comme un linge. Il se pinça les lèvres, leva la tête vers mon maître d'armes et se redressa après avoir fait crisser les pieds de sa chaise sur les dalles. «Je vous prie de m'excuser. Je crois décidément que la soupe ne passe pas.» Il quitta la table sans rien ajouter.

Je me serrais le ventre pour ne pas rire. À mon tour, je me relevai sans bruit et quittai le salon. Je ne suivis pas Al-Talen ; je pris directement le chemin de ma chambre.

Je ne sais pas qui a dit que la vengeance était le plaisir des dieux, mais quitte à m'ériger en dieu, je comptais bien en profiter jusqu'au bout.

Je poussai la porte de ma chambre et m'affalai dans l'un des fauteuils, orienté à dessein vers la porte d'entrée. Une jambe croisée sur mon genou, une cigarette au coin des lèvres, je fermai les yeux et me concentrai en attendant que les choses évoluent d'elles-mêmes. D'abord, je repensai à ce que j'avais fait: le goût du sel dans la soupe d'Al-Talen avait dissimulé l'âcreté des plantes que j'avais concassées et saupoudrées dans son assiette, ces herbes sournoises qu'il abominait. Elles déclenchaient ce qu'à Macline on nommait la "fuyarde". Puni à cause des herbes, vengé par les herbes. Juste retour des choses.

Les yeux clos, mon esprit tirait vers les gogues en attendant qu'il en sorte. Je voyais la porte aussi clairement que si je m'étais trouvé devant elle. La respiration calme, la cigarette se consumant à mes lèvres, jamais je ne m'étais senti si paisible et si déterminé. Quand la porte des latrines s'ouvrit et qu'Al-Talen se dirigea mollement vers sa chambre pour y pratiquer les ablutions d'usage après ce genre d'incident, j'étais sur ses talons. Mon esprit n'était ni accroché au sien, ni totalement arrimé à mon corps. J'avais abandonné mon enveloppe charnelle sur le fauteuil, sans pourtant en être détaché (je sentais encore le goût de ma clope, la texture du bois sous la paume de ma main), mais mon âme errait derrière Al-Talen, se suspendait à ses gestes, au vent ambiant, aux odeurs, aux pierres du château. J'avais déjà tenté de séparer mon esprit de mon corps au cours de différents exercices auprès de Tel-Chire. Je suivais Lampsaque, à la chasse par exemple, et je rapportais à mon maître les proies qu'il avait dénichées. De menus exercices de pratiques sensorielles et télépathiques. Jusqu'à présent, je ne m'y étais jamais entraîné contre un maître dont la perspicacité était plus exacerbée que celle d'un apprenti. Je levai mes murailles mentales en espérant qu'Al-Talen ne me sente pas l'épier.

Ce dernier ouvrit la porte de sa chambre. À peine posa-t-il le pied sur le sol qu'il glissa et dégringola de son mètre quatre-vingt-dix, s'affalant de tout son long comme sur un lac gelé. N'avais-je pas fait ce que l'on m'avait ordonné de faire : nettoyer ?

Dent pour dent…

J'avais lustré de long en large chaque dalle de marbre de sa chambre. Le sol étincelait de propreté. Quelle douce vision ! Le grand sage aux prises avec le savon. Il patina sur son plancher jusqu'à retrouver son équilibre en se tenant à l'un des piliers de son lit. Ses yeux flamboyaient de rage sur son visage pâle et maladif à cause de la fuyarde qui l'avait retenu aux chiottes. Il savait, là, accroché à son lit, il savait, et toute sa colère jetait des feux autour de lui comme un halo de lumière.

Avec précaution, en hurlant et jurant entre ses dents — garnement, malappris, petit saligaud… — il se dirigea vers la porte. Avec sa magie, il ne retomba pas sur les fesses. Ses pieds se mirent à glisser sur les dalles avec agilité et il rejoignit la porte sans trop de casse. Je suppose que je ne devais pas me montrer trop gourmand.

Quand il se précipita dans le couloir en vociférant entre ses dents, je l'abandonnai et retournai dans mon corps. Un léger frisson courut le long de mes reins quand je réintégrai mon enveloppe et, durant quelques petites secondes, je fus envahi par un état proche de la jouissance. Je laissai échapper un gémissement en ouvrant les yeux sur la porte. La sensation me semblait si réelle, si puissante, que je constatai un début d'érection.

J'entendis les hurlements hystériques d'Al-Talen au bout du couloir. J'entendis ses pas précipités se rapprocher de ma chambre. J'entendis ses promesses de fouet, de pendaison et autres paraboles et démonstrations d'affection. La voix de Tel-Chire se mêla à la sienne. Elle provenait de la cour en contrebas. *Dommage, j'aurais peut-être pu faire d'une pierre deux coups,* songeai-je.

La poignée s'abaissa. La porte s'ouvrit. Le seau tomba. La peinture rouge se répandit. Al-Talen se figea… tandis que je fumais tranquillement, un sourire aux lèvres.

J'avais hésité à remplir le seau de goudron et de plumes, mais la peinture rouge avait quelque chose de cocasse quand on y regardait de plus près. Al-Talen ressemblait à un épouvantail avec ses cheveux écarlates, ses deux yeux clairs étourdis au milieu de son visage rougeoyant et sa somptueuse tunique blanche souillée deux fois dans la même journée. Je trouvais équitable de lui reverser le sang qu'il avait lui-même fait verser, même si ce n'était que de la peinture et non le liquide insipide qui coulait dans ses veines éternelles.

Je ne riais pas ouvertement, mais j'étais incapable d'effacer le sourire narquois de mon visage. Je savais pourtant que la fête était terminée. Al-Talen me dévisageait, les yeux noirs de fureur.

Mais il était écrit que les Tenshins n'avaient pas fini de me surprendre. Al-Talen fit une chose à laquelle je ne me serais pas attendu, même si on me l'avait prédit. Son visage se dérida et il éclata de rire. Un rire amusé, sincère. Il se bidonnait carrément tandis que je le considérais soudain avec une profonde méfiance.

Tel-Chire se découpa sous le cadre de la porte dans son impeccable costume bleu. Ses bottes s'enfoncèrent dans la couche de peinture qui maculait le sol de ma chambre ; il n'y prêta pas attention. Lampsaque était sur ses talons et jetait un regard ahuri sur les deux Tenshins. Tel-Chire s'approcha d'Al-Talen, me fixa, lorgna ma cigarette sur le point de s'éteindre, puis reporta son attention sur Al-Talen qui riait en se tapant joyeusement le genou.

« Il m'a eu ! bredouilla-t-il. Ce foutu gosse m'a eu ! »

Puis il pouffa de nouveau de rire.

Tel-Chire secoua gravement la tête. Un petit sourire émergea sur ses lèvres. « Il nous a tous eus », avoua-t-il.

Ses yeux croisèrent ceux d'Al-Talen. Ils échangèrent quelques mots. Leurs pensées étaient toutefois si bien protégées que, malgré mes efforts pour défoncer leurs barrières, je me retrouvai comme une mouette heurtant le sommet d'une falaise.

« Tes progrès sont louables », me dit Tel-Chire.

En dépit de mon étonnement, je tirai sur ma cigarette, puis répétai : « Mes progrès ?

— Oui, mon garçon, souffla Al-Talen qui recouvrait peu à peu son calme. Ce que tu m'as fait, sacredieu, voilà bien longtemps que ce n'était pas arrivé. »

Den, pensai-je. Il acquiesça, avec un sourire en coin.

« Tu es prêt pour l'étape suivante, déclara Tel-Chire d'un ton tellement solennel qu'il aurait aussi bien pu entamer un discours devant le conseil du roi.

— L'étape suivante ? » fis-je, en m'étouffant à moitié avec la fumée de ma cigarette.

Par Orde Tout-Impuissant, c'était un comble. Je venais de couvrir de peinture le symbole de la discipline de Mantaore et voilà qu'il me débitait son charabia. Il tua dans l'œuf tout frémissement de plaisir que me provoquait une bonne revanche et me laissa juste un goût amer dans la bouche.

« Je ne suis pas sûr de comprendre, dis-je en jetant mon mégot dans le feu de cheminée, à part qu'a priori, je ne vais pas finir dans les oubliettes de Mantaore.

— J'ai bien mieux à te proposer, fit Tel-Chire d'un ton qui ne me plût pas du tout.

— C'est-à-dire ?

— Un peu de patience, tu verras. »

CYCLE V

L'ÉTRANGER

De petites traces de sang marquent le bois du parquet. Je les suis à la trace. Il est très tard. La nuit recouvre les Hautes Terres. Je me demande qui sème ces petits cailloux rouges alors que le palais est silencieux. Je longe les arcades et me fige à l'angle d'un couloir. Je penche la tête et j'aperçois le Porteur de Mort, assis sur la première marche des escaliers. Seul, il déboutonne sa veste de cuir qu'il laisse choir à ses côtés et retire en grimaçant sa chemise. Un orbe de sang se dessine sur le haut de son bras et des lézardes rouges sinuent le long de sa peau jusqu'à goutter sur le sol. Il jette un bref coup d'œil sur sa blessure, puis regarde un instant l'allée qui s'ouvre vers le lac. Un rictus tire le coin de ses lèvres.

« Je sais que vous êtes là », murmure-t-il soudain.

Je sursaute et une vague de terreur m'envahit un instant. Je m'oblige à me calmer et m'avance le long de la véranda. Du coin de l'œil, le Porteur de Mort me surveille. Je m'approche, les bras croisés sur la poitrine, la main à portée de ma dague. Si seulement je pouvais en finir. Mais le Porteur de Mort est plus malin ; rien ne lui échappe jamais. Je regarde fixement les petites gouttes de sang qui perlent de son bras et, un bref instant, un frisson désagréable me transit.

« Il est plutôt rare que la Première Lame du clan Shin soit blessée, fais-je remarquer.

— Rare n'est pas impossible, rétorque-t-il.

— Vous souffrez ? »

Il m'adresse un coup d'œil en biais. « J'imagine que je ne souffre pas assez pour vous combler. »

Je mords dans ma lèvre et retiens ma respiration. Mon cœur bat si fort chaque fois que je suis près du lui que j'ai l'impression qu'il n'existe pas d'autres formes de peur. Seulement celle qu'il m'inspire.

Il laisse échapper un sourire en hochant la tête comme pour lui-même. Les gouttes de sang sur le sol finissent par ressembler à des pétales de cerisier. Je les fixe si longtemps que mes yeux se mettent à picoter.

« Pourquoi n'êtes-vous pas couchée à cette heure-ci ? » me demande-t-il.

Je hausse les épaules en regardant les eaux du lac qui se meuvent sous la caresse du vent. « Sans doute parce que je sens lorsque vous saignez.

— La vengeance revêt parfois d'étranges visages », me répond-il avant de replonger dans le silence.

J'incline la tête d'un air faussement déférent. « Je vous souhaite de vous rétablir. »

Il n'est pas dupe un instant, et son œil noir comme un gouffre me fixe avant de se détourner. Les doigts sur le manche de ma dague, je passe dans son dos et remonte le couloir. Avant de disparaître dans le château, il m'interpelle : « Meridiane… »

Je me fige, comme si de l'entendre prononcer mon prénom avait un pouvoir magique, un pouvoir atrocement destructeur. Je ne me retourne pas pour le regarder. J'en suis incapable.

« Qu'y a-t-il ?

— Vous ne devriez pas errer seule dans le château le soir.

— Vous êtes bien mal placé pour me faire la leçon. Du reste, je n'étais pas seule. Je sors de la chambre de votre frère. »

Je mets dans mon ton tout le dédain possible, mais la Première Lame du clan Shin ne cille pas. Le Porteur de Mort ne ressent plus rien depuis longtemps, comme si quelqu'un lui avait un jour arraché le cœur pour lui greffer un bout de métal.

Brenwen avait choisi une auberge tranquille du quartier des Marchands, de bonne réputation. Il m'accueillit à l'entrée, comme nous en avions convenu. Il était vêtu sobrement, mais il portait ses vêtements de manière très élégante. Sa chemise gris clair faisait ressortir la couleur bistrée de son regard. Ses bottes luisaient de propreté. Ses cheveux blonds étaient attachés en catogan dans son dos et quelques mèches tombaient sur son front. Il me sourit lorsque je le rejoignis devant la porte.

« Vous êtes en retard ! fit-il en souriant.

— Je vous accordais une chance de vous enfuir, rétorquai-je.

— Aucune chance ! »

Il m'offrit son bras et nous entrâmes dans l'auberge. La pièce principale était mieux décorée que celle de « Sens Dessous ». Typhon Broustre était connu pour posséder plus de moyens que bon nombre des taverniers de Macline. Ses tables en chêne brillaient de vernis et de savon. Des chaises sculptées portaient la griffe de Fer et donnaient à la bâtisse un cachet ancien et raffiné. Des draperies ornaient les murs que réchauffait une large cheminée. Et une musique douce nous accueillit : un luthier seul qui jouait dans un coin de la pièce.

Une serveuse aux cheveux roux nous conduisit à une table près de la cheminée où brûlait un bon feu. Brenwen poussa ma chaise et j'en fus tellement surprise que je retins de peu un « bon sang » malvenu. Ce qui le dérida. Il s'assit en face de moi et nous commandâmes le plat du chef et du vin.

Le silence glissa sur nous dès que la serveuse se fut éloignée. Brenwen ne me quittait pas du regard. Un sourire timide jouait sur ses lèvres, mais ses yeux demeuraient silencieux et distants. Je me sentais gauche et je me demandais ce que je faisais là.

« Je ne vous imaginais pas timide, me dit-il brusquement.

— Timide ? m'étonnai-je. Je… je ne crois pas l'être. »

Son sourire s'accentua. « Je dois faire erreur dans ce cas.

— Bien sûr, cela ne fait aucun doute… Moi, timide ! »

Mes doigts se mirent à pianoter sur la table et je me concentrai sur le luth en attendant le retour de la serveuse.

« Vous êtes bien silencieuse, remarqua-t-il.

— Vous n'êtes pas très bavard non plus… Peut-être n'ai-je rien à vous dire !

— C'est embarrassant, fit-il, mais il n'avait nullement l'air embarrassé par quoi que ce soit.

— Pour qui ? »

Il ne répondit pas et son regard devint plus pressant. « Pourquoi avez-vous accepté mon invitation ? me demanda-t-il subitement.

— Vous avez gagné ce stupide pari avec Antoni. J'honore sa dette comme il se doit. »

Antoni avait parié lors d'un combat clandestin de rokushs et Brenwen avait trouvé judicieux d'augmenter la mise. Bien sûr, Antoni avait perdu et il n'avait rien trouvé de plus malin que de me donner en gage, prétextant que, de toute façon, j'avais une dette envers lui.

« Est-ce la seule raison ? me demanda Brenwen avec une petite moue moqueuse.

— Bien sûr.

— C'est dommage.

– Vous n'êtes pas fâché ?

– Pourquoi le serais-je ? Vous êtes là malgré tout. J'ai une chance de vous plaire.

– Vous croyez ?

– J'en suis certain.

– Vous êtes trop sûr de vous.

– C'est vrai. Si je ne l'étais pas, je ne vous aurais pas invitée. Je n'en aurais pas eu le courage et vous seriez restée cette belle inconnue croisée dans une taverne. »

La serveuse revint, posa un pichet de vin sur la table ainsi que deux verres. Brenwen lui fit signe qu'il servirait. La serveuse hocha la tête et s'éclipsa aussitôt. Brenwen remplit nos verres, de somptueuses coupes à pied, si bien que je me demandais combien il avait misé lors du concours de rokushs, et combien il avait remporté.

« Je ne suis pas sûre de connaître vos motivations, dis-je en attrapant mon verre.

– Les motivations de quoi ? De mon invitation ? Simple. Quand une femme plaît à un homme, ne doit-il pas tenter sa chance et la conquérir ?

– Vous essayez de me conquérir ? »

Il prit son verre, but quelques gorgées, puis haussa finalement les épaules. « Je n'en suis pas là.

– Où en êtes-vous alors ?

– Seulement là où nous en sommes. À tâtonner pour mieux vous connaître et voir ensuite ce qui peut se passer.

– Que peut-il se passer ensuite ?

– Posez-vous toujours autant de questions ? » lança-il, un brin amusé.

Je pris quelques instants pour y réfléchir. Ce qui le fit rire.

« Vous êtes mon premier rendez-vous, lui confiai-je. Je manque d'habitude. Et puis, poser des questions, n'est-ce pas le meilleur moyen de faire connaissance ? »

Il m'adressa un sourire. « Le moyen le plus brutal. »

Je fis la moue, puis hochai la tête. « J'ai vécu au milieu de cinq hommes, je dois avouer que je manque parfois de subtilité. Si vous recherchez une femme qui puise dans ses charmes pour appâter un homme, vous devriez chercher ailleurs.

— Je ne recherche rien de précis. Je ne suis pas là pour vous juger, pas plus que pour vous faire passer un examen. Du reste, votre franchise a tout pour me plaire.

— Ma franchise en a fait fuir plus d'un.

— J'ai le cuir solide, rétorqua-t-il.

— D'autres ont dit ça.

— Je veux bien relever le défi.

— Vous êtes un joueur, Monsieur Eschème.

— Il serait temps de m'appeler Brenwen, non ?

— Si vous voulez. »

La serveuse nous apporta nos plats. Nous mangeâmes de bon appétit et bûmes d'aussi bon cœur. Une fois lancé, Brenwen n'arrêta plus de parler et je ris beaucoup au cours du repas. Pourtant, lorsqu'Antoni vint me chercher à l'auberge pour me raccompagner à la maison, comme un bon chaperon, je me demandai ce que je savais finalement de lui. Je me creusai la tête et tentai de me rappeler des bribes de conversation qui auraient pu m'en apprendre sur lui, mais à part qu'il aimait le vin, la bonne pitance et quelques autres détails festifs, je dus me rendre à l'évidence : Brenwen demeurait toujours un mystère. Il m'avait emberlificotée de telle manière que j'avais dansé sans m'en rendre compte. Je me fis la promesse d'en apprendre davantage sur lui, de le pousser dans ses retranchements au point qu'il devrait me dire la vérité. Pourquoi avais-je la certitude de devoir creuser ?

La nuit s'avançait sur Shore-Ker quand Antoni arriva à l'auberge. Bras dessus bras dessous, nous prîmes le chemin de la maison et nous nous engageâmes dans les sous-bois, marchant un moment en silence, avant qu'Antoni ne le brise pour m'assaillir de questions sur mon rendez-vous.

Nous franchîmes un lacet, épousant les contreforts d'un gigantesque rocher que l'on surnommait Pied de bouc à cause de sa silhouette en forme de sabot. Antoni riait à gorge déployée. Mais, quand nous eûmes dépassé le virage, il ralentit soudain le pas. Le visage collé contre son épaule, je relevai les yeux et suivis son regard.

Un homme était adossé à un peuplier aux feuilles bourgeonnantes d'orange et de rouge. Un cigare pendait à ses lèvres et des volutes de fumée opaque s'enroulaient devant un visage déconcertant. Son teint diaphane me transit de froid. Ses cheveux d'un noir profond et brillant, déferlant jusqu'à ses reins, rehaussaient davantage le contraste de sa peau d'albâtre. Un reflet de lune se couchait sur son visage et faisait luire son regard d'une couleur argentée. On aurait dit un spectre. Ses vêtements étaient aussi curieux que son apparence. Un long manteau noir en Hedem l'habillait entièrement avec un col relevé, agrafé sur le devant par des boutons de pierres noires, si bien que je ne pus qu'entrapercevoir ses bottes d'une couleur et d'une matière similaires. L'Hedem était un matériau très prisé et très onéreux en Asclépion. Il n'était pas courant d'en voir couvrir une personne de la tête aux pieds, moins encore en été. Tout le monde savait que l'Hedem était particulièrement chaud.

Lorsqu'on parvint à sa hauteur, l'homme s'avança dans notre direction et retira son cigare de la commissure de ses lèvres. « Bonsoir », nous dit-il avec un accent étrange qui ne ressemblait pas à celui des gens de la région.

Antoni plissa le front. « Bonsoir », répondit-il d'une voix rembrunie. Le visage renfrogné de mon cousin m'inquiéta. L'étranger ne parut pas s'en offusquer. Son regard se porta sur Antoni, puis sur moi avec une expression insolite. Il était difficile de le fixer. Ses yeux avaient quelque chose de surnaturel et de dérangeant. Ils étaient trop luisants, trop clairs, comme s'ils étaient dépourvus d'iris. Il avait des orbites enfoncées et la rondeur du globe oculaire semblait disproportionnée. Tout en lui paraissait transparent.

L'étranger se rapprocha d'un pas circonspect, puis demanda d'une voix curieusement cristalline : « Pourriez-vous m'indiquer la demeure de la famille Amorgen, s'il vous plaît ? Je crois qu'on la nomme joliment Point-de-Jour. »

Antoni me jeta un bref coup d'œil soucieux et je sus qu'il avait autant envie de lui répondre que d'embrasser sur la bouche la vieille Mercy, la doyenne de Macline.

« On la nomme effectivement comme ça, mais ce n'est pas dans mes habitudes de donner le chemin à un étranger », répondit Antoni.

Un sourire rompit les lèvres de l'inconnu. Il porta son cigare à ses lèvres et regarda autour de lui, comme s'il cherchait quelque chose, avant de revenir sur mon cousin.

« Vous êtes un jeune homme prudent, je puis le comprendre. Je dois avouer que je manque à tous mes devoirs. Mon nom est Nolwen. J'ai fait un long voyage pour venir jusqu'ici afin de trouver la famille Amorgen. Ce ne fut pas une tâche aisée.

— Un long voyage ? répétai-je.

— En effet, Mademoiselle. Ma demeure se situe bien loin, en Ulutil. » Il leva la main vers l'ouest et ses doigts semblèrent s'étendre bien au-delà encore.

Antoni écarquilla les yeux de stupéfaction. Pour la première fois de nos vies, nous croisions le chemin d'un

Ulutien. Le continent d'Ulutil était en quelque sorte la mère patrie, le berceau de l'humanité. Selon les légendes, les premiers êtres vivants avaient échoué sur ses rivages voilà des milliers d'années. Ulutil était peut-être cinq, six fois plus grand qu'Asclépion. J'avais maintes fois entendu les vieilles histoires de marins qui, après être revenus d'Ulutil, narraient toutes les découvertes qu'ils avaient faites au pays des Mille Cités. Le roi Sinrade le Grand de la cité du Sud, Belogos de la cité de l'Ouest, Inlaë de la cité du Nord… Combien de récits avaient contés la majesté de leurs demeures, de leurs villes ? Ils en revenaient tous transformés d'une manière ou d'une autre. Toutes les paraboles sur les héros d'Ulutil étaient les nôtres. Tous les monstres aussi.

Antoni ouvrit la bouche et la referma plusieurs fois comme une carpe avant d'arriver à bredouiller : « Un Ulutien ! » Ses yeux étaient comme deux billes rondes et son visage rayonnait.

« Oui, est-ce si surprenant ? » demanda l'étranger, amusé.

Nous acquiesçâmes d'un hochement de tête si bien coordonné que l'Ulutien éclata de rire. « J'ose espérer que ce n'est pas un mal par ici d'être Ulutien. Puis-je néanmoins obtenir votre aide ? »

Le regard d'Antoni croisa le mien. Il se pinça les lèvres, parut réfléchir en scrutant la créature. « Je suppose qu'en effet ce n'est pas un mal. Si je vous conduis là où vous le désirez, j'espère que vos motivations sont respectables. »

L'expression parut amuser l'Ulutien. « Je vous rassure, vous n'avez rien à craindre de moi.

— Bien, dans ce cas, je suis Antoni Amorgen et voici ma cousine, Naïs Holisse. Si vous le souhaitez toujours, nous vous conduirons à Point-de-Jour.

— En effet, je vous en remercie vivement. »

Il braqua ses yeux opalescents sur moi. Son visage sembla pâlir subitement et d'une voix cotonneuse comme un somnambule, il murmura : « Je vous connais. » Puis, il cligna plusieurs fois des paupières, battit des cils et se frotta les yeux comme s'il sortait du lit. Il me dévisagea avec intensité. Je détournai la tête et esquivai son regard en me rapprochant d'Antoni, qui noua instinctivement son bras sur mes reins.

« Non, je ne crois pas », marmottai-je, mal à l'aise.

Il secoua la tête, manifestement pensif, puis esquissa un sourire chaleureux. « Je dois me tromper », finit-il par déclarer. Il détacha son regard du mien, et ce fut comme si une sangle d'acier me libérait le crâne.

Nolwen se déplaça vers le bord du chemin pour nous laisser passer. « Je vous en prie, nous dit-il. Je vous suis. »

Antoni me poussa sur le sentier sans me lâcher. Nous passâmes devant l'Ulutien, puis nous nous engageâmes sur la route de Point-de-Jour. Nolwen nous emboîta le pas en silence. Je jetai un coup d'œil par-dessus mon épaule et ne pus m'empêcher de songer que, même dans sa façon de se mouvoir, l'Ulutien semblait curieux. Ses gestes étaient élastiques, tout autant que sa peau, et d'une grâce indéniable. Il paraissait dépourvu de squelette, d'articulations, si bien que chacun de ses mouvements était aérien.

Antoni ne cessait de regarder l'Ulutien par-dessus son épaule. Il demeurait silencieux, plongé dans la contemplation des futaies couronnées d'un rai de lune grisâtre. Il ignorait, avec une aisance sans doute factice, les œillades prolongées de mon cousin.

Poussée par la curiosité, je finis par lui demander : « Pour quelles raisons avez-vous fait un si long voyage ? »

Antoni me décocha un regard excité. Il m'obligea à ralentir l'allure jusqu'à ce que Nolwen fût à notre hauteur.

« Je l'ignore encore. Je le saurai lorsque je serai à Point-de-Jour. »

Antoni toussota afin de masquer sa surprise. L'Ulutien semblait manifestement convaincu de sa propre ignorance et paraissait aussi surpris que nous. Je conservai le silence ; sa présence me rendait nerveuse. J'ignorais ce qui conduisait Nolwen à Point-de-Jour, mais, quoi qu'il en soit, cet homme, si tant était qu'il fût un homme, m'inquiétait profondément comme si… comme s'il n'était pas humain.

Lorsque son épaule effleura la mienne, je faillis bondir en arrière, comme si un courant électrique m'avait percutée de plein fouet. Nolwen tourna la tête vers moi et parut peiné. « Pardonnez-moi », murmura-t-il. Puis il baissa les yeux et fixa ses chaussures.

« Ce n'est pas grave. »

Il secoua la tête, puis d'une main blanche et fine, tira sur le col de sa veste pour la remonter sur son cou. « Je vous fais peur, marmonna-t-il.

– Non, bien sûr que non, fit mon cousin. Nous n'avons pas l'habitude des étrangers. Voilà tout. »

Comme si c'était une excuse suffisante. Antoni s'en rendit compte et se mâcha de nouveau l'intérieur de la joue avec frénésie.

« Je fais souvent cet effet, dit Nolwen. Quand les gens me regardent, ils ont conscience de voir quelque chose d'inhabituel, et d'un autre côté, ils ne supportent pas ce qui sort de l'ordinaire. J'en ai pris l'habitude. Ne soyez pas gênée de vos sentiments.

– Ce n'est pas le cas », dis-je vivement, mais sans conviction.

Nolwen eut un petit sourire, puis détourna les yeux pour contempler l'extrémité de son cigare. Il s'était éteint, pourtant il ne prit pas la peine de le rallumer. Antoni le regarda agir, pensif.

« Et d'où venez-vous exactement d'Ulutil ? demandai-je.

– Du centre. Je possède une petite propriété non loin du royaume du Roi Belogos ; je n'y vis pas souvent en vérité. Mes affaires m'obligent à voyager.

– Est-ce vos affaires qui vous conduisent à Point-de-Jour ?

– Et quelles sont-elles vos affaires au juste ? » renchérit Antoni.

L'Ulutien partit d'un rire léger. « En effet, ce sont mes affaires qui m'amènent de manière si impromptue à Point-de-Jour, bien que je n'en serai assuré qu'une fois arrivé. Quant à mes affaires proprement dites, elles sont diverses et variées. Je ne fais pas de commerce comme c'est la coutume par ici, me semble-t-il, mais je suis… tailleur en quelque sorte.

– Un tailleur, répéta Antoni en dévisageant l'Ulutien avec surprise.

– Oui, pas au sens où vous l'entendez toutefois. Disons que je rapièce les choses qui tendent à se déchirer.

– Je ne suis pas sûre de comprendre, dis-je.

– Vous comprendrez. Ne vous inquiétez pas. » Il se pencha légèrement vers moi. Le contact de son épaule me fit de nouveau frissonner. « La mémoire est fluctuante. La vérité n'est pas celle que vous croyez. Elle vous semblera belle et elle vous semblera odieuse. Le sang coulera dans vos mains et vous pleurerez », dit-il soudain avec un tel sérieux que je m'arrêtai au milieu de la route et le dévisageai.

Les yeux de Nolwen se figèrent un instant, puis revinrent à la vie et se remirent à s'agiter dans des orbites trop larges pour être celles d'un homme normal. Il me regarda comme s'il me voyait pour la première fois. « Qu'étais-je en train de dire ? » demanda-t-il.

Je jetai un bref coup d'œil à Antoni. Il haussa les épaules, aussi médusé que moi.

« Vous disiez que… »

Antoni me coupa la parole. « Que vous étiez tailleur, dit-il.

— Ah oui, en effet. Je rapièce ce qui tend à se déchirer. Oui, oui, c'est cela. »

Nolwen se tut et parut se plonger dans ses réflexions. Antoni me regarda, perplexe, puis reprit le chemin en m'entraînant avec lui.

Dès qu'on posa le pied dans la cour, Mars déboula de la grange et se rua en aboyant sur Antoni, puis sur moi, avant de s'arrêter aux pieds de l'étranger. Le chien renifla ses jambes avec insistance. Nolwen se pencha et caressa furtivement la tête du shar-pei. Mars leva ses petits yeux marron sur l'inconnu, huma l'air et s'éloigna brusquement vers la maison en couinant, la queue entre les jambes.

« Les chiens ne m'ont jamais aimé », dit Nolwen d'un air attristé.

Il haussa les épaules et je ne sus qu'en penser. Antoni tourna la tête vers moi et me considéra en se pinçant les lèvres.

Sirus, alerté par les aboiements du chien, ne tarda pas à sortir sur le perron. Il scruta la cour, nous aperçut et descendit les marches.

« Papa ! » s'écria Antoni. Il traversa la cour en quelques pas et fonça vers son père. « Un visiteur, annonça mon cousin.

— J'avais cru le remarquer », grogna Sirus.

Antoni se crispa. Le regard de Sirus dévia de son fils vers moi, puis s'arrêta sur la silhouette indolente de Nolwen. L'Ulutien me jeta un bref coup d'œil où je crus discerner un vague amusement, puis s'approcha de mon oncle.

Athora sortit de la cuisine en s'essuyant les mains sur son tablier. « Que se passe-t-il ? demanda-t-elle.

— Un visiteur, expliqua Antoni.

— Un visiteur ? »

Fer apparut derrière sa mère, les sourcils froncés, et chercha des yeux l'étranger qui venait rompre sa tranquillité. Dès qu'il le vit, il marcha sur les traces de son père. Antoni crut bon d'intervenir et se hasarda à faire des présentations tandis que Nolwen s'inclinait devant mon oncle avec une profonde déférence.

« Voici Nolwen, dit Antoni, c'est un Ulutien. Il cherchait le chemin de Point-de-Jour. »

Sirus dévisageait l'étranger avec une expression d'une extrême froideur.

« Messire Amorgen, dit Nolwen, je suis enchanté de vous rencontrer enfin et d'être parvenu à destination. J'espère que vous me pardonnerez de me présenter à vous de façon si impromptue et à une heure si tardive... » Il s'interrompit soudain, promena son regard sur nous. « Toute la famille n'est pas ici, n'est-ce pas ? »

Sirus croisa les bras sur la poitrine. Si Nolwen pouvait émettre quelques doutes sur l'hospitalité des paysans macliniens, devant le regard rembruni de mon oncle, la question était tranchée.

« J'ai besoin de voir toute la famille, déclara Nolwen subitement sans avoir l'air inquiet de la mine peu engageante de mon oncle.

— Pourquoi ? demanda Sirus d'un ton rude.

— Je l'ignore », répondit l'Ulutien avec un profond désarroi.

Il regarda tous les membres de la famille, s'arrêta sur moi, puis poursuivit son inspection d'un air déboussolé.

« Vous l'ignorez ? » s'étonna Athora.

Elle se rapprocha de Sirus et posa une main délicate sur le bras de son mari.

« En effet, je le crains. »

Il leva la tête vers le ciel et considéra l'éclat de la lune peu à peu recouverte de quelques nuages cotonneux.

« Vous vous fichez de nous ! » s'exclama Fer.

Sirus leva la main pour lui couper la parole. « Pourquoi avoir traversé l'Ulutil et l'Asclépion pour venir jusqu'ici si vous ignorez pour quelles raisons, si bien sûr vous êtes bien ce que vous prétendez être ? »

Nolwen laissa échapper un sourire. « Je suis bien ce que je suis. Vous n'avez rien à craindre de moi. Je peux vous l'assurer. Que voulez-vous ? Il arrive parfois que Mathan soit joueur. Tantôt il révèle, tantôt il recèle.

— Mathan ? répéta Athora, interloquée. Le Dieu des prophéties ?

— Oui, Madame. La lune est voilée à présent. Le temps est lui-même joueur ce soir. Voilà qui est dommage. En posant le pied en Asclépion, j'ignorais ce que je trouverais à Macline et, maintenant que je suis à Point-de-Jour, Mathan met ma patience à rude épreuve…

— Et la nôtre, coupa Sirus d'un ton venimeux.

— Je vous prie de m'en excuser, Messire. Mathan dicte ses prophéties lorsque le cœur lui en dit. Les dieux n'agissent que lorsqu'ils en éprouvent le désir et non lorsqu'on les en supplie. Je dois faire preuve de prudence et faire fonctionner mes oreilles et mes yeux pour discerner ce qu'il voudra me révéler. Mal interprétées, les prophéties sont dangereuses. Nul ne peut l'ignorer. »

Nolwen releva soudain la tête et observa par-dessus l'épaule de mon oncle. Son visage s'éclaira tout à coup. Il contourna Sirus avec une vivacité déroutante et se précipita vers la porte de la maison contre laquelle était adossé Teichi.

Mon cousin le regarda se ruer sur lui les yeux écarquillés de stupeur. Nolwen tendait ses longs doigts fins vers Teichi, comme s'il voulait l'étrangler. Sirus pivota sur ses talons. Athora poussa un cri de surprise. Mais Fer fut le premier à réagir. Il poussa Nolwen d'un coup d'épaule, pas assez fort pour le faire tomber, mais assez pour le faire chanceler. Nolwen s'arrêta, ébahi, et retrouva son équilibre d'un mouvement gracieux. Fer se campa entre Teichi et l'Ulutien.

« Si vous le touchez, je vous tue sur le champ », lança-t-il.

J'étais sûre qu'il pensait chaque mot. L'Ulutien dut le croire aussi, car il le considéra sans bouger. L'expression de sa figure avait quelque chose de penaud et d'enfantin, comme si on venait de lui retirer un jouet.

« Qu'est-ce que vous voulez ? » demanda sèchement Fer.

Nolwen ne parut pas l'entendre. Teichi et lui se regardaient mutuellement avec une profonde curiosité.

Sirus s'approcha vivement de l'étranger et se planta à côté de son fils, lui barrant la vue de Teichi. Il ancra deux yeux noirs furibonds sur l'étranger. Son visage avait définitivement perdu toute forme de courtoisie.

« Mon fils vous a posé une question », fit-il, menaçant.

Nolwen ouvrit la bouche, puis la referma. On aurait dit qu'il cherchait à reprendre pieds dans notre réalité. Il posa un regard tendre sur Sirus. « Je sais pourquoi je suis venu jusqu'ici, dit-il avec simplicité.

— Dans ce cas, il serait grand temps de nous en faire part.

— J'ai fait un si long chemin pour le trouver… Mathan, si j'avais pensé que tu me réservais cette surprise ! s'exclama Nolwen, bouleversé. Mes espoirs sont enfin récompensés.

— Qu'est-ce que vous racontez ? » s'enquit Sirus d'un ton véhément.

Antoni profita de l'altercation pour se rapprocher de moi. Il m'adressa un regard contrit. Il devait se sentir fautif de la mauvaise tournure que prenait la situation.

« Je suis ici pour lui », dit finalement Nolwen en pointant du doigt Teichi.

Teichi se rapprocha. L'Ulutien ne le quittait pas du regard. Puis, il eut un hoquet qui métamorphosa son visage. Il tourna la tête, me chercha du regard, me trouva et me regarda à nouveau de cet air pâle et vitreux en disant d'une voix douce : « Je te connais. » Antoni m'attrapa vivement par la taille et me fit passer derrière lui. Ce dernier battit des paupières à plusieurs reprises, puis se racla la gorge. « Qu'étais-je en train de dire ? » demanda-t-il, comme s'il était désorienté.

Sirus m'adressa un coup d'œil curieux, puis lança : « Ce que vous étiez en train de faire ici ?

— Ah oui ! C'est exact. Ce que je fais ici. » Il regarda longuement les visages peu amènes de Fer et de Sirus. « Mathan a répondu à ma prière, dit-il. Rassurez-vous, Sirus Amorgen. Je ne vous veux aucun mal, ni à vous, ni à votre famille. Je porte au contraire un grand intérêt à votre fils. »

Sirus tourna la tête vers Teichi qui se rapprochait subrepticement de la scène.

« Mon nom est Nolwen de Sirion, se présenta-t-il à nouveau. Je suis tailleur, comme je l'expliquais à votre plus jeune fils tout à l'heure. Mon rôle est de rapiécer les pans de l'histoire qui s'effondrent. Je conseille aussi également ceux qui demandent mon avis ou mon aide. J'œuvre en Ulutil pour qui requiert mes soins et mon attention. Les temps vont changer. L'histoire est en marche et je crains que des créatures soient à l'œuvre pour la bouleverser à leur avantage. Le monde change et je dois changer avec lui. C'est pourquoi, Messire Amorgen, j'ai besoin de votre fils. »

Sirus l'écoutait avec une mine grave tandis qu'à ses côtés, Fer semblait bouillir. Nolwen ne pouvait manquer de le remarquer, mais il continua néanmoins d'une traite : « L'emprisonnement d'Ethen le Maudit dans l'Entre-deux monde n'a pas endigué la distorsion de l'équilibre. Les terres basculent du mauvais côté. Vous connaissez, n'est-ce pas, ce que l'on nomme l'*Actabane Ethen* dans la vieille langue ?

– L'*Actabane* est le sixième couplet du livre d'Orde et je crois que cela signifie folie », répondit Antoni. Tous les yeux se braquèrent sur lui. Il se racla la gorge en baissant la tête, puis la releva et soutint le regard opalescent de l'Ulutien. « Ethen serait tombé amoureux d'une elfe aux temps anciens, expliqua Antoni. Il lui aurait fait un enfant. La femme elfe serait morte, tuée de sa propre main pour une raison qui échappe désormais à l'histoire. D'après la légende, Ethen, toutefois sérieusement blessé par la jeune femme, ne put récupérer son fils, qui tomba entre les mains des hommes... » Antoni adressa un coup d'œil interrogatif à l'Ulutien et celui-ci hocha la tête pour corroborer ses propos. « Les hommes, terrifiés par la puissance d'Ethen et de son fils, tentèrent de mettre un terme à sa vie ; ils le torturèrent de mille façons, mais ils ne parvinrent pas à le tuer, sa magie étant trop grande pour eux. Alors, ils décidèrent de l'enfermer dans les Monts de Douleur. »

Nolwen hocha la tête et enjoignit Antoni de poursuivre. Antoni prit une profonde inspiration et se rapprocha de l'Ulutien.

« Ethen était affaibli, mais sa colère, son désir de pouvoir et de vengeance demeuraient vivaces. Pour contrecarrer les plans des dieux pour notre monde, il les attaqua un à un. Les dieux s'unirent et parvinrent à emprisonner Ethen dans l'Entre-deux monde. Son pouvoir destructeur fut mis sous scellé ; en tout cas, c'est ce qui est écrit dans le livre d'Orde, ajouta Antoni.

– Mais pas son esprit, assura Nolwen avec gravité. Il dispense son œuvre au travers de ses créatures et de ses manigances…

–Où tout ça nous mène-t-il? le coupa soudain Sirus.

– Où cela nous mène, Messire Amorgen? J'y viens. Le mal ne cesse de croître d'année en année, son pouvoir augmente.

– Comment est-ce possible? s'enquit Antoni d'un ton vif. Le livre d'Orde dit que le pouvoir d'Ethen est contenu par sa prison. »

Un sourire étira les lèvres bleuâtres de l'Ulutien. « En effet, c'est le cas. Vous connaissez bien cette histoire. » Antoni parut flatté du compliment. « Les dieux maîtrisent la folie d'Ethen en le gardant prisonnier. Mais, bien qu'Ethen porte le dénominatif de "dieu inférieur" dans votre livre d'Orde, il ne faut pas vous ôter de l'esprit qu'il n'en est pas moins puissant et plus rusé que vos contes le laissent souvent imaginer.

– Vous proférez le nom d'Ethen à tort et à travers, s'exclama Athora d'un ton aigre. Vous allez nous attirer le malheur.

– Madame, je crains fort de n'avoir nul besoin de prononcer son nom pour apporter le malheur où que ce soit. Le malheur existe, il est là, parmi nous sous diverses formes, et Ethen n'a que faire de vous entendre. Il ne nous écoute pas. Nos prières, nos suppliques n'ont aucun effet sur lui, hormis peut-être de le conforter dans son désir de revanche.

– Qu'est-ce que ça veut dire? maugréa Fer.

– Comment Ethen peut-il encore menacer l'équilibre de notre monde alors qu'il est prisonnier de l'Entre-deux monde? » s'enquit Antoni.

Nolwen prit une profonde inspiration. « Simple, dit-il. Son fils. »

Fer déglutit en posant un regard dubitatif sur l'Ulutien. Teichi passa la tête entre les épaules de son frère et de son père pour le dévisager.

Nolwen continua : « Le fils d'Ethen sommeille dans les cavernes de Menorgol et attend patiemment son heure. Ethen n'est pas idiot et il sait que, sur terre, une créature pétrie de haine tend à grandir dans les entrailles des Monts de Douleur. Son fils est comme une porte pour lui et Il n'attend que cela.

— Bon sang, c'est insensé ! s'exclama Fer, les traits tirés. Où diable nous mènent toutes vos explications ? En quoi cela nous concerne-t-il ?

— Eh bien, disons qu'en tant qu'humain, j'imagine que le sort du monde vous importe. Ensuite, parce que cette constatation nécessite pour moi de requérir l'aide de votre frère. » Ses yeux se posèrent sur Teichi qui retint sa respiration. « Le pouvoir d'Ethen grandit, dit Nolwen. Il prospère. Il est déjà palpable dans tout l'Ulutil à l'heure où je vous parle. Il croît à la surface de la terre comme pousse un arbre. D'abord arbuste, nous le percevons à peine, puis il s'étend et plus nous le laissons grandir librement, plus il sera difficile à abattre. C'est pourquoi je suis ici, aujourd'hui, à vous conter des histoires abracadabrantes sur vos légendes sacrées. Peut-être les preniez-vous pour de simples fables ? Peut-être n'avez-vous jamais perçu ces récits comme de véritables faits historiques ? Pourtant, ils sont réels. Ethen est bel et bien prisonnier de l'Entre-deux monde, son désir de pouvoir est indubitable, et il a bien un fils qui mûrit sa haine en attendant d'être assez fort pour la laisser éclater. Tout ceci est bien réel.

– Pourquoi avez-vous besoin de moi ? » demanda Teichi.

L'Ulutien posa sur lui un regard presque énamouré.

« J'ai besoin d'un apprenti, dit Nolwen.

– Un apprenti ?

– M-hm. »

Sirus se racla la gorge, se rapprocha de son fils et posa la main sur son épaule pour l'obliger à s'écarter de l'étranger. « Qui êtes-vous donc ? Vous êtes prophète ou quelqu'chose comme ça ?

– Non, Messire Amorgen, il peut m'arriver de l'espérer, mais je ne suis pas prophète. Cependant, il arrive quelquefois que Mathan m'accorde son don de voyance et j'entrevois alors ce que d'autres ignorent.

– Si vous n'êtes pas prophète et que vous recherchez un apprenti, vous devez bien être quelqu'chose, non ? poursuivit mon oncle avec impatience.

– En effet, je présume que je dois bien être quelque chose, dit l'Ulutien en souriant. Ce que je suis n'a pas vraiment d'intérêt…

– Au contraire, le coupa Sirus, à mon avis, ça en a beaucoup. »

Son ton catégorique ne laissait aucune place à la discussion.

Nolwen le comprit tout de suite et il ne chercha pas à s'esquiver. « On me donne beaucoup de noms. On me prête aussi beaucoup de fonctions, mais bien peu sont adéquates à me décrire. Je suis tailleur, je vous l'ai dit, et conseiller à l'occasion.

– Vous conseillez qui ? grogna Fer.

– Tous ceux qui requièrent mon avis. Rois, paysans, elfes, humains… Ceux qui ont assez d'humilité pour demander assistance et conseils. Ma tâche est de…

— … recoudre les pans de l'histoire», intervint Antoni d'une petite voix.

Nolwen émit un petit rire cristallin. «Recoudre, fit-il, amusé. Oui, recoudre, pourquoi pas. De manière générale, j'essaie d'apporter, de mon humble main, un petit coup de pouce aux populations qui le requièrent.

— Pour quelles raisons? demanda Sirus.

— Pour quelles raisons? s'étonna l'Ulutien. Faut-il avoir des raisons pour venir en aide aux gens qui en ont besoin?

— L'abnégation est une fable pour les assistés, déclara Fer d'un ton glacé. Il n'y a bien que les sots pour imaginer que quelqu'un peut leur venir en aide gratuitement et en toute bonté sans rien demander en retour.

— C'est fort dommage, ne trouvez-vous pas? Heureusement pour les habitants de ce monde qu'il existe quelques créatures altruistes capables d'oublier un tant soit peu leurs propres problèmes pour se consacrer à ceux des autres, n'est-ce pas?

— Et vous vous targuez d'être l'une de ces créatures? lança Fer.

— Je tente d'y parvenir en effet.

— Mais qui êtes-vous?» demandai-je.

L'Ulutien me considéra d'un regard caressant, puis sourit. «Que je puisse être un simple conseiller ne vous satisfait pas, Mademoiselle? me dit-il d'un ton espiègle.

— Je pense que vous êtes plus que vous voulez nous le faire croire.

— Qu'est-ce qui vous permet d'en être aussi sûre?»

Je m'avançai vers l'Ulutien. «Je… je crois que vous n'êtes pas humain.»

Antoni étouffa un hoquet de stupéfaction. Les sourcils noirs de Nolwen s'arquèrent sur ses yeux adamantins.

«Vous avez raison de le croire.»

Le silence tomba sur la cour comme une enclume.

«Qui êtes-vous alors? demandai-je d'une voix fébrile, surprise d'être tombée juste.

– Eh bien, disons que je ne suis pas prophète, mais que je discerne parfois l'avenir. Je ne suis pas un messager des dieux, pourtant il m'arrive de converser avec eux. Je ne suis pas un guerrier et je manie quelquefois une arme. Je ne suis pas un dieu, mais je suis fils de dieux. On me distribue tant de noms et on me croit à présent entré dans la légende, un mythe oublié, moi, ainsi que tous ceux qui me ressemblent et qui sont de mon sang…

– Un Élènide», coupa Antoni, subjugué.

Antoni réussit l'exploit de nous réduire au silence. Athora se musela la bouche d'une main comme si elle craignait de lâcher un cri de stupeur, tandis que les yeux de Sirus se transformaient en deux fentes sombres.

Teichi s'écarta de son père et s'avança vers Nolwen. Il eut alors un geste qui stupéfia la famille. Il frappa son cœur trois fois de suite, présenta ses deux bras devant lui, paumes ouvertes vers le ciel, puis posa un genou en terre.

«Je ne comprends pas les raisons qui vous poussent à me choisir, Monseigneur, dit-il d'une voix humble, mais je suis tout prêt à accepter votre enseignement.»

Nolwen parut aussi surpris que nous. Il se racla la gorge. «Et moi, je ne comprends pas les raisons qui te poussent à t'agenouiller devant moi.

– Vous… vous êtes fils de dieux, bredouilla Teichi sans relever la tête. Vous êtes fils d'Elyne et de Filip. Qu'Orde me soit témoin.

– Orde est témoin de tout, n'aie crainte. Mais je ne suis pas fils de dieux, je suis fils de fils de dieux, rectifia Nolwen, comme si cette correction avait vraiment une importance. Relève-toi. Par Hélia! Fais-moi grâce d'un tel embarras.»

Teichi se redressa aussitôt et fixa de ses yeux bleus le regard pâle de l'Élènide.

« Voilà qui est mieux... Très bien, je crois qu'il est désormais utile de combler quelques lacunes sur mon compte. Que les choses soient claires entre nous. Je n'ai aucune envie de vous voir vous illusionner sur ce que je suis et vous laisser bercer par les vieilles légendes que l'on raconte sur mon peuple. Pour commencer, je suis fils de fils de dieux, pas un dieu. Je n'ai ni leurs pouvoirs ni leur apparence. En vertu de ma naissance, il m'arrive de pouvoir communiquer avec eux lorsqu'ils le souhaitent. Je suis de la deuxième génération des Élènides, des enfants nés d'Elyne, notre humble déesse du mariage, et de Filip, père nourricier de notre nature. Mon père était un Élènide parfait, un fils de dieux et ma mère était humaine. C'est pourquoi je ne suis pas d'essence divine. Je ne vais pas vous assommer avec ma généalogie et les circonstances de ma naissance. Là n'est pas le but de cette conversation. Certes, je ne suis dépourvu ni d'astuces ni de connaissances, mais mon temps de vie sur terre n'est pas éternel. C'est d'ailleurs l'une des raisons qui me poussent à chercher un apprenti. Comme les dieux ont chacun une besogne à accomplir, nous-mêmes, Élènides avons nos propres rôles à remplir...

— Vous rapiécez et conseillez », ironisa Fer.

Sirus se crispa. Nolwen émit un petit rire de cristal : « En effet. »

Fer fronça les sourcils et grogna quelque chose dans sa barbe.

« Les Élènides, si peu soient-ils et si petits soient leurs rôles, reprit Nolwen, comptent dans la balance, du moins puis-je l'espérer. Les Élènides de la première génération ont quasiment tous quitté les rivages de ce monde. Peut-être en reste-t-il deux, trois sur tous les continents. Quant à ma génération, je suppose qu'il nous revient en quelque sorte la charge de son "entretien". C'est ainsi que j'aime le voir. Or, le travail ne cesse de croître comme je vous l'ai dit tout à l'heure. Ethen intrigue et son fils commence à comprendre peu à peu qui il est et ce qu'il possède, autrement dit un pouvoir à la hauteur de ce que peut espérer son père, afin d'accomplir sa vengeance. J'ai besoin d'aide pour compenser l'équilibre sur le point de se rompre. J'ai besoin d'aide pour protéger Asclépion. Ulutil est déjà trop vaste pour un seul Élènide. Deux continents sur lesquels veiller sont trop pour ma seule charge. Je me briserais les reins à tenter de les porter tous deux à l'unisson et je les condamnerais sûrement à vouloir m'y essayer. J'ai donc besoin d'un apprenti, et aujourd'hui Mathan me récompense en me présentant devant vous.

— Qu'attendez-vous de moi exactement ? demanda Teichi en se tordant les doigts de nervosité.

— Eh bien, tu connais Asclépion et ses coutumes bien mieux que moi. Tu aideras ton peuple mieux que je ne pourrais le faire. Le mal grandit sur Ulutil. Il grandit trop vite. Le monde change. La bête de Menorgol remue dans son nid. Elle s'agite et quand elle s'éveillera, et elle s'éveillera un jour, je serai trop occupé en Ulutil pour veiller sur Asclépion. Je pensais que le temps était en notre faveur ; or, ici, les plaies de ce pays commencent à suinter. Voilà deux mille ans que la balance était en équilibre, mais elle va être rompue. Bientôt. Quoi qu'il puisse se passer, nous devons la maintenir. Empêcher que le feu s'embrase et se répande. Je peux t'enseigner ce que je sais, t'apprendre mes tours et, lorsque l'élève dépassera le maître, tu seras capable de prendre soin de ton pays.

— Fichtre ! jura Sirus. On peut savoir de quel mal vous parlez ? »

L'Ulutien se tordit la bouche et parut réfléchir. « Je ne puis vous donner de réponse, Messire Amorgen. Je vous l'ai dit, ma connaissance de votre pays est imparfaite. Je risquerais de vous induire en erreur si je vous disais ce que j'entrevois de l'avenir. Il est encore trop tôt. Il serait précoce de jouer avec les forces en présence et de faire sombrer la balance, alors qu'au contraire, je souhaite la maintenir. »

Sirus fronça les sourcils. Il ne comprenait pas un traître mot de ce que venait d'expliquer l'Élènide et, à tout bien y penser, je n'étais pas sûre de comprendre non plus.

« Pourquoi me choisir moi ? demanda Teichi. Je ne suis pas un Élènide. Pas même fils de fils de fils… de dieux. »

Nolwen lui sourit tendrement et le regarda d'un œil brillant. « Pourquoi une telle question ? Tu as pourtant conscience de tes dons, n'est-ce pas ? »

Teichi baissa la tête comme un enfant fautif. Sirus lui adressa un regard interrogateur. Mon cousin fit mine de ne pas le voir.

« Quels dons ? grogna Sirus.

– Savez-vous ce que signifie le mot *Élènide,* Messire Amorgen, dans la vieille langue ? »

Sirus secoua la tête.

« Il veut dire Sorcier. Votre fils est un sorcier et je crois qu'il le sait très bien et cela depuis longtemps. »

Athora ouvrit de tels yeux que je crus que ses globes oculaires allaient lui jaillir des orbites. Sur Asclépion, le terme de Sorcier résonnait comme une insulte. Le visage de Teichi se décomposa.

« Comment ? bredouilla Athora. Comment est-ce possible ? Que racontez-vous ? »

Elle se précipita vers Teichi et l'attrapa par le bras. Teichi tenta de libérer son poignet, mais sa mère se mit à le secouer comme un prunier en criant : « Qu'est-ce que c'est que cette histoire ridicule ? Teichi, réponds-moi.

– Maman, arrête. Lâche-moi. »

Teichi arracha son poignet d'un geste brusque et adressa un regard plein de reproches à l'Élènide. Nolwen eut un haussement d'épaules. « Dis-leur la vérité, Teichi Amorgen.

– Pourquoi ? s'exclama-t-il, bouleversé. Qu'est-ce que ça changera ?

– Ta conscience s'apaisera sans doute une fois que tu auras confessé à ta famille ce que tu tentes de lui cacher depuis si longtemps. »

Athora ouvrit la bouche, puis la referma dans un claquement de dents. Être sorcier par chez nous, c'était être anormal. C'était posséder un don dont nous ignorons tout : son origine, qui sera touché, qui sera épargné, le but de cette magie, le bien, le mal, l'intérêt individuel ou celui de tout un peuple. Être sorcier était une souillure pour une famille, une avanie, et Teichi ne l'ignorait pas.

« Parle », intima sa mère.

Teichi regarda longuement l'Élènide avant de me jeter une brève œillade où je perçus toute sa détresse, puis il inspira bruyamment. « Je ne peux pas, murmura-t-il.

– Pourquoi ? demanda l'Élènide.

– Parce qu'ils ne me regarderont plus jamais du même œil.

– Penses-tu qu'il est plus juste qu'ils te jugent et t'apprécient sur des mensonges ?

– Non, mais…

– Teichi, ça suffit, parle, pardieu ! » s'exclama Athora.

La colère la combattait à la peur. Sirus tenta de resserrer son étreinte sur les épaules de sa femme, mais ce fut tout juste si elle ne le repoussa pas.

« Teichi, dis-leur », intervins-je en m'avançant dans le cercle.

Mon cousin m'adressa un regard troublé. Je crus qu'il allait fondre en larmes.

« Naïs, tu sais quelque chose ? cria Athora.

— Comment le sais-tu ? » coupa Teichi, d'une voix frémissante.

J'avalai ma salive et déclarai : « Je t'ai vu un jour en ville. Je n'étais sûre de rien, bien sûr, avant aujourd'hui.

— Depuis combien de temps le sais-tu ?

— Depuis la Fête des Remparts, quand on est rentrés dans la maison de l'alchimiste pour voir le spectacle. Je n'avais pas compris d'abord, puis je t'ai vu y revenir plusieurs fois après ça. »

Teichi hocha la tête à ce souvenir. Antoni parut réfléchir à ce qui avait pu lui échapper lors de la fête, mais manifestement, il ne trouva pas de réponse.

« Tu n'as rien dit », murmura Teichi.

Je haussai les épaules. « Je n'étais sûre de rien. »

Athora m'enveloppa d'un regard amer, puis reporta son attention sur son fils. « Allons, Teichi, dis-nous. Je t'en prie. Il est pire à présent de nous laisser dans l'ignorance, alors que nous sommes si proches de la vérité. »

Teichi baissa la tête et fixa ses bottes un moment. « Je regrette que vous soyez venu ici, murmura Teichi en s'adressant à l'Élènide.

— Je le sais », dit Nolwen avec sérénité.

Teichi releva les yeux, se tourna lentement vers sa mère et son père. « Je me rends en ville quatre fois par semaine dans la maison de maître Hure afin de suivre son enseignement. Voilà plus de cinq ans que je suis son élève.

Athora émit un gémissement et saisit la main de son mari d'un geste brusque.

« Maître Hure… l'alchimiste ? s'étonna Antoni.

– M-hm. L'alchimiste. Je suis moi-même un alchimiste, autant que puisse en juger mon maître. Je suppose que cela fait de moi un sorcier.

– Tu as raison, dit l'Élènide. Cela fait effectivement de toi un sorcier et des plus intéressants, du reste. »

Antoni fit un pas vers son frère. « Mais concrètement, tu sais faire quoi ? »

La mine perplexe d'Antoni faillit avoir raison de l'air sombre de Teichi. Il eut un petit sourire en coin.

« Tout un tas de choses. Je… je connais le pouvoir des pierres et des plantes, comme maman, et sais en user pour confectionner des potions et toutes sortes de remèdes. Je peux créer des cercles magiques ou renforcer la matière. Je… je peux… communiquer avec… les esprits qui ne sont pas passés dans l'Autre Royaume… » Sa voix devenait de plus en plus pâle à mesure qu'il énumérait ses dons et que sa mère devenait livide. « … Je peux aussi communiquer… avec… la nature, la terre… le bois… les… pierres… Je… »

Il s'interrompit, se gratta à nouveau la gorge et baissa les yeux. Un profond silence tomba sur Point-de-Jour.

« Voilà qui est très intéressant, dit finalement Nolwen.

– Tu sais faire tout ça, s'exclama Antoni, mais pourquoi tu ne nous l'as jamais dit ? »

Les yeux de Teichi se posèrent sur sa mère. Antoni suivit son regard et la boucla aussi sec.

« Je suis désolé, maman », bredouilla Teichi.

Athora se frotta les yeux, comme si elle espérait sortir de ce mauvais rêve, puis elle dit d'une voix maîtrisée : « Ce n'est pas ta faute. On ne choisit pas ce que la nature nous impose. Ceci est l'œuvre d'Orde et je la respecte. »

Teichi ne sembla pas convaincu et son teint demeura pâle, mais pas aussi pâle que la peau nivéenne de Nolwen quand il reprit la parole: «Madame Amorgen, puis-je vous poser une question?

— Euh… oh oui, bien sûr… je vous en prie.

— Lorsque je vous ai dit tout à l'heure qui j'étais, n'avez-vous pas ressenti pour moi de… pardonnez mon terme, je vous prie, mais… de la dévotion?»

Athora renifla le piège ; elle s'y laissa tomber malgré tout, peut-être avec soulagement. «Bien sûr, Messire de Sirion. Comment pourrait-il en être autrement?»

Nolwen hocha la tête comme si cela coulait de source. «Bien, alors, peut-être n'ai-je pas été assez clair. Madame Amorgen, un Élènide n'est autre qu'un sorcier qui tire sa source du pouvoir des dieux, tout comme un alchimiste. En résumé, votre fils ici présent, sur lequel vous posez un regard outré, Madame, est un Élènide.

— C'est… c'est impossible, bafouilla-t-elle, atterrée. Il… il n'est pas…

— Fils de dieu? En effet, Teichi ne l'est pas. Il n'a pas besoin d'être né divin pour posséder le don d'un Élènide. D'autres créatures que les dieux possèdent une multitude de pouvoirs, tels que, par exemple, les curieuses capacités des Tenshins.»

À ce nom, je relevai la tête.

«Comment ça? demanda Sirus.

— Tout simplement, toute chose qui croît sur terre, tous les pouvoirs aussi divers et variés sont apparus parce qu'un dieu les a mis en une créature. Les Tenshins détiennent leur pouvoir d'un dieu, tout comme je possède mes dons d'un héritage génétique.

— Génétique? répéta Sirus.

— Un héritage par le sang, précisa Nolwen. Mes dons me viennent de ma famille, ceux de Teichi de ses créateurs. En d'autres termes, ses talents sont bénis des dieux et me voilà ici, devant vous, en train de vous expliquer à quel point j'ai besoin de votre fils inestimable. Madame Amorgen, votre peuple a fait des sorciers une espèce curieuse et honnie parce que vous y avez vu le fondement d'un pouvoir incontrôlable. Il arrive souvent que le pouvoir d'un autre soit ainsi. D'ailleurs, on trouve dans votre pays un exemple flagrant d'un pouvoir incommensurable, délié de toutes entraves et si puissant que nul ne parvient à le circonvenir. »

Nous le regardâmes d'un air ahuri. Ce qui eut pour effet de le dérider.

« Eh bien, serais-je finalement plus au fait de votre histoire que vous-même ? ironisa-t-il. Me serais-je trompé en imaginant que Malchen de Noterre avait une place d'importance dans votre pays ? »

S'il avait pour but de nous clouer le bec, il y réussit fort bien.

« Ma foi, ce Prince sans plus nom ni famille n'est-il pas le parfait spécimen d'un homme aux puissantes possibilités, renié de ses pairs et aussi incontrôlable que le vent qui balaie la plaine ? »

Je ne sais pas ce qui nous surprenait le plus : l'aisance avec laquelle il parlait de l'ennemi héréditaire du trône des Elisse ou la vision qu'il en avait.

« Ma foi, se reprit-il, pourquoi diable étais-je en train de parler de ça ? Ah oui, bien sûr. Tout ceci pour dire qu'un don en vaut un autre, mais tout dépend de la manière que l'on a de s'en servir. Tenshins, Élènides, alchimistes et autres puissantes créatures sont autant de potentialités de remue-ménage, de corruption et de traîtrises. Ce qui est important, ce n'est donc pas le pouvoir en lui-même, mais la personne qui le détient. Par conséquent, Madame Amorgen, il n'y a qu'une seule question que vous devriez vous poser. Croyez-vous votre fils capable d'user de ses dons pour faire le mal autour de lui, pour assouvir un penchant personnel, régler ses comptes ou d'autres basses besognes ?

— Non ! » s'exclama Athora, outrée. Le regard de Teichi s'éclaira. « Non, répéta-t-elle, je n'ai jamais pensé une telle chose.

— Alors, vous ne devriez pas avoir peur de ce que vous percevez en Teichi désormais. Ses dons sont une bénédiction et croyez-moi si je vous dis qu'ils serviront autant votre peuple que vos fils. » Nolwen tourna la tête vers moi. « Et très probablement votre nièce. »

Athora m'accorda un coup d'œil, un peu étonnée, puis revint sur Teichi. « Mais… dit Athora, je veux dire… Messire de Sirion, où cela nous mène-t-il ?

— Où cela nous mène ? répéta Nolwen, pensif. Voilà une excellente question, qui plus est, fort embarrassante. Je cherche un apprenti capable d'assumer une lourde charge depuis très longtemps déjà et jusqu'à présent, Mathan refusait de me révéler où trouver cette perle rare. Aujourd'hui le voici devant moi. Je crains fort, Madame, que cela n'implique un gros sacrifice de votre part.

— Sacrifice », murmura-t-elle, en posant les yeux sur Teichi.

Teichi se rapprocha de Nolwen et le regarda avec une soudaine inquiétude. L'Élènide s'adressa à lui : « Oui, mon garçon, je crains que tu aies vu juste. Afin de suivre mon enseignement, j'ai bien peur que tu doives quitter Point-de-Jour. »

Athora ne put retenir un nouveau gémissement. Sirus s'avança aussitôt vers Nolwen. « Il n'est pas question que vous l'emmeniez, s'écria-t-il.

— Monsieur Amorgen, je ne peux apprendre à votre fils tout ce qu'il doit savoir en restant ici. De plus, mes fonctions ne me permettent pas de séjourner plus que nécessaire en

Asclépion. Je dois retourner en Ulutil. Votre fils a besoin d'une formation accélérée, car la bête de Menorgol est plus proche qu'on ne le croit et ce qui bout sur le feu ici est encore plus près. Je suis désolé, je vous assure, de vous ôter un autre de vos fils. Je n'ai malheureusement pas le temps de tergiverser. Cela mettrait en danger de nombreuses vies. Ulutil est fragile. Asclépion l'est davantage et il doit apprendre en quelque temps ce qui nécessiterait plusieurs vies de labeur.

— Mais… mais vous ne pouvez pas l'emmener ainsi », s'exclama Athora en se précipitant vers son fils. Elle l'attrapa par le col et l'attira contre elle. Teichi n'essaya même pas de se dégager.

« Je vous propose un marché, dit Nolwen. Si Teichi refuse de me venir en aide, je partirai sans insister. En revanche, s'il accepte, vous devrez partir séance tenante lui préparer quelques affaires. »

Athora resserra son étreinte autour du cou de Teichi. « Dis-lui, murmura-t-elle. Dis-lui que tu ne veux pas t'en aller. »

Teichi considéra l'Élènide comme s'il était scindé en deux. Il posa la main sur le bras de sa mère et appuya sa tête sur la sienne. « Maman…

— Non, l'interrompit-elle, d'une voix suppliante, dis-lui, je t'en prie.

— Maman, écoute-moi.

— Non… je suis ta mère. Je refuse que tu t'en ailles. Ton frère est déjà parti. Je ne veux pas… je ne veux pas que tu partes. »

Ses joues étaient rouges et les larmes menaçaient de couler.

« Maman, s'il te plaît, écoute-moi.

— Non, non, non… »

Athora ressemblait à une petite fille. Son chignon se défit à force de secouer la tête de droite à gauche avec obstination.

« Maman, écoute-moi », insista Teichi. Il attrapa le bras de sa mère et l'obligea à s'écarter. « Tu dois me laisser partir…

— Non…

— Tu as bien laissé partir Seïs, se défendit-il.

— C'était différent.

— En quoi, maman ? En quoi le départ de Seïs est différent du mien ?

— Ton frère ne partait pas… si loin.

— Nous ne savons pas où il est. Nous ne savons même pas s'il est encore en Asclépion. Maman, j'ai pris ma décision.

— Non ! »

Le cri d'Athora claqua douloureusement dans la cour et Teichi se crispa de la tête aux pieds.

« Maman, si je refuse, des gens vont mourir. Tu as entendu comme moi. Je ne sais pas ce que l'on attend de moi, mais si je peux aider… si je peux aider avec les maigres choses que je sais faire, je veux avoir l'occasion de le faire. Tu comprends ?

— Tu peux aider ici… tu peux aider ici, sanglota Athora.

— Tu sais que non. Ici, si on savait que je passe des journées entières chez maître Hure, on me regarderait de travers. Tu le sais comme moi. Tu m'as regardé comme ça à l'instant encore.

— Non… je… Oh ! Orde, je t'en prie, ne fais pas ça.

— Maman… »

La voix de Teichi se brisa. Il se retourna vers moi, le visage bouleversé. Je fus incapable de lui venir en aide.

« Ça suffit ! »

La voix de Fer siffla soudain, vipérine. Athora renifla bruyamment et, comme nous tous, se tourna vers son fils aîné. Il se tenait en retrait, aussi tendu qu'une corde d'arc et ses yeux luisaient de colère.

« Un étranger vient chercher Teichi et on devrait le lui remettre comme on vend un sac de pommes de terre ? Vous avez tous perdu la raison, ma parole ! Serais-je le seul dans cette famille à avoir un brin de jugeote et assez de prudence pour ne pas méjuger la soi-disant identité de cet individu ? Quelles preuves avons-nous que ce qu'il prétend est la vérité ? Quelles preuves ? » Il s'avança vers Nolwen d'un pas menaçant. « Si le mal, ou je ne sais quoi encore, contamine tant que ça le pays, qui nous dit qu'il n'en fait pas partie ? Seïs est un satané apprenti de Mantaore. C'est peut-être un espion de Noterre. On n'en sait rien et vous voulez lui donner Teichi comme de la marchandise ? Je ne suis pas d'accord. »

Athora se mit à acquiescer sottement à tous les mots de son fils. Pourtant, j'étais certaine qu'elle ne remettait pas en question l'identité de Nolwen. Sirus et elle étaient des gens très pieux et Nolwen semblait suffisamment insolite et perspicace pour être ce qu'il prétendait. En revanche, il fallait bien plus qu'une simple supposition ou croyance pour convaincre Fer.

Contre toute attente, Nolwen se posta devant Fer. « Vous avez entièrement raison. Votre inquiétude est naturelle et justifiée. Il est vrai que l'un de vos frères est à présent un personnage important de votre pays. J'aurais dû faire la preuve de ce que j'avançais plus tôt. Veuillez m'en excuser. »

Fer ne s'attendait pas à cela. Il parut décontenancé un moment, puis se ressaisit : « Oui, vous auriez dû. »

Nolwen réfléchit un instant en considérant Fer avec un profond sérieux. Il repoussa une mèche de ses cheveux sombres et se mit à fixer sa main, comme s'il venait subitement de découvrir qu'elle pendait au bout de son bras. D'un geste prudent, il dirigea sa main longue et pâle sur son torse. Une ride se creusa entre les yeux noirs de mon cousin et il eut d'abord un mouvement de recul. L'Élènide le combla comme si de rien n'était et posa la paume de sa main sur la poitrine de Fer. Les yeux de mon cousin lançaient des éclairs et je ne gageais pas de la vie de Nolwen s'il faisait un geste de travers. L'Élènide ferma les paupières. Pendant un instant, je le crus mort. Il était immobile, le visage cadavérique, et je ne percevais plus les oscillations de sa poitrine. Fer ne bougeait pas davantage, mais il gardait le regard visé sur Nolwen. Celui-ci rouvrit les paupières et les reposa sur mon cousin. Il recula au milieu de la cour et leva la main à l'horizontale au-dessus du sol. J'ouvris de grands yeux lorsqu'une brume laiteuse enveloppa subitement son bras, ses doigts, puis descendit lentement vers le sol en torsades gracieuses.

« Vois ce que tu meures d'envie de découvrir », déclara Nolwen.

J'eus un sursaut de stupeur quand, de la brume, le visage de Seïs se peignit plus clairement que s'il se fut trouvé devant nous. J'ouvris des yeux ronds. Il était nu, agenouillé sur une grosse pierre plate près d'un ruisseau aux eaux transparentes. Il semblait s'essayer à la pêche sans canne ni hameçon. Ses cheveux étaient en bataille ; ce qui n'avait rien d'extraordinaire, sauf qu'ils étaient plus longs que par le passé. Ses iris noirs, immenses et attentifs, scrutaient la rivière avec un effort presque comique. Il plongea la main dans l'eau, manqua sa cible et lâcha un juron. Il retira sa main de la rivière, la secoua. L'image était si claire que je vis la chair de poule couvrir son bras.

« Par Orde ! » souffla Athora, interloquée.

Des frissons couraient le long de ma nuque. Mon estomac se noua. C'était douloureux de le voir, à la fois si près et si loin de moi. Je me rapprochai involontairement de l'image, comme si j'avais pu le toucher en tendant la main. Seïs se pencha au-dessus de l'eau, puis se retourna soudain, une ride barrant son front. Il sembla observer quelque chose devant lui, si bien que ses prunelles parurent s'enfoncer dans les miennes et, durant un instant, je crus qu'il me regardait.

Nolwen abaissa brusquement la main et l'image de Seïs se fondit dans les ténèbres.

« Non ! » m'exclamai-je.

Nolwen m'adressa un regard compatissant alors qu'un grand vide m'envahissait. Je baissai la tête et reniflai en tentant vainement de chasser mes sentiments.

« Votre fils se porte bien, me semble-t-il, dit Nolwen à Sirus et Athora. Le travail est long et laborieux à Mantaore, pour ce que j'en sais, mais il est doué. Il sera un redoutable adversaire. »

Seul Fer sourcilla à son expression. Il croisa mon regard, puis détourna la tête aussitôt.

« Où est-il ? » demanda Antoni.

Nolwen pivota vers mon cousin. « Dans une caverne, pour ce que j'ai pu en voir.

– On peut savoir pourquoi Seïs traînaillait encore les fesses à l'air ? s'exclama Fer avec un dédain manifeste.

– Je ne saurais vous répondre. Je suppose seulement que cela fait partie de son apprentissage. Vous avez vu ce que j'ai vu, ni plus ni moins.

– Vous ne voulez surtout pas nous en dire davantage ! » maugréa Fer.

Ses paroles semblèrent toucher Nolwen. Il fronça les sourcils et ses yeux se voilèrent.

« Ça suffit, coupa Sirus en jetant sur son fils un regard plein de reproches. Je crois que nous avons eu la preuve de son identité. N'es-tu pas d'accord ? »

Son ton était cassant, mais pas assez pour convaincre Fer.

« Non, je suis désolé. Votre crédulité me déconcerte. » Les yeux de Sirus se fendirent. « À en croire les légendes, les gens capables de ce genre de prouesses grouillent comme de la vermine. Cela ne prouve rien.

— En es-tu capable, toi ? grogna son père.

— Non, mais…

— Mais quoi ?

— Ne vous querellez pas, s'il vous plaît, intervint Nolwen, troublé. Je ne suis pas ici pour susciter des disputes au sein de votre famille.

— La discussion est close », dit Sirus en regardant Fer dans les yeux. Celui-ci se rembrunit, mais garda le silence. Sirus secoua la tête, satisfait, tandis qu'Athora refermait instantanément ses bras autour du cou de Teichi.

« Maman… » murmura-t-il d'une voix étouffée.

Elle colla sa joue contre celle de son fils et refusa de bouger, les paupières fermées sur ses larmes. L'Élènide esquissa un sourire attendrissant, presque étrange sur son visage aussi pâle que la mort.

« Je suis tellement désolé de vous presser ainsi, dit-il, et de vous ôter un autre de vos fils. »

Sirus émit un petit grognement et s'approcha de sa femme. Il faufila sa main dans ses cheveux sombres, noua un bras autour du sien et l'obligea à reculer.

« Non », gémit-elle.

Athora battit des bras un instant pour se retenir à son fils, puis elle se retourna soudain et enfouit son visage dans le cou de son époux. Sirus l'enlaça et, d'une main douce, caressa ses joues humides.

« Vous comptez partir dès ce soir, n'est-ce pas ? demanda mon oncle.

— Je le crains, Messire Amorgen. »

Athora se contracta. Teichi adressa un regard angoissé à son père, puis à Nolwen.

« Ce soir ? répéta-t-il.

— Nous avons une longue route à faire, jeune homme. »

Les sanglots d'Athora redoublèrent.

« Où partez-vous ? demanda Antoni, en regardant son frère.

— Chez moi.

— En Ulutil ? »

Les yeux d'Antoni s'arrondirent.

« En effet, sauf si du travail se présente devant nous avant que nous ne soyons arrivés à bon port. »

Sirus fronça les sourcils. L'une de ses mains posées dans le dos d'Athora se ferma en poing. Il lança un drôle de regard à Nolwen, à mi-chemin entre la crainte, la colère et la foi.

« Vous savez, dit-il d'une voix très calme, vous savez que s'il arrive quoi que ce soit à Teichi, je vous tuerai de mes mains. Je vous en fais ici le serment. Peu importe que vous soyez ce que vous dites. Teichi accepte de vous suivre et je respecte son choix. Lui seul a le pouvoir de décider de sa vie et je lui fais confiance pour bien la mener. Je vous remets ici mon fils. J'attends de vous en tant que maître que vous le protégiez, et si vous ne le faites pas comme il faut, je vous tuerai. Je le jure.

— Je vous en crois parfaitement capable, Messire Amorgen, et j'accepte de me soumettre à votre volonté si je manque à mes devoirs. »

Sur quoi, Nolwen s'inclina humblement devant mon oncle. Athora releva la tête et observa l'Élènide. Elle eut un léger hoquet, puis s'essuya les joues d'un revers de la main. « Bien, bien, que doit emporter Teichi ? S'il doit partir ce soir, je ne veux pas que cela soit les mains vides. Dites-moi. J'ai accepté les termes de votre marché et, si vous respectez votre promesse, il n'y a aucune raison pour que je ne respecte pas la mienne. Alors, je vais aller préparer ses affaires. Dites-moi. »

Nolwen regarda Athora avec une étrange lueur d'affection. « Un manteau chaud pour les nuits fraîches et peut-être un encas pour la route. Je me déplace vite, mais pas assez pour un jeune apprenti qui ignore encore tout de ma façon de voyager. »

Athora releva un sourcil, intriguée, mais moins qu'Antoni qui fit un bond en s'exclamant : « Votre façon de voyager ? »

Nolwen émit son rire argentin. « Vous verrez. » Il hocha frénétiquement la tête. « Allez-y, Madame Amorgen. »

Celle-ci acquiesça et, d'un pas traînant, se dirigea vers la cuisine.

« En attendant Teichi, tu devrais commencer à dire au revoir à ta famille. »

Teichi se passa la langue sur les lèvres et hocha la tête, penaud. Il se tourna vers son père et lui tendit la main. Sirus la prit, la serra, puis l'attira d'un geste vif contre sa poitrine. Teichi sembla tout petit dans l'étreinte de son père. « Fais bien attention à toi… » souffla Sirus.

Nolwen profita de cet intermède pour s'approcher de moi. Ses yeux lumineux comme deux éclats d'argent s'ancrèrent dans les miens et me pétrifièrent. J'entrouvris la bouche, troublée. Nolwen se pencha vers mon visage. Il posa ses doigts sur ma joue.

« Je pense que nous nous reverrons, Naïs. Un jour ou l'autre, nos chemins se croiseront de nouveau. J'ignore dans quelles circonstances et pourquoi, et si nous serons amis ou ennemis, mais nous nous reverrons et j'en suis très content. »

Il m'adressa un sourire charmeur et ses doigts effleurèrent mes lèvres.

« Je… je…

— Chut. Inutile d'en dire davantage », murmura-t-il en posant son index en travers de ma bouche.

Il retira ses doigts lorsqu'Antoni se porta à notre hauteur, les sourcils froncés.

« Ah, Antoni ! s'exclama Nolwen d'un ton joyeux. Je… » Il s'interrompit, plissa le nez et son visage devint aussi froid qu'un bout de métal. « Si un jour tu croises le chemin d'une charrette, deux pas à gauche et c'est fête, trois pas à droite et d'un geste, de trépas, à quinze heures, tu deviendras voyageur. » Il se racla la gorge ; ses yeux papillonnèrent. « Euh… qu'étais-je en train de dire ? »

Antoni se mordilla l'intérieur de la joue. « Très sincèrement, je ne suis pas certain d'avoir compris ce que vous venez de dire. Cela vous arrive-t-il souvent ces absences ?

— Oui, cela m'arrive assez souvent. » Il eut un petit rire. « Quand je dis quelque chose d'important, mais qu'il ne m'appartient pas de connaître. J'ignore très souvent moi-même ce que cela signifie. Retenez seulement ce que j'ai dit, aussi étrange que cela ait pu vous paraître, et vous trouverez vous-même la réponse à l'interrogation que j'ai soulevée. Je crains de ne pouvoir vous aider davantage.

— Vous êtes une créature très curieuse », dit Antoni.

Le rire de Nolwen retentit dans la cour. « On me le dit souvent. Faites bien attention à vous, tous les deux. Je pressens que des évènements déplaisants vont se produire bientôt par ici. Là-dessus, je n'ai nul besoin de Mathan pour me le révéler. C'est dans l'air. Il y a des choses à l'œuvre qui se préparent dans l'ombre et plus près qu'on ne le pense. Alors, faites bien attention à vous. »

En parlant, il regarda la forêt, la désigna du doigt, puis referma le poing.

« Mais vous ignorez ce qui va se passer, n'est-ce pas ? demandai-je.

— J'aimerais pouvoir vous répondre, mais, en effet, je l'ignore. »

Mon cousin plissa le nez, dubitatif. Nolwen eut un vague sourire sans joie et secoua la tête.

« La route est longue et le cheminement inconnu. Nous verrons tous ce qu'il nous réserve, vous aussi bien que moi. »

Il nous adressa un clin d'œil, puis s'éloigna et se dirigea vers Fer qui restait en retrait, observant tour à tour l'Élènide, Teichi et son père. Quand il vit Nolwen s'approcher, son regard s'assombrit.

« Vous ne m'aimez pas, je le sais, dit Nolwen. Néanmoins, que vous m'aimiez ou non n'a que peu d'importance, et cela ne m'empêche pas de vous donner le peu que je possède, ne serait-ce que parce que vous aimez les vôtres. » Nolwen leva les yeux et considéra la masse nuageuse qui enveloppait à présent la lune. Sans regarder mon cousin, il ajouta : « Vous ferez ce qui doit être fait. Vous serez plein de courage malgré l'adversité et les épreuves, car il y en aura... et je pense que vous le savez. Pas uniquement dans le royaume, mais au sein même de votre famille et vous redoutez cet instant plus que tout autre. Vous saurez les affronter. Cela me semble clair. »

Il baissa les yeux sur Fer. Celui-ci croisa mon regard et l'espace d'un instant, je crus qu'il frissonnait. Nolwen tourna la tête vers moi, se pinça la lèvre d'un air pensif, puis il dit : « Par une extraordinaire coïncidence, cette famille détient un pouvoir, un pouvoir qui commence non seulement à surgir de bien des façons, mais qui commence aussi à se savoir. Vous et les vôtres possédez un don. Je ne peux expliquer pour quelles raisons il est si flagrant au sein de votre famille. Je ne détiens pas cette réponse-là, pas encore en tout cas, et je dois avouer être curieux de la découvrir. »

Fer se garda de ricaner. Au contraire, son visage parut blêmir. Je me rapprochai des deux hommes. Son regard glissa sur moi et m'enveloppa de la tête aux pieds. « Veillez bien les uns sur les autres. Du mieux que vous le pouvez. Seïs parti, je conçois que le danger vous guette.

— Que voulez-vous dire ? demandai-je.

— Il veut dire que certaines personnes peuvent s'intéresser à tout ce qui concerne Seïs de près ou de loin, grogna Fer. Ce qui inclut sa famille évidemment.

— Certaines personnes », répétai-je, ahurie.

Le regard de Fer obliqua vers moi et je me sentis sotte. « Tu veux dire… enfin, tu penses à…

— À qui d'autres, Naïs ? Réfléchis un peu.

— Ne soyez donc pas si mordant », le gourmanda Nolwen.

Fer sourcilla à la remontrance de l'Élènide.

« Noterre », murmurai-je.

Nolwen pencha la tête vers moi. « Bien sûr.

— Seïs est un apprenti, dit Fer, donc un ennemi du Renégat. »

J'essayai de rassembler mes pensées. Se pouvait-il que nous soyons en danger parce que Seïs était un apprenti de Mantaore ? Cette idée me paraissait inconcevable. Si les Tenshins avaient pressenti un quelconque danger pour notre famille, ne se seraient-ils pas proposé d'assurer notre sécurité ? N'était-ce pas leur rôle ?

Je fus interrompue dans le fil de mes pensées par le retour soudain d'Athora. Elle tenait entre les bras un gros sac de jute, un manteau et une gourde. Elle s'était un peu arrangée. Elle avait tiré ses cheveux en arrière et les avait noués en un chignon sommaire. Elle s'approcha de Teichi et lui tendit les paquets.

« Je t'ai mis du pain frais avec du fromage et plusieurs tranches de viande séchée. Pour la route, c'est plus commode. Je t'ai également choisi quelques chemises de rechange, une veste et deux pantalons. Je ne sais pas quel temps il fait en

Ulutil, donc je t'ai aussi rangé trois de tes chemises de travail et une plus seyante. Voici aussi une gourde et ton manteau. »

Teichi attrapa le tout dans ses bras. « Maman, euh… » Il faillit échapper la gourde et répandre le contenu du sac par terre. Sirus l'aida à brûle-pourpoint et tint la besace pendant qu'il jetait son manteau sur ses épaules.

« Je sais… je sais, dit Athora, j'ai vu les choses en grand, mais sait-on jamais, tu pourrais avoir besoin de tout. Je t'ai mis une petite bourse d'herbes au cas où tu te blesserais. Je suppose que tu sauras t'en servir comme il faut.

— Oui, maman, merci », bredouilla-t-il.

Il cala son havresac sur son épaule, glissa l'outre en travers de sa poitrine.

« Ne vous inquiétez pas, dit Nolwen, une fois en Ulutil, votre fils aura tout ce qu'il faut pour vivre et nous y serons très vite.

— Promettez-moi encore que vous veillerez sur lui comme si c'était votre propre fils, fit Athora, en braquant sur Nolwen un regard autoritaire.

— Je vous en fais une nouvelle fois le serment, Madame. » Il s'inclina devant elle. « Teichi est à mes yeux plus important que ma propre vie, car il représente l'avenir et moi, le passé. N'ayez crainte, je saurai veiller sur lui. »

Athora se détourna de lui sitôt sa phrase achevée et prit Teichi dans ses bras. « Et toi, promets-moi de faire bien attention.

— Je te le promets, maman, dit-il en enfouissant son visage dans son cou.

— Combien de temps durera son apprentissage ? » demanda soudain Antoni.

Athora et Teichi relevèrent la tête. Nolwen se tordit la bouche en réfléchissant et dit finalement : « Je l'ignore encore. »

Cette créature était vraiment des plus singulières, capable de lire en nous mieux que nous-mêmes, de voir l'avenir aussi bien qu'un prophète, mais incapable de répondre aux questions les plus élémentaires.

Un sourire traversa les lèvres de Teichi. Je crois qu'il se demandait dans quel pétrin il était en train de mettre les pieds et si tout cela en valait vraiment le coup. « Nous verrons bien alors », murmura-t-il à mi-voix.

Nolwen inclina la tête, puis il redressa le cou et déclara, presque contrit : « Je crains qu'il ne nous faille à présent prendre congé. »

À ses mots, Athora noua ses bras autour de Teichi et couvrit ses joues de baisers. « Oh ! Par Orde, fais attention », gémit-elle en se retenant de pleurer.

Teichi eut du mal à retenir ses propres larmes. Il se frotta les yeux comme s'il avait attrapé une poussière dans l'œil et embrassa sa mère tendrement. Quand il se recula, Athora lâcha un gémissement de douleur et sombra dans les bras de Sirus. Teichi détourna les yeux, le visage crispé. Fer s'approcha de lui et roula un bras sur ses épaules.

« Ne t'inquiète pas pour nous. Tout se passera bien. Occupe-toi seulement de revenir entier et le plus tôt possible. »

Teichi opina. Il s'approcha de moi. Les larmes ruisselaient timidement sur ses joues quand il me prit dans ses bras et colla sa joue brûlante contre la mienne.

« Prends soin de toi, Naïs.

— Toi aussi », murmurai-je à son oreille.

Il s'essuya les yeux de sa manche de chemise. « M-hm… Lorsque Seïs rentrera à la maison, tu lui expliqueras, n'est-ce pas ? Enfin, si je ne suis pas de retour pour l'accueillir, d'accord ?

— Bien sûr, je lui expliquerai tout. Ne t'inquiète pas.

— Tu lui diras qu'il n'est pas le seul à avoir un rôle à jouer finalement.

— Je crois qu'il n'en a jamais douté », lui répondis-je.

Il eut un petit sourire.

« Je suis prêt », murmura-t-il.

Nolwen hocha la tête et prit son bras sous le sien. « Bien, dit-il. Je suis content de vous avoir rencontrés. » Il se tapa trois fois la poitrine, inclina le buste et tapa du talon sur le sol. « Puisse les jours qui vous accompagnent être longs et heureux. Adieu.

— Adieu », répéta Teichi en écho.

Son dos s'aplatit contre le torse de l'Élènide lorsqu'il l'attira contre lui. « Accroche-toi », lui conseilla-t-il.

La main droite de Nolwen décrivit soudain des moulinets et la brume halitueuse réapparut avant de ceindre son poignet. Elle ondula autour d'eux, à l'instar d'un serpent adipeux, s'enroula autour de leurs membres et puis de leurs nuques. Leurs visages s'enfoncèrent lentement dans la lumière du nuage opaque et ivoirin. Athora esquissa un pas dans leur direction. La brume s'épaissit et les engloutit soudain. Quand elle commença à se dissiper, il ne restait plus aucune trace d'eux. Ils s'étaient évanouis. Athora éclata en sanglots et tendit frénétiquement la main là où ils se trouvaient un instant auparavant. Sirus s'approcha d'elle et glissa un bras sur ses reins quand elle menaça de s'effondrer au beau milieu de la cour, le visage noyé de larmes. Il la transporta à l'intérieur de la maison.

« Ça y est, c'est fini, murmura Antoni. Tout s'est passé si vite. Bon sang ! »

Il abaissa d'un geste brusque ses manches retroussées jusqu'à ses poignets.

« M'est avis que ce n'était pas une bonne idée, maugréa Fer.

– Pff… toi et ton pessimisme, murmurai-je. Il est trop tard pour se poser la question de toute façon. »

Fer haussa les épaules, émit un bref grognement et rentra dans la maison, les épaules carrées. Antoni posa son menton sur mon épaule.

« J'aime pas ça non plus », murmura-t-il à mon oreille.

Je ne répondis pas. J'essuyai une larme malvenue et calai ma tête contre celle d'Antoni.

Teichi venait de quitter Point-de-Jour. Il avait dix-huit ans. Et il devait s'échapper de nombreuses années avant que nos chemins se recroisent à nouveau. À bien y réfléchir, j'aurais préféré que cela n'arrive pas...

CYCLE VI

ÉPREUVE

Les Gardes Noirs me fixaient, leur lance dressée vers un ciel assombri de nuages bas. Un orage couvait. Une étendue noire, tel du charbon, s'approchait à grands pas de Mantaore. Le vent s'était levé plus âprement dans la soirée, battant les oriflammes et les volets du château. Une forte odeur de marée avait envahi le plateau de l'Ourdos. L'orage serait bientôt là, déchirant l'atmosphère tendue et libérant sur les Gardes Noirs ses foudres de ténèbres, me perdant par là même dans ce désert de pierres vers lequel nous nous acheminions.

Nous longions les Gardes Noirs et le fleuve depuis trois bonnes heures. Le Heilong, qui accomplissait une boucle autour du plateau de l'Ourdos, remontait ensuite vers l'est, en direction des pics vertigineux qui dominaient le château. Tel-Chire semblait disposé à me conduire à la source du fleuve dans la montagne. Il marchait devant moi, un sac en bandoulière. Il ne se retournait jamais et avançait, le nez tendu vers les hauteurs enneigées.

Le chemin était étroit entre les Gardes Noirs et la ravine. Il épousait les berges du cours d'eau et s'étalait sur une roche noire, lisse et humide. Et, pour couronner le tout, de la vapeur d'eau s'élevait des eaux jaunâtres. Un vrai paysage fantomatique.

« Où allons-nous ? » demandai-je.

C'était la troisième fois, au bas mot, que je posais la question.

« Qu'est-ce qu'on est parti faire au juste ? »

Cinquième ou sixième fois peut-être (j'avais cessé de compter). Le silence me répondit une fois de plus, tant et si bien que je rongeai mon frein.

Le fleuve commençait à s'élever dans les montagnes. Peu à peu, les Gardes Noirs libérèrent un paysage qui me stupéfia. Les vastes plateaux de lœss émergèrent entre les pitons rocheux qui ceinturaient le Heilong. Le fleuve aux eaux jaunes s'infiltrait dans de profondes rigoles taillées dans les roches meubles de quartz, d'argile et de calcaire. Il descendait des montagnes que je percevais en marge, vers le sud-est. C'était un paysage faramineux, le genre de panorama où l'on reste planté de longues minutes sur ses pieds à ne plus voir que lui, en se demandant si nous ne sommes pas au Paradis. Mais, la vue avait beau être sublime, jamais je n'avais vu paysage plus désolé. Il n'y avait pas un seul arbre à moins d'une centaine de kilomètres, pas une plante qui pût ressembler à autre chose que de la verdure morte. Les plateaux de lœss étaient une étendue désertique de collines escarpées, érodées par les vents.

« Les plateaux de Guoyan, m'apprit Tel-Chire.

— Que faisons-nous ici, Sansaï ? » réitérai-je, sans trop compter sur la réponse.

Il pointa du doigt le sud-est. « Tu vois ces montagnes-là ?

— Oui.

— C'est là-bas que nous nous rendons. »

Je m'arrêtai un instant sur le sentier et levai la tête vers les montagnes. Je déglutis tout en baissant les yeux sur mes bottes élimées.

Les plateaux lœssiques représentaient le pire des défis pour tout être humain conscient de sa propre vulnérabilité. Hormis les monts qui surgissaient de la terre dans l'horizon, Guoyan semblait ne jamais vouloir se terminer. C'était une région de coteaux rocheux coupants comme une lame, sans aucun sentier tracé de la main de l'homme.

« Pourquoi allons-nous là-bas ? » demandai-je.

À ma plus grande surprise, il répondit : « Chercher ta prochaine leçon.

– Dans les montagnes ?

– En effet.

– En quoi consiste-t-elle ?

– La réponse est différente selon chacun. »

Tel-Chire était l'archétype de l'homme qui ne savait parler que par énigme, de temps en temps par sarcasmes. Peut-être était-ce son éducation royale qui lui avait appris à ne rien révéler de lui-même de peur de se mettre en danger, ou peut-être était-ce seulement à cela que ressemblait Tel-Chire d'Elisse : ce succédané de surhomme qu'il voulait paraître à tout prix.

« Où voulez-vous en venir ? questionnai-je, en essayant de maîtriser les sursauts d'humeur dans le son de ma voix.

– Que tu verras par toi-même. »

Ai-je déjà mentionné qu'il m'agaçait ?

La traversée des plateaux de Guoyan était plus épuisante que le chemin du Heilong. On marcha trois jours, durant lesquels les haltes purent se compter sur les doigts d'une seule main. Tel-Chire avançait comme un automate. J'étais tellement épuisé que j'économisais mes forces et comme lui, j'utilisais les mots au compte-goutte. De toute façon, en y réfléchissant bien, essayer de lui tirer les vers du nez était une perte de temps. S'il avait décidé de ne pas parler, il ne parlerait pas. En l'occurrence, dans certaines circonstances, la curiosité pouvait être punie une fois qu'elle était assouvie. Ce qu'il y avait au-delà des plateaux était une épreuve, je pouvais en être certain. Savoir ce qu'elle était ne m'aurait apporté qu'un surplus d'angoisse ou de contrariétés. Comme Tel-Chire aimait à le dire si souvent : « Un seul mot est nécessaire pour illustrer le principe de votre apprentissage : douleur. Refuser de souffrir est un mauvais placement. C'est un précepte qui ne souffre aucune exception ». Il ne parlait pas beaucoup, aussi, lorsqu'il se décidait à le faire, mieux valait ouvrir ses esgourdes et apprécier sa franchise. C'était l'une des dures leçons que j'avais apprises à mes dépens. Il avait ajouté que face aux malheurs, nous nous révélions enfin à nous-mêmes. « Montrez ce que vous avez dans vos tripes. Si vous n'avez pas le cœur au ventre, vous ne ferez rien de bon ; vous resterez à la portée du premier bandit qui passe, armé d'un couteau rouillé. Convainquez-vous que vous pouvez remuer ciel et terre et vous y parviendrez. Peu importe la douleur ; peu importe les adversités. Chaque chose a un intérêt et une place dans l'univers, même si vous n'en comprenez parfois pas le sens. Danel dit toujours : quand les eaux montent inexorablement, le navire s'élève lui aussi. Ne faites pas naufrage parce que vous avez peur de souffrir, parce que vous craignez le malheur. Devenez des hommes en regardant droit devant vous, sans vous détourner de votre quête ou de votre cœur. »

Précepte 3014 du code des maîtres, paragraphe A, alinéa 12 des gnoses de Tel-Chire d'Elisse. Il avait toujours le bon mot, la bonne phrase et récitait des vers entiers du code des guerriers comme si c'était de la poésie. Il y avait du bon dans ce code. Il y avait du mauvais aussi.

La fin des plateaux de Guoyan se faisait sentir dans les jambes. La pente se fit de plus en plus ardue et les montagnes se dressaient comme des barreaux de prison. Mon endurance était bien meilleure que par le passé, n'empêche que j'avais les jambes molles.

À l'aube du cinquième jour, nous grimpâmes les premières pentes des monts des Amors sur des roches affûtées, parsemées de quelques arbustes rabougris et des tapis d'euphorbes. Le fleuve du Heilong disparut sous la pierre noirâtre et s'engouffra sous la montagne dans un grondement. Ma chemise me collait à la peau.

« Est-ce qu'on est encore loin ? demandai-je, en crachant mes poumons sur le sol.

— Nous y serons à la nuit. »

Lorsqu'une frêle ligne de soleil déclina sur nos arrières, nous parvînmes en effet sur une corniche étroite accrochée à la montagne. En posant le pied sur la saillie rocheuse, je découvris l'entrée d'une grotte assez large pour permettre à un ours d'y pénétrer. Au-dessus, le sommet du pic nous lorgnait d'un œil blanc.

Tel-Chire s'arrêta aux portes de la caverne et posa son barda sur le sol. Il s'accroupit, but quelques gouttes d'eau à son outre et s'essuya la bouche du revers de la main. « Tu es arrivé.

— Je suis arrivé ? » répétai-je, étonné.

Il hocha la tête. « Pénètre dans cette grotte. Prends tout ton temps. Laisse ton sac ici. Là où tu vas, tu n'en auras nul besoin.

— Je peux savoir ce que ça signifie exactement ?

— Ta nouvelle leçon…

— Je sais… Vous ne répondez pas, Sansaï, m'agaçai-je, en lorgnant la grotte d'un air méfiant.

— Ton impatience est l'un de tes défauts majeurs. Pourquoi devrais-je répondre à cette question idiote ? Entre dans cette grotte et tu verras par toi-même. Ici, tu n'as pas besoin de moi. Je te fais grâce de ma présence, tu devrais en être satisfait. Du reste, c'est une étape que tu dois franchir seul. Je t'attendrai dehors. Je resterai le temps qu'il faudra. »

Je ruminai. « Comment saurai-je quand je dois sortir ?

— Tu le sauras.

— Que dois-je apprendre au juste ? Bon Dieu, Sansaï, vous n'allez tout de même pas me laisser entrer là-dedans sans même me donner un os à ronger ?

— Premièrement, cesse de blasphémer en ma présence. Deuxièmement, ouvre tes oreilles : tu n'as besoin de rien dans cette caverne, ni de ton maître, ni de ses conseils, ni de tes vêtements d'ailleurs. Retire-les.

— Quoi ? m'exclamai-je, abasourdi.

— Tu as entendu, obéis-moi. »

Je crachai par terre un filet de salive faute de pouvoir le couvrir d'invectives. Son ton ne prêtait à aucune contestation. Je le savais capable de me foutre à poil en employant la force si je ne lui obéissais pas. J'en avais déjà fait l'expérience quand, la première fois qu'il fallut entrer dans la mer glacée du nord pour pratiquer quelques exercices sensoriels, j'avais tout bonnement refusé d'obtempérer. Tel-Chire m'avait arraché mes frusques d'un regard et m'avait traîné dans le sable sur une cinquantaine de mètres avant de me faire boire la tasse dans les eaux glaciales de la baie.

Il m'observait avec cette expression familière du gars qui ignore ce qu'est la compassion.

« La compassion est l'un des principaux préceptes de Mantaore », me contredit-il, en me fixant.

Je grognai devant mon inaptitude à défendre mon esprit contre ses intrusions intempestives alors même que je me croyais assuré d'y parvenir. Il eut un sourire en coin que je préférai ignorer.

« Il semble, Sansaï, que vous n'ayez pas bien retenu la leçon dans ce cas, dis-je, sarcastique.

— La compassion consiste à agir pour le bien d'autrui, y compris contre sa volonté si cela s'avère nécessaire. » Il fit un geste de la main. « Maintenant, déshabille-toi. Pose tes vêtements à l'entrée de la caverne ; tu les retrouveras à ton retour. »

J'obéis à contrecœur en pestant dans ma barbe. Nu comme un ver au milieu de la montagne, j'avais l'impression d'être minuscule et désarmé. Je lorgnai le pinacle rocheux qui dominait la saillie. Un frisson courut sur mes reins. Il faisait plus froid par ici que sur les plateaux de Guoyan. Je croisai le regard de Tel-Chire, les joues brûlantes de colère. « À plus tard, Sansaï », fis-je, un brin insolent.

Je m'approchai de la grotte.

« Seïs », m'appela-t-il.

Je tournai la tête vers lui. « Quoi ?

— Une dernière chose. Ce que tu verras à l'intérieur de la caverne peut être une facette de la vérité, mais non toute la vérité.

— Je ne suis pas sûr de comprendre. »

Il hocha la tête et se détourna de moi. Il ouvrait son sac quand il ajouta : « Vas-y à présent. »

Je pris une profonde inspiration, comme si c'était la dernière goulée d'air que j'aspirais, puis entrai, bien déterminé à en découdre au plus vite.

Le passage s'enfonçait dans les montagnes, dans une noirceur absolue. Néanmoins, ma vue, tout comme mes autres sens, s'était affinée au fil des mois. Le couloir se rétrécit durant quelques mètres avant de s'ouvrir sur une arche sculptée de fresques. Une fois passé l'arche, je me retrouvai en haut d'un immense escalier dont les marches se perdaient dans l'obscurité. D'un geste instinctif, je me massai l'épaule gauche, regrettai une cigarette, puis entamai la descente. Après un moment, je perçus de la lumière et, une fois aux pieds de l'escalier, je m'arrêtai, muet de stupéfaction.

La caverne se creusait dans la glace de part et d'autre d'une rivière souterraine. Des stalactites et des stalagmites colossales s'étendaient sur les berges. Des statues étaient taillées le long des parois, dans la glace, des femmes, des hommes, sculptés dans des postures érotiques, nus, s'enlaçant, leurs membres emmêlés. Elles avaient quelque chose d'incommodant. Je n'arrivais pas à savoir ce qui me dérangeait, si c'était leur sensualité ou cette impression d'humanité sur leur visage marmoréen.

Je posai un pied sur la glace et m'avançai vers la rivière aux eaux d'un bleu gris cristallin. Je regardais les signes tribaux qui serpentaient autour des colonnes naturelles. On trouvait ces signes encore un peu partout en Asclépion, sur des pierres, dans quelques temples dédiés à Orde. La plupart des gens ignoraient ce qu'ils signifiaient et leur langage avait disparu voilà belle lurette avec les anciennes civilisations. La caverne en était remplie de fond en comble. Les symboles recouvraient la glace, les sculptures, le plafond, les plateaux bordant la rivière, profondément gravés dans la couche de glace.

Un vent polaire s'engouffrait par le lit de la ravine et me mordait la peau comme de petits animaux cannibales. Le sol était gelé, l'air glacial. Je m'agenouillai près de la rivière et contemplai une eau claire dans laquelle circulaient des bancs de poissons. Je ne mourrais pas de faim, c'était déjà ça. Je claquai des dents et me frottai les bras avec vigueur en relevant la tête sur les plaques de glace parcourues de nodules.

Nouvelle leçon : apprendre à résister au froid.

Pour ne pas rester à me geler les couilles, je furetai dans la caverne. J'inspectai les alvéoles. Certaines d'entre elles servaient de niches pour d'autres statues aux postures équivoques. D'autres étaient vides. Je découvris quelques tunnels qui descendaient plus bas dans la montagne vers de nouvelles excavations. De majestueuses hélictites s'ouvraient comme des fleurs, dénudant leurs pétales blancs au-dessus des ouvertures. Par maladresse, l'une d'entre elles se brisa sous mes doigts et partit en poussières.

Deuxième leçon : respecter les œuvres d'art de la nature.

Après avoir tourné en rond pendant plus d'une heure, je constatai que la grotte était de la forme d'un gigantesque amphithéâtre avec pour épicentre, la rivière et, à l'exception des statues et des pictogrammes tribaux, il n'y avait rien d'intéressant. Je finis par m'asseoir contre un pilier, derrière une rangée de corps enlacés pour me protéger du vent en maudissant Tel-Chire et ses maudites leçons. Je finis par m'assoupir, la tête contre un sein de glace, aussi dur et peu confortable qu'un édredon de pierre, ce qui ne m'empêcha pas de trouver le sommeil tant j'étais fourbu. Tant pis si mon réveil devait se révéler douloureux, le givre brûlant ma peau. De toute façon, entre la rivière et la glace, je n'avais pas vraiment le choix.

Trois jours. Trois jours sans rien voir d'autre que cette foutue rivière et ses statues dénudées qui me narguaient, et encore, quand je dis trois jours, ça aurait tout aussi bien pu être une semaine. Sans soleil, c'était difficile d'être précis. Bref, trois jours disons à me geler le cul, sans rien avaler que de l'eau fraîche parce que je ne parvenais pas à attraper un seul de ces maudits poissons à main nue. Trois jours à me tourner les pouces dans tous les sens et les méninges en me demandant ce que je pouvais bien faire ici.

Troisième leçon : se montrer patient… et merde !

Plusieurs fois je fus tenté de remonter à la surface et d'inventer un mensonge pour en finir. Mais, premièrement, Tel-Chire l'aurait su tout de suite, deuxièmement je n'avais aucune envie de lui faire le plaisir d'échouer piteusement. J'avais mon orgueil tout de même. Alors, j'étais coincé dans cette caverne, en cherchant à comprendre ce que j'étais censé tirer de positif de cet endroit venteux. Je me sentais seul, je mourais de faim, de froid et, à part m'ennuyer en contemplant les statues, je ne voyais pas quoi faire d'autre.

Le trou noir surgit soudain dans ma mémoire. La vallée au ciel zébré de rouge, envahie de... de squelettes, de crânes décharnés, de montagnes d'os fracassés. Cette impression de vide sidéral. Cette douleur cinglante comme un coup de fouet sur une chair à vif. Le sang qui bat, qui bouillonne, qui tournoie. Le sang qui charrie la haine, la colère, la trahison. Le sang qui coule, qui se déverse tel un torrent dans la vallée d'os.

« Dans les ténèbres de la vallée de la mort... »

Une voix inconnue, une voix monstrueuse sortie d'outre-tombe, tranchante et rauque, qui rappelait un grondement de tonnerre.

« ...tu ne seras jamais seul, car je serai avec toi... »

Comme si elle me déchirait les tympans, arrachait par mes oreilles des lambeaux de mon cerveau. Le sang qui palpite. La vision d'un cœur se gonflant, se rétractant, se gonflant à nouveau, se contractant. L'esprit broyé dans cette espèce de concasseur gigantesque, une grosse machine divine où se heurtent les âmes. La folie.

Shaolan...

Et le trou noir, brillant, béant, avide.

Je me réveillai en sursaut, couvert de sueur malgré le froid. Je regardai autour de moi d'un air hagard, comme si j'avais sifflé des litres d'alcool avant de m'endormir. Je haletai, la poitrine suffocante et piquée de petites douleurs.

« Ignorer la peur quand elle monte inexorablement », me répétai-je à voix haute, récitant l'un des nombreux préceptes de Tel-Chire.

Quatrième leçon : apprendre à contrôler sa peur.

Je me frottai le visage d'une main tremblante en observant les statues fichées dans les murs. Mon instinct me soufflait à l'oreille que quelque chose clochait ici, mais quoi ?

« Seïs ! »

La voix éclata dans une bourrasque de vent. Je me relevai d'un bond et sondai la grotte, de l'entrée aux multiples couloirs qui pénétraient plus profondément la montagne. Personne. Soit je perdais la tête, soit il y avait quelque chose dans cette grotte de pas naturel.

« Dans les ténèbres de la vallée de la mort, tu ne seras jamais seul, car je serai avec toi… »

Une voix dans ma tête répétait inlassablement cette phrase. Elle ressemblait à une homélie mortuaire, un chant pour ceux qui rongent les vers. Peu importait ce que ça pouvait représenter, ce n'était pas pour me rassurer.

Je m'avançai vers les berges de la rivière et m'installai au milieu d'une plate-forme de glace, les jambes croisées en tailleur. Je fixai les statues et les alcôves. Je tendis l'oreille.

Le silence.

Après quelque temps, je commençai à croire que les rafales m'avaient joué un mauvais tour. J'avais rêvé cette voix. Je fermai les paupières, inspirai pleinement en me morfondant sur une clope. Quand je rouvris les yeux, je me rendis compte tout de suite que quelque chose avait changé. Quoi, bon sang ?

« Seïs ! »

J'eus un frisson qui me traversa de la base de la nuque jusqu'aux orteils. La voix de Naïs emplit la caverne comme si elle était là, dans mon dos, à souffler mon nom.

« Qui est là ? » fis-je, avec colère. Évidemment, il n'y eut personne pour me répondre. Je tentai de rester calme.

« Son Sang coule dans tes veines. »

La voix était si parfaite, si semblable à celle de Naïs que je me surpris à douter qu'elle ne soit pas vraiment là. C'était impossible, n'est-ce pas ? La caverne était déserte.

« Peu importe les âges qui nous séparent, je serai toujours là », murmura-t-elle.

J'examinai chaque recoin de la grotte d'un œil délirant, en proie à une folie sur le point d'éclater comme un ballon d'eau.

« Tu veux me faire ces choses, Seïs, tu le veux, n'est-ce pas ? »

Bon Dieu, oui, je le veux, pensai-je, avant d'effacer le dégoût que cela m'inspirait. Mon cœur battait au point d'exploser.

« Caresse-moi, répéta la voix doucement.

— Qui est là ? dis-je, agacé.

— Tu crois que tu peux me toucher impunément sans te le reprocher…

— Qui est là ? » criai-je en me relevant, les mains si crispées que tout mon bras en tremblait. Je parcourus la galerie en hurlant : « Tel-Chire, si c'est toi, c'est pas drôle. Enfoiré, arrête de lire mon esprit et d'inventer n'importe quoi. Tu m'entends, salopard ? »

J'étais complètement paniqué. Je me sentais comme un poussin qui viendrait de briser son cocon, abandonné, loin de la chaleur rassurante de son lit douillet, lâché en plein soleil face à toutes sortes de prédateurs ravis de dégotter enfin leur dîner.

« L'eEntre-deux monde, dit la voix. Qu'est-ce que c'est ? L'avenir, le passé, la vérité, le mensonge ? L'Entre-deux monde…

— Pourquoi je fais ce rêve ? criai-je. Qu'est-ce qu'il veut dire ? Bon Dieu ! »

Quelque chose avait encore changé dans la grotte. J'étais incapable de dire ce que c'était. Pourtant, j'étais si proche de mettre le doigt dessus.

« Je n'ai pas le droit de t'aimer ; les êtres comme moi ne peuvent pas se le permettre. »

La voix de Naïs à nouveau, si délicate, débordante de culpabilité.

« Elle n'a jamais dit ça », m'exclamai-je au néant.

Je courais à présent d'une alcôve à l'autre. Je m'enfonçai dans les boyaux étroits et passai de grotte en grotte. Peu importait le chemin que j'empruntais, la voix me talonnait.

« Une lame brisée, dit la voix. Un être bouleversé sur le point de se rompre, de tomber. Une larme pour la vie, une larme pour la mort. Pourquoi pleures-tu, pauvre soldat ? »

Je m'adossai contre une paroi de glace, suffoquant.

« Si tu m'aimes, tu seras condamné. »

La voix de Naïs était insupportable.

« Elle n'a jamais dit ça », insistai-je.

J'avais étrangement mal, un pincement au cœur qui me torturait à loisir, comme si un type avait glissé un nœud coulant tout autour et prenait plaisir à le serrer. La rumeur du vent se fit plus mordante. J'avais froid. Nu comme un ver, affamé et peut-être un peu effrayé, la voix mutante de Naïs eut raison de ma patience et tout un bloc de colère croula sur mes épaules. Je n'avais aucune envie d'amuser la galerie. Je fouillai chaque recoin de cette foutue grotte.

Au moment où je pensais renoncer, je découvris un indice tout à fait inattendu. Gravé dans la pierre, tout autour d'une colonne, je pus lire ceci : « *La vérité est impartiale. Elle ignore les notions de conscience et les frontières. Elle est esprit et elle est douloureuse. Elle écarte les portes qui ouvrent les mondes.* » Juste en dessous, une écriture plus fine avait été rajoutée dans la glace : « *Affronte le démon.* »

Affronte le démon, disait le texte. Voilà donc la nouvelle leçon. Connaître son ultime faiblesse. J'émis un ricanement. Avais-je besoin de venir jusqu'ici pour savoir que ma faille se taillait un chemin dans une culpabilité insipide, noyée sous des désirs abjects ? Son corps était un magma de vices. Elle était la luxure incarnée à mes yeux. La moindre parcelle de sa chair m'excitait. Je brûlais de la posséder, de pénétrer son ventre, son corps, sa peau. La femme était ma faiblesse. Le désir que j'éprouvais pour elle et la culpabilité de le ressentir.

Une seule chose me tracassait parce que je ne la comprenais pas : ce trou béant, avide, qui m'aspirait avant de me recracher sur la terre jonchée de cadavres, l'Entre-deux monde, parsemé de squelettes sous un ciel pourpre. Et ce nom qui claquait comme un coup de tonnerre dans ma tête, quel était ce nom déjà ?

Il n'y eut plus de voix, plus de murmures le reste de la journée. Je finis par m'assoupir au pied de la colonne, après avoir lu et relu les mots inscrits dans la glace. Je rêvai sitôt que je fermai les paupières. D'abord, le sempiternel trou béant comme la gueule d'un monstre, puis, la vallée d'os balayée d'un vent mugissant et enfin, moi, planté au milieu de la vallée, considérant la montagne de squelettes enlacés comme des amants, moi marchant dans la vallée, la voix sur les talons.

Le rêve se disloqua dans la nuit, me laissant transi de froid. Alors avec un rare plaisir, un plaisir perverti, je me glissai de nouveau dans la petite maison de Point-de-Jour. Une nuit d'été à Shore-Ker où tout était moite, humide, bouillant comme dans une étuve. Je le reconnus tout de suite. J'avais seize ans. J'avais un peu bu en ville, pas beaucoup, juste assez pour me sentir bien, un peu dépossédé de mon corps. Il était tard quand je rentrai à la maison. Tout le monde était couché. J'entrai dans ma chambre sans bruit pour ne pas réveiller Naïs. Mais elle ne dormait pas. Elle se tenait face au miroir ovale de sa coiffeuse, nue, belle. Les rideaux étaient entrouverts et un faible rai de lumière recouvrait sa peau d'argenture. Mon cœur s'était mis à battre dans ma poitrine à toute vitesse. Je m'avançai sans bruit dans la chambre. Lorsqu'elle m'aperçut dans le miroir, elle laissa échapper un petit cri. Ses joues rosirent. Elle se jeta sur un drap de bain et s'en couvrit. Elle tremblait tandis que je m'approchais d'elle. Le vin me monta à la tête tout à coup.

« Tu… tu aurais pu frapper », bredouilla-t-elle.

Je balayai sa remarque d'un geste de la main. Je m'arrêtai devant elle. Elle dut lever la tête pour me regarder. Elle était troublée, peut-être même intimidée. Je mordis dans ma lèvre. Je n'étais plus tout à fait maître de moi-même. Je posai la main sur les doigts qui retenaient le drap et il glissa sur le sol. Elle me regarda dans les yeux, la bouche entrouverte, incapable de dire quoi que ce soit. Elle recula. Ses reins s'écrasèrent contre la commode. Je m'avançai et caressai son visage. Son corps était magnifique, mais elle était encore toute petite. J'enfouis mon visage dans son cou, caressai sa nuque du bout des doigts et longeai sa colonne vertébrale. La chair de poule hérissa sa peau.

« Seïs », murmura-t-elle.

Je relevai la tête. J'en avais envie. De l'embrasser, de la prendre. Mes doigts tremblaient en épousant la courbure de sa fesse. Elle frissonna lorsque ma main effleura son sexe. Elle voulut reculer.

« Pourquoi es-tu nue ? »

Elle baissa les yeux. « Pourquoi n'as-tu pas frappé ? » répondit-elle.

Je voulus l'embrasser, mais un bruit de porte résonna dans le couloir. Je sursautai. Je regardai Naïs, nue, couverte de chair de poule, et moi, devant elle, affreusement excité. Je m'écartai d'elle comme si soudain sa peau brûlait. Je me sentais comme un gosse pris en faute. Je me détachai d'elle alors que tout en moi voulait se raccrocher à elle, entrer en elle, ne faire qu'un avec elle. Je me sentais comme le mal, comme le péché, prêt à dénaturer la beauté, la pureté qu'elle incarnait. Je me sauvai en pensant que si je courais le plus loin possible, j'oublierais ce que je venais de faire et le désir qui me taraudait, de la violente érection qui me faisait mal et de ce corps que je voulais posséder. J'avais traversé la cuisine à toutes jambes devant ma mère, qui me regarda passer d'un air incrédule. J'avais franchi la cour, le sentier ; j'avais couru dans les bois jusqu'à ce que mes jambes ne puissent plus me porter, jusqu'à ce que je m'écroule face contre terre. Là, en plein milieu de la forêt, je m'étais fait cette promesse idiote : touche à toutes les filles que tu veux, mais pas elle.

Cette caverne était une nouvelle chambre de torture, plus cruelle, plus vicieuse que toutes les antichambres d'Aurepue, que toutes les énigmes et les coups de savate. Naïs représentait ma faille, la faiblesse que je devais éteindre. Elle possédait sur moi trop de pouvoir, trop de charme. Elle devenait un danger. La culpabilité, l'amour que j'éprouvais pour elle déstabilisait mon pouvoir. M'interdire sans cesse de songer à elle m'empêchait de me concentrer sur le contrôle de mon esprit. Les Tenshins ne s'autorisaient pas à aimer. Ils prônaient le célibat ou les amours d'une nuit, les putains dans les bordels ou les courtisanes d'un soir. Je commençais à en comprendre les raisons.

« Il est difficile de connaître ses qualités, disait Tel-Chire, mais il est encore plus dur d'admettre ses faiblesses. »

Sa voix résonnait encore dans ma tête quand je me réveillai. Je relevai ma débile carcasse de la plate-forme sur laquelle je m'étais vautré et j'aperçus des traînées de sang sur toute la surface laiteuse. Je palpai mon front et découvris une plaie assez profonde qui m'entaillait l'arcade sourcilière. Je m'étais cogné la tête durant mon sommeil et pas qu'une fois. Le sol en était maculé. *Bougre d'imbécile !*

Je me traînai à la rivière pour me laver quand la voix de Naïs éclata : « Tu veux m'aimer, n'est-ce pas ? »

Elle me fit aussi mal que la migraine qui perforait mes tempes. Je tentai de l'ignorer et m'agenouillai sur les berges. Je trempai les mains dans l'eau fraîche et m'aspergeai le visage.

« Tu veux m'aimer. Tu le désires », répéta la voix.

Un nouveau bouleversement envahit la caverne. Je relevai la tête, observai les pilastres brillant d'argenture.

« Non, je ne veux pas t'aimer, répondis-je.

— Tu mens ! »

Je haussai les épaules.

« Tu voulais me faire ces choses. Tu l'as toujours voulu. »

Je poussai un grognement.

« La femme est un fourreau dans lequel plonger sa folie. »

Un frisson courut le long de mon échine.

Un rire résonna. « La mort est ton fardeau.

— Qu'est-ce que ça veut dire ? » m'étonnai-je.

Le silence me répondit. Je me redressai, stupéfait et agacé. Je traversai la galerie de long en large. Il fallait que je bouge, que ma peau, ma chair, mes os se meuvent pour oublier la douleur sous mon crâne.

« La mort est mon fardeau, qu'est-ce que ça signifie ? » m'irritai-je.

Pas de réponse.

« Y a-t-il un rapport avec l'Entre-deux monde ? Bon Dieu, répondez-moi. »

Le vent traversa la caverne.

« Une Lame n'a pas le droit d'aimer. La vie, la mort, tout s'est mélangé ; le temps ne reconnaît plus rien ; la terre ne te reconnaît pas ; tu es devenu un monstre et tu l'as ignoré, dit la voix.

– Tu nais, tu vis, tu meurs. C'est la loi de la nature », fis-je.

Personne ne prit la peine de me répondre.

Mes possibilités de devenir maître se réduisaient-elles à peau de chagrin ? Était-ce une prophétie ? Cette caverne avait-elle le pouvoir de lire l'avenir ou était-elle seulement le reflet de mon âme ? J'avais une certitude si tout le reste demeurait flou : la grotte n'avait d'autre objectif que de me révéler des facettes de ma personnalité. Apprendre à se connaître soi-même pour progresser était l'un des principaux enseignements de Tel-Chire. *Il est primordial de bien se connaître pour savoir de quoi on est capable, de bon ou de mauvais. Il n'y a pas de place pour les surprises en combat singulier. Telle est la différence entre un guerrier éclairé et le combattant ignorant.* Qui étais-je ?

« Une Lame n'a pas le droit d'aimer… Porteur de Mort. »

La phrase me coupa le souffle. Je m'immobilisai au milieu de la caverne, sur les berges de la rivière.

« Quoi ?… Ça suffit. Je ne veux plus t'écouter, qui que tu sois. J'arrête de jouer. Allez, montre-toi, espèce de lâche, montre-toi, qu'on en finisse. »

Je pivotai sur moi-même en lorgnant les murs de la grotte, les poings serrés.

« Toujours à jouer les durs », renchérit la voix.

Elle ressemblait étrangement à celle de Fer.

« Va te faire foutre ! criai-je.

– Tu n'es pas ce que tu veux paraître, dit Naïs.

– Tu es un lâche, dit Fer.

– Deux sangs qui coulent dans un même lit, qui tuera l'autre ? dit la voix anonyme.

– Assez ! » hurlai-je, les poings tellement crispés que mes ongles me rentraient dans la peau.

La caverne entière semblait douée de vie. Je fermai les paupières et quand je les rouvris, je compris enfin.

« Je vous ai trouvés », sifflai-je.

Je quittai la plate-forme sur laquelle j'étais campé et parcourus en quelques enjambées le tas de glace qui me séparait des parois sculptées de la grotte. Je contemplai les amas de corps entrelacés, un rictus sur les lèvres. J'enfermai le sein d'une femme aux longs cheveux ondulés entre mes doigts et me penchai vers elle.

« Qui êtes-vous ? » demandai-je.

J'eus un hoquet de stupeur lorsque les yeux de la femme se braquèrent dans les miens et je reculai, lâchant son sein.

« Toi », claqua la voix d'un ton sentencieux, presque comique.

Ce n'était pas seulement cette statue qui parlait, c'était toutes les statues, hommes et femmes. Elles étaient vivantes ou, en tout cas, elles possédaient une forme d'intelligence.

Je regardai la ligne ininterrompue des corps emmêlés les uns aux autres. « Que voulez-vous ? demandai-je.

— Te montrer qui tu es…

— Vous voulez savoir qui je suis vraiment ? soufflai-je d'un ton vipérin. Vous voulez savoir qui je suis ? »

Je me rapprochai de la femme aux yeux d'albâtre et aux seins blancs aguichants.

« Nous savons qui tu es, dit-elle.

— NON ! explosai-je. Vous ne le savez pas. Je me fous de vos soi-disant vérités. Pensez ce que vous voulez, ça ne sera jamais moi… »

La colère s'abattit sur mes épaules comme une coulée de plomb. Le regard de la femme sembla s'intensifier lorsque son rire éclata dans la galerie. Je n'avais alors plus qu'une idée en tête : effacer ses yeux de glace. Je frappai la roche à main nue. À coups de poing, je lui éclatai les pommettes, le front. J'enfonçai ses orbites dans la glace. Je lui broyai les lèvres. Mes doigts esquintés se couvrirent de sang et de chair. Je me fichais de la douleur qui s'infusait dans tout mon avant-bras. Je voulais qu'elle se taise, qu'elle cesse de rire.

« Je vous démolirai toutes s'il le faut, hurlai-je. Allez au diable ! »

J'appliquai mes phalanges sur le nez de la femme, sur son visage trop beau taillé au couteau.

« Tu as peur de ce que tu es, dit-elle.

— Je n'ai peur de rien. Vous n'existez pas. »

La statue de la femme n'était plus qu'un amas de glace défiguré.

« Tu as peur de ce que tu pourrais faire, insista-t-elle.

— La ferme ! hurlai-je.

— Tu es perclus d'une fausse culpabilité. Tu voudrais te sentir coupable de m'aimer, dit la voix de Naïs, mais tu n'y parviens pas. Tu t'enivres parce que tu veux croire que tu souffres, parce que seule la douleur te prouve que tu es vivant. Tu veux souffrir pour te punir de ne pas culpabiliser.

— C'est faux.

— Caresse-moi, dit Naïs. Pourquoi ne le fais-tu pas ?

— Tu sais pourquoi. »

J'enfonçai mon poing dans sa bouche trop parfaite, le cœur au bord des lèvres.

« Pourquoi te punir ? » demanda-t-elle.

Je sanglotais presque comme un gosse. Je reniflai bruyamment et m'attaquai à la gorge de la statue.

« Tu as peur de ce que tu es, de ce que tu ressens ; tu as peur de ce que tu pourrais devenir.

— Non, criai-je. La ferme ! » Je démolis sa poitrine à coups de poing. J'en arrachai des morceaux avec mes ongles.

« Non… non. Ça suffit. Vous ne savez rien. Vous ne comprenez rien.

– Pourquoi refrènes-tu ton pouvoir ? »

Je relevai les yeux noyés de sanglots, éructant et crachant sur le sol un filet de salive ensanglantée.

« Je… » J'arrêtai de frapper la statue, à présent simple amas de glace informe, et reculai. Je regardai les courbes enchâssées.

« Ta culpabilité est lourde à porter, dit-elle. Elle n'est pas la tienne. Si tu cessais de te raccrocher à elle, elle cesserait…

– Et si je ne voulais pas ? la coupai-je. Si je me plaisais avec cette culpabilité ? » Elle voulut parler ; je l'interrompis à nouveau : « Il n'y a de faiblesses que celles que l'on croit comme telles, lançai-je, furieux. Je vomis vos putains de failles. T'entends, Tel-Chire ? Je vis ma vie comme je le décide. Ce n'est ni toi ni ces foutues voix qui me dicteront ce que je dois faire, comment je dois être ou ce que je dois ressentir pour devenir un guerrier. C'est moi seul qui décide. »

Sur ces derniers mots, je m'éloignai de la statue difforme, grimpai d'un bond sur le rocher plat. Je traversai un frêle pont de glace au-dessus de la rivière et remontai les escaliers aussi vite que je le pus, sans un regard en arrière. Réponse ou pas, j'en avais fini avec cette grotte.

Lorsque je parvins à l'entrée de la caverne, un flot d'air frais se plaqua contre mon visage brûlant. La douceur de l'aube m'emplit de soulagement. Je gonflai mes poumons, respirai, comme si jusqu'à présent, j'avais été plongé sous l'eau en apnée. Je m'étirai, les bras levés vers un ciel zébré de rouge et de jaune clair, irradiant la surface des plateaux de Guoyan. Je restai un moment immobile, le regard contemplatif sur la beauté du paysage. Je me moquais de ma nudité alors que je sentais le regard de Tel-Chire me couver comme celui d'une mère, son nourrisson. Il était assis contre la paroi, talons contre fesses. Il attrapa son outre et me l'envoya. J'eus tout juste le temps de tendre le bras pour la saisir avant qu'elle ne dégringole de la corniche. Je fis sauter le bouchon et bus tout mon saoul pendant qu'il sortait du feu des tranches de viande et les déposait sur une pierre plate. Je ne pris pas le temps de me rhabiller. Je me précipitai sur la viande et la dévorai en quelques secondes. Tel-Chire en fit sauter deux nouveaux morceaux dans les flammes qui se mirent à grésiller.

Après avoir achevé mon troisième boucan, j'enfilai enfin mes vêtements avec un profond plaisir. Je m'installai ensuite confortablement près du feu, me chauffai les mains en laissant les flammes les licher. Le sang de mes doigts coula dans le foyer et la douleur vint me picoter les jointures. Tant pis. La chaleur était un privilège rare que je comptais déguster au maximum avant que cet apanage ne me soit retiré.

Tel-Chire garda un silence religieux, me laissant goûter aux menus plaisirs du paysage, de la chaleur et de la nourriture sans venir gâcher mon bien-être par des questionnements ennuyeux.

Comme je me remettais tranquillement près du feu, il finit par déclarer d'un ton neutre : « Tu es blessé. »

Sa tiédeur habituelle m'alla droit au cœur.

« Ouais, ça m'en a tout l'air.

— Tu devrais les désinfecter. » Il me tendit sa besace. « Ouvre et sers-toi. Il y a tout ce qu'il faut. »

J'ouvris son sac, en retirai plusieurs escarcelles d'herbes et des petites boîtes en métal ouvragé qui contenaient des pommades analgésiques. Je nettoyai mes doigts avec l'eau de l'outre, grattai les croûtes de sang séché et appliquai les onguents sur mes plaies turgescentes.

Tel-Chire retourna la viande dans le feu. « Tu as trouvé des réponses ? me demanda-t-il, sans relever les yeux.

— Hum… plutôt de nouvelles questions. »

CYCLE VII

LA MORT

An 2077

La maison était vide depuis le départ de Teichi. Sirus dut faire appel à un saisonnier pour l'aider aux champs lors des récoltes. Un matin, de bonne heure, il se rendit en ville, sur la place des Sept Rois, et chercha à engager au marché à l'embauche. Le midi, il revint en déclarant qu'il avait trouvé son bonheur.

Le lendemain matin, le manœuvrier se présenta à Point-de-Jour. Sur le seuil de la porte, une pèlerine jetée nonchalamment sur les épaules, Brenwen me dévisageait en souriant.

« Brenwen ! » m'exclamai-je.

Il se découvrit la tête, rabaissant la capuche sur ses épaules, et me salua d'un grand sourire. « Bonjour, Naïs.

— C'est donc toi que mon oncle a embauché.

— Il semblerait. Tu es surprise. J'espère que ça ne te dérange pas.

— Non, du tout. Je suis contente de voir que tu restes un peu plus longtemps à Macline. Entre. Il fait un froid de canard. Je vais chercher mon oncle. Installe-toi. »

Je me précipitai dans le couloir et toquai à la porte de Sirus. Celui-ci bougonna avant d'ouvrir le vantail. Il était encore tout échevelé et sa chemise pendouillait sur ses chausses brunes. Il avait encore de la mousse à raser plein la figure et il dut s'essuyer les lèvres avant de grogner : « Qu'y a-t-il ?

— Ton nouvel employé vient d'arriver, mon oncle.

— C'est bien, il est à l'heure précisément le jour où je ne le suis pas, fichtre ! Sers-lui du thé le temps que j'arrive.

— Bien, mon oncle », fis-je avec sourire à peine caché.

Sirus referma vivement la porte en grommelant et je retournai dans la cuisine. Brenwen était assis sur le banc et fixait d'un air ensommeillé le foyer où brûlait un bon feu.

« Sirus arrive. En attendant, veux-tu du café, du thé ?

— Du café, c'est très bien. »

Je m'empressai de servir deux tasses fumantes et m'installai en face de lui. Brenwen saisit la timbale à pleines mains afin de les réchauffer contre le métal, puis il huma la saveur du café.

« Le meilleur café que j'ai eu l'occasion de goûter par ici, me confia-t-il avec un sourire.

— C'est gentil.

— As-tu réfléchi à ma proposition ? »

Je fis la moue un instant et ruminai derrière mes dents.

« Je n'aime pas me rendre là-bas, lui dis-je.

— Je sais. Antoni m'a raconté l'accident que tu as eu avec ton cousin quand tu étais enfant, mais cela reste encore le meilleur endroit. C'est un coin tranquille, parfait quand on ne veut pas attirer les regards indiscrets.

— Pourquoi diable veux-tu à ce point demeurer en retrait ? Depuis combien de temps vis-tu à Macline maintenant ? Deux ans ?

— À peu de choses près. J'aime la tranquillité, rien de plus. Et puis, j'ai beau être ici depuis deux ans, il y a des endroits où l'on m'appelle encore l'Errant.

— Tu n'as qu'à cesser de t'y rendre, un point c'est tout, déclarai-je en faisant claquer ma cuillère contre le rebord de la tasse. Du reste, je n'ai aucune envie de m'y rendre aussi souvent si tu décides de t'installer là-bas.

— J'ai vécu dans la grange des Pâtis pendant six mois, et le reste du temps, à l'auberge. Près de Farfelle, il y a une petite clairière que personne ne veut, avec une vieille bicoque au milieu que je pourrais retaper. Et puis, j'ai mis un peu d'argent de côté, c'est un endroit parfait. J'aimerais quand même avoir ton opinion.» Brenwen se pencha par-dessus la table et prit ma main dans la sienne. «Et j'ai d'autres projets en vue. L'endroit est derrière Farfelle, tu ne verras même pas les falaises de là-bas. Elles seront dissimulées par de véritables bataillons de chênes. Viens voir au moins une fois et après on verra. Je n'ai pas encore acheté le terrain.

— Bon d'accord. Juste une fois, mais si ça ne me plaît pas, tu renonceras?

— On verra», fit-il avec un clin d'œil.

Je grommelai et retirai ma main de celle de Brenwen pour boire mon café. Celui-ci me dévisagea un moment en silence, puis porta sa tasse à ses lèvres.

«J'ai croisé Fer il y a deux jours, m'apprit-il.

— Ah oui?»

Un petit air amusé joua dans ses yeux. «Je crois qu'il n'apprécie pas beaucoup que je tourne autour de toi.

— Il est très protecteur, mais il ne te dira rien si tu te comportes correctement.»

Brenwen ricana. «Je pense que même si je te demandais honnêtement en mariage, il voudrait faire de moi une tête à accrocher au-dessus de la cheminée.

— Il n'est pas si terrible. Il te fait peur? me moquai-je.

— Peur, non. Je suis juste soucieux de mon bien-être.

— Ton bien-être n'a rien à craindre. Même si tu me demandais *honnêtement* en mariage, je refuserais.»

Je me rendis compte, après coup, que mon ton catégorique était blessant et je le regrettai. Mais Brenwen fit comme s'il n'avait rien remarqué.

« Ah ! Je ne perds pas espoir, dit-il. Lors de notre première rencontre, je te faisais peur et tu ne voulais rien avoir affaire avec moi. Puis quand je t'ai invitée, tu as refusé avant d'accepter, et maintenant nous sommes amis. Chaque chose en son temps ; je ne désespère pas que tu changes d'avis. »

Je levai les yeux au ciel. « Rien ne te décourage jamais.

— Si, le mauvais temps dehors », répondit-il en jetant un coup d'œil par la fenêtre.

Le temps faisait grise mine et le vent se levait plus âprement à mesure que la matinée avançait.

« Oui, couvre-toi bien au champ, lui conseillai-je. Sinon, tu vas attraper la mort. »

Il hocha machinalement la tête et sirota ce qui lui restait de café. Je lui proposai une nouvelle tasse qu'il déclina, puis Sirus fit enfin son apparition dans la cuisine. Il s'excusa de son retard, enfila sa lourde pèlerine, ses gants et son bonnet qu'Athora lui avait tricoté. Il avait l'air ridicule, mais s'il ne le mettait pas chaque matin, Athora rouspétait toute la soirée quand elle voyait ses oreilles rougies et douloureuses.

Brenwen s'enveloppa dans sa cape de velours, remit son capuchon sur sa tête. « Tu n'as pas répondu à ma question de tout à l'heure, me dit-il avant de sortir.

— D'accord, d'accord, je t'accompagnerai en fin de journée. Ça te va ?

— Parfait. »

Brenwen patientait, assis sur un tronc d'arbre mort en fumant une cigarette. Sa cape l'enveloppait de la tête aux pieds et il se frottait machinalement les jointures de ses doigts gercés par le froid. Dès qu'il me vit approcher sur le sentier, il se releva et m'offrit son bras.

« Ce n'est pas très loin », me dit-il tandis que je glissais mon bras sous le sien.

On longea un sentier au bas des falaises de Farfelle qui semblèrent me dominer comme une gigantesque main prête à m'attraper. Brenwen me fit emprunter un autre chemin qui coupait à travers bois si bien que je perdis rapidement de vue Farfelle. Dès que les falaises commencèrent à décroître derrière les chênes, ma respiration se fit moins suffocante et je relâchai un peu la pression sur son bras. Nous suivîmes un layon étroit au milieu des bosquets, puis nous débouchâmes dans une clairière où un mince filet de soleil flirtait avec les bruyères. Une cabane en vieux rondins trônait au beau milieu, comme oubliée là par mégarde. C'était la vieille bicoque d'un trappeur ou d'un paysan. Brenwen lâcha mon bras et eut un large mouvement pour me présenter ce qui pourrait devenir sa nouvelle demeure. La maison semblait complètement perdue au cœur des arbres.

« Alors, qu'en penses-tu ? me demanda Brenwen.

— Ce n'est pas la maison de mes rêves, mais y a peut-être quelque chose à en tirer. »

Brenwen hocha la tête. Son regard se perdait sur la mansarde, le toit perclus de trous à reboucher, de fissures à colmater.

« Je sais qu'il y a fort à faire, dit-il, mais avec un peu de travail, elle pourrait être agréable, non ?

— Elle le pourrait.

— Je pourrais rajouter une aile sur la droite avec le temps, pour faire une chambre, creuser des canalisations pour faire un puits derrière la maison. Tu pourrais jardiner par ici, planter quelques herbes médicinales dont tu as le secret. Qu'en penses-tu ? »

Je l'observai à présent, les yeux ronds, la bouche entrouverte, sans parler. Ses yeux plongèrent dans les miens. Son visage était inexpressif contrairement à son habitude, alors que son regard flamboyait. Je me frottai les mains, tout à coup nerveuse.

« Brenwen, tu…

— Tu n'es pas obligée de répondre tout de suite, me coupa-t-il. Je ne suis pas… »

Un grondement éclata soudain dans la vallée. On aurait dit un coup de tonnerre qui fit vibrer jusqu'aux fenêtres de la vieille bicoque. La terre parut ronfler, se soulever. De conserve, nos yeux se braquèrent sur Farfelle. Le silence retomba et nous enserra comme une corde pour nous étouffer. Puis le hurlement d'un cor claqua.

« Qu'est-ce que c'est ? » m'étonnai-je.

Brenwen considérait les ramures qui nous dissimulaient Farfelle, le visage brusquement grave.

« Ça vient de la route. »

Il m'attrapa par la main et m'entraîna sans détour vers le son tortueux du cor qui retentissait.

L'une des voies ducales du royaume traversait les bois à moins d'un kilomètre du sentier sylvestre qui reliait

Point-de-Jour aux cultures de Sirus. Elles étaient toutes constituées de terre battue et joignaient les villes secondaires d'Asclépion, faisant ainsi la liaison entre les différentes voies royales. Nous courûmes un moment au milieu des futaies, empruntant un chemin qui contournait Farfelle, puis nous grimpâmes une légère éminence qui surplombait la voie ducale. Lorsque nous parvînmes sur la chaussée, une foule de gens se pressait aux abords d'un étroit défilé de falaises. Le cor hurlait toujours pour alerter la cité.

Brenwen se tailla un chemin parmi les riverains amassés et silencieux. Seuls quelques murmures emplissaient le défilé. Je ne lâchai pas sa main. Je regardais tour à tour les hautes falaises de Farfelle, la longue ligne de crête surplombée par les chênes. La rivière Belle-de-nuit grondait non loin de là.

Par-dessus le bras de Brenwen, j'aperçus des marchandises éparpillées sur le sol : étoffes, jarres brisées, légumes frais... et un peu plus loin le cadavre d'une charrette écroulée au milieu d'un gisement de pierres. L'une des roues s'était brisée. La toile couleur crème du chariot s'était prise dans une branche d'arbre, que poussait le vent. L'arrière du véhicule disparaissait entièrement sous un gros rocher de granit qui s'était détaché des falaises.

« Un éboulement, murmura Brenwen.

– C'est malheureux, entendis-je dire un homme à nos côtés.

– Il y a des blessés ? demanda Brenwen.

– M-hm », dit l'homme d'un air affligé.

Les éboulements étaient fréquents. Aymeri de Châsse avait ordonné plusieurs fois la consolidation des falaises et l'agencement de filets. Farfelle était sauvage. Rien ne parvenait à la dominer. Les filets avaient tout simplement cédé sous le poids des pierres.

« Naïs… »

La voix de Brenwen ressembla à une note creuse à mon oreille. Je tournai la tête vers lui et le considérai, les sourcils arqués. Son visage était pâle et ses yeux restaient braqués sur la route jusqu'à ce qu'il les baisse sur moi et croise mon regard. Mon cœur se mit à battre brusquement avec une telle violence qu'un fil glacé sangla ma poitrine. Je déglutis, et à contrecœur, suivis le regard de Brenwen. Les gens s'écartèrent devant moi et je découvris la charrette écrasée, le fruit des récoltes jonchant le sol et les deux cadavres qui gisaient piteusement au milieu des rochers épars.

Un cri monta dans ma gorge. Je lâchai brutalement la main de Brenwen et muselai mes lèvres dans l'espoir de ne pas hurler. Mes yeux écarquillés se mirent à brûler. Je clignai des paupières, m'accrochant à l'idée que cela ne pouvait être qu'un mauvais rêve. Pourtant, chaque fois que j'ouvrais les yeux, rien n'avait changé. Je sentis mon corps chanceler, partir à la renverse. J'avais l'impression d'être extérieure à moi-même, de regarder autour de moi sans être dans mon corps. Tout semblait flotter. Brenwen posa une main sur ma hanche pour me retenir. Je le repoussai sans le regarder. Je me contractai de la tête aux pieds. C'était un cauchemar. J'allais sûrement me réveiller. Je bousculai d'un coup d'épaule l'un des hommes à côté de moi et me précipitai vers les débris de la carriole en oscillant de gauche à droite, comme si j'étais sur le pont d'un navire. Je sentais la nausée m'envahir peu à peu. Je tombai à genoux sur le sentier, sentis à peine les écorchures que me laissèrent les cailloux et fixai d'un œil abasourdi le corps inerte d'Antoni. Il gisait là, en travers de la route, comme un paquet abîmé. Étendu sur le dos, les yeux tournés vers le ciel. Du sang maculait son visage, sa poitrine et ses genoux. Ses vêtements étaient déchirés. Ses cheveux poisseux de sang se collaient à son front où une pellicule de sueur s'accrochait encore. J'approchai la main de sa figure, hésitai avant d'oser le toucher. Je chassai délicatement sa frange de son visage défiguré. Sa peau était chaude et moite. Elle semblait encore vivante.

Les larmes me brouillaient la vue. Je fermai les paupières, les rouvris. Antoni était toujours là. Ses yeux vidés restaient obstinément fixés sur les nuages grisâtres qui s'étendaient au-dessus de Farfelle.

Je laissai mes deux mains tomber le long de mes hanches, impuissante, lorsque le cri d'Athora explosa, noya le défilé et se répercuta en écho contre les falaises. J'aurais voulu me boucher les oreilles pour ne jamais entendre ce cri-là. Les gens s'écartèrent quand elle se rua vers Antoni et la dévisagèrent d'un air affecté. Je baissai la tête sur mon cousin, incapable de regarder Athora. Elle contourna les décombres et tomba à genoux près de lui. Sans se soucier de son corps meurtri, elle le saisit dans ses bras. Le visage d'Athora était effroyable de pâleur, les yeux exorbités, les lèvres si crispées qu'elles ne laissaient voir qu'un mince filet de peau bleuâtre. Elle se mit à secouer Antoni comme si elle espérait le réanimer. Elle ne pleurait pas. Elle semblait ne pas me voir, ni même entendre les murmures des gens qui nous entouraient. Elle agitait Antoni comme un pantin, le sang éclaboussant la route, ses cheveux poisseux raclant le sol et son bras droit désarticulé, retenu par de frêles ligaments se déchirant à mesure de ses gesticulations. Athora ne prêtait aucune attention au corps fragile d'Antoni. Le rocher l'avait presque coupé en deux. Un vertige me saisit. J'étais sans force. J'écoutais les gémissements d'Athora sans pouvoir parler, sans pouvoir empêcher mes larmes de couler, sans parvenir à faire cesser les gestes hystériques de ma tante.

Sirus arriva dans le dos d'Athora. Les battements de mon cœur s'accélèrent. Il paraissait tout à la fois immense et voûté. Son corps avachi semblait avancer avec peine. Les empreintes sur son visage étaient lisses et impassibles. Son regard semblait ne plus rien avoir de vivant. Il se dirigea droit sur nous sans répondre aux gens qui l'accostèrent et s'agenouilla à côté de sa femme.

« Arrête », murmura-t-il à Athora. Celle-ci leva les yeux vers son mari, le dévisagea comme s'il était fou et secoua la tête. Sirus l'ignora. « Donne-le-moi. » Elle agita de nouveau la tête avec obstination. Sirus posa les mains sur celles de sa femme. « Donne-le-moi, Athora », ordonna-t-il.

Sa voix était lourde et pâteuse. Une épaisse ride se découpa entre ses deux sourcils. Il agrippa Antoni et le tira doucement hors des bras d'Athora pour le reposer sur le sol. Les mains de ma tante tentèrent de le retenir par le col de sa chemise, mais elle manqua de force et il lui échappa. Sirus souleva sa femme sans ménagement. Athora poussa un hurlement. Elle se retourna précipitamment vers Sirus et planta ses ongles dans son bras.

« Rends-le-moi, cria-t-elle. Sirus… jamais je ne te le pardonnerai ! »

Elle éclata brusquement en sanglots. Ses cheveux s'échappèrent de son chignon et se déversèrent dans son dos. Ses bras retombèrent mollement le long de ses hanches. Elle hoquetait, reniflait. Son visage était terne et cireux. Le père Pâtis s'approcha d'elle et posa une main calleuse sur son épaule. Il adressa un coup d'œil à Sirus qui hocha la tête. Athora bascula brusquement en arrière. Le père Pâtis la rattrapa à brûle-pourpoint et la prit dans ses bras.

« Je m'en charge, dit-il à Sirus. Je te la ramène à la maison. Occupe-toi de ton fils. »

Le père Pâtis ne perdit pas de temps, écarta la foule de badauds et prit le chemin de Point-de-Jour, escorté de trois de ses fils.

Sirus s'agenouilla en face de moi. Il planta son regard dans le mien, la bouche scellée et le visage aussi verrouillé qu'une porte de fer. Il attrapa Antoni, comme s'il ne pesait rien avec une extrême délicatesse, et le souleva.

Des bras m'entourèrent. Je relevai la tête pour voir Sirus transporter Antoni vers la maison. Sa tête pendait en arrière et ses boucles blondes dégringolaient dans le vide.

Brenwen enroula ses mains sous mes aisselles et me tira en arrière. Je me relevai péniblement, chancelai d'avant en arrière. Il resserra sa prise autour de mes épaules. Je le forçai à me lâcher, mais avant qu'il n'ait pu protester, je fis volte-face et enfouis mon visage dans son cou.

« Naïs… », murmura-t-il d'une voix douce.

Il caressa mes cheveux. Ses mains glissèrent sur mes hanches. Il me souleva de terre, ses bras noués sous mes cuisses. Je m'accrochai à sa nuque tandis qu'il fendait la foule et me ramenait à la maison.

Alors que nous nous éloignions de Farfelle, je redressai la tête par-dessus son épaule et regardai sur le sol la corolle de sang, là où Antoni était tombé. En la considérant, mon cœur manqua un battement et les paroles de Nolwen, gravées dans ma mémoire, me revinrent : « Si un jour tu croises le chemin d'une charrette, deux pas à gauche et c'est fête, trois pas à droite et, d'un geste, de trépas, à quinze heures, tu deviendras voyageur ».

« Quelle heure est-il ? » demandai-je subitement à Brenwen.

Celui-ci me regarda bizarrement. Il leva cependant la tête, scruta le ciel et la position du soleil, puis répondit : « Approximativement quinze heures, pourquoi ? »

Je haussai les épaules sans répondre. *De trépas, à quinze heures, tu deviendras voyageur…*

CYCLE VIII

VISITE SURPRISE

Le soleil ruisselait sur le sommet des falaises de la baie. Le vent soulevait le sable, me brouillait la vue et m'irritait la gorge, mais je me sentais divinement bien sur cette plage, à sentir mon sabre dans le creux de ma main.

« Sansaï, vous n'êtes qu'un lâche. Vous reculez ! » m'exclamai-je.

Tel-Chire ne prit pas la peine de répondre. Il sauta de l'un des rochers de la baie et rebondit sur la grève.

« Vous reculez, rendez les armes et je vous épargnerai, hurlai-je en braquant mon sabre dans sa direction.

— Tu parles trop », me gourmanda-t-il.

J'éclatai de rire comme un gosse, pivotai autour de lui et lançai mon arme dans le vent, hurlant, comme si je clamais à la face du monde ma liberté retrouvée.

« Cette petite botte est rudement efficace ... je devrais lui donner un nom, vous ne croyez pas ? » plaisantai-je.

Tel-Chire secoua gravement la tête, mais il souriait. «Voilà une bonne idée. Que penses-tu de "Fanfaronnade" ? »

Son épée ricocha sur ma lame avec une telle force que mon bras tout entier trembla.

« J'avais plutôt dans l'idée quelque chose comme "la botte Amorgen". Jolie, non ? »

Je bondis sur un gros rocher plat bordant l'océan. Je virevoltai, sentant l'air sécher mon front et ma nuque, et sautai à nouveau dans le sable à pieds joints après avoir tenté un coup de pied. Tel-Chire para, remonta sa garde et asséna un coup brutal de sa lame contre la mienne, qui se brisa comme un morceau de bois dans un bruit sec. La pointe tomba sur le sol et s'enterra dans le sable.

« Bon Dieu ! » m'exclamai-je en considérant mon sabre avec une moue de gamin déçu. Il s'était brisé à mi-partie, tranché net. Je relevai les yeux vers Tel-Chire qui ne sourcillait pas. Hors de question de le laisser s'en tirer à si bon compte. Je préférais encore rentrer au château les pieds devant. Je me jetai sur lui sans réfléchir et parvins à le renverser. Il s'affala sur les fesses et son arme s'envola dans les airs quand je heurtai son poignet d'un coup d'épaule. Il bascula la tête en arrière, aperçut son épée gisant piteusement sous les rouleaux de sable qui voltigeaient autour de nous et l'accrocha de son regard perçant.

Manipuler les pensées, ordonner, communiquer, soulever des objets, ou même un corps, les Tenshins appelaient cette technique, la Geste. Tel-Chire était l'un des meilleurs manieurs de Geste de tout le pays. Il regardait l'objet qu'il souhaitait soulever et, aussitôt, celui-ci se suspendait dans les airs comme s'il était maintenu par des fils invisibles. Il n'était pas obligé de fixer le sujet de son pouvoir, il suffisait juste qu'il sache où il se trouvait pour le faire bouger. Le regarder ou tendre la main vers lui servait davantage pour le spectacle et épater la galerie. Ramasser son épée était un jeu d'enfant pour le maître de Geste qu'il était. Pour moi, c'était plus difficile. Il fallait que je concentre mon regard, mon corps et mon esprit pour parvenir à faire bouger quoi que ce soit.

À moitié allongé sur Tel-Chire, je tendis le bras au moment où son arme se mit à se mouvoir sur le sable tel un serpent et à se frayer un chemin vers nous. Je canalisai toute mon énergie sur ce frêle esquif blanc et brillant comme une couche de glace. J'eus l'impression que des fourmis se rassemblaient sur ma carcasse tant mon corps se mit à me démanger. Mon esprit ouvrit ses frontières, tailla la route comme un animal et explosa vers l'arme. L'épée s'immobilisa net à quelques centimètres de nos deux paumes tendues. Elle trémulait sur le sable, s'agitant entre le pouvoir de Tel-Chire et le mien.

Un combat silencieux débuta. L'arme ne savait plus où donner de la tête, partant tantôt à droite, tantôt à gauche. Sous moi, je pouvais presque sentir le cœur de Tel-Chire battre et son pouvoir irradier de lui comme un halo de lumière. Qu'Orde m'emporte : il ne gagnerait pas ce coup-ci. Pas question. Ce fils de pute allait en baver. Un maître est un homme, pas mon supérieur, voilà ce qu'il aimait répéter. Qu'à cela ne tienne : j'allais lui en faire la démonstration. Cette fois, il ne gagnerait pas.

Je me focalisai sur la lame, cette lame ruisselante d'argenture, taillée dans les matériaux les plus chers et les plus nobles, ornementée de signes tribaux par les meilleurs maîtres forgerons d'Asclépion. J'avais l'impression de sentir au creux de ma main le manche noué de rubans blancs, l'ivoire sculpté en forme d'Éliago, de sentir les flancs du cheval dans la paume de ma main. L'épée se mouvait sur le sol, divisée en deux par des propriétaires peu désireux de l'abandonner à l'autre, défendant chacun leur bout de viande, comme s'ils n'avaient pas mangé depuis des lustres.

« Allez petit, tu devrais abandonner, tu n'arriveras à rien à part te blesser », me lança Tel-Chire entre ses dents.

J'éclatai de rire. La provocation n'avait pas d'effet sur moi. Je restai concentré. L'épée se mit à ramper sur le sable, d'abord à une vitesse d'escargot, puis soudain avec une rapidité qui me stupéfia. Elle se jeta dans ma main. Mes doigts se refermèrent sur les flancs du cheval et, avec une satisfaction à peine dissimulée, je posai sa propre lame sur la veine battante de sa gorge (avec une envie profonde de voir si la couleur de son sang était bien rouge).

C'était cependant mal connaître Tel-Chire d'imaginer que le combat était déjà terminé. Alors que j'étais assis à califourchon sur son bassin, il me saisit par la ceinture de ma tunique et me fit basculer par-dessus lui, comme si j'étais un poids plume. Retournement de situation. Cette fois, je me retrouvai le cul dans le sable, les bras en croix et les yeux rivés sur un ciel d'une limpidité saisissante. En prenant appui sur mes épaules, je me hissai d'un bond sur mes jambes. Tel-Chire se dressait devant moi comme un titan, sa queue de cheval à peine défaite. Il leva sa main droite (pour le spectacle) à hauteur de ses hanches, tel qu'il l'aurait fait pour serrer la main d'un gars. Le pommeau prisonnier de mes doigts frétilla aussitôt comme un poisson tout juste sorti de l'eau. Tel-Chire lançait ses attaques mentales, comme si des centaines de griffes taillées en pointe tentaient de déchirer des lambeaux de mon cerveau. Je devais construire des murailles à toute vitesse pour l'empêcher de planter ses ongles à l'intérieur de mon crâne. J'érigeais des enceintes qu'il abattait au fur et à mesure. Il tirait l'arme vers lui, ajustait ses flèches et visait en plein cœur pour me décontenancer. Ce type était rudement fort au « tu me pousses, je te pousse » ; j'avais du mal à garder l'emprise sur son arme. Elle glissait dans la paume de ma main. Je résistai sans trop savoir ni comment je le faisais, ni combien de temps je pourrais le faire. Je m'accrochai à ce regard de croque-mort tout prêt à creuser ma tombe. Si j'esquivais son regard, je perdais la partie et creusais moi-même ma propre tombe.

Garde le contrôle de ton esprit, récitai-je. *Tiens le coup... Domine la force. Elle coule dans tes veines. Elle habite ton sang. Elle nourrit ta chair. Sens-la, elle est en toi. Sers-t'en, Seïs. Ne perds pas de temps à protéger ton esprit,* pensai-je soudain, comme si Lampsaque s'était trouvé juste derrière moi pour me souffler cette idée. Je laissai tomber toutes mes barrières et fonçai dans sa tête.

Chaque fois que j'avais tenté cette expérience, j'avais eu l'impression de prendre des gifles les unes après les autres pour finir avec le crâne explosé. Je poussai une porte entrouverte, entrai en terrain inconnu dans le vestibule de ses pensées. Je me retrouvai alors dans une sorte de clairière aux confins inexistants et désertiques, puis au pied d'une immense porte taillée dans la roche d'une muraille imposante. Je me faisais l'effet d'un moucheron en face d'une vitre, inconscient du danger qu'il y avait à s'approcher si près. Une force démesurée suintait des pierres de la forteresse, comme du liquide doré, mirage un tantinet arrogant à mon goût. Toutefois, je devais admettre que j'étais loin, très loin de posséder de telles défenses psychiques. Derrière ces murailles s'entassait tout ce qu'il y avait à savoir sur Tel-Chire d'Elisse : son fastueux passé au palais de Hom-Tar, les servantes qu'il pelotait derrière les colonnes, les copains qui étaient morts depuis longtemps, les intrigues de cour, tous les combats perdus, tous les duels gagnés et toute cette rancœur envers lui-même accumulée à l'ombre de sa figure lisse et inanimée. Tout sur ce gosse assis aux coins des tables à écouter les anciens déblatérer politique pendant des heures sans qu'il ait le droit de bouger, de murmurer ou même de respirer trop fort, les longues séances de maintien, d'étiquette, les ronds de jambe interminables, les trahisons qui se multipliaient. Tel-Chire était prisonnier de sa propre tête, avec ses plaintes du passé, ses griffes de souvenirs et cette rancœur qui n'avait plus rien d'humaine après tant d'années passées à grossir et à fomenter. Mais, tout cela, je l'ignorais encore. Je ne savais qu'une chose, que tout effort pour franchir ses murailles serait vain. Alors, je refluai hors de son esprit, avec le sentiment d'être tout petit devant lui, et je n'aimais pas ça du tout.

En revanche, j'avais toujours son épée en main. Ce qui en soi était déjà un privilège que peu de mortels ou d'immortels pouvaient sans doute se vanter d'avoir obtenu. Prendre l'arme d'un maître était presque un exploit et je pensais m'en tirer avec un bon repas et le droit de boire du vin sans me cacher pour y être parvenu.

« Un guerrier qui égare son arme n'est pas digne de porter ce titre », déclarai-je avec une fierté peut-être un peu trop flagrante en répétant ces mots dont Tel-Chire nous avait rebattu les oreilles, Lampsaque et moi, lorsqu'on se prenait une peignée.

Ça le fit rire et Tel-Chire qui se bidonne comme un bossu est toujours très inquiétant. Dans ces moments-là en particulier, il vaut mieux se faire du mouron. Mes doigts se refermèrent instinctivement sur le manche de l'épée et serrèrent à s'en faire péter les jointures.

Quand il bougea enfin, je ne vis qu'une ombre floue se détacher de la surface huileuse de l'océan dans son dos, à peine une ombre, un résidu de sa silhouette. J'eus du mal à le suivre. Je pivotai sur moi-même, les talons plantés dans le sol et me retrouvai de nouveau nez à nez avec lui. Nous nous sourîmes l'un l'autre comme deux types qui préparent un coup fourré.

« Tu as fait des progrès, constata-t-il, les paupières battant sous la lumière crue de cet après-midi.

— Ouais, c'est sûr. Mais ne cherchez pas à me distraire. Ça ne prend pas. Allez, venez, Sansaï, qu'on n'y passe pas la journée. Je sais bien que vous me préparez un mauvais coup. J'ai le nez pour les entourloupes. »

Son œil luit comme un astre. « Ah oui ! Tu crois ? »

Son visage se fendit d'un nouveau sourire. Bon Dieu, je n'avais pas vu Tel-Chire se marrer autant depuis que Den, six mois plus tôt, s'était gerbé sur les chaussures en vociférant qu'il était né du foutre divin d'Orde tout Puissant, et que le dieu avait engoncé sa mère alors qu'elle était aussi ivre morte qu'un ranchero de Sos-Delen.

Je sus que quelque chose clochait avant même que l'odeur de Tel-Chire se fasse plus forte dans mes narines. Je sus que quelque chose clochait avant même qu'une main s'abatte sur mon épaule aussi lourdement qu'un madrier. Je sus que quelque chose clochait avant même de m'effondrer sur le sol. J'avais beau le savoir, rien n'aurait pu m'empêcher de m'étaler dans le sable de tout mon long. Pendant quelques minutes, je me demandais si j'avais encore toute ma tête ou si mon cerveau avait succombé aux coups de gourdin.

Deux Tel-Chire absolument identiques me dévisageaient en affichant un sourire narquois. Ils me ceinturaient telles des colonnes. Des jumeaux parfaits : mêmes vêtements, même allure impénétrable, même prestance et même sourire pisse-froid. Je crus avoir la berlue et, assis sur mon postérieur, je me fendis la pipe.

« Putain, comme si un ne suffisait pas », furent les premiers mots qui purent se frayer un chemin dans mon ébahissement lymphatique. Puis, je me relevai en faisant craquer mon dos endolori et ramassai le sabre de Tel-Chire qui s'était enterré dans le sable. « Sansaï, voilà ce qui s'appelle une belle poussette comme j'en ai rarement vu.

— Je ne joue pas aux jeux d'argent », se défendit le Tel-Chire sur ma droite en souriant. L'autre ne bougea pas.

« Ça m'étonne pas. Den se serait sûrement vanté de vous avoir saigné à blanc si ça avait été le cas… Je m'attendais à ce que vous me fassiez tomber dans un traquenard, mais je ne m'attendais pas à celui-là. Bordel, comment vous faites ça, Sansaï ? »

Le Tel-Chire de gauche eut un léger haussement de sourcils, comme si c'était une broutille, celui de droite, un petit sourire en coin. « Cela tombe très bien que tu poses cette question. L'ubiquité est la prochaine étape de ton apprentissage. Tu as bien travaillé ces derniers temps. Tes progrès sont louables. Un peu plus et tu me battais.

— Un peu plus ! m'exclamai-je en lui désignant son épée. Si nous avions été sur un pied d'égalité, je vous aurais mis au tapis, Sansaï, aussi bien qu'un et un font deux.

— Seulement voilà, ici, on ne compte pas pareil qu'ailleurs. » Je ricanai. « Ne sous-estime jamais ton adversaire, même si tu l'imagines inférieur. Un vrai maître ne te dévoilera jamais ses véritables capacités. Il feindra l'ignorance et tu tomberas dans le piège de l'arrogance. Tu t'es déjà fait manipuler par Borlémir et Gassiope par le passé. Tu les prenais pour des faibles…

— Et ils m'ont fait entendre mon erreur à coups de pied au cul, je n'ai pas oublié, Sansaï.

— Tant mieux parce qu'il m'arrive de croire que ton orgueil peut te jouer de mauvais tours. » Le Tel-Chire de gauche sourit, celui de droite continua sa phrase laissée en suspens : « L'orgueil peut être une arme excellente si elle est utilisée avec parcimonie et intelligence. Un vieux maître disait que l'orgueil peut être comparé à la lame d'une épée. Comme elle, il doit être affûté, puis réintroduit dans sa gaine. De temps en temps, le sabre est tiré, brandi, puis nettoyé avec soin avant d'être remis au fourreau. Utilisé trop souvent, les gens te craindront et tu perdras leur confiance. À l'inverse, si tu l'abandonnes à ta ceinture, la lame rouillera, se ternira et nul ne craindra plus celui qui la porte. Il faut trouver un équilibre à cet orgueil qui fait de toi un être exceptionnel. Trouve le juste milieu, entre la crainte de tes ennemis et la confiance de tes amis.

– S'il existe une recette pour museler son orgueil, Sansaï, je suis tout prêt à l'apprendre, me moquai-je, mais je doute qu'une telle recette puisse se dégoter dans un placard.

– Discipline, Seïs, discipline. » Je fis une telle mine dégoûtée que les deux Tel-Chire ne purent se retenir de sourire. « Je suis sûr que tu trouveras toi-même la réponse à ce problème, un jour ou l'autre. Cela étant dit, j'espère que tu n'useras pas de cet orgueil indomptable une fois de trop dans de mauvaises circonstances.

– Cela pourrait me coûter cher, c'est ça ?

– C'est ça. »

Le Tel-Chire, qui était à ma droite, vacilla soudain. Une lumière dorée l'enveloppa, telle une seconde peau, puis le halo se déchira lentement comme une étoffe luxueuse, sans bruit, et il disparut. Tel-Chire s'approcha et tendit la main vers le manche de son épée. Je la lui rendis, garde en avant. Il la saisit entre ses doigts délicats et, d'un geste expert maintes fois accompli, il rengaina son sabre dans le long fourreau d'Hedem qui pendait à sa ceinture.

« Dites moi un truc, Sansaï, votre petit tour de magie, combien de temps me faudra-t-il pour l'apprendre ? Juste histoire de savoir quand je pourrais vous coller une raclée. »

Il ricana en prenant la direction du plateau de l'Ourdos. « Toujours pressé, Seïs. N'as-tu pas encore compris que chaque savoir est un labeur plus long que la vie elle-même ?

– Oh ! Moi, tout ce que j'ai compris, c'est que plus on en apprend, moins on en sait.

– Ce qui explique sans doute ton peu d'égards envers tes études.

– En effet. Pourquoi devrais-je m'enquiquiner à apprendre quelque chose qui sera sûrement faux dans un, dix ou vingt ans. Quelle importance ?

— Sélectionner ce que tu veux apprendre, c'est réduire tes capacités à comprendre un tout.

— Vous divaguez à nouveau, Sansaï.

— Non, tête de lard, pour obtenir une lame comme celle que tu as tenue dans ta main, il ne suffit pas de savoir qu'elle est belle et maniable…

— Je sais ce que vous allez dire, le coupai-je. Il faut des mineurs pour affiner le minerai, un forgeron expérimenté pour la travailler, un ébéniste pour la poignée en bois ou un quelconque fabricant qui la sculptera. Plusieurs savoirs qui s'associent pour créer une chose unique.

— Effectivement, la fabrication d'une épée regroupe la métallurgie, l'orfèvrerie, la menuiserie et parfois des tanneurs pour la poignée. Un seul savoir n'est pas assez pour progresser ou créer… Tu vois quand tu veux, tu comprends très bien tout seul.

— C'est que, Sansaï, à force d'écouter vos diatribes savantes, je finis par retenir quelques conneries intéressantes. »

Il fronça les sourcils. Je ne dissimulai pas mon petit sourire en coin quand je ramassai ma lame brisée dans le sable.

« Tu sais que tu as de la chance, Seïs.

— Laquelle ? demandai-je, très intéressé de l'apprendre.

— De ne pas être l'élève d'Al-Talen. »

Je ris comme un bossu. « J'imagine, Sansaï. Ne croyez pas que je ne vous suis pas reconnaissant de m'avoir choisi pour apprenti. »

Une ride se creusa entre ses deux sourcils bruns. Mon ton gausseur était en train de le foutre sérieusement en rogne. « Je suis un maître plutôt coulant, dit-il, mais je pourrais me montrer beaucoup moins accommodant si tu me cherchais un peu trop de poux dans la tête, tu comprends ? »

Je ne répondis pas. Je fixai ma lame brisée au creux de ma main. *Quelle forme pathétique une épée inutile,* songeai-je, *comme une âme coupée en deux.*

« Seïs ? »

Je relevai la tête. « Je pige plus vite que vous ne le pensez, répondis-je machinalement.

– Comment peux-tu savoir ce que je pense ? » se moqua-t-il.

Je haussai les épaules. « Je le sais, c'est tout. » Ce qui n'était ni de l'arrogance, ni de la défiance. « C'est moche une épée brisée », dis-je finalement en marchant vers l'Ourdos.

Tel-Chire me jeta l'un de ses drôles de regards indéfinissables. « Oui, en effet. »

Je n'aimais pas Tel-Chire pour être tout à fait franc. À l'époque, je le trouvais arrogant, trop sûr de lui, de son savoir, de sa naissance. Son impassibilité habituelle était comme une tique qui m'irritait la cuisse. Plus d'une fois, je rêvais de lui coller mon poing dans sa jolie figure polie comme du cuivre et j'y renonçai parce que, quelque part dans cet embrouillamini de sentiments qu'adorait semer Mantaore comme des petits cailloux blancs, il était mon maître d'armes. Quoi que je dise, quoi que je puisse penser, Tel-Chire était un sacré Tenshin et, parfois, je me dis qu'il avait plus de raisons que moi de se montrer pédant. Mais Tel-Chire m'avait permis de découvrir une chose dont je lui serais éternellement reconnaissant, en dépit de nos déboires communs : la passion du sabre. Lorsque je vis Tel-Chire manier son arme la toute première fois en guise de démonstration dans un simulacre de combat contre Cimen, je restai muet de stupéfaction. Ce qui n'était pas un maigre exploit. Décrire sa manière de bouger serait comme tenter de décrire le soleil : je pourrais toujours dire qu'il est gigantesque, lumineux et brûlant et cela serait vrai, mais, pour autant, est-ce ainsi que nos yeux le voient lorsque l'on regarde le ciel ? Non, parce qu'il y aura toujours trop de beauté et de grandeur pour y parvenir tout à fait. Tout ce que Lampsaque réussit à bafouiller lorsqu'il vit Tel-Chire manier son sabre, fut un « putain » profond et sincère et je n'en pensai pas moins. En tout cas, à cet instant précis plus qu'à aucun autre, je me pris d'affection pour cet art et, pour une fois, je ne rechignai pas à en apprendre les arcanes de fond en comble, quitte à prendre branlée sur branlée, à réciter des panels entiers de techniques et à m'exercer sur le plateau de l'aube au crépuscule. Tel-Chire était enfin soulagé que je me découvre une passion. Peut-être que moi aussi d'ailleurs. Depuis, on passait de longues journées éprouvantes sur la plage à nous affronter, d'abord aux rokushs, puis à l'épée, deux sabres de coupe, recourbés en demi-lune et tranchants comme des rasoirs. La première fois que je tins l'une de ces armes dans la main et qu'elle ricocha contre celle de Tel-Chire, remplissant en écho la calanque, je bandai comme un pendu. J'étais extatique. Je me débrouillais bien. À l'exception des Tenshins, j'envoyais tous les hommes de Mantaore au tapis, sans prétention, y compris Théo l'albinos. Il m'en avait fait baver plus d'une fois et avait bien failli me découper en rondelles de citron, à tel point que les maîtres durent interrompre nos combats de crainte qu'il n'y ait un incident plus grave que nos habituelles écorchures.

« Tu choisiras une nouvelle arme à l'armurerie », me dit Tel-Chire en m'observant du coin de l'œil tandis que je regardais mon arme fendue en deux.

Nous marchâmes un moment en silence sur la plage qui regagnait Mantaore.

« Tu sembles préoccupé depuis quelques jours, remarqua Tel-Chire après un moment.

— Préoccupé non, plutôt intrigué.

— Par quoi ? »

Je me mordis la lèvre inférieure et plongeai mon regard dans la contemplation du ciel d'hiver, d'un bleu glacé. Dans l'horizon, quelques cumulus cotonneux se rapprochaient.

« J'entends des voix.

— Ce n'est pas un fait très nouveau, n'est-ce pas ?

— Oui et non... Disons qu'au début, je croyais écouter un langage étranger. Vous voyez, je me disais que mon esprit s'ouvrait, traversait les mers pour gagner des rivages lointains et que j'étais confronté à une langue que je ne connaissais pas, ce qui expliquait pourquoi je ne pigeais rien. Mais, maintenant, je sais que mon esprit ne traverse pas les océans.

— Alors à ton avis, qu'est-ce que c'est ? »

Je guignai Tel-Chire du coin de l'œil. À sa mine, malgré sa mâchoire de marbre, j'étais sûr que cet enfoiré me cachait quelque chose.

« Vous savez ce que c'est, n'est-ce pas ? »

Son regard s'échappa vers la ligne d'horizon. Il ne me répondit pas.

« Bon Dieu, qu'est-ce que c'est ? Je ne peux plus dormir à cause de ces voix, je ne peux plus pisser peinard. Elles ne s'arrêtent plus. Ce ne sont pas des voix humaines. Elles ressemblent à des borborygmes ou des gazouillis de bébés. J'en sais fichtre rien. Rien que d'y penser, j'en ai la migraine. »

Je massai ma tempe de l'index.

« Si tu n'as pas compris quelles étaient ces voix, ce n'est pas à moi de te le dévoiler. C'est le chemin qu'il te reste à parcourir.

— Aucune pitié parmi les Tenshins ! lançai-je en plissant le front.

— Conçois plutôt cela comme si je savais mieux que toi ce qu'il faut pour te faire du bien. »

Un sourire trancha son visage comme une lame de couteau dans une motte de beurre.

« C'est vous qui le dites », marmonnai-je entre mes dents.

Il dut avoir un peu pitié de moi malgré tout, car il ajouta : « Tout ce que je peux te dire, c'est que chaque sensation est décuplée par la connaissance de l'esprit. »

Son ton solennel et professoral m'irritait au plus haut point.

« Je le sais déjà. Vous n'arrêtez pas de me le répéter du matin au soir, Sansaï. Vous n'avez rien de neuf à m'apprendre ? »

Nous remontâmes la grève jusqu'au ponton qui traversait le Heilong.

« Je sais que je te l'ai déjà dit, cependant tu n'écoutes rien, s'exclama-t-il. Ouvre ton esprit, vois plus loin. Ne te contente pas de tes seuls acquis. »

Je donnai un coup de pied dans un caillou qui roula sur le plateau de l'Ourdos.

« Il me reste encore des milliers de choses à t'enseigner, continua Tel-Chire. Or, la plupart d'entre elles restent à des kilomètres au-dessus de ta tête. Bon sang, si seulement tu pouvais dépenser un peu des efforts que tu fais pour râler afin de travailler, tu pourrais être l'un des meilleurs apprentis de cette promotion. Mais tu en es incapable. Tu es un demeuré et s'il y a bien une chose qui m'irrite, ce sont les demeurés qui ont l'intelligence nécessaire pour ne pas le rester. Toi, tu arrêtes ton petit monde à une cigarette et à une bouteille de Sirop sur la plage, et tu crois que tu pourras t'en contenter toute ta vie. Si seulement tu pouvais arrêter de t'enfoncer la tête dans le sable et accepter que tu mérites mieux que ce que tu veux t'offrir, on avancerait peut-être enfin. »

Sa satire était assez insultante pour m'énerver, pourtant, elle me fit l'effet contraire. Avec calme, je lui répondis: « Le problème, Sansaï, c'est que même si vous faites des efforts pour me comprendre et même si vous pensez avoir lu tout ce qu'il était possible de lire dans ma tête, vous n'avez qu'une connaissance imparfaite de ce que je suis. Le plus étonnant, c'est que depuis deux ans, cela ne vous est pas venu à l'esprit que je puisse ne pas avoir envie d'être comme vous. Or, Sansaï, je suis au regret de vous apprendre que je ne suis pas vous. »

Ma dernière phrase eut l'air de trouver un écho. Il me foudroya du regard et, même de profil, je ressentis toute la puissance qui couvait derrière. Je me dis alors que c'était peut-être une bonne idée d'enfoncer un peu le clou et je lui balançai en souriant: « Pour votre gouverne, Sansaï, je suis plus ambitieux que j'en ai l'air. Les clopes et l'alcool, ça va cinq minutes, mais s'il n'y a pas de femmes, autant creuser ma tombe. Alors là, ouais, mon paradis pourrait se résumer à ça: de la bière, des herbes et des femmes. »

Il n'eut pas un sourire quand il déclara: « sale gosse ! »

Par contre, moi ça me fit marrer. Tel-Chire ne comprenait pas qu'un homme puisse réduire sa vie à de si simples plaisirs. Pour lui, tout homme était idiot s'il ne cherchait pas à cultiver son âme et comprendre tout ce qui l'entourait, comme si chercher était en soi déjà une réponse. Il pensait sincèrement qu'à toutes questions, existait une solution accessible. Cette idée-là, j'étais persuadé qu'elle aurait sa peau un jour.

Je m'arrêtai au pied de l'escalier, devant la masse fine et néanmoins corpulente du despote de Mantaore, Al-Talen Brance-Tarqua. Il me toisait d'un œil autoritaire avec cet éclat familier qui me signifiait gentiment qu'il m'aurait volontiers pendu par les pieds. Sa figure exhalait un magnétisme dictatorial (il n'était pas roi, mais il en avait la carrure), rehaussée par ses longs cheveux blancs qui lui conféraient un air de sorcier vicieux tout prêt à vous frire dans une marmite. Je me plaignais de Tel-Chire, et j'avais un bon nombre de raisons pour cela, mais franchement pour toutes les baises gratuites du monde, je ne l'aurais pas troqué contre Al-Talen (sûrement parce que, s'il en avait eu le pouvoir, il aurait fermé tous les cloaques où la chair pas chère était à vendre. Quelquefois, je me demandais s'il avait déjà trempé son biscuit dans sa vie et, quand j'appris bien des années plus tard qu'en effet, cette expérience lui était déjà arrivée, je mis des semaines à m'en remettre).

« De la bière, des herbes et des femmes », répéta Brance-Tarqua. Le salaud avait tout entendu. « Je doute fort que ce soit entre ces murs que ces choses se produisent. »

Ce à quoi j'acquiesçai énergiquement en évitant de lui rappeler qu'il m'avait envoyé aux corvées le plus souvent parce qu'il m'avait surpris une clope au bec.

« Il serait temps de grandir un peu, me dit Al-Talen, et d'arrêter de croire que seuls ces menus plaisirs combleront ta vie. » Visiblement, ils s'étaient passé le mot. « Quoi qu'il en soit, tu vas être obligé de mettre un frein à tes pitreries coutumières. »

Il descendit sur la dernière marche des escaliers et ramena ses mains dans son giron.

« Bien, Sansaï », répondis-je stupidement et avec insolence.

Al-Talen fronça les sourcils. Il détestait l'insolence. En fait, à part l'ascétisme, il détestait quasiment tout. « Je ne plaisante pas, me dit-il. Cesse tes flagorneries, alors que tu n'en penses pas un traître mot, tu auras tout le temps de faire des courbettes dans quelques jours. » Je le regardai sans comprendre. Il ajouta : « Nous allons avoir de la visite. »

Je le considérai encore plus perplexe. Al-Talen se détacha de moi et dirigea ses yeux secs sur Tel-Chire qui, aux rides de son visage, semblait aussi rétif face à cette nouvelle qu'une vache apercevant les lames de l'abattoir.

« Ce sont eux ? » demanda-t-il.

Al-Talen agita la tête. « En effet, Calette a envoyé quelques membres de la cour sous bonne escorte. Un moyen, dit-il, de garantir le secret de cette réunion.

— Une prime de risque en quelque sorte, marmonna Tel-Chire. Qui de la cour ?

— Je l'ignore. Le régent nous en fait la surprise. »

Voilà autre chose que le despote devait haïr : les surprises.

« Ont-ils dit combien de temps ils comptaient se servir de Mantaore comme d'une auberge ? demanda Tel-Chire.

— Quelques jours. Je doute qu'ils s'attardent très longtemps.

— Tant mieux, je n'aime pas ça », avoua-t-il, et à sa trombine, on avait bien compris.

Al-Talen hocha la tête et afficha un léger sourire qui m'étonna, car il avait l'air heureux et sincère. « Ma foi, dit-il, nous aurons de la compagnie. Voilà longtemps que nous vivons dans un cocon paisible.

— Je gage qu'à la fin de la semaine tu ne diras plus cela », se moqua Tel-Chire.

Al-Talen en convint, puis il se pencha vers moi, son nez presque contre le mien, me scruta longuement et déclara : « Fils, je t'aurai à l'œil. Un écart et je te colle aux oubliettes du château jusqu'à la fin des festivités. Je suis sûr, toutefois, que tu sauras où se trouve ton intérêt, entre les cellules de Mantaore et la plaisante compagnie de nos convives qui amèneront leur lot de nouveautés, n'est-ce pas ? »

Présenté sous cet angle, il était difficile de ne pas acquiescer. C'est donc ce que je fis.

« Bien, très bien », dit-il en se dirigeant nonchalamment vers les tours de garde.

Tel-Chire m'attrapa subitement par le coude et m'entraîna en direction des cuisines. Avant de franchir la porte, il lança à Al-Talen d'un ton avenant : « N'en fais pas trop tout de même. Il est inutile d'en rajouter.

— Tu me connais, répondit Al-Talen dans un sourire.

— Justement ! »

Tel-Chire branla du chef, esquissa un sourire et passa la porte en me traînant derrière lui comme un petit chien tenu en laisse.

« Je n'avais jamais vu Al-Talen aussi excité. Qu'est-ce qui se passe au juste ? Qui doit venir par ici ?

— Tu l'as entendu, non ? Des gens de la cour…

— Pas seulement. Qui sont les autres ?

— Cela t'arrive de ne pas jouer les idiots. Tu verras dans quelques jours. »

Je l'obligeai à me lâcher le bras d'un léger coup de coude. « Je suppose que ça doit être important si des petits nobliaux sont autorisés à traîner leurs guêtres de soie jusqu'ici, surtout si cette nouvelle amuse Al-Talen.

— Effectivement, me répondit-il de mauvaise grâce. Al-Talen se défendrait en prétendant qu'il déteste les révérences et les minauderies de cour, mais la vérité est qu'il a trop vécu à Hom-Tar. Que veux-tu ? La cour est un poison pour l'âme orgueilleuse. Fais attention, lorsque tu t'y frotteras, de ne pas te laisser piéger par la beauté des apparences.

— Le grand moralisateur, fis-je, dans un sourire auquel il ne répondit pas. Pour quelles raisons n'avez-vous pas succombé à ses attraits, vous qui êtes né dans la capitale ?

— Je m'en suis éloigné. Je vis depuis longtemps au château du duc de Lantir, sur les rivages du cap de For-Bel, et cela me convient très bien. La cour est loin d'y être aussi importante qu'à Hom-Tar, les nobles sont triés sur le volet et j'apprécie la tempérance du duc. Tu sais, lorsqu'on grandit à Hom-Tar, on apprend très vite que ce n'est pas le meilleur endroit pour vivre. Il y a trop de gens à mon goût, trop de cérémonies, trop de bruit. Les intrigues sont monnaie courante, l'alcool et la luxure, des vices à plein temps. En vérité, l'endroit te plairait sûrement, rit-il. Pour un maître, en revanche, le travail est sans discontinuité. Voilà pourquoi Al-Talen s'y complait. Tu le connais, il n'aime pas rester inactif. À Hom-Tar, il ne dort jamais que d'un œil et surveille ses ouailles. Il faut avoir les épaules solides pour exercer au palais et je dois reconnaître avoir perdu cette patience-là. »

Par Orde, je n'avais jamais entendu Tel-Chire aligner autant de mots (qui pis pour dire autre chose que j'étais un idiot). Je le regardai avec des yeux de poisson. Il eut un sourire amusé, comme s'il venait de comprendre, et tapota mon épaule affectueusement. Sur l'instant, ce subit geste amical me rendit méfiant. Mais, comme il poursuivit son chemin sans faire quoi que ce soit d'autre, je lui emboîtai le pas.

« Vous n'aimez pas Elisse ? demandai-je.

— Si, bien sûr. Lorsque tu vois Elisse pour la première fois, tu sais qu'elle te restera à jamais dans la peau. Il n'y a pas un homme dans tout l'Asclépion qui te dira le contraire. » Il pensa sans aucun doute à Noterre. Dans ses yeux brillants de défi, son visage semblait s'y peindre. « Toutefois, quand on vit aussi longtemps que moi, tu apprécies parfois de voir du pays et de ne pas rester dans les jupes de ta famille. »

J'oubliais trop souvent que Tel-Chire d'Elisse portait le nom de la capitale. À chaque fois, cette pensée me faisait un choc.

Nous pénétrâmes dans la cuisine l'un derrière l'autre. Gassiope était occupé derrière ses fourneaux en compagnie de Salie. Chaque fois que je voyais cette grosse dame avec ses cheveux poivre et sel et son sourire édenté, je pensais à Lanay : deux femmes d'affaires dans l'âme, sauf qu'une avait bâti un empire de la fesse et l'autre s'était planquée derrière un tablier pour se faire oublier. Salie parlait la langue râpeuse du sud, dodelinait toujours en marchant, jetant ses hanches à droite et à gauche, comme les mouvements d'un pendule, pouvait démolir un gars de deux cents livres sans s'esquinter les mains, marmonnait toujours quand elle parlait et ne se biturait plus qu'au jus de raisin depuis que Cimen l'avait amenée à Mantaore. Une sorte de promesse qu'elle s'était faite à elle-même.

Quand nous rentrâmes dans la pièce, elle nous salua de son sourire édenté avec un petit geste de la main. Gassiope l'imita avant de plonger la tête sous le comptoir pour en extirper deux écuelles et deux verres. Il trotta jusqu'à la table et les déposa à notre intention. Je m'installai sur l'un des bancs, Tel-Chire en face de moi.

« À'ols l'petit, y fait des ploglès ? demanda Salie en empoignant à bout de bras une gigantesque marmite en fonte qu'elle déposa au-dessus des flammes dans la cheminée.

— Il progresse », dit Tel-Chire en la regardant touiller le faitout et respirer les fragrances de son potage.

Gassiope remplit nos deux verres de vin. « Il est bon c'lui-là, nous dit-il. Vous m'en dilez des nouvelles. »

Tel-Chire prit le verre et respira ses arômes acidulés. Il hocha la tête, satisfait, et amena la coupe à ses lèvres. « Ton goût est toujours sûr en matière de vin, déclara-t-il en reposant le verre sur la table. Il est fameux. »

J'en bus quelques gouttes à mon tour avec un profond plaisir. Je n'avais pas cessé de me ravitailler en bouteilles de Sirop ou de vin (quoique, depuis que le paysan s'était fait rosser dans la cour, je ne trouvais plus aussi aisément d'amateurs pour me fournir), mais j'avais considérablement réduit ma consommation. Chaque fois que je buvais en compagnie de Lampsaque, je terminais la nuit moins saoul que je l'aurais souhaité. Au matin, je ne m'en portais pas si mal. Du coup, je me félicitais de ma capacité à pouvoir me sevrer si facilement de tant d'années à picoler dans les tavernes de Macline. Depuis plus de six mois, j'étais sobre, pour ainsi dire. Ce qui me permit de me concentrer sur le maniement du sabre et d'éviter un trop-plein de corvées pour châtiment. Tel-Chire était content de ce changement d'attitude.

« Demain, nous n'aurons pas le temps de nous entraîner », m'avertit Tel-Chire en plongeant sa fourchette dans l'assiette que venait de remplir Gassiope. Il découpa un gros morceau de viande saignante et l'enfourna dans sa bouche.

« Je m'en doutais, répondis-je, en l'imitant.

— Cela dit, la journée de demain ne sera pas de tout repos. Al-Talen va vouloir faire de ce temple un nouvel Hom-Tar.

— Ce qui signifie ? »

Il eut un sourire. « Qu'il va transformer notre cocon paisible en véritable vitrine pour nobles. »

Cette fois, ce fut moi qui souris.

« Allez-vous me dire qui sont les personnes que nous attendons ? »

Il ne me répondit pas. Il engouffra une pleine fourchette de haricots verts et fixa le mur par-dessus mon épaule. Il était parti, plongé dans je ne savais quelle pensée, dans je ne savais quel temps, et rien ne le ramènerait. Alors, je fis la seule chose qui me semblait logique, j'avalai mon repas et je la bouclai.

Une cigarette à la commissure des lèvres (j'avais arrêté de boire, pas de fumer ; je n'ai jamais prétendu rentrer dans le droit chemin), un râteau dans une main, je nettoyais le box d'Elfinn. Ce n'était pas une corvée, plutôt une responsabilité envers Elfinn. Ce cheval était ma monture. L'Éliago me fixait de ses yeux bleus inquisiteurs et luisants d'intelligence. Des volutes de fumée se torsadaient sous ses naseaux largement ouverts. Malheureusement, il ne semblait pas en apprécier la saveur. Il ébrouait sa crinière, tapait des sabots sur le sol et, quand cela ne suffisait plus, il collait son chanfrein contre mon épaule et me poussait joyeusement. Il renonça quand il saisit que rien ne me ferait lâcher ma clope avant de l'avoir terminée.

Il hennit légèrement quand la porte coulissante des écuries crissa dans ses rails. L'odeur familière de Lampsaque, un mélange de sueur et d'épices, s'insinua dans la brise. Sa figure tavelée de taches de rousseur se découpa dans l'angle de la stalle avec un large sourire. Il appuya son menton sur la barrière et me fixa de ses yeux brillants.

« Tu as entendu la nouvelle ? » m'interrogea-t-il.

Le rouquin était globalement un garçon calme, alors, quand il parla d'une voix excitée, je sus tout de suite où il voulait en venir.

« Nous aurons de la visite dans quelques jours », déclarai-je.

Il fit la moue, déçu que je lui brise son effet, mais Lampsaque ne boudait jamais très longtemps. « Oui, mais je suis sûr que tu ne sais pas tout, me dit-il en souriant. À ton avis, qui doit venir par ici ? »

Je déposai le râteau contre la barrière, saisis ma cigarette et laissai une longue spirale s'échapper de mes lèvres. « Des gens de la cour, pour ce que j'ai pu en tirer de Tel-Chire. »

Un sourire triomphant s'élargit sur son visage décoré d'un bel œil au beurre noir, souvenir d'un combat contre Len-Mar le bagarreur deux jours plus tôt.

« Il n'y a pas que les nobles de Hom-Tar qui se pointent par ici.

— Ah ouais, tu crois ? Et tu comptes me dire un jour de qui il s'agit ou me laisser mijoter dans la marmite, patate ?

— Je t'emmerde, Amorgen. » Il sourit. « Bon, ce n'est pas une source sûre. Je l'ai entendu de Len-Mar qui l'aurait entendu de Gassiope, etc. D'après les rumeurs… tu ne vas pas vouloir me croire, mon vieux…

— Accouche-la ta guimauve. »

Il me fit signe de la boucler. « Ce sont les Anciens, putain, les Anciens de la Confrérie d'Al-Mathan qui vont tenir leur réunion ici. »

Je relevai un sourcil de stupéfaction et encochai ma cigarette entre mes lèvres. « Des Assens, marmonnai-je.

— Ouais vieux, comme je te le dis. Les Anciens de l'ordre vont tenir parlotte entre nos murs.

— Toi, quand tu as une nouvelle à annoncer, elle est de taille », assurai-je, amusé.

Il opina, manifestement satisfait de son effet, puis se mit à lorgner ma cigarette comme un cocker devant une bonne cuisse à arroser. « T'en as une pour moi ? » me demanda-t-il en pointant ma clope du menton.

Je sortis le gousset que je cachais dans ma ceinture et le lui lançai.

« Sers-toi et roule-moi en une autre pendant que tu y es. »

Il l'attrapa et se roula une cigarette, puis une seconde qu'il me tendit quand j'eus écrasé mon mégot d'un coup de talon. Il encocha la sèche entre ses lèvres fines et l'alluma selon l'antique technique des maîtres, d'un claquement de doigts. Une étincelle jaillit entre son majeur et son pouce. L'extrémité de la cigarette brasilla d'une lueur rougeâtre et une volute de fumée roula devant ses yeux bleus.

« Je serais curieux de savoir qui se cachent derrière les Anciens, me dit le rouquin, bordel, j'adorerais ça. Tu imagines combien de gens aimeraient être à notre place. Les Anciens, bon sang ! Personne ne les a jamais vus. Personne ne sait qui ils sont, et nous, mon vieux, nous, on va les voir demain matin.

— On dirait mon frangin. Excité comme une pucelle. Ne t'emballe pas trop Lampsaque, c'est pas bon pour ton petit cœur, me moquai-je en allumant à mon tour ma cigarette. Leur réunion est au secret. À mon avis, il faudrait refroidir Al-Talen avant de pouvoir les approcher.

— Ce que tu peux être pessimiste quelquefois ! De toute façon, rien à cirer. J'espère seulement les apercevoir. Je me dis que si j'échoue en tant que maître, je pourrai toujours me vanter d'avoir aperçu les Anciens d'Al-Mathan.

— Et c'est moi qui suis pessimiste ! »

Il esquissa un sourire mélancolique et, la cigarette à la main, reposa sa tête sur la barrière qui nous séparait l'un de l'autre. « J'évite de me faire trop d'illusions, m'avoua-t-il, c'est tout. Je ne suis pas aveugle. Je ne suis pas le plus fort de nous tous, j'en ai parfaitement conscience. Je prends une raclée au moins une fois par semaine. J'ai beau avoir pris du poids et du muscle dès que Len-Mar me tombe sur le paletot, je dérouille. En plus, je ne suis pas le plus futé, ni le plus habile pour la Geste. J'essaie seulement d'être réaliste. Bah! Ça ne m'empêche pas de m'accrocher. Après tout, un maître cherche à s'améliorer tout au long de sa vie. Je ne perds pas espoir, vieux, mais voilà, je ne suis pas naïf.

— Je ne parierais pas là-dessus».

Lampsaque me jeta une œillade interrogative. «Tu as fait des pronostics, je me trompe? me demanda-t-il avec un sourire de conspirateur.

— Possible.

— Tu comptes me le dire un jour ou tu vas me forcer à te tirer les vers du nez?»

Je me grattai le menton d'un air songeur. «Très bien, ouvre tes esgourdes. Je pense que Tolsin joue serré ; il peut réussir. Il a suffisamment de talent pour la Geste pour nous envoyer au tapis dès qu'il cligne des yeux. Théo a également ses chances. Il est foutrement fort, rusé et increvable.

— Et moi? Tu me places où dans tout ça? Chez les recalés?

— Non, je crois que tu peux passer maître. Tu ne renonces jamais. C'est ça ton talent. Je n'ai jamais vu un type résister aussi bien que toi, mon vieux. Tu maîtrises très bien le Feu. Tu es travailleur et aussi batailleur que l'albinos.»

Il me gratifia d'un nouveau sourire. «Et toi alors? Où est ta place?»

Je haussai les épaules, lâchai un serpentin de fumée devant mes yeux. «Je n'en sais rien. À mi-partie sûrement.»

Il éclata de rire. «Bien possible. Si tu cessais de jouer les trouble-fêtes, je suis sûr que tu serais promu Tenshin avant tous les autres.

— Ouais, c'est gentil de dire ça», plaisantai-je.

Le rouquin se pencha vers moi par-dessus la balustrade. «Tu crois qu'Ion et Len-Mar n'ont pas leurs chances? me demanda-t-il.

— Rien n'est jamais certain avec ces foutus Tenshins. Mais je pense que non, ils n'ont pas ce qu'il faut… je peux me tromper.

— T'es pas un peu dur là ?

— Non, pourquoi ? » Je coinçai ma cigarette entre mes lèvres et, tout en mâchouillant l'embout, j'expliquai : « Len-Mar est un véritable bâton de dynamite. Il peut te péter dans les mains à n'importe quel moment. Il perd la tête trop souvent et, si tu veux mon avis, on a du bol de ne pas avoir encore été poignardés dans le dos. Ion se débrouille de mieux en mieux, mais je n'ai jamais vu un type aussi… aussi doré que lui.

— Doré ? »

Lampsaque se fendit la pipe.

« Ouais, doré. Il vit dans son petit monde, peinard, les doigts de pieds en éventail. Il fait ce qu'il a à faire et ne se préoccupe absolument pas de ses potes. Il n'a aucune idée du travail d'un Tenshin. Tel-Chire nous a assez rebattu les oreilles en nous disant que la Confrérie représente avant tout un groupe d'hommes qui se serrent les coudes en toutes circonstances. Lui, quand je le regarde, tout ce qu'il semble souhaiter se résume à l'accumulation de puissance pour sa satisfaction personnelle et non pour le bien du peuple pour qui la Confrérie est censée œuvrer. Ce qui en soi devrait être notre principale motivation, non ? Voilà ce que je pense. »

Le rouquin m'adressa un coup d'œil en biais et aspira la fumée mentholée de sa cigarette. « T'as changé, me dit-il soudain.

— Ouais, c'est ça, à d'autres. » Je souris et écrasai ma cigarette dans la terre avant de la cacher sous des couches de pailles. « Tu sais ce que je me dis ? » repris-je. Il secoua la tête. « Demain, il devrait y avoir des femmes parmi les gens de la cour. »

Lampsaque éclata de rire et ses yeux se mirent à briller comme deux torches. « Des femmes, répéta-t-il, rêveur. Bon sang, depuis Lucie, je sais même plus ce que c'est, une femme. »

Lucie était la femme de son frère qu'il s'envoyait dans les latrines.

« Eh bien, ça devrait changer dès demain », déclarai-je.

Deux longues années que nous n'avions pas vu l'ombre d'un cotillon, hormis les larges jupons de Salie qu'elle suspendait dans la cour pour les faire sécher ou, éventuellement, quand elle se baissait pour ramasser quelque chose par terre. Deux ans au pain sec et à l'eau, avec pour seules compagnes, de vieux désirs et une main triste de besogner seule.

« Vieux, je crois que j'ai oublié quel effet ça faisait de poser les mains sur le corps d'une femme, déclara Lampsaque avec nostalgie. La Lucie, elle était jolie, mais plus sèche qu'un cageot, avec des seins si petits que je devais y coller le nez pour les voir. Pourtant, bon Dieu, je vendrais tout ce que j'ai pour y fourrer de nouveau le nez, la bouche et les deux yeux, et renifler son odeur de femme. L'odeur, Seïs, bon Dieu, c'est l'odeur qui me manque le plus et peut-être le goût de leur peau aussi.

— Arrête mon vieux renard, tu te tortures pour rien, assurai-je en tapotant son bras.

— Oh, mais tu sais ce que je me dis ? C'est qu'avec tous les petits nobliaux qui vont ramener leur petit cul poudré par ici, il va y avoir des servantes pour les escorter. Et ces petites mignonnes-là, comment résisteraient-elles au charme d'un apprenti de Mantaore ? »

Je me mis à rire tellement fort qu'Elfinn s'agita dans son box et Lampsaque fit la moue.

« Je n'ai pas besoin de me servir de cette réputation-là pour les sauter, lançai-je en riant.

– Bah ! Moi non plus évidemment », se défendit-il. Il tira violemment sur sa clope avant que le peu d'herbes qui lui restait entre les doigts ne lui bouffe la peau, puis jeta par terre le mégot que j'enterrai du pied. « Quoi qu'il en soit, dit-il en me regardant faire, tu devrais faire gaffe, parce que l'ancêtre va te mettre des bâtons dans les roues.

– Al-Talen ? Que dalle, il est tellement occupé à préparer l'arrivée de la cour qu'il ne sait même plus que j'existe.

– Oui, ça, c'est surtout ce qu'il voudrait que tu croies, à mon avis. Fais juste attention, sinon tu vas encore t'attirer des ennuis… comme la dernière fois. C'était quoi déjà ?

– Les fleurs de Bethe, lui rappelai-je, avec un sourire nostalgique. Ma mère s'en servait contre ses insomnies quand j'étais gamin.

– Ça marche rudement bien. Le vieux a roupillé pendant trois jours d'affilée avec ce que tu lui as donné à boire.

– C'était pour lui rendre service. Avec ses quatre heures de sommeil par nuit, il allait calancher avant la fin de notre apprentissage. Il lui fallait du repos.

– Par moment, je me dis que tu es vraiment fou, soupira Lampsaque, et que c'est pas juste une comédie que tu nous joues. Tu es vraiment siphonné.

– Merci. » Je m'adossai contre la cloison avec un sourire gouailleur en travers des lèvres. « Cela dit, Al-Talen a su se venger. Je te rappelle tout de même que j'ai passé la semaine suivante perché sur la falaise, sans manger et sans boire. Il disait qu'un peu de solitude me permettrait de me retrouver avec moi-même et de mieux comprendre l'ampleur de ma bêtise.

– Je ne suis pas convaincu que cela ait fonctionné, se moqua le rouquin.

— Peu probable en effet. Que veux-tu ? Il est vital pour moi d'asticoter un peu ce vieil Al dans ce trou perdu. Autant sauter du haut des falaises si on ne peut plus s'amuser.

— Ouais, seulement, si tu as envie de faire la bête à deux dos avec les jolies servantes d'Elisse, m'est avis que t'as intérêt à la jouer fine, sacrément fine, mon pote. Sinon t'es pas prêt de revoir la lumière du jour. »

Oh ça, pour dire la vérité, Lampsaque disait la vérité. Al-Talen me collerait dans les oubliettes de la forteresse si longtemps que je n'en ressortirais qu'avec une canne si j'avais de la chance, les pieds devant si je n'en avais pas. J'avais plutôt intérêt à filer doux. Cependant, je m'interrogeais encore sur ce qui prédominait : me tenir à carreaux et me faire chier comme un rat mort ou faire comme d'habitude : m'éclater jusqu'à ce qu'on m'éclate. C'était les risques du jeu.

Un rire fusa brusquement. Pas dans l'écurie. Dans ma tête. Un rire daubeur. Lampsaque ne semblait pas l'avoir perçu. Il s'apprêtait à parler lorsque je lui fis signe de se taire en plaquant mon index en travers des lèvres. Il referma la bouche et me dévisagea sans comprendre.

« *Il y a quelqu'un ici* », lui soufflai-je à l'esprit.

Le rire reprit de plus belle.

« *Qui ?* me demanda-t-il. *Je n'ai rien entendu.* »

Je passai la tête au-dessus de la barrière et jetai un coup d'œil dans la longue allée des écuries. À l'exception des chevaux parqués dans leur box, l'écurie était déserte.

Lampsaque scruta la pénombre du bâtiment avant de reporter son attention sur moi. « *Je ne vois rien.*

— *Je suis sûr d'avoir entendu quelque chose.* »

Nouveau rire.

« *L'homme entend, mais il n'écoute pas. L'homme a des yeux, mais il ne voit pas* », dit la voix en écho.

Le son était parfaitement clair. Il occultait tous les autres. J'étais certain que la voix ne parlait pas la langue d'Asclépion et que, par un fait inconnu, je parvenais à la comprendre.

« Qui est là ? » m'exclamai-je à voix haute.

Lampsaque me regarda avec des yeux de poisson rouge. « Qu'est-ce que tu entends ? me demanda-t-il.

– Je ne suis pas sûr… Bon sang, Tel-Chire sait ce qui se trame, mais il refuse de m'aider. Ces voix vont me rendre dingue… Eh, qui parle ? Répondez.

– *L'homme a l'esprit fermé aux choses qu'il méconnaît. Il croit tout savoir, mais il ne sait rien. Il croit contrôler, mais il ne maîtrise rien.*

– *Ma patience a des limites. Qu'est-ce que ça veut dire ?*

– *Si je suis une simple voix dans ton esprit, comment peux-tu être certain que tu n'es pas en train de devenir fou ?* se moqua la voix.

– *Oh ! Je sais très bien que tu n'es pas ma conscience ou une autre facette de ma personnalité, connard, alors si tu me disais plutôt qui tu es.*

– *Un fou s'ignore toujours.*

– *Pas quand il le fait exprès. Maintenant, dis-moi qui tu es.*

– *Qui suis-je ?* » Un silence. Je regardai Lampsaque qui haussa les épaules. Ce corniaud-là avait les oreilles encore plus bouchées que les miennes. « *Je te croyais intelligent,* reprit la voix. *Voilà des semaines, des mois, des années que j'essaie de te parler et tu fais comme si tu n'entendais rien. Tu me crois dépourvu de voix. Tu m'imagines sans doute sot. Or, je suis un prince. Tu es le sot et le discourtois. Je t'ai aidé, j'ai sauvé ta vie humaine et tu refuses de m'entendre.* »

J'écarquillai les yeux. « *Bon Dieu, je ne comprends rien à ce que tu racontes.*

– *Sot, sot, sot, sot… Comprends-tu ces mots-là ? Idiot d'humain.*

– *Ça suffit !* m'exclamai-je. *On ne joue plus. Dis-moi qui tu es ou tire-toi de ma tête.* »

Lampsaque sursauta légèrement quand de frustration, je balançai un coup de pied contre l'une des parois branlantes de la stalle.

« Bon sang, Seïs, qu'est-ce qui se passe ? me demanda-t-il.

– Rien de plus qu'un imbécile qui s'amuse avec mes nerfs. »

La voix couvrait toutes les autres. Malgré tout, je me rendis compte qu'un véritable nid, un nid de voix différentes foisonnait dans ma tête, pas une dizaine, mais des centaines de voix.

« Ne les écoute pas. Écoute-moi.

– *Seulement si tu me dis qui tu es »*, fis-je en massant ma tempe.

Un début de migraine commençait à poindre. Le museau d'Elfinn vint s'aplatir contre mon épaule. Je me retournai vers lui et caressai son chanfrein. Les yeux de l'Éliago m'épiaient avec cette lueur de malice qui me faisait d'ordinaire sourire.

« Je suis celui que tu regardes, mais que tu ne vois pas, idiot d'humain », me dit de nouveau la voix d'un ton presque triste.

Un frisson parcourut mon échine et remonta le long de ma colonne vertébrale. Je fixai l'Éliago. Il retroussa ses lippes et me dévoila ses dents blanches, à peine noircies par endroits d'herbes et de nourriture trop riches. Je me reculai d'un bond en arrière, les yeux ronds comme des boules de loto. « Nom de Dieu ! m'exclamai-je.

– Quoi ? » fit Lampsaque en s'apprêtant à passer la barrière.

Je lui fis signe de ne pas bouger.

« *C'est toi,* dis-je en examinant l'Éliago. *Bon Dieu, c'est toi.* »

Elfinn sembla me sourire. « *Tu comprends les mots à présent. Tu entends ma voix, idiot d'humain.*

– *Ce que… ce que je prenais pour une langue étrangère, c'était toi, c'est ça ? Je veux dire, les animaux ?* »

Je me pris la tête à pleine main en me traitant d'imbécile.

« *Je ne connais pas ce que tu entends,* me dit Elfinn. *Je sais que je te parle depuis longtemps et que tu me comprends à présent. Tu ne m'ignores plus.*

– *Ce n'était pas mon intention. Je ne voulais pas t'ignorer* », dis-je sincèrement.

Je me rapprochai de lui et enfilai mes doigts dans sa crinière. Il secoua la tête de bas en haut en hennissant, puis planta ses yeux dans les miens. Tout à coup, ils me semblaient encore plus expressifs qu'auparavant, comme si je voyais enfin une âme à l'intérieur et non plus seulement l'animal.

« *Par Orde, c'est toi qui me parles vraiment.* »

J'étais tellement sous le choc que j'en oubliai la présence de Lampsaque.

« Eh l'ami, tu comptes me dire un jour ce qui se passe ? » maugréa-t-il.

Sans lâcher la crinière d'Elfinn, je déclarai : « Tu vas sans doute me prendre pour un malade.

– Dis toujours. »

Il croisa les bras sur la barrière et posa son menton dessus.

« Je le comprends, mon pote, dis-je en caressant l'encolure de l'Éliago.

– Tu comprends qui au juste ?

– Lui. »

Lampsaque leva ses yeux bleu délavé sur le pur-sang. « Tu plaisantes ?

– Non, vieux, je suis tout à fait sérieux. Toutes ces voix que j'entendais ces derniers temps, ce sont les animaux de Mantaore. Elfinn, les chevaux, les porcs, les oiseaux… »

Je soupirai. « Nom de Dieu, je n'aurais jamais pensé ça possible… »

Je regardai de nouveau Elfinn dans les yeux en souriant bêtement.

Lampsaque émit un petit rire de gorge. « Tu veux que je te dise, Seïs ? T'as vraiment toutes tes chances de remporter la mise.

— C'est ça ! En combat singulier, je suis pas sûr que ça va me servir à quelque chose !

— Oh ! Mec, joue pas à ça avec moi, ricana-t-il. Je te connais et je suis sûr que ton putain d'orgueil doit hurler à tous les vents que tu peux nous foutre une beigne quand tu veux. Me sors pas le couplet du type modeste. Ça te ressemble pas. »

Je ris de bon cœur. « On ne peut rien te cacher à toi, hein ? »

Il haussa les épaules en scrutant Elfinn. « Non. Ça fait deux ans que je pionce à côté de toi, tu ne peux plus rien me cacher… Eh, pourquoi je l'entends pas, moi ? »

Il fit la moue.

« Comment veux-tu que je le sache ?

— *Le rouquin entend, mais il ne sait pas* », expliqua Elfinn.

Je regardai l'Éliago, puis tournai la tête vers Lampsaque. « Il dit que tu peux l'entendre, mais qu'apparemment tu l'ignores.

— Vraiment ? s'étonna-t-il.

— Puisque je te le dis… Nom de Dieu, il me tarde de fermer le clapet de ce vieux Tel-Chire. »

À l'aube, l'olifant de Mantaore poussa son hurlement quotidien. Le soleil n'était pas encore levé. Déjà, un tintamarre anormal s'emparait du château. J'ouvris un œil, puis l'autre. Je fixai un moment le plafond avec l'impression désagréable de n'avoir dormi qu'une heure. Sur le lit voisin, Lampsaque se traînait tant bien que mal hors des draps.

« Réveille-toi, Seïs. C'est l'heure.

— Rappelle-moi pour quelles raisons je dois me lever si tôt ? » soupirai-je.

Il pouffa de rire avant de bâiller. « Ben, mon vieux, je peux te dire que les Anciens vont pas tarder à débarquer à la maison et, si c'est pas assez pour te faire lever du lit, dis-toi qu'y a des petites femelles appétissantes qui risquent de les accompagner.

— Tu as toujours su trouver les mots qu'il faut », admis-je en me redressant dans mon lit.

Je me tirai péniblement de la chaleur douillette de mes couvertures et posai les pieds sur le plancher glacé de la chambre. À peine debout, la porte s'ouvrit avec fracas sur la tornade blanche Al-Talen. Il apparut, vêtu de ses plus beaux atours, lavé et peigné de frais, les cheveux calamistrés et tirés en arrière. Il portait sa tunique blanche traditionnelle, boutonnée sur le devant par des fermoirs en argent massif. Une épaisse ceinture adamantine enserrait sa taille et, sur le côté gauche, sa lourde épée pendait jusqu'au sol.

« Debout, s'exclama-t-il d'une voix exaltée, le temps presse. La caravane ne va pas tarder à arriver. Nous l'attendons pour midi et c'est tout juste le temps qu'il nous reste pour être fins prêts et accueillir nos convives comme il se doit. Alors, hâtez-vous, messieurs. »

Son monologue plongea dans une oreille et ressortit par l'autre. Je butais toujours sur le mot « midi ». Merde, c'était dans sept heures. J'avais beau avoir l'habitude de me lever aux aurores depuis mon arrivée à Mantaore, je ne disais jamais non pour quelques heures de sommeil supplémentaires. Comme tout ici, les heures de liberté étaient négociables. Tel-Chire savait me parler. Il marchandait aussi bien qu'un négociant de Macline. Si j'accomplissais telle ou telle tâche sans rechigner et avec réussite, je pouvais dormir une heure de plus, voire deux parfois quand il était bien luné. Tout dépendait de la difficulté de l'exercice et de ma promptitude à l'exécuter avec succès. C'était mieux que les coups de pied au cul qu'affectionnait Al-Talen.

Quoi qu'il en soit, je me traînais mollement vers l'armoire en cèdre où j'attrapai mes vêtements de circonstance et emboîtai le pas de Lampsaque en direction du fleuve afin de pratiquer nos ablutions quotidiennes.

À la pointe est du Heilong, le fleuve se rétrécissait avant de s'engager entre les Gardes Noirs. À cet endroit, il était moins profond. On se jeta dans les eaux vivifiantes de la ravine. On frotta vigoureusement le visage et le corps, ôtant les traces de sueur et de poussières accumulées au cours des exercices de la veille. On lava nos cheveux avec du savon à l'eucalyptus que confectionnaient le vieux Gassiope et son siamois Borlémir.

Quand on sortit du fleuve, on sentait bon comme des roses et on était propres comme des sous neufs. Sur les berges, j'enfilai des chausses brunes, une tunique bleu indigo qui m'arrivait un peu au-dessus des genoux et je nouai une épaisse ceinture en Hedem noir avec une grosse boucle en argent sur le devant. Je n'avais pas encore de sabre à y suspendre. Je n'étais qu'un apprenti, pas un maître. Je n'avais pas acquis mes galons pour y prétendre.

Je glissai enfin une paire de chaussettes et mes bottes d'Hedem noir décorées d'Aliquondë. Les Aliquondë étaient les symboles des Dieux, des initiales qui permettaient de les distinguer les uns des autres. Les récits des anciens prétendaient que chaque Aliquondë recevait lors de sa création une fine goutte de l'essence divine. Voilà pourquoi, dès notre arrivée à Mantaore, chaque apprenti fut assimilé à l'un d'entre eux. Ces Aliquondë devaient en théorie correspondre à notre tempérament dominant. Je portais ainsi le signe de Fylarse, le dieu de la guerre, ainsi que l'Aliquondë du dieu du vent, Essaarë. Tel-Chire me les avait imposés. Il disait que j'étais aussi volage et inconséquent que le vent et que je cherchais les ennuis comme un ivrogne son verre d'alcool.

Sur le chemin du retour, je nouai mes cheveux en catogan. Depuis que je maniais le sabre aussi bien que n'importe quel habitant de Mantaore, j'avais le privilège de pouvoir coiffer mes cheveux comme les guerriers. Mon premier galon de maître en quelque sorte.

Lampsaque attacha ses cheveux roux en queue de cheval, placée haut sur le crâne. Sa chevelure tirée en arrière éclairait son visage et rehaussait la profondeur de son regard.

Dans la cour de Mantaore, les serviteurs s'agitaient comme dans une fourmilière. Le château s'était paré de ses plus beaux atours. Les drapeaux des trois duchés d'Asclépion ondoyaient au sommet des tours, entrecoupés de la bannière de Mantaore : la couronne d'Astrée aux teintes dorées et violacées. Le blason du duché de Dan-Serre (qui était aussi celui de la royauté) se décorait également de la couronne ainsi que d'une tour plantée en son centre et d'un faucon, symbole de Gange d'Elisse, gravé de face, le bec ouvert et les yeux luisants comme des gemmes. Les armes de Glanmiler étaient illustrées par un chêne vert et une chopine de Sirop posée en diagonale. Et enfin, l'écu du Lantir représentait les rivages du cap For-Bel avec le château juché au zénith d'une falaise et un faucon déployant ses ailes dans l'écume de mer. Une manière de montrer que par voie marine ou terrestre, le royaume était invincible et omniprésent.

Al-Talen et Tel-Chire discutaient au pied de l'escalier principal quand on pénétra dans la cour. Par intermittence, le despote blanc s'interrompait, tournait la tête et braillait contre un serviteur. Chaque fois, un sourire discret flottait sur les lèvres de Tel-Chire. Ce dernier avait conservé ses vêtements habituels, très sobres et élégants : des chausses noires, une tunique verte bouclée par un ceinturon d'Hedem et son sabre gainé d'Hedem noir. Tel-Chire aurait pu se vêtir d'oripeaux, il aurait tout de même réussi à paraître élégant, ce qui était plutôt frustrant pour un homme quelconque.

« Ah ! Vous êtes enfin prêts tous les deux, s'exclama Al-Talen en nous voyant arriver. Il ne manquait plus que vous. Allons, voyons voir… »

Il s'approcha dans son ample et luxueuse tunique blanche et nous examina de la tête aux pieds. Il réajusta ma veste en resserrant le col et agrafa le dernier fermoir qui me rentrait dans la pomme d'Adam. Je déglutis avec peine pendant que Tel-Chire souriait à demi. Al-Talen rétrécit la ceinture de Lampsaque qui devint rouge pivoine.

« Bon, bon, vous avez fait des efforts vestimentaires et j'en suis bien aise », dit Al-Talen.

Il se tourna vers Borlémir qui traversait la cour en claudiquant et l'accosta. « Va chercher les autres », lui ordonna-t-il sèchement. Borlémir le scruta de ses yeux jaunâtres comme ceux d'un aigle, acquiesça d'un obscur hochement de tête et boitilla jusqu'aux cuisines.

Quelques minutes plus tard, nos compagnons de labeur sortirent du couloir à la queue leu leu et pénétrèrent dans la cour. Al-Talen nous fit mettre en rang et nous examina à nouveau. Len-Mar n'appréciait pas les linges trop riches et, il passait les trois quarts du temps dans des frusques tout juste bonnes pour des vagabonds. Il avait toutefois fait un effort en troquant ses chausses dépenaillées contre un costume beige, avec un pourpoint de velours pourpre. L'albinos avait opté pour une tunique noire sans fioritures, qui rehaussait la pâleur de son teint et l'éclat de ses yeux clairs. Au contraire, Ion le blond affichait une tunique orange un peu trop criarde à mon goût. Quant à Tolsin, il arborait sa sobriété coutumière.

Al-Talen se planta en face de nous et nous toisa tour à tour d'un regard autoritaire.

« Bien. Je vais être clair avec vous. Nous nous apprêtons à accueillir des personnages de haut rang. Je sais que vous êtes déjà au courant, il est donc inutile d'y revenir. Je pense que vous saisissez l'importance de cette journée et la discrétion qu'elle impose. J'aimerais… ah ! J'aimerais que les choses se déroulent aussi bien que possible en toute sérénité. Pour ce faire, je suis prêt à employer tous les moyens. »

Il parcourut des yeux mes compagnons, s'arrêta un instant sur Len-Mar, puis posa sur moi un regard péremptoire.

« Un pas de travers et je vous promets de faire de votre vie un véritable enfer, ajouta-t-il. Il est temps, Messieurs, de nous montrer les bonnes manières que vous êtes censés avoir acquises à nos côtés. Du reste, n'oubliez pas que des nobles de la cour du roi accompagnent les membres de la Confrérie d'Al-Mathan. Il serait de mauvais ton que vous vous comportiez mal à l'égard de ces gens qui pourraient se révéler précieux dans votre avenir. N'oubliez pas non plus, Messieurs, que ce rang sera peut-être un jour le vôtre. Gardez à l'esprit qu'une grande partie du travail d'un maître est de se tenir à l'écoute de ces personnes influentes. Connaître la cour est primordial. Il vous est nécessaire d'en saisir toutes les facettes, toutes les histoires, tous les arcanes. La cour est le lieu privilégié des intrigues et des mutineries. De là, partent la plupart des troubles de la monarchie, et de là, le travail du Tenshin se révèle le plus souvent efficace. Vous devez donc vous familiariser avec ses membres et leurs manières. La cour détient un vaste pouvoir et, comme toute entité ayant un tel pouvoir, elle veut en acquérir encore davantage. Il est de notre devoir de la maîtriser. C'est à nous de la conserver dans la paume de nos mains, de la resserrer quelquefois pour que nul n'oublie que nous sommes les gardiens de la monarchie et non les lances d'une petite minorité. J'espère que vous comprenez l'importance de ce que je suis en train de vous exposer et que vous y mettrez du vôtre… »

Pour saisir, j'avais saisi. Al-Talen nous expliquait tout bonnement que nous étions, Tenshins et apprentis, au-dessus de la cour, que nous étions à la fois indépendants de leurs coteries et de leurs doléances, et que notre devoir était de la garder sous contrôle pour que nous puissions conserver notre propre pouvoir.

« *Tu ne dois pas oublier une chose, Seïs,* perça la voix de Tel-Chire dans ma tête, *nous sommes au service du roi et de la monarchie. Nous œuvrons pour le seul bien d'Asclépion et non pour l'intérêt d'un clan influent.*

– *Je vois.*

– *Le plus dur dans notre travail, c'est à la fois de jongler entre les désirs des nobles pour en garder la maîtrise, leurs influences qui peuvent parfois se révéler utiles et leurs incessantes manigances qui infectent Hom-Tar. Les nobles sont bien souvent la gangrène d'un royaume. Il faut savoir les conserver à portée de main pour les maintenir en notre pouvoir. C'est une bonne leçon que vous donne Al-Talen. On vous apprend la besogne d'un maître d'armes, mais on oublie trop souvent que vous aurez à affronter bien pire que des guerriers : les bureaucrates et les procéduriers.*

– *C'est pour cela que vous avez quitté Hom-Tar, n'est-ce pas ?* demandai-je.

– *Entre autres, oui. La capitale est un travail à plein temps, je te l'ai dit… Ouvre ton esprit lorsqu'ils seront là et tu comprendras où je veux en venir… Nous sommes les conseillers du roi. Nous sommes au-dessus des gens de cour. Ils ne l'oublient pas. Ne l'oublie pas non plus. Le danger, pour un novice ou pour un maître tout juste nommé, est de sombrer sous l'influence d'une quelconque cabale ou d'un clan. Bien des personnes ne s'encombrent pas de scrupules et désirent ardemment user des pouvoirs des Tenshins pour parvenir à leurs fins. Méfie-toi de leurs flatteries. Méfie-toi de tous ceux qui t'approchent ou de ceux qui t'évitent. Suis mon conseil.* »

Je tournai la tête vers Tel-Chire nonchalamment assis sur la troisième marche des escaliers. Il considérait Al-Talen en souriant.

« *Autrement dit, je ne dois faire confiance à personne.* »

Il me jeta un coup d'œil. « *En effet.* »

« Non ! Non ! Non ! Ventredieu, qui a dressé l'étendard du duché du Lantir à gauche de celui de Glanmiler ? s'exclama tout à coup Al-Talen. Où diable avez-vous appris les préséances ? »

Le visage d'Al-Talen était tellement rouge qu'il frisait sûrement la crise d'apoplexie.

Mantaore était d'ordinaire un château austère. La frugalité était l'une des devises de Mantaore. Les maîtres devaient être habitués à l'ascétisme et à la rigueur. Ils devaient pouvoir se contenter de peu puisqu'un Tenshin dispensait ses dons gracieusement au peuple. Le roi n'était pas tenu de les honorer en pièces sonnantes et trébuchantes. En revanche, il était tenu de leur pourvoir le coucher et le manger. Dans les faits, les Tenshins n'avaient nullement besoin d'argent. Là où ils se rendaient, tout leur était offert. Pour un seigneur terrien, recevoir un maître entre ses murs était un privilège, au même titre que pour une taverne, une auberge, un hôtel ou une maison noble. On les logeait, on les nourrissait et on en redemandait.

Al-Talen était un habitué du palais de Hom-Tar. Il s'était mis en tête de faire de Mantaore une réplique de la forteresse royale. Le rouquin pensait que le vieux despote craignait que l'austérité de la bâtisse n'importunât la noblesse. Mais, d'après les propos de Tel-Chire, j'avais dans l'idée que notre vieux sournois était bien plus malin et je pensais que cette manœuvre ne servait finalement qu'à amadouer une noblesse rétive et cupide.

Une question me taraudait néanmoins. Libéré du joug du despote qui vociférait à qui mieux mieux contre les domestiques, je m'approchai de Tel-Chire et m'installai à ses côtés sur la volée de marches. Indifférent à tous ces débordements, il considérait Al-Talen d'un air distrait quoiqu'en souriant.

« Tu ne rejoins pas tes compagnons ? » me demanda-t-il.

Je secouai la tête. Les Cinq reprenaient le chemin des cuisines afin d'achever leur petit déjeuner. Lampsaque houspillait Tolsin à propos d'une cigarette que je lui avais fait fumer la semaine dernière. Le rouquin tenait à savoir si je lui avais forcé la main, de gré ou de force (de plein gré, j'en fais le serment). Tolsin niait tout en bloc en secouant la tête comme si tenir une clope entre ses lèvres était à ses yeux une véritable tragédie.

« Je voulais vous poser une question, Sansaï.

— Je t'écoute.

— N'est-ce pas un peu risqué de conduire des nobles d'Elisse jusqu'ici après toutes les précautions que vous avez prises pour garder le site secret ?

— Ta question est pertinente. Tu as raison. C'est dangereux, inconsidéré et stupide. Cependant, je ne me fais pas trop de soucis. Il existe des personnes bien intentionnées qui veillent au bon déroulement de ce voyage. D'ailleurs, ne les entends-tu pas arriver ? »

Je tendis l'oreille et cherchai à percevoir les sons amplifiés par les étroites falaises des Amors.

« Oublie tes sens, Seïs. Écoute avec ton esprit. »

J'abaissai aussitôt mes barrières et concentrai mon esprit sur le chemin encaissé entre les Gardes Noirs. Je perçus rapidement le gargouillis familier des voix et le timbre délicieux des femmes. Je ne pus cacher le sourire qui tirait le coin de mes lèvres, ce qui, bien sûr, n'échappa aucunement à Tel-Chire. Il me donna un coup de coude dans le bras.

« Concentre-toi sur ce que je te demande.

— Mille excuses, j'ai été distrait, plaidai-je en souriant.

— J'avais remarqué. Fais bien attention, Seïs. Ne t'avise pas de commettre quelques sottises envers ces dames. J'en connais un qui te garde en ligne de mire.

— Pas vous ? » demandai-je, un sourcil relevé.

Il esquissa un sourire. Comme d'habitude, cette caresse sur son visage me colla les foies. Son sourire était trop insolite pour ne pas foutre la vesse à n'importe qui. Il braqua ses yeux d'aigle dans les miens. Si un regard pouvait être comparé à un bruit, le sien serait comme une feuille de papier qui se déchire d'un coup sec.

« Disons que pour une raison que j'ignore, je préfère te faire confiance.

— Jusqu'ici, je n'ai rien fait pour la mériter, avouai-je en toute sincérité.

— Tu n'as rien fait non plus pour annihiler mes espérances. Par ailleurs, tes batelages ne me sont jamais destinés. Tu as la prévenance d'épargner ton maître d'armes, ou peut-être l'intelligence de le faire. »

J'éclatai de rire. « J'ai toujours su où étaient les limites à ne pas dépasser.

— Ce n'est pas pour autant que tu ne les franchis jamais, rit-il. Mais pas avec moi, je le reconnais.

— J'ai peut-être manqué mes coups », repris-je.

Il haussa les épaules. « Tu n'as pas failli contre Al-Talen. Il n'y a donc aucune raison que tu échoues contre moi.

— Vous me flattez, Sansaï.

— Non. » Son regard se promena sur le chemin de ronde que parcourait de long en large Al-Talen. « Réalises-tu, me dit-il, qu'un de ces jours, nous ne serons plus tes maîtres, mais peut-être tes compagnons d'armes ? Je suis sûr que tu ne l'as jamais envisagé sous cet angle, je me trompe ? »

Pas du tout. Den était déjà un bon compagnon. Avec lui, c'était facile. Ce type était comme un gosse un peu turbulent. Par contre, devenir ami avec Al-Talen me semblait aussi malaisé que de faire cohabiter un chat et un poisson rouge dans la même pièce. Quant à Tel-Chire, je n'avais toujours pas tranché la question.

Le son rugueux de la trompe claqua dans la bâtisse : la caravane longeait le plateau de l'Ourdos.

Tel-Chire se redressa et épousseta sa veste d'un revers machinal de la main. « Prêt à affronter les vipères ? me lança-t-il.

— À Macline, on tue les vipères à coups de pelle, ricanai-je en me relevant d'un bond. On ne les invite pas à bouffer. »

Il me lorgna du coin de l'œil. Je songeai qu'Antoni aurait vendu père et mère pour être à ma place. Les Anciens, la cour, les femmes. Un sourire naquit sur mes lèvres et je ne parvins plus à le chasser.

La cour se transforma rapidement en une véritable ruche. Les domestiques œuvraient comme des abeilles. Les Cinq quittèrent la cuisine au pas de charge et se ruèrent sur la place. Les lads et les serviteurs se pressaient déjà aux portes de la forteresse. Al-Talen, accompagné de Cimen, descendit les escaliers quatre à quatre et s'arrêta à notre hauteur. Cimen avait mis les petits plats dans les grands. D'habitude, il portait un costume pratique qu'il pouvait abîmer au cours des exercices sans renauder sur sa perte. Il était un tantinet grippe-sou. Il prétendait que l'ascèse devait être le maître mot d'un homme et pas seulement d'un maître. Que tout homme devait pratiquer la modération, se contenter de peu pour apprécier le faste, accomplir le dur pour s'enorgueillir du doux (je n'ai jamais réussi à savoir s'il parlait des femmes). En tout cas, la vision du monde de Cimen se réduisait à un équilibre de tous les vices et de toutes les vertus. Quoi qu'il en soit, il portait aujourd'hui le costume traditionnel des Tenshins, des chausses grèges, une tunique noire aux manches bouffantes brodées de signes tribaux, un embrouillamini d'entrelacs. Ses cheveux étaient lissés avec soin et relevés en catogan.

« Les voilà enfin, dit Al-Talen, les yeux brillants.

— Leurs chambres sont prêtes, ajouta Cimen, ainsi que la salle des conseils. Ils devraient pouvoir palabrer en toute tranquillité. »

Tel-Chire hocha la tête en observant la porte ouverte sur le plateau de l'Ourdos. « Au moins, nous aurons droit au plus fameux dîner de cette promotion», déclara-t-il avec une pointe d'ironie.

Les premiers chevaux franchirent le pont du Heilong, trois étalons de différentes couleurs, un frison, une robe isabelle et un alezan, avec des cavaliers juchés sur leur monture, droits comme des épieux. Mon cœur se mit à battre plus fort quand les palanquins en tissu vermillon brodé d'or traversèrent le fleuve. Des porteurs soutenaient les lits et tous, sans exception, avaient les yeux bandés. Les cavaliers les guidaient d'une voix silencieuse. Je perçais faiblement leurs murmures, comme une nuée d'insectes. Treize palanquins au total, escortés de trois chaises à porteurs dissimulées derrière l'ombrage d'étoffes violines et de passements dorés. Trois cavaliers clôturaient le cortège.

Al-Talen et Cimen se frayèrent un passage vers la porte d'entrée de Mantaore. Tel-Chire me prit par le coude. « Viens avec moi. »

Je lui emboîtai le pas sans rechigner, rejoignis les Cinq qui observaient, fascinés, les palanquins approcher inexorablement de la porte. L'odeur des femmes me saisit les narines. J'avais oublié à quel point elle était enivrante. Lampsaque m'adressa un coup d'œil éloquent.

Pour un convoi d'une telle importance, il se révéla d'une sobriété délibérée. On aurait dit la caravane de n'importe quel marchand un peu fortuné qui se rendait d'un lieu de commerce à un autre, escorté de mercenaires. Je n'entrevis ni étendards, ni le moindre emblème qui put trahir l'identité des convoyés. Une simple caravane de gens aisés, au pire, la proie parfaite pour des Foulards Rouges peu scrupuleux (au pire pour les bandits, bien sûr). M'est avis toutefois que de véritables Foulards Rouges n'auraient pas les couilles suffisantes pour attaquer des convois d'envergure protégés par des hommes armés. C'était d'ailleurs la raison pour laquelle les mercenaires se faisaient si cher payer ces derniers temps.

Mon cœur cessa de battre lorsque je pris tout à coup conscience du… silence. Il était absolu, presque tactile, si vaste, qu'il ne pouvait signifier qu'une seule chose : l'immortalité. Un esprit, pourvu qu'il fût proche ou accessible, était comme un livre ouvert dont une voix réciterait les méandres inlassablement. Or, je pouvais pénétrer les pensées de cinq femmes et trois hommes. J'étais loin du compte au vu du nombre de palanquins et de cavaliers. Il n'y avait qu'une réponse possible à cette énigme. Une seule. La majorité des personnes dans les palanquins n'était pas humaine ou ne l'était plus depuis longtemps. Lampsaque me fit ses yeux de poisson. Ion trépignait. Les autres étaient stoïques. J'avais la chair de poule. Nom de Dieu, ce n'étaient pas des hommes dans les palanquins.

« *Des Anciens,* siffla Lampsaque dans ma tête.

– *Pas seulement,* dis-je, en tournant les yeux en biais vers le profil ombrageux du rouquin. *Treize palanquins. Dix sont silencieux. Six soldats, dont cinq silencieux. Or, il n'y a que dix Anciens qui doivent venir par ici.*

– *Qui sont les autres ?*

– *Devine, patate… Des Tenshins.* » J'émis un bref rire. « Les Tenshins rentrent chez eux », déclarai-je à voix haute.

Tel-Chire m'effleura d'un regard madré. Un discret sourire passa sur ses lèvres. Lampsaque et les Cinq tournèrent la tête vers l'Ourdos, excités comme des jeunes chiots.

Les sabots des chevaux se rapprochèrent des portes ouvertes. Les palanquins passèrent sous la herse et pénétrèrent dans la cour dans un bruissement délicat d'étoffes. Ils s'arrêtèrent les uns derrière les autres au pied de l'escalier quand l'un des hommes hurla d'une voix argentine : « Halte ! »

Le convoi s'immobilisa aussitôt. Les porteurs déposèrent leurs faix volumineux et encombrants sur les pavés, puis se redressèrent, le bandeau dissimulant toujours leurs yeux. Ils restèrent là, sans bouger, tandis que Den sautait au bas de son cheval avec aisance. Il se précipita vers nous en souriant de toutes ses dents. Des mèches folles s'égayèrent sur sa tête. Ses vêtements étaient poussiéreux. Il était habillé d'un pourpoint en cuir pourpre, agrafé de fermetures en bois de santal d'un blanc cérusé, qui lui arrivait à mi-cuisses. Ses chausses d'une couleur bleu foncé, étaient celles des soldats de Glanmiler : elles étaient larges et bouffaient plus amplement sur les bottes que le costume classique des soldats royaux. Sa longue épée, droite et fine rehaussée d'une garde en argent, battait sa jambe gauche.

Il salua rapidement Al-Talen et Cimen en leur décochant une tape amicale sur l'épaule, puis il adressa un sourire avenant aux Cinq, avant de fondre sur Tel-Chire et moi. Je n'eus pas le temps d'esquiver son étreinte. Il se jeta sur moi, roula ses longs bras autour de mes reins et me souleva de terre.

« Alors le gamin, il est toujours en vie », s'écria-t-il en s'esclaffant.

Je parvins à m'arracher de ses bras en jurant.

« Le gamin ne s'en laisse pas compter, déclara Tel-Chire.

— Le gamin vous prend tous les deux en duel et vous réduit en bouillie si vous n'arrêtez pas sur-le-champ de l'appeler comme ça », maugréai-je.

Den pouffa de rire. « Plutôt deux fois qu'une, lança-t-il. Sûr qu'il ne s'en laisse pas compter. Où est-il passé le mioche qui rampait dans l'herbe pour éviter de se faire embrocher comme un gigot ?

— Il est mort », répliquai-je froidement.

Mon propre ton me surprit. Den ne releva pas ; quant à Tel-Chire, il tiqua, mais ne dit rien.

« Quoi qu'il en soit, reprit Den, quand je suis parti, j'ai laissé un gamin râleur et capricieux. Aurais-je désormais en face de moi un homme ?

– Plutôt deux fois qu'une. »

Il se bidonna, m'adressa un clin d'œil, puis s'éloigna afin d'examiner mes compagnons. Alors qu'il discutaillait avec Lampsaque en le bourrant de tapes dans les côtes, trois cavaliers richement parés descendirent à leur tour de cheval et s'approchèrent d'Al-Talen et de Cimen. Ils se saluèrent à l'ancienne mode, poings sur le cœur, sans courbette (les confrères étaient tous sur un pied d'égalité). Ils palabrèrent entre eux comme si rien n'existait autour d'eux, pas même la face de fouine d'Ion le blond qui les lorgnait sans discrétion.

« J'ai raison, n'est-ce pas, à propos des Tenshins ? demandai-je à Tel-Chire qui scrutait les litières arrêtées.

– Effectivement, tu as bien senti. Cependant, parviens-tu à discerner les différentes odeurs ? »

Il me désigna les palanquins.

« Les odeurs ? Je ne suis pas sûr de comprendre… Je distingue très bien le parfum des femmes, mais je doute que vous parliez de ça.

– Non, effectivement, ce n'est pas ce que je veux savoir. D'autres fragrances. Plus fortes, plus riches et différentes. »

J'ouvris mes narines et humai l'air, les parfums que charriait le vent dans son sillage. Odeurs de nourriture, odeurs de savon, de femmes, mentholées, anisées, sucrées. Odeurs de sueur. Odeurs de sang et de poussière.

Tel-Chire me donna un coup sur la tête. Je lui adressai un coup d'œil mauvais. « Ce n'est pas ce que je te demande. Cherche encore et ne te laisse pas distraire.

– Je ne sais pas ce que vous attendez de moi, m'agaçai-je.

– Si, tu le sais. Tu l'as senti tout à l'heure. Es-tu capable de discerner les différentes formes…

— … de l'immortalité ? »

Il hocha la tête. Je détournai les yeux de Tel-Chire et respirai franchement en oubliant cette fois mon nez et mes sens usuels ; je concentrai mon attention sur l'esprit. Les sensations se transformèrent aussitôt. Les essences étaient aussi dissemblables qu'un chat d'un chien. Les maîtres sentaient l'humain, froid, lointain, mais l'humain malgré tout, une odeur de sang, de sueur, de fièvre. Les Anciens n'avaient pas d'odeur, comme s'ils n'étaient pas là, comme si une ombre remplaçait dans ma tête la place qu'ils occupaient dans les litières. Je captais leur faible respiration derrière les tissus. C'était tout. Ils semblaient ne pas transpirer. Leur sang était inodore. Leur peau n'avait aucun fumet. Quant à leur esprit, il n'était pas seulement verrouillé, il paraissait ne pas avoir d'existence. Comme un vide. Avant de pouvoir pénétrer leur esprit, il fallait tout d'abord s'engager dans la quête folle de le dénicher. Peine perdue. À la place, je me focalisai sur quelque chose de plus accessible. Je me faufilai en catimini dans la tête de l'un des hommes qui conversait en compagnie d'Al-Talen, et tapai au carreau pour attirer son attention ou pêcher des renseignements avant qu'il ne s'en aperçoive. J'eus l'impression de me prendre un coup de pied au cul tellement réel qui me renvoya séance tenante dans la réalité. Je tournai aussitôt la tête vers Tel-Chire, hébété et furieux. Ce salaud souriait ouvertement.

« C'est toi qui t'amuses à venir me chatouiller le cerveau ? » me lança le type d'une voix bourrue.

Je pensais que le timbre bougon de mon père était sans doute le pire que je pourrais entendre dans ma vie. Visiblement, je me trompais. Je fis volte-face et me retrouvai nez à nez avec un jeune godelureau au teint de pêche, dents blanches, aux yeux clairs et cheveux blonds coupés courts à la mode du Lantir. Vingt-cinq ans tout au plus. Pas de poils au menton. Taille moyenne, bien bâti, corps svelte, jambes longues et fines, bras et torse tout en muscles. Un vrai champion de rokush. Un sourire rayonnant, sans condescendance, tranchait son visage de jouvenceau, beau comme un dieu et en parfaite contradiction avec : premièrement, le ton de sa voix et, deuxièmement, sa forme sardonique. Il me tendit une main ferme, la main gauche (mon cœur eut un brusque tressautement, car il n'y avait qu'un seul endroit sur tout Asclépion où cette tradition avait perduré, et c'était Shore-Ker).

« Un Maclinien, hein ? » s'exclama le champion, tout sourire.

Je secouai la tête péniblement, et déglutis. Cela faisait plus de deux ans que je côtoyais les Tenshins, pourtant quoi que je fasse, je ne m'habituais jamais à ce magma d'énergie qui sourdait de leur corps comme la sève d'un arbre. Ils avaient à la fois toute la manne de défauts que possèdent un homme et tous les attributs d'un non humain : un peu magicien, un peu timbré. Il était sans doute grand temps que je m'y accoutume.

« Ce serait en effet préférable », souffla Tel-Chire en me donnant un léger coup de coude dans le dos. Il pêchait toujours des pensées dans ma tête lorsque je n'étais pas concentré, ce qui se produisait assez régulièrement.

Je haussai les épaules. « J'y penserai, fis-je, dédaigneux.

— Maclinien et impoli, dit le champion. Je ne devrais pas en être surpris. La réputation des marchands de Shore-Ker n'est plus à faire. » Je fronçai les sourcils, ce qui le fit sourire. « Comptes-tu te présenter un jour ?

— Seïs Amorgen, mais vous le saviez déjà, je suppose.

— Ça n'empêche pas les bonnes manières... Je me nomme Taranis des Échelles. Je viens d'un petit village du nom de Souche dans les collines de Sergale. Tu connais peut-être ?

— De réputation. On y fait la meilleure liqueur de noix, à ce qui paraît. »

Le visage de Taranis s'illumina d'un nouveau sourire. « C'est vrai, la meilleure liqueur de noix. Je vois que Den n'a pas travesti ta réputation.

— Ma réputation ? m'étonnai-je.

— M-hm, noceur de ces dames, beau-parleur, ivrogne notoire, vaurien sous des airs de freluquet à qui les vieilles bigotes donneraient sûrement le Bon Dieu sans confession.

— Merci bien, fis-je, avec insolence, ce sont les meilleurs compliments que l'on m'ait adressés depuis un bon moment.

— Mon père a travaillé à l'Institut du commerce pendant dix ans, continua-t-il comme si je n'avais rien dit. À l'époque, nous habitions une maison à la frontière de La Ruche. Le quartier était déjà un cloaque au temps où je vivais à Macline. C'est un miracle, dis-moi, que tu ne te sois pas fait couper la gorge à un coin de rue ou pendre comme tous les traîne-savates qui s'enlisent dans ce quartier. »

Je ricanai. « Le miracle n'a rien à voir là-dedans. »

Un sourcil caustique se souleva sur son œil d'un gris glacé. « Il a du caractère, dit-il à Tel-Chire. Tu ne dois pas t'amuser tous les jours avec celui-là.

— Pas moins qu'avec toi par le passé », rétorqua-t-il.

Taranis se tourna vers moi et émit un petit rire de gorge. « Bien, bien, je n'insiste pas. Nous aurons tout le temps de discuter de Macline et du bon vieux temps un peu plus tard. En attendant, fais-moi une faveur, n'essaie plus de farfouiller dans ma tête. Je déteste ça. J'ai l'impression qu'un insecte s'agrippe à mon cerveau et, chaque fois, je dois me retenir de ne pas l'écraser sous ma chaussure.

— Je vois ce que vous voulez dire », assurai-je, et en effet je le voyais très bien.

« Ce n'est pas la réponse que j'attendais.

— Je sais. »

Je lui adressai un sourire, auquel il répondit d'un nouveau petit haussement de sourcils. Il s'éloigna ensuite en direction des autres apprentis.

Taranis des Échelles était un Tenshin brillant, un homme brillant. Érudit, travailleur, noceur à ses heures, vif combattant, parfois drôle, parfois nostalgique. Un type normal qui aimait s'amuser, qui faisait sa part de boulot sans rechigner et, en général, mieux que les autres et plus vite. Il ne buvait pas beaucoup et, quand il buvait, ce n'était que pour pimenter une soirée. Il n'aimait pas perdre le contrôle de lui-même, dire des choses qui le dépassaient. Alors, il sirotait avec parcimonie, juste de quoi rigoler un peu, rêvassait du joli cul des filles, conversait avec emphase de la vie, de l'amour, de la mort.

Je l'observai discutant avec Tolsin quand, tout à coup, on me fourra, de force, entre les mains une espèce de couvre-chef effrangé, tâché d'humidité et de poussières, aux plumes pelées.

« Va me le ranger, p'tit gars, me lança une voix chaude comme un feu. Je veux le récupérer en l'état. »

Je levai les yeux sur un type énorme. Par énorme, j'entendais monstrueux ; le genre de type qui te donne envie de te tirer très vite et très loin, en espérant t'en sortir indemne, lorsque, par malchance, tu le croises au coin d'une rue. Il devait mesurer au bas mot trois bonnes têtes de plus que moi, un véritable taureau de compétition. De grands yeux noirs avec un cristallin jaunâtre enfoncé dans une figure d'ébène avec des lèvres vermillon. Un cou large planté sur des épaules encore plus larges. Des bras longs, gros et des mains comme des battoirs. Un glaive absolument démesuré pendait à une épaisse ceinture en cuir. Au premier coup d'œil, je sus qu'un seul coup de cette arme pourrait me sectionner en deux.

Je plantai mes yeux dans les siens, mais, en toute franchise, je dus faire un effort pour ne pas décamper.

« Vous parlez de quoi au juste ? De ce machin encrassé que ma grand-mère n'utiliserait même pas pour se torcher ? »

Je serrai le chapeau tordu d'humidité entre mes doigts en me disant que j'étais complètement dingue de m'attaquer à un type qui aurait fait peur au diable en personne.

Ses épais sourcils noirs et broussailleux tombèrent sur un regard plus sombre qu'une nuit sans lune. Un rictus se coucha sur ses lèvres.

« Ce chapeau m'a été offert par la reine Lyn-Ane en personne, me dit le géant d'une voix grave. Tu as intérêt à en prendre soin, plus que de la prunelle de tes yeux, l'ami.

– Il pourrait bien vous avoir été donné par Orde ou Ethen en personne que ça ne ferait pas de différence, l'AMI, répartis-je avec une impertinence suicidaire.

– Soit tu as du courage, soit t'es d'une incroyable bêtise de t'adresser à moi de la sorte…

– Si ce chapeau vous a été donné par Lyn-Ane, alors je crois que vous faites de cette reine la plus grande ladre de tous les temps. Pour le reste, je ne suis ni courageux, ni intelligent, mais ce qui est certain, c'est que je ne suis pas votre larbin. »

Le géant pouffa de rire. Ses yeux se transformèrent en deux fentes noires quand il se pencha vers moi.

« Ma parole est d'or, petit. Ce que je dis, il faut le croire ou si tu ne le crois pas, contente-toi de m'obéir. La bienséance te fait défaut ; il faudra y remédier.

— Un autre jour, l'ancien. Vous voulez que ce chapeau si précieux soit rangé convenablement ? Un conseil, faites-le vous-même. »

Je le lui jetai dans les mains. Il le regarda d'un air interloqué, puis releva les yeux sur moi (et je ressemblais à un insecte dans son regard), avant de partir d'un grand éclat de rire. Un rire à son image, démesuré et bruyant.

Tel-Chire posa une main sur mon épaule. « Je te présente Tharus de Pitre-en-Bout, le Tenshin le plus fanfaron que la terre ait enfanté. »

Tharus. Je m'en souvenais très bien. Ce type avait conduit Ion le blond à Mantaore et il lui avait tellement collé les miquettes qu'il s'était foutu à chialer dès son arrivée. Faut dire qu'il impressionnait. Le genre de bonhomme à te regarder dans le blanc des yeux et à te dire : « Maintenant, tu t'assoies et tu la boucles ». Et tu obéis. Ça, c'est sûr.

« Oh ! Tel-Chire, tu me flattes », dit le colosse. Il se tourna vers moi. « J'ai entendu parler de toi, gamin. Tu es insolent et ça me plaît.

— J'ai entendu parler de vous aussi, répondis-je. Vous êtes casse-couilles et ça me plaît. »

Il se gondola en vagissant. Son rire aussi foutait la trouille.

Tharus de Pitre-en-Bout jurait comme un charretier, sifflait un magnum de Sirop de Glanmiler sans tomber dans les pommes, brandissait un poing gros comme une masse en sacrant par tous les vaux et, par-dessus le marché, était le fils éminent d'une grande famille seigneuriale du sud. Guerriers de père en fils depuis la nuit des temps. Un jour, je le vis arracher la tête d'un soldat de Noterre d'une seule main. Il fut recouvert de sang et de cervelle de la tête aux pieds. J'eus envie de vomir (d'ailleurs, je crois que c'est ce que je fis), lui, il s'est allumé une clope et a gueulé : « Le prochain, je lui arrache les noix. » Les trois quarts des gars se sont débinés.

Ça, c'était Tharus de Pitre-en-Bout.

En résumé, les deux plus grands jean-foutre d'Asclépion étaient réunis à Glanmiler, le plus gros débit de boisson du pays : Den Piggletonne et Tharus de Pitre-en-Bout.

« Alors, qui vous a offert ce chapeau ? demandai-je.

— Personne, gamin, je l'ai volé sur la tête d'un soudard de l'est. » Il se rapprocha de moi et roula un bras sur mes épaules. « Tu vois, c'était en campagne y a de ça… trois ou quatre cents ans, j'ai oublié. Ce type tout petit, avec une bedaine remplie de bière, était en train de brandir un glaive tout tordu en gueulant à qui mieux mieux qu'il allait m'arracher les…

— Bon Dieu, Tharus, ne lui raconte pas ce genre d'histoires, le coupa Tel-Chire. Tu auras bien le temps de fanfaronner tout ton saoul au dîner. Garde en réserve. »

Tharus releva la tête vers Tel-Chire comme s'il était étonné et pouffa de rire. « Très bien, comme tu veux. » Il s'écarta de moi. « Par contre, un jour le roi Lock-Nah m'a remis un parchemin illustré des plus vieilles traditions libertines, classées par pays. Un vrai petit recueil. Je te le montrerai si tu es sage… »

Il tapota sur sa besace d'un air énamouré.

« Mais vous voudriez me faire croire que le roi Lock-Nah vous l'a offert, c'est ça ?

— Exactement ! Tu vois que tu comprends vite. Tel-Chire, j'adore ce môme. Rien dans la caboche. Tout dans le pantalon. Y a de quoi en faire qu'que chose.

— Je ne sais pas si c'est un compliment », remarquai-je, un sourire aux lèvres.

Il rit de plus belle. « Bah ! À toi de voir. »

Il me tapa dans les côtes et s'esquiva ensuite mollement vers les autres apprentis. D'un geste brusque, il fourra son chapeau entre les mains de Lampsaque qui releva son œil roublard sur le géant. Je réprimai un rire. *Ces Tenshins sont cinglés,* me dis-je. Toujours à osciller entre un purisme irritant et les débordements linguistiques d'individus qu'on trouverait plus facilement à La Ruche que dans un château fort.

Je ne sais pas pourquoi, à ce moment précis, je réalisai où j'étais, avec qui j'étais… et surtout, ce à quoi je travaillais à devenir. Je me mis à fixer ma main. Je serrai le poing et je me rendis compte que quelque chose me manquait, un manque qui devint très vite viscéral : mon sabre. Les doigts de Tel-Chire se refermèrent sur mon épaule. Je levai les yeux dans sa direction. Je compris qu'il était satisfait. Le sabre est l'âme du guerrier et il me manquait.

La mousseline de l'un des palanquins remua soudain et me détourna de mes pensées. Deux des porteurs aveugles étirèrent les voiles de pourpre et d'or qui ceinturaient les litières. Mon regard croisa celui du rouquin, tout excité.

Un espace étroit et sombre se dessina entre les riches étoffes et une créature s'extirpa de la chaise enveloppée dans une large houppelande en laine brune, comme des moines avec leur robe de bure sans la ceinture. Un ample capuchon passementé de dentelles noires était rabattu sur son visage et nous interdisait d'en saisir les traits. L'Ancien se redressa et sembla admirer la ligne somptueuse et austère du château. Sans les mains blanches qui dépassaient des manches bouffantes, on aurait dit que la pèlerine était vide. Une créature immatérielle, sans forme, ni substance.

Les autres palanquins s'ouvrirent. Les Anciens s'arrachèrent de leur litière les uns après les autres et rejoignirent la créature à la houppelande brune. Ils étaient tous vêtus d'une pèlerine de bure terne et leur visage était caché sous les capuches. La déception se peignit sur les traits du rouquin.

Al-Talen se dirigea vers l'un des Anciens, échangea quelques mots en sa compagnie et désigna Borlémir, qui, en retrait, attendait patiemment de recevoir ses ordres. Il fit signe au nabot qui se déplaça clopin-clopant vers les escaliers. En file indienne, les Anciens lui emboîtèrent le pas et grimpèrent les marches en direction de la salle des conseils. Le cortège était ordonné, silencieux. La scène ressemblait à une procession mortuaire. Al-Talen fermait la marche.

Nous regardions tous, hypnotisés, le lent défilé de ces créatures inhumaines. Ne pas voir leur visage, ne pas sentir leur esprit était encore plus excitant. Le rouquin tourna la tête vers moi quand le dernier des Anciens disparut sur l'esplanade. Ses yeux s'agitaient dans ses orbites ; il mâchouillait ses lèvres.

Au centre de la cour, l'un des cavaliers, d'une extrême élégance, écarta la mousseline incarnate d'un palanquin, situé en fin de cortège. Il portait une tunique blanche gansée d'argent, croisée sur le devant et retenue par une ceinture en cuir noir ciselé. De longs cheveux poivre et sel déferlaient sur ses épaules, quoi qu'ils fussent maintenus par une barrette en argent en demi-queue sur l'arrière du crâne. Il tendit la main à l'intérieur du palanquin. Des doigts couverts de bagues se posèrent délicatement sur le dos de son poignet. Une bottine en cuir violet tâtonna à la recherche du sol pavé. Puis, une robe d'un gris perlé garni de macramés aux nuances de parme tomba comme une cloche autour de sa propriétaire. Je restai un instant ébahi, comme un chien, la langue pendante. Le rouquin me décocha un regard lumineux ; c'est à peine si je le vis.

La jeune femme remercia d'un signe de tête le cavalier, puis se dirigea d'un pas volontaire vers Cimen, Den, Taranis et Tharus qui l'attendaient, sourire aux lèvres (on pouvait décemment les comprendre) : démarche chaloupée, hanches serrées dans un corset délibérément ostentatoire, étoffes voletant de droite à gauche au fil de ses pas, léger bruit de talons sur les dalles. Des cheveux d'or ondoyaient autour d'un visage blanc, orné d'un regard d'or enflammé. Je n'avais jamais rien vu d'aussi beau. Sa figure ronde était aussi lisse que celle d'une poupée de porcelaine et ses lèvres pouvaient aussi bien être des éclats de grenat incrustés dans sa chair.

Quand elle salua Cimen en exécutant une gracieuse révérence et qu'il prit sa main pour la baiser, ses joues se fardèrent de rouge. Moi qui le croyais eunuque. Cette femme-là aurait probablement pu faire bander un macchabée. Son corps tout entier ruisselait, débordait de sensualité.

Elle échangea quelques mots avec les Tenshins assemblés autour d'elle, telle la reine des abeilles. Elle minauda, sourire angélique sur son visage poudré. Puis elle se tourna vers moi. Son regard d'or s'accrocha à ma carcasse trempée de sueur et je sus tout de suite, par ce simple échange, que je la baiserais. La jeune femme s'approcha de moi sans me quitter des yeux. Elle s'inclina, écarta sa robe d'une main experte tandis que je matais ses seins, la courbe blanche, parfaite et rebondie de son corsage. Elle me tendit ses longs doigts fins que je pris délicatement avant de les porter à mes lèvres. Comme l'homme grossier que je suis, j'ignorai les protocoles de la capitale et plaquai un gros baiser mouillé sur sa peau. Elle esquissa un discret sourire, sans que je parvienne à deviner si elle se fichait de moi ou si elle appréciait les manquements à la règle. À mon avis, les deux.

Je voulais malgré tout répondre à son sourire, me moquant bien de ce qu'elle pensait de moi, lorsqu'une douleur déferla subitement dans mon crâne. Une brûlure envahit mon front, le derrière de ma tête, mon visage, et elle fut si violente qu'elle me fit reculer contre le mur. Je m'agrippai la tête à pleines mains comme si je voulais l'arracher ou la cogner contre les pierres jusqu'à la faire exploser. Je poussai un cri rauque et tombai à genoux.

Après un moment qui me parut une éternité, je parvins enfin à rouvrir les paupières, et la cour de Mantaore s'était évanouie. Elle laissait place à un voile blanc, un voile qui lentement se disloquait. Alors, je n'entendis plus que des pleurs. Je fondis dans quelque chose sans savoir quoi. Je me glissai dans quelque chose, mais quoi ?

J'eus besoin de quelques secondes pour comprendre. Mais j'aurais préféré ne jamais rien ressentir de tel.

Je voyais par ses yeux.

Un corps sur la chaussée, informe, inerte, dégueulasse sur ce sol caillouteux maculé de sang. Quelque part entre ma conscience et mon corps, je vomis. Non de la bile, mais quelque chose de plus écœurant, de la douleur et de la peur. Le visage d'Antoni, défoncé par les cailloux, me percuta de plein fouet. Je fixai le sang, en croyant rêver. Du sang, rouge presque noir, épais. On aurait dit un hérisson écrasé par la roue d'une charrette.

Sa voix criait, elle m'appelait, lointaine d'abord. Rugissante ensuite. C'était les yeux de Naïs. C'était son esprit que je polluais. Elle fixait le corps d'Antoni. J'étais contraint de le regarder, alors que j'aurais voulu m'enfuir. Ne plus regarder. Vomir et laisser libre cours à cette douleur innommable qui me poignardait.

Dans un paroxysme de souffrance, je vis mon père, droit et fier, attirer Antoni dans ses bras, le soulever comme un pantin de bois désarticulé. Les hurlements hystériques de ma mère me rentraient dans les oreilles et me déchiraient, comme des ongles plantés dans mon âme. Je regardais toujours Antoni. Sa tête pendant dans le vide, ses yeux grands ouverts, horriblement vitreux, fixant le néant. Sa joue enfoncée, sa mâchoire brisée.

C'était un enfant.

« Naïs, je suis là… Tu m'entends ? »

Elle ne m'entendait pas et je pleurais.

La route se décomposa brusquement comme un morceau de tissu qui se déchire, et s'éclipsa. Je me retrouvai acculé dans un recoin de la cour, assis par terre sans pouvoir hurler, comme si ma voix était prisonnière de mon propre corps. Tout Mantaore me dévisageait. Des larmes coulaient sur mes joues. Un filin de salive dégoulinait sur mon menton. Je m'essuyai le visage d'un geste tremblant. Antoni était mort, et je n'étais pas là. Un vide, un vide épouvantable était en train de se creuser en moi et m'envahissait pleinement, totalement.

Je me redressai en m'appuyant contre le mur. Tel-Chire m'attrapa sous les aisselles et m'aida à me remettre debout. Au seul regard qu'il me lança, je sus qu'il avait lu mon esprit et cette pensée me dégoûta. Les Tenshins savaient. Avec leurs mines pathétiques, soûlantes de compassion, je ne pouvais pas avoir le moindre doute.

La fille aux cheveux d'or m'enveloppait d'un regard bouleversé. Son apitoiement m'énerva. Elle n'avait pas la moindre idée de ce qui se passait ; elle ignorait elle-même pourquoi elle me regardait ainsi, comme si on s'était déjà vautrés dans le stupre.

La main de Tel-Chire sur mon épaule m'insupporta, comme un fer chaud qu'il aurait posé sur ma peau. Je le repoussai avec violence.

« Je n'ai pas besoin de ta pitié », lançai-je, furieux.

Je m'éloignai dans la cour, bousculant Taranis et Cimen d'un coup d'épaule. Je franchis la porte en titubant. Je faillis m'écrouler face contre terre en achoppant sur le contrefort d'un pavé, lâchai un « putain » sans conviction.

Dès que je fus sur le plateau de l'Ourdos, je me mis à courir, à courir en espérant tout laisser derrière moi. Je savais que cela ne fonctionnerait pas. J'aurais beau courir, Antoni serait toujours mort et, moi, je serais toujours là.

Mes jambes finirent par flancher et je m'effondrai dans le sable humide, le visage baignant dans l'eau et l'écume, le visage ruisselant de larmes. Je me foutais de l'eau gelée, du vent, du sable qui m'irritait la peau. Je me foutais du crabe qui me scrutait avec ses deux globes blancs inanimés. Je voulais sentir ce lien avec Naïs. Je le voulais comme une drogue, comme du poison. Je n'y arrivais pas. J'avais beau me concentrer, ce lien était mort. Mort.

Alors, je hurlai. Je hurlai et je pleurai. Je maudissais les Dieux, ces putains de dieux qui prenaient la vie d'un gosse. Sur une route. Et je leur criai : « Pourquoi pas moi ? Pourquoi pas moi ? » Ils ne me répondirent pas. Ils s'en foutaient eux aussi.

Tel-Chire s'assit à côté de moi en silence. Il vissa ses yeux sur la houle qui frappait le rivage. Puis il regarda le scarabée noir que je fixais depuis une bonne demi-heure.

« Je peux t'aider si tu veux...

— M'aider à quoi ? le coupai-je sèchement. À moins que vous puissiez ressusciter les morts, vous ne m'êtes d'aucune utilité. Fichez-moi la paix.

— Je n'ai malheureusement pas ce pouvoir. J'en ai d'autres toutefois. » Je relevai la tête d'entre mes genoux. « Je peux sans doute t'aider à renouer le lien avec Naïs si tu le souhaites encore.

— Comment ?

— En théorie, un maître ne peut pas communiquer avec un non-initié d'une aussi grande distance, ce que tu as pourtant fait.

— Je me fous de savoir comment j'y suis arrivé. Comment recommencer ? »

Il se tordit les doigts et fixa la crête des vagues. « Pour recommencer, il faut savoir de quelle manière tu t'y es pris. »

Je réfléchis quelques secondes. « C'est... c'est comme si elle m'avait appelé. Je ne sais pas comment j'ai fait. Je sais juste que je l'ai entendue et je me suis glissé en elle.

— Alors, il va falloir que tu retisses toi-même ce lien, que tu combles la distance qui te sépare d'elle. L'amour est le meilleur des liens. Il ne se dénoue jamais tout à fait... Ton esprit est de plus en plus fort, mais il reste encore désordonné. Je serai ton véhicule, ta source d'énergie. » Il s'interrompit et prit une profonde inspiration. « Je n'ai jamais pratiqué ce genre d'exercice, m'avoua-t-il. Pas d'aussi loin et encore moins avec un humain normal. Je ne te garantis pas le succès, mais on peut toujours essayer. »

Je hochai la tête. Je me faisais l'effet d'un truc mou, de la loche, comme une limace, et j'étais prêt à faire n'importe quoi pour la sentir encore et savoir ce qui s'était passé.

« Très bien, ouvre ton esprit, me dit-il. Laisse-moi entrer dans ton monde. »

Je baissai mes barrières mentales. Dans l'état où j'étais, il aurait sans doute pu les défoncer d'une seule poussée de son esprit ô combien génial. Il n'en fit rien. Je lui ouvris les portes et il fondit dans ma tête.

Je ne sais pas très bien à quoi je m'attendais en laissant délibérément Tel-Chire pénétrer mon esprit. Je tendais les bras vers Naïs, grands ouverts, comme un gamin. Je voulais tellement la serrer contre moi que je me serais moi-même dépecé s'il l'avait fallu. En tout cas, je ne m'attendais pas à cela. En ouvrant mon esprit, je savais que Tel-Chire s'empêtrerait dans mes pensées. Comme il les connaissait déjà par cœur, je m'en moquais éperdument. Cependant, je n'avais pas compris qu'en me servant de véhicule, en lui ouvrant les portes de mes songes, Tel-Chire se déverserait lui-même dans ma tête. Je me retrouvai confronté avec son propre esprit et je me sentis péteux avec ma petite douleur.

Je ne vis pas vraiment de visions précises, juste un magma de sentiments. C'était impossible de faire le tri. C'était comme d'avoir toutes les pièces d'un puzzle, mais toutes mélangées sur la table. Quelque chose clochait dans la tête de Tel-Chire. C'était à la fois lourd, morbide et aussi douloureux que si j'avais plongé la main dans un bac rempli d'acide. Pour Tel-Chire, les nuits de baise n'étaient que des lendemains perdus, les femmes et les copains, des morts en sursis. Il pleurait quand il faisait l'amour à une femme. Il pleurait quand il jouissait parce qu'il couchait avec un mort qui riait, qui gémissait, mais qui était déjà mort dans sa tête. J'eus de la peine pour Tel-Chire. Non pas de la pitié. Juste de la peine.

La voix de Tel-Chire me rappela à l'ordre. « *Concentre-toi.* »

Me décoller du flot de ses émotions n'était pas si facile. C'était de la puissance à l'état brut. J'avalais tous ses sentiments discordants encore et encore au point de m'en faire exploser la panse, puis, lentement, ils mutèrent en une véritable boule d'énergie sous l'impulsion de Tel-Chire. Un immense courant me traversa de la tête aux pieds.

« *Concentre-toi* », réitéra-t-il.

Cette énergie, grosse, envahissante, se gonfla de ce que j'avais en moi : de la colère, de la douleur, d'Antoni, de l'amour. Cette boule dans ma tête qui ne cessait de croître à mesure que je pensais à Naïs, que je la voyais dans son petit corps vulnérable et délicieux, que ses paupières papillonnaient sur ses yeux noirs, que ses mains me touchaient et qu'un courant électrique me parcourait. Cette boule se mit à avancer, à s'élancer, à grandir encore. Des montagnes, des collines désertiques, des terres incultes, puis des arbres, des forêts, des rivières et rien qui ne puisse la freiner. Une maison en pierres de Pont-Rouge. Une pièce chaude, aux lumières éteintes, silencieuse, sinistre.

Je fondis en elle. Et je jouis en entrant en elle. Moi, pauvre misérable, pauvre dégueulasse qui ne rêvait que de ça et qui ne pensait plus à Antoni en pénétrant son esprit. Tout le plaisir fut éradiqué en une seconde quand toute la peine qui était en elle me percuta, me frappa, me laissa sonné et tout dégueulasse.

Elle ne me sentit pas. Ses paupières clignaient tandis qu'elle fixait la table de la cuisine. Le corps d'Antoni gisait sous le drap blanc. Ses doigts dépassaient, inertes et repliés comme des griffes. L'odeur de la mort la dérangeait, mais elle n'osait pas se boucher le nez avec ses doigts. Elle n'osait pas. Elle croyait que ça serait mal, irrespectueux. Ça puait pourtant. Ça lui donnait la nausée, cette odeur. Le type à côté d'elle ne le faisait pas. Alors, elle se répéta que c'était mal, que c'était Antoni, le corps qui puait sous ce drap. Elle se dit aussi que son corps se vidait et qu'il faudrait le nettoyer. Nettoyer la merde d'Antoni. Elle ne voulait pas le faire. Elle pensa que le type le ferait peut-être, puisqu'il avait l'air de vouloir l'aider. Et puis, il faudrait recoudre. Recoudre, ça, elle pouvait le faire. Elle savait coudre et bien en plus. Recoudre la peau ou du tissu, c'est pareil, non ? Elle secoua la tête et ses larmes giclèrent sur elle, sur le sol. Elle eut mal à nouveau. Terriblement. Elle se dit qu'elle préférait penser à des choses moches plutôt qu'à ça, plutôt qu'à Antoni sur la table qu'il fallait recoudre et laver. Mais elle ne partait pas, la douleur. Elle restait là, plantée dans son cœur. Pourquoi restait-elle ? Pourquoi ne partait-elle pas ? Elle ne voulait pas souffrir. Elle ne voulait pas qu'Antoni soit mort. Elle ne voulait pas être égoïste et en vouloir à Antoni d'être mort parce qu'il la faisait souffrir.

La douleur tellement humaine de Naïs gratta la mienne comme un coup d'ongle sur une croûte à peine formée, et le sang se remit à sourdre. Il fallait que je lui parle, qu'elle m'entende. J'avais peur de le faire. Maintenant, devant le fait accompli, j'avais peur de caresser d'autres pensées. Je pris une profonde inspiration.

« Naïs ? »

Elle sursauta. Elle tourna les yeux vers l'homme à ses côtés et le regarda avec affection. Ses sentiments me firent l'effet d'une gifle. Blond, mat de peau, mal rasé et de profonds yeux bruns. La dégaine d'un vagabond qui en a bavé dans sa vie, mais j'étais incapable d'éprouver de la pitié pour cet homme. Il considérait Naïs avec ce regard que je connaissais trop bien pour l'avoir contemplée de cette façon : un regard plein de désir et d'affection.

« Tu m'as parlé ? demanda-t-elle.

– Non », répondit le gars.

Elle chassa ses longs cheveux noirs d'un geste contrarié et fixa de nouveau la table. Elle tremblait et se demandait pourquoi elle tremblait, si c'était l'envie de vomir, ses sanglots, ce manque en elle qui lui faisait ça. Elle n'arrivait pas à se décider.

« Naïs, c'est moi… Tu m'entends ? »

Elle pivota de nouveau vers l'homme, les sourcils arqués. Elle s'apprêtait à lui parler, je lui clouai le bec : *« C'est Seïs. »*

N'importe qui aurait eu peur ou aurait cru devenir fou. Mais pas elle. Quelque chose en elle s'ouvrit comme un loquet que j'aurais levé. C'était quelque chose de chaud, de doux.

« Comment… ? » bredouilla-t-elle.

Elle bougea les lèvres, mais ne fit pas de bruit. L'homme à côté d'elle ne la vit pas.

« C'est un peu long à expliquer », dis-je.

Un moment de silence.

« Mon Dieu… tu es… tu es vraiment là ? C'est toi ?

– Bien sûr. Qui veux-tu que ce soit ? »

Elle ne s'inquiétait pas que je puisse rôder dans sa tête, tout juste si elle s'en étonnait.

« Seïs… »

Sa voix se brisa. Elle était incapable de formuler les mots. Elle n'avait pas compris qu'elle n'avait aucun besoin de leur donner forme pour que je les comprenne. Je voyais mieux par ses sensations et le flot continu de ses pensées qu'avec tous les mots du monde. Un pot de douleur toute fraîche se répandit en elle, se répercuta dans mon propre corps, peut-être dans celui de Tel-Chire.

« *Je sais,* dis-je. *Je suis au courant pour Antoni.* »

Elle regarda de nouveau la main qui dépassait du tissu. « *Pourquoi ?* murmura-t-elle dans un sanglot. *Pourquoi est-ce arrivé ?*

– *Je n'en sais rien.*

– *Pourquoi les dieux ont-ils permis que cela se produise ? Antoni avait seize ans… Seïs… Pourquoi ont-ils laissé faire ça ?*

– *Parce qu'ils n'en ont rien à foutre de nous. On naît, on vit, on meurt. Pour eux, on est de la chair et de la poussière. Quand on quitte le ventre de notre mère, on pleure. C'est qu'il y a une raison, non ? Bon Dieu, j'en sais rien, Naïs. Si je le savais, j'échangerais ma place contre celle d'Antoni et je ne le laisserais pas mourir sur cette route.*

– *Je t'interdis de dire ça,* s'exclama-t-elle. *Je t'en supplie.*

– *De toute façon, ça ne change rien.* » Je me tus un moment. J'écoutais son cœur battre. « *Naïs… raconte-moi.* »

J'avais conscience de l'effort que je lui demandais. Mais, en réalité, le seul fait de lui demander ce que je voulais projeta instantanément tout un tas de souvenirs en vrac dans son esprit. Alors, je revis la route défoncée par les blocs de rochers qui s'étaient détachés de la falaise, la charrette renversée et les victuailles éparpillées un peu partout, puis les deux corps déchiquetés, le sang coulant dans des rigoles toutes fraîches, les hennissements affolés des chevaux et, enfin, l'odeur qui la dégoûtait. Les cris de ma mère. La stature de mon père, droit, rincé. Il semblait vieux, fatigué tout d'un coup. Il avait pris dix ans dans les gencives en moins de cinq minutes.

Naïs s'approcha de la table. Elle observa encore la main qui pendouillait et le sang qui coagulait entre ses doigts. Elle prit le drap et le descendit sur la gorge de mon frère. Elle détourna la tête, ravala sa salive et sa bile.

« Tu dois regarder, Naïs. Si tu ne regardes pas, je ne peux pas voir. »

Elle ne dit rien. Elle se vida la tête et baissa les yeux. Elle saisit le rebord de la table entre ses doigts.

Antoni était beau avec ses boucles blondes comme celles d'une jeune femme, ses yeux énamourés, son hâle léger. Il était beau avec une joue enfoncée, des lambeaux de chair et la mâchoire pendante qui s'ouvrait sur des dents cassées. Malgré le sang, malgré ses yeux vitreux, ce gosse était magnifique. Des larmes coulaient et je fus incapable de savoir qui de nous deux pleurait.

« *Ça suffit,* dis-je. *Tu peux tourner la tête.*

– *Pourquoi ? Tu en as déjà assez ? As-tu satisfait ton désir morbide ? Tu t'es assez rincé l'œil ?* »

Sa hargne me fit mal. Je préférai garder le silence. Elle eut peur. « *Seïs ? Tu es là ?*

– *Oui.*

– *Pardon.*

– *Laisse tomber.*

– *Tu me manques.* » Je ne répondis pas. « *Dis quelque chose,* insista-t-elle.

– *Ce type, qui est-ce ?* »

Elle tourna la tête vers l'homme qui la dévisageait en silence et en retrait. « *Il s'appelle Brenwen. Ton père l'a engagé pour l'aider aux champs.*

– *Il a fait fortune et a acheté de nouvelles terres pour avoir besoin d'un manœuvrier ?*

– *Non, Teichi est parti.*

– *Quoi ?* m'étonnai-je.

– *Tu as entendu. Un Élènide du nom de Nolwen est venu le chercher. Il a dit que Teichi était doué, qu'il avait un don et qu'il avait besoin de lui. Ton frère l'a cru, alors il est parti.*

– *Bon Dieu, qu'est-ce que c'est que cette histoire grotesque ?*

– *Juste ce que je viens de te dire. Cet homme… il avait des dons incroyables. Il a même réussi à clouer le bec de Fer.*

– *C'est sûr, c'est un exploit. Pourquoi Teichi a-t-il fait confiance à un étranger ?* »

Elle haussa les épaules. « *Je ne suis pas sûre,* me dit-elle. *Teichi n'a pas hésité à le suivre.*

– *A-t-il dit pour quelles raisons il avait besoin de lui ?*

– *Ben… tu sais, ce gars, il parlait par énigme. Je n'ai pas tout compris de ce qu'il disait.* »

Elle pensa à quelque chose et cette chose la rendit triste. « *Je ne sais pas comment on va faire pour le prévenir,* dit-elle. *L'Élènide ne nous a pas laissé de renseignements pour le joindre.* »

Je soupirai. « *Si ce type est bien ce qu'il prétend, alors il est déjà au courant.*

– *Tu le crois ?*

– *J'en suis sûr.* »

En réalité, je n'étais sûr de rien, mais je n'avais pas le cœur de le lui avouer, alors je lui mentais. Par commodité, pour ne pas l'inquiéter davantage, pour ne pas la rendre plus triste encore, pour me rassurer moi-même peut-être.

« *Tu n'as pas répondu à ma question,* remarquai-je finalement.

– *Quelle question ?*

– *Ce type, qui est-ce ?*

– *Je te l'ai dit.*

– *Non… Qui est-ce pour toi ?* »

Elle ramassa ses cheveux d'une main et les noua en chignon. Elle se dirigea ensuite vers le feu de cheminée sur lequel l'eau bouillait.

« *C'est personne d'important* », me mentit-elle.

Elle saisit l'anse de la marmite et la sortit du feu. Ce type, Brenwen, vint l'aider. À deux, ils transportèrent la marmite et la posèrent au pied de la table en chêne.

Je ne savais pas si elle avait conscience que je voyais tout par ses yeux et dans ses souvenirs.

« *Tu me mens* », lui fis-je remarquer avec aigreur.

Elle ne sourcilla pas. « *Je n'ai pas envie de parler de ça, Seïs, s'il te plaît.* »

J'émis un rire dans sa tête qui la fit frissonner.

« *Arrête,* insista-t-elle.

– *Arrêter quoi ? Tu me mènes en bateau et tu crois que je ne le sais pas.*

– *Qu'est-ce que ça peut faire ?*

– *Ce connard veut t'épouser. Il est amoureux de toi.*

– *Peut-être. Et alors ? Cela ne te regarde pas.*

– *Tu crois ça ?*

– *Oui.* »

Son ton était sans concession. J'eus envie de l'insulter, de la maltraiter, de lui faire du mal autant qu'elle m'en faisait. Son regard se posa sur Antoni et balaya tout à coup toute ma jalousie. J'eus honte de ma réaction. Honte parce qu'Antoni était sur cette table. Honte parce qu'elle souffrait déjà. De la mort d'Antoni. De mon absence. De ce qu'elle éprouvait pour moi. Et à cause de ce type qui l'aimait.

« *Morveuse, je sens ce que tu ressens.* »

Elle eut un hoquet et fut parcourue d'un frisson. Elle voulut s'empêcher de penser. Retenir ses sentiments. Or, plus elle essayait de les taire, plus ils éclataient dans sa tête, comme des feux d'artifice.

« *Ne lis pas mon esprit,* m'ordonna-t-elle. *Tu ne sais rien.* »

C'était là qu'elle se trompait. Je savais tout, jusque dans les moindres détails et, en voyant en elle comme si je bouquinais un livre, je compris une chose essentielle. En face de moi, son esprit me renvoyait cette chose irrépressible et qui dévore jusqu'à la moelle. C'était comme de se regarder dans un miroir un matin et de se trouver laid à vous tailler les veines. Et puis d'autres jours, on ne sait pas trop pourquoi, on se surprend à se trouver beau. Alors que je dévorais les pensées de Naïs, je ressentais cette sensation insolite. Tour à tour laid et beau. Piteux et génial. Honteux et fier. Je crois que ce que je vis ce jour-là dans son esprit était encore plus grand, immense et infini que lorsque je regardais la mer, grande, immense et infinie. Je me suis senti tout petit, minuscule. À côté d'elle, je n'étais qu'un insecte insignifiant. C'était une insulte d'essayer de me comparer à elle. Je perdis les pédales et je m'en mordis les doigts pendant longtemps.

« *Épouse-le* », lui dis-je.

Peut-être était-ce le chagrin ou la peur. Je ne songeais pas au même sang qui coulait dans nos veines, je ne songeais pas que j'étais loin d'elle, prêt à devenir un Tenshin, je ne songeais pas à la réaction de mes parents s'ils me surprenaient en train d'enlacer Naïs au milieu du jardin. Je pensais juste à la peur, à ma connerie, à ma petitesse, mais surtout à ma connerie, et puis à la douleur aussi.

Elle ne broncha pas pendant un moment. Son esprit sécha tandis qu'elle avait les yeux dans le vide. Puis elle chancela et Brenwen roula un bras sur ses reins.

Sa voix fusa, comme un coup de poing. « *Sors de mon esprit, Seïs… Va-t-en.*

– *Je suis désolé*, dis-je. *Ça ne mène nulle…*

– *Va te faire foutre ! C'est toujours comme ça t'arrange, toi. Toujours toi, toi, toi. Tu te fous des autres. Sors de ma tête, Seïs. Fous le camp. Fous le camp.* »

Je sortis de sa tête, comme un cocker obéissant, les oreilles basses et la queue entre les jambes. Une boule remontait dans ma gorge. J'ouvris les yeux sur la mer et je la trouvais grande. J'étais un con et je trouvais la mer grande.

À mes côtés, Tel-Chire essuyait son front couvert de sueur. Il haletait. Je suffoquais aussi, mais je ne m'en rendis pas compte tout de suite. Ma chemise était trempée. Mes mains étaient moites. Je tremblais. Tel-Chire cligna des paupières à plusieurs reprises et fixa la marée. La houle s'était levée et le niveau de la mer était monté. Mon crabe et mon scarabée s'étaient fait la malle.

Tel-Chire n'aurait sûrement pas parlé. Il était trop discret pour se permettre le moindre commentaire, mais je ne supportais pas l'idée qu'il puisse ouvrir la bouche.

« Je ne veux pas en parler. »

Il acquiesça simplement et se releva en prenant appui sur le rocher. En silence, il tituba sur la plage en direction de l'Ourdos. Il ne m'adressa pas un regard. Il ne se retourna pas. Il fixa droit devant lui. Tel-Chire avançait toujours sans se retourner.

Seul, je calai ma tête entre mes genoux. J'eus envie de vomir. Je me concentrai sur le ressac pour ne pas gerber, sur une mouette ou deux qui tranchèrent le ciel noir, sans nuage.

Dans la nuit, je tombai dans les pommes. Pas assez longtemps à mon goût. Je me réveillai au crépuscule, avec la gueule de bois sans avoir bu une goutte.

Je n'avais plus vraiment l'air d'un homme en me traînant sur l'Ourdos. Je me sentais piteux, misérable et honteux. J'avais blessé Naïs et, bien que cela ne soit pas la première fois que je me comportais comme un parfait salaud, mon cœur n'encaissait peut-être plus aussi bien qu'autrefois ma mauvaise foi, ma peur et ma culpabilité.

Le brouillard atonique qui m'avait ceint une grande partie de la soirée s'estompait doucement. Je me faufilai dans la cour déserte. Je pensais que Mantaore s'était endormie. C'était oublier les Anciens. Leur voix lointaine grouillait dans la salle des conseils. Palabrant, jonglant sur les affaires du monde, sur les Assens, les Immortels, tous ces types qui ne crèveraient jamais.

Je traversai la cour comme un mort-vivant, longeai le tunnel éclairé de chandelles et me dirigeai droit sur les écuries. Dans le noir, je m'avançai en suivant les box. Un museau blanc dépassait tout au fond de l'allée. Un regard bleu électrique me scrutait. Je fis sauter la barrière, entrai dans le box et posai ma tête contre celle d'Elfinn. Il sentait l'herbe, l'odeur sèche du soleil, le vent, la liberté.

Je tapotai son chanfrein, puis je restai un moment les yeux dans les siens, sans rien dire. Dans sa tête, nous galopions ensemble dans les pâturages stériles des steppes de Latifer, le vent dans les cheveux. Libres. Il n'y avait rien hormis mon cheval, les montagnes, les herbes jaunies par le soleil, sans personne, sans ombre, sans rien d'autre qu'une profonde et pleine liberté.

Je finis par m'allonger par terre, me roulai en boule sous les jambes d'Elfinn. Je m'endormis vite. Un sommeil agité qui se transforma rapidement en sommeil de plomb, sans rêve ou cauchemar, jusqu'à ce que la voix d'Elfinn siffle dans mon esprit : « Quelqu'un vient. »

Je me redressai sur un coude, tendis l'oreille. Bruits de pas. Elfinn se recula au fond du box. Je me redressai, époussetai mes vêtements, ôtai les fétus de paille. Quand une silhouette se découpa à l'entrée de la stalle, j'avais déjà son parfum dans les narines. Elle posa sa main lisse sur la barrière.

« Pardonnez-moi, Messire Amorgen, je ne voulais pas vous réveiller », me dit la jeune femme, d'une voix sincère.

Je la regardai, polie et belle. « Pas grave », marmonnai-je.

Je m'approchai de la barrière en bois, la levai sous son nez ; ce qui l'obligea à reculer dans l'allée.

« J'espérais avoir de vos nouvelles », poursuivit-elle.

Elle en avait peut-être envie, mais tous les deux, on savait qu'elle racontait des salades. Je la considérai en silence. Elle portait une chemise de nuit dernier cri, en satin et dentelle blanche. Ses boucles blondes déferlaient en cascade dans son dos et se séparaient au niveau des épaules, les laissant dénudées. Elle avait de jolies épaules blanches et soyeuses. Elle avait ôté tous ses bijoux, à l'exception d'une paire de boucles d'oreilles, des anneaux d'or. Elle avait du rouge sur les lèvres et du rose sur les joues.

« Vous n'auriez pas dû sortir du lit pour si peu.

— Je m'inquiétais pour vous, bien que vos compagnons m'aient assuré que demain vous seriez de nouveau sur pieds… » Elle baissa la tête et regarda ses pieds nus. « J'ai appris la nouvelle, dit-elle. Je suis désolée pour votre frère. Je vous présente toutes mes condoléances. »

Je haussai les épaules. « C'est la vie. On n'y peut rien. Mes compagnons ont raison d'ailleurs. Chaque matin est un nouveau jour, non ?

– Je suppose. »

Elle frissonna dans sa petite chemise de nuit. Un courant d'air soufflait dans les écuries. Comme je me sentais encore un peu galant, je retirai ma tunique et la déposai sur ses épaules.

« Je me sentirais coupable si vous attrapiez froid en venant vous enquérir de ma santé. »

Elle esquissa un sourire délicat et referma ma tunique sur sa poitrine attrayante. Je ne sais pas trop quelle gueule je lui offrais. J'avais l'impression d'être coincé dans une pièce sans fenêtre, dans le noir, et de tâtonner les murs à la recherche d'une sortie. Je me demandais pourquoi elle avait envie de moi. Elle était sublime ; même en sortant du lit, elle ressemblait à une poupée de porcelaine, le teint frais, blanc, poli, la peau parfumée.

« Ne vous inquiétez pas, dit-elle. Je vais bien... Je manque à tous les égards, je ne me suis pas présentée. Je m'appelle Daphnis.

– Je suis ravi de vous connaître, Mademoiselle, et vous ne manquez à aucun égard. Je ne suis pas très familier des protocoles de Hom-Tar.

– Tant mieux. Le décorum est ennuyeux et nous ne sommes pas à Hom-Tar. Cela tombe plutôt bien, n'est-ce pas ?

– M-hm. Toutefois, je suis persuadé qu'au palais comme ici, les dames ne se promènent pas la nuit dans les écuries en petite tenue pour discuter en compagnie des mauvais garçons. Permettez-moi de vous raccompagner à votre chambre. »

Je lui offris mon bras. Elle glissa ses doigts sur mon poignet et, en souriant, me dit : « Vous vous considérez donc comme un mauvais garçon.

— Pas comme un bon en tout cas. » Je jetai un dernier coup d'œil à Elfinn qui guignait la scène, puis, la fille à mon bras, je m'engageai dans l'allée.

« Vous ne me semblez pas vraiment dangereux.

— Il ne faut pas se fier aux apparences. Les loups se cachent souvent au milieu des brebis. »

Elle rit. « Vous savez, je vis à Hom-Tar. Là-bas, il n'y a que des loups. »

J'eus un léger sourire. Sous ses boucles blondes, Daphnis avait la beauté du danger, les yeux de l'amour et le corps de la trahison. Combien d'hommes se sacrifieraient-ils pour la sauter ? Combien d'hommes se sacrifiaient-ils déjà ?

Dehors, le vent se fit plus mordant. Nous pressâmes le pas. On traversa la cour intérieure, les escaliers de derrière, puis on longea en silence les arcades peintes éclairées par des chandelles.

« C'est ici », me dit-elle quand on passa devant une lourde porte en chêne. Je m'arrêtai, regardai par-dessus son épaule les couleurs miroitantes d'un crépuscule qui se languissait déjà.

« Dans ce cas, Mademoiselle, je vous souhaite une bonne nuit. »

Je m'inclinai devant elle, poing sur le cœur.

« Vous ne voulez pas entrer quelques minutes ? Vous avez le teint pâle. J'ai des remèdes dans ma chambre si vous le souhaitez. »

Un prétexte comme un autre, je suppose.

« Je vais bien, lui assurai-je.

— Ce n'est pas un soir à rester seul », me dit-elle.

La compassion des autres m'avait toujours agacé. Pourtant, j'entrai dans sa chambre quand elle ouvrit la porte. Une jolie chambre avec tout ce qu'une femme peut désirer : boudoir, coffres de linges, armoire ornementée, lit à quenouilles, tapis exotiques... Un feu brûlait dans la cheminée et chauffait la pièce. Les nuits étaient fraîches dans le nord du pays. La chambre sentait bon le parfum de Daphnis. Des robes s'empilaient sur une chaise dans des myriades de couleurs et de strass. Des chaussures à talons hauts s'éparpillaient sur le sol. Daphnis n'était pas une grande maîtresse de maison.

Elle se dirigea vers une commode en cèdre marqueté et prit une petite bourse en velours grenat à côté d'un aquamanile en bronze. Elle dénoua le cordage noir et extirpa deux petits écrins en métal ouvragé. Elle me tendit celui avec une couleur bleu nuit sur le dessus orné d'étoiles.

« C'est un onguent que j'ai moi-même confectionné avec l'aide des alchimistes de Hom-Tar, m'apprit-elle. Passez-le sur vos tempes jusqu'à pénétration. Massez lentement. »

Je dévissai le couvercle que je posai sur un guéridon aux pieds en forme de chimère. L'emplâtre était d'une couleur vert doré et exhalait une odeur familière que je n'arrivais pas à identifier.

« C'est de la cantharide », me moquai-je.

Elle mit sa main devant la bouche pour rire. « Je n'ai pas besoin de cela, Messire Amorgen, pour vous charmer. » J'en étais convaincu.

Je trempai les doigts dans la pommade et m'en passai sur les tempes. Quel effet devait-elle avoir ? Je n'en avais pas la moindre idée et en l'occurrence, je m'en foutais un peu. En sentant la légère brûlure à l'endroit où j'appliquai l'emplâtre, je pensai aux falaises de Farfelle. Je me souvenais de ce jour, j'avais une mauvaise gueule de bois, un mauvais trip à cause des Herbes à Prophètes qui m'avaient fait tourner la tête. Ce jour-là, sur le bord du précipice après avoir gerbé tripes et boyaux, j'avais eu envie de sauter. Il avait fallu le vide absolu pour me rendre compte que celui des falaises de Farfelle ne m'attirait pas du tout.

Daphnis ressemblait au précipice, en plus dangereux encore, et l'emplâtre, si aphrodisiaque ou non qu'il puisse être, ne me fit aucun bien.

Je refermai l'écrin et le tendis à Daphnis qui m'observait.

« Vous sentez-vous un peu mieux ?

— Si je vous dis non, vous n'allez pas le prendre mal ?

— Non. » Et elle me sourit. « Vous allez sortir de cette chambre ?

— Pas avant demain matin, je crois. »

Une lueur s'alluma dans ses yeux. Elle reposa le boîtier sur la commode et se tint immobile, les pieds enfoncés dans la laine du tapis orné d'arabesques. Avec ses cheveux blonds défaits et sa robe de nuit en soie blanche, elle avait l'allure d'un fantôme. Elle était belle et fascinante, elle le savait. Pourtant, en la contemplant, je me suis mis à la trouver laide. Et plus je la trouvais laide, plus je la trouvais envoûtante et plus j'avais envie d'elle. Cette fille… cette fille était encore plus seule que moi. Une poupée de porcelaine trop belle pour qu'on la prenne au sérieux, trop belle pour être heureuse, soumise aux désirs des autres et des hommes qui devaient croire (comme moi) que sa vénusté leur était due. Un faire-valoir. Et puis la beauté se fane, non ?

Si je lui avais dit ce qu'elle voulait entendre, qu'elle était hideuse avec ses boucles blondes et ses yeux d'or, elle m'aurait mis dehors, peut-être même qu'elle m'aurait giflé. Je n'avais pas envie d'une gifle. J'avais envie de son corps.

Elle prit les bords de sa chemise de nuit et tira dessus. Les voiles dégringolèrent de ses épaules. Le reflet des flammes jouait sur son corps laiteux. Ses seins se dressaient ; la petite couronne rose se fripait sur des tétons encore plus roses et tendus. Ses lèvres purpurines s'entrouvrirent. J'aperçus un bout de langue pointé comme celui d'un serpent.

La scène avait quelque chose de magnétique. Était-ce les rideaux pourpres qui ondoyaient derrière elle, son corps menu et appétissant, son sexe qui s'ouvrait déjà un peu, ses jambes nues, galbées, ses yeux lumineux ou ses lèvres rouges ? Ou alors était-ce moi, planté devant elle, partagé entre l'envie de hurler et de me jeter sur elle comme un animal, de lécher son corps, de le prendre sans d'autres instincts que celui-là ? Si elle n'avait pas fait tomber ses frusques, je les lui aurais probablement arrachées.

Pourtant, je pris mon temps. Je la regardai longtemps. Elle me regarda longuement en retour. Dans ses yeux s'épanouissait cet éclat sauvage, empressé, affamé, mais elle le taisait. Encore un peu.

Quand je pris son corps, quand elle jouit, quand je jouis et que je m'écroulai dans le lit, j'étais griffé de partout et elle avait du sang entre les jambes. Elle s'en fichait. Elle en voulait encore. Alors je lui en ai donné encore.

Je passai trois jours ainsi. À éviter les autres, à baiser Daphnis dans la nuit, à me lever au petit matin, à cacher mes griffures. On me ficha la paix. Cela tombait plutôt bien. Ils devaient tous penser que j'avais besoin de calme. Je ne spéculais plus sur ma propre répugnance. Quelle importance ! Je ne songeais qu'à un plaisir égoïste, temporaire, putride que je tirais de cette fille comme je l'aurais tiré d'une putain. Je vidais ma douleur dans son ventre. Cela faisait du bien sur le moment. Mais pas après. Après, j'avais la nausée. Après je ne pouvais plus la regarder dans les yeux. Pendant aussi, parfois. Quand je la contemplais, le visage de Naïs se greffait sur le sien et j'avais envie de la frapper.

Le troisième jour, je me réveillai dans son lit, moite de transpiration. Elle dormait étendue sur le dos, les cheveux éparpillés sur l'oreiller. Même dans son sommeil, elle était belle et agitée. De petites rides se creusaient entre ses sourcils ; elle remuait beaucoup, comme si elle faisait un cauchemar. Daphnis faisait beaucoup de cauchemars.

J'écartai les draps, quittai la chaleur humide du lit. J'attrapai mes vêtements jetés en tas par terre. Les fringues sous le bras, sans bruit, sans un regard en arrière, je clopinai jusqu'à la porte. Je m'habillai vite fait dans le couloir tandis que le jour pointait derrière les Gardes Noirs. Je pris ensuite le chemin de la cour principale. En traversant l'esplanade, je perçus la voix des Anciens devisant sans relâche.

Je descendis les marches quatre à quatre, traversai la cour pavée, franchis la porte et m'élançai en courant sur le plateau de l'Ourdos. Une fois sur la plage, je me déshabillai et me ruai dans l'eau glacée. Lorsque j'en eus jusqu'aux cuisses, une vague de soulagement me pénétra de haut en bas, comme si la houle me lavait de toutes mes abjections. Je m'étendis sur le dos et me laissai flotter et submerger par quelques lames. Je fixai le soleil poindre au-dessus des monts enneigés des Amors. Ses rayons, d'un rose orangé poussiéreux, embrasaient la surface laiteuse des sommets et distillaient peu à peu sa lumière sur Mantaore.

Une fois le soleil lustrant les tourelles du château, je regagnai la plage. Une voix me hélait du rivage. Den agitait les bras. Quand je le rejoignis sur la grève, il remuait ses doigts de pieds dans l'eau, faisant gicler l'écume tout autour, et semblait plus cuit qu'une marmite sur un feu. Sa chemise pendouillait sur ses chausses. Il avait dû y renverser de l'huile ou du vinaigre. En tout cas, un truc qui tache. Il releva ses yeux injectés de sang et me sourit, d'un sourire de poivrot hébété, qui n'est pas très sûr d'être bien là où il doit être.

« Eh ! » fit-il. Je lui rendis son salut. « On t'a pas beaucoup vu ces derniers temps.

— J'avais besoin d'être seul.

— Ouais. À ce qui paraît. »

Il tourna les pieds, se dirigea sur le sable sec et se laissa tomber sur les fesses. Je me tordis les cheveux en chignon pour les égoutter, les accrochai tant bien que mal pour ne pas les avoir dans les yeux et, nu comme un ver, je rejoignis Den, calé sur les coudes.

« Avant de t'asseoir, me dit-il, tu vois ce rocher ? »

Il pointa du doigt l'un des gros blocs de pierre de la plage.

« Oui... Pourquoi ?

– Compte trois pas en revenant vers moi et creuse. Pas profond.

– Trois pas ?

– Ouais.

– Je dois trouver quoi ?

– Tu verras. M'est avis que tu aimeras. »

Quand j'eus déniché la vieille bouteille de Sirop de Glanmiler qui avait bien quelques années derrière elle, je ne pus m'empêcher de sourire.

« Réserve personnelle », déclara-t-il.

Je m'assis à côté de lui, toujours à poil. Il regarda la mer, puis la bouteille. « Al-Talen nous engueulerait en disant qu'on a beau noyer sa raison dans le vin, on n'y noie pas le sujet de ses peines. En un sens, il n'aurait pas tout à fait tort. Une fois que tu as bu, vomi, rebu et revomi, tu te rends bien compte que tes problèmes sont toujours là. Mais au moins, le temps que tu boives et que tu vomisses, t'es trop occupé pour t'en rendre compte. » Ce à quoi j'acquiesçai vivement. « Allez, bois un coup. Ça ira mieux après. »

Sans me faire prier, je fis sauter le bouchon en l'attirant dans la paume de la main. La Geste avait quelques avantages pour un fainéant. Je m'apprêtais à la siffler quand Den posa sa main sur le cul de la bouteille.

« À quoi bois-tu ? me demanda-t-il.

– Aucune importance.

– Sûrement pas. Il faut trinquer sinon ça porte malheur.

– Trinquons alors… » dis-je sans conviction. Je levai la bouteille vers le ciel en guise de défi. « Trinquons aux femmes, à l'amour, au cul, à l'alcool et à tous ces cons qui ne comprennent rien et baisent nos femmes. Trinquons à ces garces qui nous arrachent le cœur et les couilles et s'en repaissent. Trinquons à leur sexe si beau qui nous enivre.

Trinquons à la connerie, puisque c'est tout ce qui nous reste et oublions au fond de cette bouteille le sujet de nos peines.

— Voilà une belle allocution, l'ami. Trinquons. »

Je portai le goulot à mes lèvres et bus de longues rasades de Sirop. Après quoi, je lui tendis la bouteille qu'il siffla de même. L'alcool réchauffa ce que la mer avait glacé, remplissant mes veines et anéantissant du même coup toutes pensées rationnelles.

Den partit vomir derrière un rocher après un moment. Je tins le coup encore un peu, puis à mon tour, j'allai me faire vomir pour boire encore. Je continuai à picoler, à picoler comme il y avait longtemps que cela ne m'était pas arrivé. Et, ce matin-là, c'était plutôt agréable.

J'examinai la ligne d'horizon couchée sur un lit d'or, le soleil luisant au-dessus de nos têtes, les rumeurs du château dans nos oreilles.

« Dis-moi, pour un immortel comme toi, tu penses parfois à la façon dont tu pourrais mourir ? » murmurai-je en fixant l'océan qui luisait comme une patelle d'or.

Il releva la tête, se cala sur les coudes. « Je creuserai un trou profond au milieu du grand nulle part, sans testament, sans richesse et sans larme. Un mort libre au milieu du grand nulle part. Aucun des fils du monde ne me verra disparaître. Moi, fils de la décadence, je glisserai mes os dans la bière et, au milieu des corbeaux et des vautours, je fermerai les paupières sur la ruine et la misère. »

Il se tut et porta la dame-jeanne à ses lèvres. « Une bonne mort », murmurai-je.

Il hocha la tête. « Et toi, gamin, toi pour qui le ciel brille et la mort lointaine, comment la vois-tu ? »

Comme le trou noir.

« Comme une perte de temps. »

Ça le fit rire.

Lorsque l'heure du dîner arriva, on était ronds comme des tonneaux, à demi nus sur la plage, le regard vissé sur un ciel limpide. Les voix du château me paraissaient lointaines. La dame-jeanne était vide.

On avait encore ri, discuté, pleuré, gueulé. On était seuls au monde, on se foutait du monde.

Le soleil déclinait dans la mer, s'enfonçait, disparaissait. On ne bougeait pas. Du sable partout. Les doigts de pieds dans l'eau. L'écume chatouillant notre corps.

Quand une ombre se découpa sur nos visages, on soupira.

La fête était finie.

Tel-Chire nous toisa d'un air mi-figue mi-raisin. Il jeta les bottes de Den sur les cuisses de son propriétaire et m'envoya ma tunique en pleine face. « Habillez-vous… On vous attend. »

Il fulminait. Ses sourcils étaient froncés et il fixait la mer comme s'il allait la dévorer. Sa mine sérieuse me fit ricaner. Il s'agaça et me flanqua un coup de talon dans les flancs. « Dépêchez-vous ! », cria-t-il.

Den tenta une amorce pour se relever, échoua et retomba mollement sur les fesses. Il retint un rire, aperçut le faciès bouillonnant de Tel-Chire et baissa la tête.

« Tu savais, bon sang, que Danel voulait lui parler, ronchonna Tel-Chire. Tu es censé te comporter en maître quand tu es ici, Den. Sacredieu !

— Oh ! Ça va, ça va… Ne me parle pas comme si j'étais un gosse. » Il réussit à se reculer dans le sable et à enfiler ses bottes. « Ce n'est pas une affaire d'État. Danel peut comprendre, non ?

— Vous vous êtes rudement bien trouvés tous les deux. À vous écouter, jamais rien n'est important, n'est-ce pas ? Un Tenshin ivre mort, quelle belle image tu donnes ! Je te rappelle que des gens de la cour sont parmi nous. Tu pourrais avoir la décence de faire un effort.

— J'ai suffisamment sauvé la peau de ces lèche-culs ainsi que leur fortune pour avoir la permission d'en profiter un peu en retour. Fais-moi plaisir, Tel-Chire, lâche un peu de lest. »

Tel-Chire fourragea ses hanches avec ses poings. « Ne te cherche pas d'excuses. Regarde-toi un peu et regarde-le, Bon Dieu ! Vous avez une mine déplorable et, quand je dis déplorable, je suis encore loin de la réalité.

— Ne t'inquiète pas. De l'eau fraîche, des vêtements propres et un rasoir pour le petit et il n'y paraîtra plus », affirma Den avec un sourire.

Il se redressa péniblement, vacilla si bien sur ses jambes que je crus que son compte était bon. Mais non. Il retrouva tant bien que mal son équilibre. Je rigolais, alors que Tel-Chire ne semblait pas apprécier les acrobaties de Den.

« Qu'est-ce que tu attends, Seïs ? » me demanda-t-il.

Effectivement, je me le demandais aussi. Je lui jetai un coup d'œil, sans vraiment le distinguer dans la brume halitueuse de mon esprit.

« Dépêche-toi ».

J'agitai la tête pour chasser la brume. En vain. Je m'escrimai à enfiler ma chemise à grand renfort de gestes désordonnés. Je reculai dans le sable pour éviter les vagues et tentai de passer mes chausses. Den se bidonnait en me voyant me tordre pour les enfiler. Je tirai sur les cordages, nouai le tout approximativement, mis mes chaussettes (à l'envers) et mes bottes. Enfin, chancelant, je me relevai, tanguai et passai avec difficulté ma tunique.

Tel-Chire jeta un regard désespéré vers le ciel. Il dut être pris de pitié. Il m'attrapa par le bras avec autorité, tira sur le col et les deux pans de ma tunique, boucla ma ceinture, accrocha le fermoir d'argent et lissa le velours pour le défroisser avant que je n'aie eu le temps d'esquisser un geste.

« Attache-toi les cheveux, m'ordonna-t-il, et j'espère ne pas être obligé de t'aider. »

J'avais du sable plein la crinière. Je secouai la tête pour le faire partir, faufilai mes doigts dans les nœuds et ligotai le tout en un chignon désordonné.

« Ça fera l'affaire », concéda Tel-Chire.

Je ressemblais à un épouvantail.

« Tu peux marcher ? me demanda-t-il.

— Je pourrais courir cinquante bornes.

— Rassure-toi, tu le feras. »

Vu son regard, il ne plaisantait pas. Den éclata de rire.

« Déride-toi un peu, mon vieux, lança-t-il.

— Plus tard si tu veux bien, dit Tel-Chire. Nous sommes attendus et j'ai dix minutes pour faire de vous quelque chose qui devrait s'apparenter à un maître et un apprenti… Maintenant, si vous avez fini de traîner, on peut rentrer ? »

Je baissai la tête sur mes chaussures enfoncées dans le sable, reniflai un bon coup. Den roula un bras sur mes épaules. « Fais pas la tête gamin, il y aura d'autres journées comme celles-là.

— C'est censé me rassurer ? »

Il s'esclaffa.

On prit sans renauder le chemin du plateau de l'Ourdos. Den attrapa un fou rire lorsque je m'étalai de tout mon long dans un nid-de-poule. Tel-Chire me saisit sous les aisselles, me remit brutalement sur mes jambes. Je le repoussai pour épargner ce qui me restait d'amour-propre. Den achoppa contre le rebord du pont, s'ouvrit l'arcade sourcilière et pissa le sang sur sa chemise. Il rit encore.

« Je ne sais pas lequel est le pire de vous deux ! » s'exclama Tel-Chire en ramassant Den sous le bras. Il le traîna jusqu'à Mantaore.

« On a déjà fait ça, il me semble, non ? rigola Den en franchissant la porte.

— Trop souvent à mon goût », rétorqua Tel-Chire.

Une fois dans la cour, il nous tira séance tenante vers les cuisines sans se préoccuper du regard des domestiques.

Salie, Borlémir et Gassiope y travaillaient d'arrache-pied. Lorsqu'ils nous virent entrer, Salie pouffa, Borlémir secoua la tête et Gassiope s'autorisa un vague rictus d'exaspération en se dirigeant vers l'établi de la cuisine où il entassait toutes ses mixtures secrètes.

Tel-Chire nous fit asseoir. Après quoi, il demanda à une servante de dégoter une chemise propre pour Den.

« Alols l'p'tit, il a plis une sacrée délouille ! s'exclama Salie en posant devant nous un grand bol de soupe. J'en connais qui vont 'voir mal au crâne d'main matin.

— Ils ne vont pas attendre jusque-là », siffla Tel-Chire.

Salie ricana, toutes ses mauvaises dents dehors.

Den scrutait prudemment le vieux Gassiope en train de mouliner plusieurs feuilles dans un pot en terre cuite. Il les écrasa, versa de l'eau bouillante dessus, recommença à les moudre jusqu'à obtenir une décoction verdâtre à l'odeur pestilentielle qui envahit la cuisine. Il servit ensuite le tout dans deux bols qu'il déposa sur la table devant nous.

« Buvez mes chéris », s'exclama Salie.

Den me jeta un coup d'œil, se tordit la bouche. Je penchai la tête au-dessus du bol. L'odeur était infecte.

« Bois, m'intima Tel-Chire.

– D'une tlaite », ajouta Gassiope.

Je portai le bol à mes lèvres et me brûlai la langue. Une vraie potion du diable. Elle me souleva le cœur. Un goût amer, indéfinissable s'accrocha à ma langue. Elle me resta deux bons jours au fond du gosier. Je sentis le liquide glisser jusque dans mon estomac. La tête me tournait. J'eus tout juste le temps de me lever du banc, courir jusqu'à la fenêtre, l'ouvrir et régurgiter tout ce que j'avais pu boire depuis le matin au-dessus d'un bac à fleurs. Les lads qui passaient par là me dévisagèrent d'un air moqueur.

« Comment te sens-tu ? me demanda Tel-Chire, adossé aux battants de la porte.

– Aussi bien qu'une serpillière qu'on aurait tordue dans tous les sens. Cela dit, je te répondrai mieux quand mon estomac aura fini de danser la gigue.

– Alors gamin, on veut faire comme les hommes, mais on ne tient pas l'alcool », se moqua Den.

J'entendis le petit crachotement du rire de Tel-Chire. Gassiope lui-même esquissa un sourire qui ressemblait à une grimace. Le visage de Den commença à s'empourprer. Puis, ses yeux s'écarquillèrent comme s'il venait d'apprendre la plus mauvaise nouvelle de sa vie. Il se leva d'un bond et se précipita vers la fenêtre. Je m'esquivai et lui offris tout loisir d'arroser le massif de fleurs en dessous de la vitre.

Quand il se redressa, le visage écarlate, il lança : « Bon Dieu ! Gassiope, tu me tueras avec tes potions à la mords-moi-le-nœud. Qu'est-ce que tu mets dedans ? Du poison ?

– Du poison ? s'offusqua Gassiope. Ben m'vieux, c'est vous qui l'avez bu avant d'venil 'ci.

— Ne le prends pas mal, vieux brigand… Ah, d'autant plus que je me sens presque bien. » Il s'étira, les bras levés au ciel, et bâilla bruyamment. « J'ai même un peu faim, dit-il en se frottant la panse.

— Tu m'en diras tant, soufflai-je dans un demi-sourire.

— Cela tombe plutôt bien, intervint Tel-Chire. On nous attend pour dîner.

— Bien, bien, allons-y dans ce cas. Ne laissons pas ces gens attendre. Voilà qui serait déplacé », se moqua Den en enfilant une chemise propre.

La salle du banquet était une vaste pièce située dans l'aile ouest de la bâtisse. À notre entrée, tous les regards se figèrent et les discussions s'interrompirent. Je me fis l'effet d'un monstre de foire au milieu des débordements de luxe et de soieries. Les convives et les maîtres étaient installés autour d'une table en merisier enrichie de vaisselle en porcelaine et de verres en cristal. Les invités s'étaient parés de riches vêtements.

Nous longeâmes la table. Le regard d'or de Daphnis me suivit sans discrétion. Son visage maquillé de rose, de rouge et de fard brun s'orna d'un sourire qui sembla claquer dans toute la pièce. Je détournai les yeux et fixai la cheminée où un feu brûlait paresseusement.

Tel-Chire me fit arrêter près d'un siège vide d'une pichenette discrète sur l'épaule. Quand je m'installai aux côtés de Taranis, les convives m'escortèrent de leurs yeux ronds et effarés. J'avais piètre allure. Ce n'était sans doute pas l'image qu'ils se faisaient d'un apprenti. Mais, franchement, je n'en avais rien à cirer.

Tel-Chire s'excusa de notre retard en prenant place en face de moi tandis que je n'entendais que le bruit distinct du talon d'Al-Talen martelant les pavés d'un air furibond. Sûr que j'étais bon pour faire mes cinquante bornes au pas de course.

À peine assis sur nos fauteuils, des serviteurs émergèrent de Dieu sait où pour remplir nos assiettes. Des raviers garnis de victuailles alléchantes furent déposés sur la table, au milieu des verres remplis de vin de Sos-Delen.

Den m'adressa un coup d'œil et je sus exactement ce qu'il ressentait : un profond dégoût. Je n'avais qu'une envie, m'enfermer dans un endroit où personne ne pourrait me trouver.

Les convives me parlaient. Je n'écoutais que d'une oreille distraite. Je considérais par la fenêtre la pointe obscure et droite de l'une des montagnes des Amors. J'agitais la tête lorsqu'on me posait une question, souriais d'un air mécanique quand il le fallait. Au bout d'un moment, je ne fis même plus cet effort. Tout ce que je retins de leurs causeries, ce fut la description dans les moindres détails du château de Hom-Tar. L'un des courtisans qui avait accompagné Daphnis dans son voyage, un chef de clan dont les racines nobles remontaient soi-disant à Gange d'Elisse, louait le faste de la cour. Son teint blafard peinturluré de blanc comme au carnaval me donnait envie de lui faire avaler son poulet de travers.

Un chevalier qui était également du voyage nous demanda quel duché nous choisirions de servir à la fin de notre noviciat. Quelque part à mi-chemin de ma conscience, je pensai à Glanmiler, mais je ne répondis pas et sifflai mon verre de vin. Pour lui, le privilège suprême était de vivre à Elisse aux côtés du régent, ce pauvre Calette vieillissant. J'ai oublié le nom de ce chevalier, quelque chose qui rimait en ouille, chtouille ou trouille. Je ne sais plus, enfin un nom grotesque.

Mes compagnons de table semblaient plus enclins à participer aux discussions. Ion discutait en compagnie de

Daphnis et lui faisait les yeux doux. Daphnis répondait avec courtoisie. À plusieurs reprises, j'attrapai son regard au vol et me perdis dans ses yeux couronnés d'or. L'albinos et les autres faisaient des efforts de conversation, sauf Len-Mar qui ne répondait que par monosyllabes.

Je passai une main tremblotante sur mon visage et me frottai les yeux. Il y avait quelque chose de dérangeant dans cette scène. Je n'étais pas à ma place ici. Je dînais à une table faramineuse, au milieu des chandelles, des brocards de soie et de la vaisselle en porcelaine. J'écoutais les uns et les autres jaser sur les merveilles de ce monde, d'Elisse, de la cour. Je lorgnais une femme du coin de l'œil tout en sentant le dégoût tapisser le fond de ma gorge…

Au sud, on enterrait mon frère.

Assis au milieu des nobles et de mes compagnons, jamais je ne m'étais senti si seul. Je finis par haïr la nourriture, leurs regards compatissants et leurs bavardages mielleux. Je me sentais fondre de désespoir sur mon fauteuil.

En me redressant sur ma chaise pour tenter de me redonner un semblant de contenance, je pris conscience du regard persistant de l'un des cavaliers. Il m'observait sans discrétion, soutenant sa tête dans la paume de sa main. Son visage était aussi dur que de l'acier, carré, façonné à coups de couteau. Sa mâchoire était abrupte, ses pommettes hautes, son front large et nu, ses cheveux poivre et sel tirés sobrement en arrière. Quelques rides marquaient son faciès. Ses yeux verts étaient comme deux trous de serrure. Sa puissance était si palpable qu'il en aspergeait les murs et dominait toute la pièce. Je me sentais comme une fourmi qui entrevoit soudain, tête en l'air, la botte se rapprocher d'elle inévitablement. Malgré mes mains tremblotantes, je me forçai à soutenir son regard.

Je savais qui était cet homme.

Danel d'Elisse était une légende. Son nom était loué, son histoire enseignée à tous les gamins du pays. Il était le premier. Le premier Tenshin à avoir foulé la terre du Croissant de lune et transmis son savoir. Sa Geste prétendait que Fylarse, le Dieu de la guerre en personne, lui aurait fait cadeau de ses incroyables dons et la possibilité de les transmettre à une lignée de guerriers.

Danel me considérait avec une mine paternelle. Il trônait au-dessus de nous. Ce n'était pas facile de le regarder en face. Il le savait, et sans nul doute, il s'en servait.

« Tes barrières mentales sont puissantes aujourd'hui », me dit-il soudain. Tous les regards se vissèrent aussitôt sur nous. Je conservai le silence. « Ton esprit est perturbé, poursuivit-il. Or, plus ton esprit est bouleversé, plus ta maîtrise est grande. C'est fascinant. Je m'exerce depuis un moment déjà à percer tes défenses, à chercher la faille de ta carapace. Mes efforts sont vains. C'est tout juste si tu me sens gratter contre ta muraille. Par je ne sais quel miracle ta faiblesse devient ta force et ta force, ta faiblesse. »

Un profond silence accueillit ses propos. Danel ne se préoccupa nullement de mon mutisme et continua son examen. J'en profitai pour achever le mien distraitement.

Après un moment, je demandai : « Pourquoi cherchez-vous à entrer dans ma tête ? Est-ce si intéressant ?

– Curiosité, me répondit-il du tac au tac, le menton toujours calé dans la paume de sa main. Je ne tiens pas à retourner le couteau dans la plaie, toutefois, tu as été l'auteur d'un phénomène rarissime.

– Je vois. »

Je détournai la tête et ignorai le regard des autres.

« Tu ne vois rien, me contredit Danel. Non seulement ton esprit a parcouru des lieues pour se lier à un cœur inexpérimenté, mais en plus, tu nous as tous infectés…

involontairement, certes, mais ce prodige n'en perd pas pour autant de sa valeur.

— Dois-je comprendre que vous n'êtes jamais parvenu à le faire ? ironisai-je.

— Uniquement avec un initié, avoua-t-il sans fard. Transmettre des images à l'instant où elles se produisent dans l'esprit de personnes qui sont censées les garder bien au chaud est plus que surprenant, notamment lorsqu'il s'agit…

— D'un apprenti.

— Effectivement. Tu as affecté maîtres et élèves sans distinction. Tu as jeté ton pouvoir à tout va et nous l'avons ressenti de plein fouet. De plus, tu as toi-même puisé ces images d'une néophyte à des lieues de l'endroit où tu te trouvais.

— Où voulez-vous en venir ?

— Nulle part précisément. Il s'agit simplement d'un fait qui mérite mon attention. »

Il se tut et parut se plonger dans une profonde réflexion en se massant le menton du bout des doigts. Il triturait une barbiche grisâtre coupée rase.

« Dis-moi, Seïs, depuis tout à l'heure, en dépit de ta gueule de bois, tu as probablement dû saisir quelques bribes de la conversation dans laquelle nous parlions de vos avenirs respectifs. Je serais curieux de connaître ton opinion », déclara Danel.

Je surpris le regard fureteur de Daphnis ainsi que celui de l'albinos. Len-Mar crachota un petit ricanement. Pour lui, c'était clair : je n'avais aucun avenir.

« Je n'ai pas d'avis, répondis-je. Deux, peut-être trois sur six apprentis auront la chance d'être nommés au rang de maître. Je ne spécule pas sur mon avenir.

— Certes, il serait impudent de brûler les étapes, admit Danel. Tu es sage de prendre chaque jour l'un après l'autre.

Toutefois… » Il m'adressa un clin d'œil. « Tu offenses mon vieil âge. Je pense que tu es clairement en train de te foutre de ma gueule, mon jeune ami. » Je relevai les yeux, interloqué, puis j'eus un petit sourire avant de vider ma coupe. « J'ai beaucoup de mal à te croire lorsque tu prétends ne pas avoir d'opinion sur ton propre compte. Tel-Chire m'a vanté ton orgueil, à présent légendaire, pour ne pas dire arrogance, n'est-ce pas ? Et même sans cela, je ne pourrais pas me tromper. Ce n'est donc pas une supposition lorsque je prétends que tu as déjà une idée de ton avenir, que tu as très probablement envisagé de nombreuses possibilités de carrière et cela que tu obtiennes ou non le titre de maître. »

Je ris ouvertement. « Je n'ai jamais eu envie de devenir Tenshin, si c'est là où vous voulez en venir », dis-je de but en blanc.

Un haro d'indignation parcourut les convives, sauf Daphnis qui souriait.

« Maintenant ton choix est-il toujours le même ?

— La décision ne m'appartient pas, quoi que je puisse souhaiter.

— Elle dépend en grande partie de toi, me contredit-il. La décision finale repose en effet sur les membres actifs de la Confrérie. Ton insertion au sein de Mantaore exige un vote à l'unanimité. C'est la raison pour laquelle j'aime converser auprès de nos apprentis et connaître leurs ambitions. Le moment ne s'y prête guère, et je le déplore, quoique… Mon frère avait coutume de dire que seules les épreuves peuvent révéler un homme. Certains s'en relèvent, d'autres pas. C'est là tout l'intérêt. Qu'en penses-tu ?

— Je pense que si mon entrée au sein de Mantaore requiert l'aval de tous ses membres, il me faudra aller à l'est quémander les faveurs de Noterre », lançai-je, volontiers sardonique.

Un nouveau tollé secoua la pièce, jusque dans les rangs des serviteurs. En revanche, Danel éclata de rire. Ce fut ce rire-là, franc et amusé, qui me fit l'apprécier.

« Voilà une chose qui ne manquerait pas de piment. Je vois d'ici la tête de Noterre pendant que tu lui demanderais sa bénédiction pour t'élever au rang de ses ennemis. Quelle ironie ! Bah ! Je suis persuadé qu'il apprécierait ce coup du sort. Malchen a toujours affectionné les paradoxes absurdes de l'histoire. »

Danel parlait de Noterre étrangement… pour un sujet banni et honni. Il parlait de lui comme d'un homme, un homme réel, et non plus cette entité qui demeurait lointaine pour la plupart des habitants d'Asclépion.

« Pour ce faire, il faudrait déjà que ce poltron qui a renié le nom de son père ose sortir de son repaire ! » s'insurgea brusquement Tharus, dont la voix fit trembler les murs.

Il tapa du poing sur la table. Je vis le moment où ma coupe de vin allait se briser piteusement sur le sol de marbre. Je la saisis au vol avant que cette fin déplaisante ne se produise, et la sifflotai en souriant.

« Pour faire décamper un renard de sa tanière, il faut y mettre le feu, lança Len-Mar. Faut l'en sortir de force. »

Il se rogna un ongle sans faire attention au coup de vent qu'il venait de susciter. Le visage de Tharus vira au cramoisi. Il but son verre d'une traite.

« Je crains que cela ne soit plus compliqué, répondit Danel calmement. Si c'était aussi simple que de mettre le feu devant une renardière, nous aurions déjà traîné Malchen hors des murs de son palais voilà longtemps.

– Je ne comprends pas, avouai-je. Vous êtes sept maîtres, sans vous flatter, probablement les hommes les plus puissants, bien plus que tous les soldats d'Asclépion réunis. Pourquoi n'être jamais allés au-delà de la frontière ? »

Pour une fois, je ne cherchais pas la bravade. La question de Noterre me laissait perplexe. À première vue, les rapports de force semblaient inégaux entre les deux contrées. D'un côté de la frontière, sept maîtres rompus à la Geste, et de l'autre, deux Tenshins, Malchen d'Elisse et son sbire, Kal-Hem d'Elisse. Pourtant, en dépit de leur supériorité numérique, ils laissaient perdurer une menace latente susceptible de nous exploser à la figure à n'importe quel moment. Malchen était sans doute puissant, mais était-il seulement possible que ses capacités puissent surpasser celles de sept Tenshins ? Tel-Chire aimait nous répéter fréquemment qu'un novice qui ne dépassait pas son maître était un élève médiocre. Était-ce la réponse ? Malchen avait-il un jour vaincu Danel ?

« Pour quelles raisons ne pas aller au-delà de la frontière ? » répéta Danel, songeur.

La question paraissait captiver les convives. Danel jeta un coup d'œil à peine perceptible à Tel-Chire. Malgré moi, je saisis le mince filet de pensées qui les relia un instant. Je n'entendis pas leurs paroles, calfeutrées derrière leur enceinte, mais j'avais conscience de ce lien.

« Connais-tu les Astories ? me demanda subitement Danel.

— Je ne suis pas aussi stupide que j'en ai l'air, crus-je bon de préciser. On apprend ça dès la première année d'école.

— Dans ce cas, peux-tu nous éclairer de ta science, je te prie ? »

Je haussai les épaules. « Les Astories sont des joyaux conçus dans une matière unique, l'Astrée, ce qui la rend à la fois précieuse et très recherchée. Certains gars de La Ruche prétendaient en avoir trouvé dans des contrées où un rat n'irait pas mettre les pattes, mais j'ai toujours pensé que c'était des conneries. » Tel-Chire pianota sur un coin de table avec impatience. Je me ressaisis aussitôt. « Bref, on prétend que l'Astrée confère des pouvoirs incommensurables à ceux qui ont les capacités de se les approprier. Ce n'est pas donné à tout le monde. À ce qu'on dit, on n'a jamais repéré de mines d'Astrée sur Asclépion. Mais ce sont peut-être des boniments que la monarchie veut nous faire gober. » Al-Talen se décomposa en bout de table. « Quoi qu'il en soit, si on veut trouver de l'Astrée par ici, il n'en existe que trois spécimens, les Astories. Les trois joyaux de la Couronne d'Asclépion. »

Je me léchai les babines en y songeant. Dans les bouquins, les gratte-papiers royaux les représentaient toujours scintillants de pierres précieuses et l'Astrée était d'une couleur moirée saisissante, mi-or mi-violet.

Danel eut un sourire satisfait et hocha la tête.

« En effet. Tu sais donc qu'une bague, une couronne ainsi qu'un sceptre conçus d'un métal exceptionnel furent confiés jadis à mon frère aîné, Gange… Il vous faut replacer les éléments dans leur contexte. À l'époque, le monde n'était pas tel qu'il est aujourd'hui. Les choses ont bien changé depuis. Asclépion se divisait en tribus qui se subdivisaient elles-mêmes en clans. Mon frère était le chef d'un village au nord du pays, un village de guerriers habitués à la vie rude des nomades. Un jour, il fit kidnapper la fille du chef d'un clan ennemi et l'épousa contre son gré, ce qui était alors assez banal, je dois dire. Son père vint avec une troupe d'hommes en armes pour la réclamer. Gange les massacra, tua lui-même le chef et prit la tête du clan, comme le voulait la tradition… » Danel soupira à ses souvenirs. « Tout cela pour dire que c'était une autre époque. Les tribus se querellaient sans cesse pour des territoires ou pour des femmes. Avant l'âge de mes quinze ans, j'avais assisté à de trop nombreuses campagnes. Bien avant que je devienne Tenshin, j'avais déjà vu beaucoup trop d'hommes mourir. Mon frère était un homme ambitieux, doté d'un grand sens politique et versé en l'art de la guerre. Il se mit en tête d'unifier les tribus et de les sédentariser. Il fit appel aux clans alliés et leur exposa son projet. Au début, on le prit pour un fou et on lui rit au nez. Gange était entêté et possédait un charisme capable de mettre à genoux le plus courageux de ses guerriers. Quand il commença à conquérir d'autres clans avec le soutien des hommes aguerris du village, on cessa de rire de lui. Il mit moins d'une dizaine d'années pour mettre sous sa coupe un grand nombre de clans. Lorsque je décidai de quitter notre village, son pouvoir était établi sur tout le nord du pays.

« Où êtes-vous allé et pourquoi êtes-vous parti ? demandai-je, impatient d'entendre la suite.

— J'ai eu… » Il considéra la table ainsi que les hommes assis autour d'un air affecté. « … une illumination. »

L'œil de Danel brilla brusquement.

Je repoussai une mèche de cheveux rebelle et répétai, ébahi : « Une illumination ?

— En effet, je pense que l'on peut décrire ce qui m'est arrivé de la sorte. Il s'agissait de l'une de ces nuits où le sommeil est si profond que l'on n'entendrait pas une corne de brume. D'ailleurs, hors des tentes, les hommes faisaient la fête et célébraient nos victoires, comme c'était devenu la coutume, autour d'un grand feu, avec beaucoup de musique et de danse. Néanmoins, cette nuit-là, je m'étais éloigné, fatigué du combat, et je dormais dans ma tente. » Il eut un sourire nostalgique à cette pensée. « C'est étrange, je m'en souviens encore comme si c'était hier. Je rêvais durant mon sommeil. Et ce qui m'apparut en rêve défierait tous les plus grands mythes de notre monde. Un homme revêtu d'une armure majestueuse, rouge comme du sang, m'apparut dans un grand désert de squelettes humains, où le ciel était strié de rouge, de gris et zébré de tant d'éclairs que j'en sentais la chaleur. Un pouvoir immense exhalait de chaque tégument de peau de cet être. De longs cheveux noirs encadraient un visage parfait, sculpté dans le marbre. Et des yeux d'une clarté sans pareil semblaient pouvoir clouer au sol comme une flèche le plus impénitent des hommes. Quand il parla, je jure avoir senti mes os et mes organes se liquéfier à l'intérieur de mon corps. Il m'ordonna de parcourir le monde, de franchir les mers et les océans. Et alors… alors seulement, je serais digne d'arborer auprès des miens un pouvoir incommensurable, si vaste, qu'il mettrait à genoux tout mon peuple. Mais à une condition. »

Il s'interrompit, but une gorgée de vin. Je frissonnais.

« Laquelle ? » bredouilla Ion, piqué de curiosité.

Danel laissa échapper un sourire. « À la condition que je serve ce pouvoir et non que je le porte moi-même.

— Qu'est-ce que ça veut dire au juste ? demandai-je.

— Ni plus, ni moins que ce que tu as aujourd'hui sous les yeux, répondit-il. Je sers le pouvoir. Je suis le pouvoir en tant que Tenshin, et en tant que tel, j'ai offert ma vie et celle des miens à la servitude du trône d'Elisse.

— Vous avez offert volontairement les Astories à votre frère », m'exclamai-je, abasourdi.

Lampsaque faillit recracher son morceau de poulet dans son assiette. L'albinos me dévisagea, puis dévisagea Danel. Celui-ci lissait sa serviette en soie du bout des doigts.

« En effet, après bien des épreuves et bien des années. Quand je revins en Asclépion, j'étais un autre homme, et je ramenai avec moi un savoir séculaire. Gange combattait les tribus du Sud, de redoutables guerriers. La guerre durait depuis longtemps. Les peuples s'essoufflaient. Beaucoup de nos frères avaient péri. Malchen avait quinze ans à l'époque.

– Il s'est battu ? demanda Len-Mar en mâchouillant une feuille de menthe.

– Bien entendu. À quinze ans, on était en âge de prendre les armes, d'arborer les couleurs de son clan et de combattre en tant que guerrier.

– Il était doué ?

– Particulièrement. Je ne connaissais pas beaucoup de garçons de son âge capables de manier aussi bien l'épée et la hache. Ce môme n'avait pas froid aux yeux et ne semblait craindre ni son tempérament ni les armes de ses ennemis.

– Que s'est-il passé ensuite ? demanda Tolsin. Lorsque vous êtes revenu ? »

Danel eut un discret sourire. « J'ai donné les Astories à mon frère et, grâce à eux, il remporta la victoire, grâce à eux, il remporta toutes les victoires. Ce qu'il ne fit pas par les armes, il l'obtint par la diplomatie et bientôt son projet ne fut plus une utopie ; il était à portée de main. Un seul homme réussit à venir à bout de siècles de querelles successives. Sous sa bannière, les tribus se rassemblèrent ou périrent. Il maria les hommes de notre clan avec des femmes d'autres tribus puissantes susceptibles de se dresser contre nous. Mon frère s'allia auprès de personnes intelligentes et de savoirs, et auprès de rudes combattants qui croyaient en son rêve d'unification. Auprès d'eux, il apprit tout des différentes cultures claniques, des multiples idiomes d'Asclépion jusqu'à la moindre personne susceptible de lui apporter une aide précieuse. Il n'était pas homme à laisser sa vie et ses espérances au hasard. Il mit en place une administration complexe au sein des tribus conquises. La monarchie commença à poindre dès cette époque. Puis les duchés furent rapidement créés et d'anciens chefs de clans furent placés à leur tête, deux des plus rétifs et trois alliés de longue date.

Le nombre de duchés s'élevait à cinq au lieu de nos trois domaines actuels.

— Lanala, Fetchionn, Cathbade, Lantir et Dan-Serre bien sûr, énuméra Tolsin.

— Sais-tu ce que représentent ces noms, Tolsin ? »

Il hocha la tête. Ses joues étaient rouge écarlate et ses yeux s'agitaient d'excitation. « Ce sont les noms des chefs de tribus.

— En effet. Glanmiler n'existait pas encore sous sa forme actuelle, pas plus que la Principauté, cela va sans dire. Asclépion débuta son règne de paix, non pas une paix précaire menacée de ruine par d'antiques querelles, mais une paix réelle. Mon frère bâtit son système de gouvernement et l'imposa pas à pas. Le jour où il fut couronné roi des Asclépions, le calendrier du royaume revint à zéro. La dynastie des Elisse prenait naissance et, par là même, celle des Tenshins. »

Danel tritura sa serviette entre ses doigts. Son regard parcourut la table et les visages absorbés qui buvaient chacune de ses paroles. Son ton était troublé quand il reprit : « Cependant, sur le déclin de sa vie, mon frère commença à avoir des pensées incohérentes, des idées irrationnelles. Il refusait catégoriquement de quitter les Astories. Il disait que ces bijoux étaient la continuité de son corps et de son esprit, qu'ils le guidaient dans chacune de ses décisions. Je m'inquiétais de plus en plus de ses réactions. Il devenait susceptible et despotique. Il parlait effrontément, sans réfléchir, et prenait des décisions hâtives et tyranniques. Il devenait clair que les Astories avaient un pouvoir trop grand pour un seul homme. Lorsque je lui fis part de cette pensée, il piqua une colère et me fit jeter dehors par ses gardes.

— Vous auriez pu vous en défaire, n'est-ce pas ? Ce n'était pas très dur pour vous, répartis-je.

— Sûrement. Toutefois, ce n'est pas parce que tu sais que quelque chose est faisable que tu dois agir sans réfléchir. Mon frère n'avait plus toute sa raison, mais il était mon sang. Il m'avait sauvé la vie plus de fois que je ne pourrais le compter. Je lui devais la pareille. Néanmoins, la folie de Gange s'aggrava de jour en jour. Les guérisseurs subodoraient le Mal d'Harpagon. Une maladie de l'esprit que même le Tenshin que je suis ne pourrait guérir. Pour ma part, je savais qu'il s'agissait d'autre chose. Les Astories dévoraient son âme. Il maigrissait à vue d'œil. Il ne s'alimentait plus, ne buvait presque plus. Il restait seul dans la salle du trône, avec ses bijoux pour seule compagnie. »

Danel soupira et prit une profonde inspiration. « C'est étrange, j'étais alors certain que mon frère allait périr de ce mal. Pourtant, il devait être écrit quelque part que Gange n'était pas fait pour mourir dans son lit, malade et agonisant. Il aurait sans doute mieux valu. »

Il prit sa coupe de vin et la vida d'une traite. « Un matin, reprit-il, Landrie, le fils cadet de Gange, se rendit auprès de lui afin de régler la succession du duché de Lanala dont le siège demeurait vacant depuis de nombreux mois. Landrie se chargeait d'un bon nombre de tâches depuis que la santé mentale de son père déclinait. »

Son regard s'emplit de grisaille et s'égara au loin, comme s'il remontait le temps et retrouvait, l'espace d'un instant, le visage de ces gens jadis aimés. Il reprit lentement son souffle. « Landrie exposa les faits à son père. Il souhaitait réunir Lanala et Fetchionn dans le but de créer un seul et fécond duché, Glanmiler. En entendant un tel projet, mon frère devint fou et entra dans une colère de tous les diables. Il ne voulait pas que l'on détruise ce qu'il avait bâti avec ses mains, sa sueur et son sang. Il dévala les marches de son trône et frappa Landrie du pommeau de son sceptre. Il faillit bien lui crever un œil et lui arracha la moitié de la joue. Landrie essaya de le raisonner, en vain. Gange perdit l'esprit. Il dégaina son poignard et cria de plus belle qu'il tuerait tous ceux qui voudraient anéantir son bien. Il se rua sur son fils, mais il achoppa contre le pli d'un tapis et tomba sur le sol. Il s'était lui-même enfoncé son couteau dans le ventre, une blessure mortelle qui l'emporta en une nuit. C'était la fin du plus grand guerrier de son temps. Il finit ainsi, sur un tapis de la salle du trône, à vociférer et à maudire sa lignée. »

Il but à nouveau une longue rasade de vin.

« Que s'est-il passé ensuite ? l'encourageai-je à poursuivre.

— Ensuite… Nous pensions que le mal dont Gange avait souffert s'éteindrait avec lui. Nous nous trompions. Landrie en fut possédé à son tour. Mais bien avant que les Astories s'emparent de lui, il prit la seule décision possible. Il décida de les séparer. Il était devenu évident que les Astories puisaient dans l'énergie de son porteur, comme une sangsue. Plus le porteur était puissant, plus ils avaient de pouvoir. Et plus il s'affaiblissait, plus ils perdaient de leur utilité. Réunis, les trois bijoux étaient d'une puissance sans commune mesure. Nous pensions qu'une fois séparés, leur force respective s'amoindrirait sans toutefois disparaître.

— Pardonnez-moi de vous interrompre, Sansaï, intervint Tolsin. J'ai une question. » Danel lui fit signe de la poser. « Le porteur est-il le seul à craindre la puissance des Astories ou bien sont-ils capables de puiser auprès des personnes qui les entourent ?

— Question pertinente, jeune homme. En effet, les Astories sont capables, à des degrés divers, de se nourrir des personnes environnantes.

— Plus la personne est puissante, plus ils se nourrissent », murmurai-je avec un rictus en coin.

Danel y répondit et secoua son verre pour qu'on le remplisse. Une domestique se précipita aussitôt. « Quoi qu'il en soit, reprit-il, la bague demeura au doigt des rois et fut transmise à chaque héritier. Calette la porte aujourd'hui fièrement à son médius. Le Sceptre fut confié à des personnes aptes à le conserver à l'abri de toutes attaques. Il fut donc placé au sein de la Confrérie d'Al-Mathan, sous la bonne garde des Anciens. »

Son regard pivota vers la porte. Pendant un instant, toute la table la fixa en espérant que l'un d'eux pousserait le vantail. Au lieu de quoi, Gassiope s'y traîna mollement.

« Et la couronne fut placée…

— Ici », déclarai-je.

Danel sourit à pleines dents. Il n'y eut pas de haro de surprise. Les convives devaient déjà être au courant. Quant à nous, nous en avions déjà plus ou moins acquis la certitude. D'où les apprentis pouvaient-ils tirer leurs pouvoirs sinon d'un pouvoir encore plus grand ?

« La suite, vous la connaissez, poursuivit-il. Malchen était un garçon brillant, excellent en toutes matières. Il suffisait qu'il veuille pratiquer ou s'instruire de telles ou telles choses, et en un temps ridicule, il y parvenait sans mal. C'était presque trop facile de le voir briller au milieu des autres et de percevoir en lui un Tenshin d'une puissance inégalable. » Il sourit d'un air morne. « D'ailleurs, je ne me suis pas trompé sur ce point, si malheureusement j'ai échoué sur d'autres. Il avait autant d'ambition que son père, mais je ne m'en étais pas soucié. Selon moi, l'ambition peut être un bien, si toutefois elle est utilisée avec intelligence. Ainsi, pour devenir un Tenshin, Malchen renonça à la couronne qui devait lui échoir en tant que fils aîné et, bien sûr, son cadet en hérita à sa place. » Danel soupira. « Ah, ce gosse avait un don. Avant même d'être doté des pouvoirs des Tenshins, il savait dissimuler son esprit mieux qu'un guerrier endurci à la Pensée. Je ne vis pas le coup venir. Il étudia toutes nos méthodes sacrées, apprit de bout en bout notre codex, notre art, nos façons de combattre. Il devint un expert de la Geste, du Feu et de tout ce qui nous constitue en tant que Tenshins. En peu de temps, il fut un maître.» Danel ricana. «Le meilleur.»

Tharus grimaça à cette pensée, tandis que Tel-Chire et Al-Talen conservaient leur calme marmoréen.

«Les pouvoirs des Tenshins ne lui suffisaient pas. Ils ne pouvaient pas lui suffire. Il était né fils de Roi, fils de guerrier. Il voulait tout posséder.

— Y compris la femme de son frère», grogna Tharus.

Danel ne releva pas. «En tant que Tenshin, nous renonçons à la Couronne pour servir le trône. Il ne pouvait plus y prétendre dès lors qu'il avait accepté le marché. Le pouvoir contre un pouvoir. Mais quelle importance pour lui?» Danel appuya son menton dans la paume de sa main et resta un moment songeur. Quand il reprit la parole, sa voix tressaillit un instant, puis redevint froide et pure comme le métal: «J'ai créé un immortel aux pouvoirs tellement grands qu'une armée est incapable de le défaire, tout au plus parvient-elle à le tenir dans les limites de ses frontières. Malchen d'Elisse disparut définitivement quand, pour s'emparer de la bague, il mutila son propre frère. Son bannissement fut décrété, puis sa condamnation à mort. Malchen s'enfuit sur les terres de Fetchionn et de Lanala où un petit groupe de partisans s'était formé autour de lui. Malchen était comme son père, doté d'un charisme envoûtant. Assez rapidement, il bâtit son royaume, sa Principauté. La honte de notre pays. Malchen d'Elisse était bel et bien mort, mais Malchen de Noterre prenait vie. Par dérision, Malchen a toujours eu un grand sens de l'humour.»

Danel arrêta là son récit et picora dans son assiette.

« Ça n'explique pas pourquoi vos forces armées ne sont pas parvenues à déloger ce mécréant de l'est, fit remarquer Len-Mar, toujours pragmatique.

— En effet, cela ne l'explique pas tout à fait, acquiesça Danel. Même sans les Astories, Malchen est un être puissant, sachant s'entourer. Imaginez alors qu'il acquière plus de pouvoirs.

— Plus de pouvoirs ? s'étonna Tolsin. Comment est-ce possible ? »

Danel eut un sourire à peine perceptible, un sourire lugubre. « La bague est au doigt du roi, la couronne est entre nos murs, le sceptre… »

Il laissa sa phrase en suspens tandis que nous ouvrions la bouche en cœur.

« Il a volé le sceptre aux Anciens ? murmura Tolsin.

— J'en ai bien peur. Et non content de l'avoir fait, nombre d'Assens ont rejoint ses rangs. »

Le regard de Lampsaque croisa le mien et une crainte tout enfantine nous étreignit comme des gamins.

« Une armée d'Immortels, chuchota Lampsaque.

— Protégée par le pouvoir des Astories, achevai-je. Plus l'homme est puissant, plus le sceptre est puissant, n'est-ce pas ? »

Danel acquiesça d'un hochement de tête. J'entendis Len-Mar grogner de nouveau tandis que l'albinos me considérait d'un œil grave et terne.

« Des Assens, répéta Tolsin. Y a-t-il un lien avec la réunion des Anciens aujourd'hui ? »

Danel se recula sur son siège et cala sa tête contre le dossier.

« C'est possible, répondit Al-Talen à sa place.

— Y a-t-il un lien avec l'élection de nouveaux apprentis ? demandai-je à mon tour avec un sourire caustique.

— C'est possible, murmura Danel, l'œil soudain si dur qu'il me glaça de la tête aux pieds.

— Pourquoi les Assens rejoignent-ils Noterre ? Qu'ont-ils à y gagner ?

— Là est toute la question. Les Anciens tentent en ce moment même d'y répondre. Nous sommes encore dans l'expectative, et les projets de Noterre restent flous.

— Je croyais que les Assens restaient à l'écart des mortels, releva Ion le blond d'une voix fluette.

— C'était le cas. Néanmoins, quoi qu'on en dise, les Assens ont été humains. Comme toute chose qui vit, ils sont eux aussi affectés par le déroulement de l'histoire. Peut-être n'ont-ils pas d'autre choix que d'en être, eux aussi, les rouages ?

— Le sceptre peut-il avoir un impact sur les Immortels ? demanda l'albinos.

— Je crains que nous n'ayons pas toutes les cartes en main, mon cher Théo. J'ignore à quoi s'emploie Malchen. Il s'est toujours avéré un virtuose dans l'art de la dissimulation. Ce qu'il faut savoir de lui, c'est qu'il n'est jamais ce qu'il laisse paraître, mais qu'il n'en est jamais éloigné non plus.

En écoutant Danel parler de Noterre, je ne pus m'empêcher de songer qu'il l'aimait. Sa voix, malgré toute sa capacité à en amoindrir les intonations, était pleine d'émotion. Il en parlait comme si Noterre avait commis une simple bêtise, comme un gamin qui aurait ouvert tous les placards et collé de la farine partout, comme si peut-être il pouvait encore le sauver.

« Pardonnez-moi, dis-je, mais si je résume, Noterre est en train de préparer un nouveau coup d'État. »

Danel se mordilla la lèvre inférieure et tritura de nouveau sa barbichette.

« Les Anciens sont-ils susceptibles de nous aider ? interrogea à son tour Lampsaque.

— Ça concerne leur ordre, grommela Len-Mar. Ce sont leurs hommes qui mettent le foutoir.

— Ils pourront se sentir concernés, pourtant je doute fort qu'ils fassent quoi que ce soit », intervint Taranis.

Depuis son arrivée à Mantaore, Taranis s'était montré peu loquace. Au dîner, il arborait une figure verrouillée et prête à mordre quiconque l'asticoterait. Danel lui adressa un regard d'un vert limpide et froid. « Où veux-tu en venir ? lui demanda-t-il.

— Les Anciens n'interagissent que lorsque l'un des leurs requiert leur assistance. Ici, les Immortels agissent de leur propre chef et, d'après nos renseignements, ils sont en si grand nombre que les Anciens n'auront sans doute pas la moindre influence sur eux. »

Danel le foudroya du regard. Taranis ne détourna pas les yeux, le fixa, puis siffla son verre en silence.

Danel n'aimait pas les pessimistes, les tricheurs, les couards, le poisson pas frais, le maquillage excessif sur le visage d'une femme, l'infidélité, le mariage et l'insolence. Danel aimait l'océan, les voyages, le son de deux verres qui s'entrechoquent, la femme, ses compagnons, la loyauté. Danel aimait le courage, l'audace et l'ingéniosité. Danel aimait le bon sens, sa famille et ses brebis galeuses. Danel aimait les Astories.

Le noble de Hom-Tar demanda soudain d'un ton badin si quelqu'un avait vu le nouveau spectacle de Burot, un acteur que Calette avait pris sous son aile, disait-on, pour sa beauté plus que pour son talent. La conversation s'orienta dès lors sur des sujets plus frivoles et, somme toute, inintéressants. Je m'en détachai. Pendant un moment, je songeai aux paroles de Danel. Puis, d'elles aussi, je me détournai. Je replongeai le nez dans mon verre de vin sans toucher à mon assiette. Je tournai la fourchette au milieu des légumes, le cœur au bord des lèvres et la migraine télescopant mes tempes.

Tout en fixant mes haricots verts nageant au fond de mon assiette, je pensai à Teichi. Pour quelles raisons un Élènide s'intéressait-il brusquement à lui? Trop de coïncidences biscornues pullulaient dans ma vie: Teichi, vadrouillant avec un Sorcier Ulutien, Antoni, disparu sur l'autre rive, moi, aspirant de la confrérie la plus importante d'Asclépion. Trop de coïncidences. Je voulais croire à plus qu'un hasard. La mort d'Antoni était trop pénible à supporter pour qu'elle reste inutile et vide de sens.

Une nouvelle vague de migraine m'enserra la tête. Je me penchai en avant. Le bras posé sur l'accoudoir, je calai mon menton dans la paume de ma main et tentai de me vider la tête.

« Monsieur Amorgen, vous sentez-vous bien? » me demanda Daphnis d'un ton policé.

Je relevai mollement les yeux sur elle. Mon regard se suspendit à la parure de perles noires qui entouraient son cou gracile.

« Je vais bien », répondis-je après un moment.

Elle passa sa langue sur ses lèvres pour les humidifier. J'eus envie d'y plonger la mienne.

« Vous êtes très pâle, remarqua-t-elle.

— Je n'ai pas beaucoup dormi ces derniers temps », dis-je sans la quitter des yeux.

J'espérais que personne n'apercevrait le léger fard qui empourpra ses joues.

« J'ose croire que vos nuits seront à l'avenir meilleures », fit-elle dans un sourire.

Je voulus répondre à son sourire quand un brutal élancement à l'intérieur de mon crâne tua dans l'œuf tout semblant de bonne humeur. Je reculai sur ma chaise, hébété. Une pulsation, comme un cœur qui bat, s'engouffra dans ma tête et cogna à mes tempes.

« Quelque chose ne va pas ? me demanda Tel-Chire.

— J'aimerais quitter la table. »

Il le fallait. Que je sorte d'ici au plus vite.

« Très bien, va te reposer. Je t'excuserai auprès de nos invités. »

J'inclinai la tête, repoussai ma chaise précipitamment, manquant de peu de la renverser. J'évitai le regard dépité de Daphnis et quittai la pièce comme si Ethen me pourchassait. J'avais l'impression que mon crâne était sur le point d'exploser. Les murs étaient flous. Ils se rapprochaient, s'écartaient, puis revenaient sur moi à toute vitesse, comme pour me broyer. J'avançai sous les arches, le dos voûté. Je rentrai dans le dortoir en manquant de m'effondrer sur le seuil. Je fermai la porte derrière moi, marchai péniblement jusqu'au lit. Je m'assis sur la courtepointe en velours, m'apprêtais à retirer mes bottes lorsqu'un voile doré tomba devant mes yeux. Je les frottai vigoureusement. Or, la gaze mordorée persista et devint de plus en plus éblouissante, au point que, même les paupières closes, je la percevais encore. Quand je rouvris les yeux, les contours de ma chambre semblèrent lointains, diffus. Je me demandai si je n'étais pas en train de devenir fou. À bout de souffle, je me laissai tomber sur les fesses au pied du lit. J'enfouis mon visage entre mes genoux et j'attendis que la douleur passe. Mais elle ne passa pas.

Lorsque je relevai la tête, je lâchai un hoquet de stupeur.

La douleur décrut en même temps que la lumière. Si je ne l'avais pas vécu, si je ne l'avais pas vu de mes propres yeux, jamais je n'aurais cru cela possible. C'était comme de se regarder dans un miroir. Dans le reflet, je distinguais ma figure nette, précise, dans ses moindres détails. Je songeai que ce type dans la glace me ressemblait et qu'en même temps, il paraissait différent. Ce type dans la glace, il ne pensait pas. Il n'avait pas de raison, ni de bon sens. Il était moi, un reflet de moi sans la conscience qui l'accompagne.

Dans ma chambre, assis par terre, je fixais le mur en face de moi. D'un autre côté, planté au milieu de la cour du château, je tripotais mon visage pour être bien certain d'être réveillé. Je mis quelques instants à réaliser ce qui se passait. Quand je compris enfin que je ne rêvais pas, je me relevai d'un bond, quittai ma chambre précipitamment et me ruai vers les arcades.

Mon cœur manqua un battement lorsque mon regard s'immobilisa sur la cour en contrebas. Devant les escaliers principaux, un homme me renvoyait mon regard béat.

Je m'étais entrevu brièvement dans l'esprit de Naïs. Une vision de moi enjolivée, adoucie où je me trouvais presque beau. À présent que je pouvais me juger moi-même, je n'étais pas sûr d'aimer ce que je voyais. J'avais pris en muscles, du haut de mon mètre quatre-vingt-cinq. Pour le reste, mes cheveux étaient trop longs et mal coiffés, mon nez trop grand, trop droit, ma bouche trop charnue pour un garçon ; bien trop de taches de rousseur inondaient l'arête de mon nez ; mes yeux noirs étaient sans beauté et surtout mes deux dents de devant écartées me donnaient un air niais. Lanay répétait toujours que mes deux chicots faisaient tout mon charme. Soit Lanay avait des goûts bizarres, soit je n'étais pas très bon juge. En revanche, ce dont j'étais certain, c'était que le garçon arrivé ici deux ans plus tôt s'était volatilisé. Je voyais clairement les effets de Mantaore sur mon corps. À dix contre un que j'envoyais Fer au tapis maintenant.

Je restai un long moment à regarder mon reflet, face à face, sans oser bouger ou parler. Je trouvais cette situation fascinante et dérangeante. Peu de personnes peuvent se vanter de s'être contemplées elles-mêmes. Cette créature née de moi-même était bien davantage que le reflet d'un miroir aux apparences tronquées. Je m'étais dédoublé avec une telle perfection que je pouvais apercevoir la barbe qui recouvrait mes joues. Cette chose était moi, sans aucun doute possible, et pourtant dans ses yeux comme dans l'expression de ses traits, j'avais l'impression d'être confronté à un étranger. Je n'avais aucun besoin de lui parler ; je savais ce que mon homologue pensait dans les moindres détails, sauf que je n'avais aucun contrôle ni sur ses pensées, ni sur ses actes. J'avais affaire à un miroir de moi-même, indépendant de ma propre volonté. Cette chose était contre nature.

Je tournai subitement les talons et m'élançai le long des arcades vers la terrasse. La créature dans la cour me suivit du regard sans ciller. Je traversai l'esplanade à toutes jambes et le perdis de vue. Je pénétrai dans la salle de réception et fonçai vers Tel-Chire.

« Sansaï… » m'écriai-je en haletant.

Tel-Chire se leva d'un bond de sa chaise et se précipita vers moi. Il m'attrapa par les épaules, comme s'il craignait que je m'écroule sur le plancher.

« Que se passe-t-il ?

— Je ne suis pas sûr que vous aimiez ça… », balbutiai-je.

Il me regarda d'abord sans comprendre, puis ses deux sphères malachites s'allumèrent. Un sourire étira ses lèvres.

« Voilà qui est très surprenant », dit-il.

Surprenant peut-être, mais dégoûtant, assurément.

Dans la cour, je fixais mes mains d'un air songeur en me répétant que c'était une expérience fantastique. Dans la salle, je regardais Tel-Chire en pensant que c'était écœurant.

J'étais à la fois dans la salle de réception, au milieu des convives inquiets et surpris, et là-bas, seul, au milieu de la cour.

Abandonné à moi-même dans l'atrium, je repliai mes mains, les fermai en poing. Je bougeai d'un pas, puis d'un autre, content de me mouvoir indépendamment.

« Seïs ? »

Je levai les yeux vers le sommet des escaliers. Daphnis se tenait droite sur l'esplanade, près de la balustrade. J'inclinai la tête devant elle. « Mademoiselle. »

Elle descendit les marches, en retenant sa robe vert émeraude entre ses doigts ornés de bagues. J'admirai sa démarche chaloupée mise en valeur par une guêpière noire. Elle m'enivrait. J'avais envie de ses seins qui pointaient sous la guimpe, de les pincer, de les mordiller. Je bandais déjà quand elle s'arrêta à ma hauteur. Je plantai mon regard dans ses yeux ambrés, longeai son visage, son cou avant de m'accrocher aux lignes sensuelles de sa poitrine.

Elle me parlait de son blabla féminin ; je ne l'écoutais que d'une oreille distraite. Je fis un pas vers elle. Je devais la regarder bizarrement parce qu'elle recula instantanément vers la volée de marches. Elle m'observa, défiante, puis un sourire voltigea sur son visage, le sourire qu'ont toutes ces femmes séduisantes qui ont obtenu ce qu'elles désiraient. Son pied buta sur la première marche. Je la saisis aussitôt par la taille et l'embrassai. Je ne songeai pas un instant que n'importe qui aurait pu nous surprendre, ni que je risquais de le payer très cher. Je voulais éteindre le feu qui me consumait, faire taire le martèlement dans mon crâne, et enterrer au creux de son ventre la souffrance qui m'envahissait.

« J'ai envie de toi », murmurai-je à son oreille avant d'enfouir mon visage dans son cou.

Elle me repoussa en battant des cils et s'éclipsa vers le mur du fond. Je la suivis du regard, claquai ma langue sur mes lèvres. Je fis un pas sur le côté et me plantai devant elle. Les mains nouées dans le dos, je l'observai. Elle voulait jouer.

« Pourquoi ? me demanda-t-elle.

— Pourquoi quoi ?

— Pourquoi as-tu envie de moi ?

— À ton avis ? »

Elle haussa les épaules. « Tu me trouves belle, est-ce pour cela ?

— Oui.

— Tu me trouves désirable ?

— Oui.

— Ce sont là les seules raisons ? »

Mes réponses semblaient la contrarier. Elle savait déjà qu'elle était belle et séduisante. J'étais prêt à parier cent pièces d'or qu'à Hom-Tar, les hommes devaient se bousculer devant sa porte et encore cent pièces qu'un paquet de chanceux devait en ressortir les bourses vides.

« Ces raisons-là ne te suffisent pas ? Y en a-t-il seulement d'autres pour désirer une femme ?

— À toi de me le dire, fit-elle d'un air de défi.

– Laisse-moi t'en montrer d'autres dans ce cas», déclarai-je en m'approchant d'elle.

Elle se recula contre le mur, près des meules de foin. Elle fit mine de se débattre, un sourire triomphant aux lèvres qui s'effaça lorsque les miennes se pressèrent sur sa bouche affamée. Daphnis était le genre de femmes qui ne se souciait pas beaucoup d'être vierge le jour de son mariage.

Je remontai d'une main la multitude de jupons et d'étoffes qui dissimulaient ses cuisses. Les siennes dégrafaient ma tunique et crochetaient ma ceinture. Sous mes doigts, le petit bout de chair tendre s'ouvrit comme un bouton de fleur. Ses yeux s'étrécirent ; sa bouche dessina un «Oh» de plaisir. Quand j'enfonçai un doigt dans son corps, elle gémit. Ses mains se nouèrent autour de mes épaules et m'aplatirent contre ses seins. Sa bouche se suspendit à la mienne. Je m'enivrais de son sexe, de sa langue. Mon cœur battit à mes tempes, frappa, cogna. Je me mis à aimer cette pulsation et à la haïr, tout autant que ce putain de trou noir et sa vallée décharnée. Plus je fouillai son corps pour l'éteindre, plus elle devenait vive et insidieuse. Les battements s'accélérèrent. J'enfonçai ma douleur dans son ventre en pensant qu'elle cesserait. Elle était sur le point de me rendre fou. Je perdais conscience de ce que je faisais et des motifs pour lesquels je le faisais.

«Quelle est cette raison?» murmura Daphnis à mon oreille.

Une perle de sueur recouvrait délicieusement sa lèvre supérieure. J'y passai la langue avant d'écarter mon visage du sien.

«Tu étais là.»

Au moment où je prononçai ces mots abjects, la pulsation ponctua mon ignominie en se taisant pour de bon. Daphnis pâlit de colère. Ses yeux d'or virèrent aux flammes.

« Tu es un beau salaud, Tenshin ! » fit-elle.

Je ne l'ai pas contredite. Elle me poussa sur le côté en me jetant un regard glacial, réajusta sa robe et s'éloigna vers les escaliers. Je la regardai, la nuque roide, altière, avec la fierté intacte d'une reine.

J'étais un salaud et cela n'avait rien changé. La douleur était toujours là, ancrée en moi.

Une silhouette campée sur la terrasse attira brusquement mon attention. Je levai la tête et, sans sourciller, fixai l'Ancien. Il était accoudé à la balustrade. Sous son capuchon, je distinguai deux yeux opalescents, comme ceux d'un chat. Je savais qu'il m'observait et qu'il avait assisté à cette scène affligeante. Des gouttes de sueur ruisselèrent subitement le long de mes tempes. Comme Tel-Chire la première fois que je l'avais vu, l'Ancien puait la mort.

La colère explosa en moi, de le voir là, immobile, à me regarder de haut, aussi impassible qu'une statue de pierre.

« Tu n'as aucun droit de me juger, criai-je. Tu crois tout savoir parce que tu ne mourras jamais, mais qu'est-ce que tu connais de la mort ? »

Il se redressa. J'entrevis ses yeux clignoter sous sa capuche. « Je suis déjà mort, remarqua-t-il.

— Mais tu es toujours là. »

Je l'entendis rire. « Toi aussi. »

Tel-Chire me dévisageait avec beaucoup d'attention. Ses sourcils se fronçaient alors même qu'une ébauche de sourire, tout à fait déplacé selon moi, tirait le coin de ses lèvres.

De plus en plus perplexe et affolé, je bandais comme un pendu et j'espérais que personne ne s'en apercevrait sous ma tunique.

« Alors, dis-moi ce que tu ressens ? » me demanda Tel-Chire.

Je haussai les épaules. La réponse était des plus simples, je me sentais mal et dégoûtant. Dans la salle de réception, la situation restait sous contrôle. En apparence, j'étais calme et posé, malgré quelques gouttes de sueur qui serpentaient le long de ma colonne vertébrale. En revanche, dans la cour, il s'agissait d'une tout autre affaire et la plaisanterie tournait au vinaigre. J'étais un spectateur conscient de ma propre personne, mais incapable de contrôler mon ersatz.

« Pas tout à fait moi-même, répondis-je.

– Où est ton double en ce moment ? » m'interrogea Den avec un sourire.

Je me grattai la gorge et tentai de cacher le désir qu'éveillait Daphnis en moi. Elle se pressait dans la cour contre mon homologue, se frottait à lui, cherchait à s'emparer de son sexe. Une goutte de sueur glissa sur l'arête de mon nez. Je n'avais aucune maîtrise sur mon double, pourtant je ressentais la moindre de ses émotions. La douleur. Le désir. La main chaude de Daphnis dans mon pantalon. Et ma propre voix qui claqua comme un son de cloche: « Tu étais là. »

Sans répondre à Den, je tournai les talons et me précipitai dans le couloir, dans l'espoir d'arrêter mon homologue.

À l'instant où je m'engageais sous les arches, je fus stoppé net par la lueur mordorée. Le voile d'or retomba devant mes yeux avec une telle soudaineté que j'en fus aveuglé. Une douleur s'engouffra sous mon crâne et me transperça d'une oreille à l'autre. Je reculai contre le mur et me laissai glisser le long d'une tapisserie poussiéreuse.

Moins de quelques secondes plus tard, je pus enfin ouvrir les yeux. La douleur physique avait disparu. J'étais de nouveau seul, acculé contre le mur. Mon alter ego s'était volatilisé.

« Est-ce que tout va bien ? » me demanda Tel-Chire qui me rejoignit sous les voûtes.

Je levai la tête vers lui et posai les mains sur les genoux. Den et Taranis l'accompagnaient. Ils souriaient tous deux d'un air chafouin. Tel-Chire semblait, au contraire, inquiet.

« Je vais bien.

— Combien de temps as-tu réussi à te maintenir ? me demanda Den, un sourire de plus en plus criant sur les lèvres.

— Peu de temps.

— Qu'a fait ton jumeau pendant que tu étais avec nous ? questionna Taranis.

— Pas grand-chose.

— Il serait judicieux d'être plus précis », remarqua Tel-Chire.

Je haussai les épaules et appuyai la tête contre le mur. « Je suis désolé, mon homologue n'a rien fait qui ne vaille la peine d'être rapporté. »

Den pouffa de rire. « Je mise vingt pièces d'or pour la luxure, lança-t-il en tendant la main vers Taranis. Ça lui ressemble bien.

— Petit tu es, petit tu resteras, rétorqua Taranis en agitant le gousset qui pendait à sa ceinture. J'en parie trente sur l'insolence. »

Je commençais à comprendre où les menait ce petit jeu. Je n'étais pas certain d'apprécier.

« Alors, dis-nous, insista Den. Tu ne vas pas nous laisser nous écharper pour savoir lequel des deux a remporté la mise ?

— J'hésite. Vous le méritez bien, non ?

— Ouais, p'têt bien, fit Den. Je partage 50/50 si tu réponds.

— Qu'est-ce que tu veux que je fasse de ton fric ici ?

— Tu es un joueur, mon petit Seïs, et un parieur reste un parieur.

— Ne l'encourage pas », le gourmanda Tel-Chire en lui adressant un regard entendu.

Den ne releva pas. Son nez frétillait d'excitation comme le museau d'une fouine.

« Laisse tomber, Den, dit Taranis. Tu n'utilises pas le bon moyen de pression. » Il s'agenouilla à côté de moi. « Tu veux des réponses à ce que tu viens de vivre, non ? Un marché entre gentilshommes me semble plus approprié à cette affaire. Nous avons quelque chose qui t'intéresse et tu as quelque chose que nous désirons.

— Du vin contre une timbale », soufflai-je.

Un vieux proverbe de Macline. Du vent ! Voilà ce qu'ils me proposaient. Celui qui n'a pas de verre ne peut pas boire le vin et celui qui n'a pas de vin, et cetera.

Taranis sourit en agitant la tête. « Tu es dur en affaire, gamin.

— Je suis Maclinien, mon vieux », lui rappelai-je, en me redressant.

Je tanguai et m'adossai contre le mur.

« Bon, ça suffit Messieurs, vous avez assez joué, intervint brusquement Tel-Chire. Raconte-nous plutôt ce qui s'est passé. »

Ce n'était pas une requête. Je décollai mon dos du mur et m'approchai de la balustrade. Devant moi, les rivages perçaient entre les Gardes Noirs.

« Disons que les paris sont nuls.

— Comment ça, les paris sont nuls ! » s'exclama Den.

J'émis un rire. « Parce que j'ai fait preuve d'autant d'insolence que d'une certaine lascivité, répondis-je. Satisfait ?

— As-tu eu mal ? me demanda Tel-Chire.

— Y a-t-il quelque chose ici qui ne fasse pas mal ? »

Tel-Chire ignora ma remarque. Il s'avança vers la balustrade et s'accouda à la rambarde ouvragée. « Le don d'ubiquité est un redoutable pouvoir, particulièrement difficile à garder sous contrôle. Il requiert une forte maîtrise de soi.

— Pourquoi je ne peux pas le contrôler ?

— L'ubiquité scinde le corps en deux, comme le reflet d'un miroir. Cependant, comme il n'est qu'un reflet de toi, il est obligé de tirer sa source de quelque chose pour se créer. Il lui est impossible de t'emprunter tout ce qui te construit. Tout d'abord, la masse d'informations collectée dans ton cerveau est trop importante à doubler. Ensuite, ton inconscient catalogue des milliers d'autres données. Enfin, ton caractère, comme celui de n'importe quel être humain, est trop complexe pour que ton ersatz puisse plagier, jusque dans leurs moindres détails, toutes les facettes de ta personnalité. Par conséquent, il tire de toi…

— … une partie, un défaut.

— Ou plusieurs. Il ne s'agit pas forcément d'un défaut. Il peut tout à fait copier une ou plusieurs de tes qualités. Il n'est pas tout à fait toi, mais il le reste en très grande partie.

— Ce pouvoir… enfin, c'est…

— … dangereux », coupa Taranis.

Il s'adossa au pilier à mes côtés. « Peu d'entre nous parviennent à maîtriser ce don. Il demande une énergie importante et une concentration encore plus grande. Je n'ai pas honte de t'avouer qu'il reste hors de ma portée.

— Je ne le maîtrise pas non plus, me confia Den en secouant la tête, manifestement déçu. De toute façon, il n'y a que deux personnes ici qui sortent du lot : Danel et ce brave Tel-Chire.

— Et Noterre ? » me moquai-je. Aucun ne me répondit. « Comment ai-je pu y arriver ? Comment ai-je pu le faire alors que vous n'êtes que deux à réussir ?

— C'est un pouvoir qui tire sa puissance de notre état d'esprit, m'expliqua Tel-Chire. Il arrive bien souvent, au cours d'une vie, que nous ayons envie d'être ailleurs, d'être capable de faire plusieurs choses à la fois alors que le temps nous est compté ou simplement de devenir quelqu'un d'autre. Extrapole cette idée et tu comprendras très vite de quelle manière tu as créé ton ersatz. »

Je ricanai. « Je vois… Comment faites-vous pour vous servir de ce don quand vous le désirez et, surtout, de quelles façons en garder le contrôle ?

— En s'entraînant, répartit Tel-Chire. Il faut néanmoins que tu saches qu'il arrive très souvent qu'un homme ne trouve pas assez de ressources pour maîtriser son homologue. Dans ce cas, mieux vaut ne pas user de ce don. Taranis a raison. Il peut se révéler extrêmement dangereux.

— Par exemple, si mon jumeau recevait en caractère toutes les faces cachées de ma personnalité.

— Exactement. Conscients, nous refrénons nos désirs, nos pulsions ou bien nous nous les dissimulons à nous-mêmes. Ton ersatz aurait tôt fait de se les approprier. D'ordinaire, toutefois, il s'arroge des facettes instantanées, autrement dit tes pensées les plus récentes, bonnes ou mauvaises. Avec beaucoup de travail, tu peux gommer peu à peu les défauts majeurs de ta personnalité. Plus ils s'atténueront, plus tu pourras contrôler ton homologue ou, tout au moins, le modérer.

— Si je comprends bien, les traits de caractère qu'il emprunte peuvent être différents à chaque fois ?

— Oui… Tu sais, Seïs, il faut que tu comprennes que tous les pouvoirs accessibles aux maîtres ne sont pas tous bons à prendre, avoua Tel-Chire à contrecœur. Il faut savoir faire preuve de tempérance à l'égard de magies qui nous dépassent. Elles peuvent aussi nous rappeler que nous ne sommes que des instruments maladroits et que nous restons petits par rapport à elles. Que tu sois parvenu à créer un succédané est exceptionnel à ton niveau d'apprentissage, mais si tu ne parviens pas à le contrôler, alors il ne te sera d'aucune utilité.

— La discipline revient toujours sur le tapis, constatai-je.

— Toujours, ainsi que la connaissance de soi.

— Bien se connaître pour connaître celui qui nous fait face.

— Pour appréhender ta propre créature », me corrigea-t-il.

Il tapota mon épaule en souriant.

« Face cachée ou face de lumière, elle apparait au grand jour et nous y confronte, ajouta Taranis. Au fait, Den, tu me dois dix sacs.

— Pardon ?

— Oui. Tu as parié vingt pièces d'or sur la luxure, moi trente sur l'insolence. Dans la mesure où le petit a été infecté par les deux, il y a une différence de dix sacs.

— Va te faire foutre, lança Den en agitant les bras.

— Mauvais joueur.

– Mauvais parieur.

– Si tu crois que tu vas t'en sortir comme ça…

– Si tu crois que tu me fais peur, gringalet, tu te fourres le doigt dans l'œil. »

Tel-Chire sourit en les regardant se chamailler, puis il se pencha vers moi. « Les premières fois font toujours un drôle d'effet. Dès demain, nous y travaillerons. » L'idée me plaisait assez. Plus je travaillerai, moins j'aurai à penser. « Tu devrais aller te reposer. Tu as eu assez d'émotions fortes ces derniers jours. Nous te verrons demain matin. »

J'acquiesçai, les yeux tournés sur le reflet du soleil lissant la surface grisâtre de l'océan et l'ombre des falaises dévorant la lumière de part et d'autre de l'anse. Tel-Chire posa sa main sur mon bras. Son visage insondable se détendit et un discret sourire émergea sur ses lèvres. Il me fixa, les yeux dans les yeux, puis il me lâcha et s'éloigna sous les arcades. Den se détourna aussitôt de Taranis et tapota de nouveau mon épaule.

« Repose-toi bien gamin », me dit-il avant de se ruer derrière Tel-Chire, en l'admonestant d'une voix rieuse à propos d'une certaine danseuse du ventre de Tochita. Taranis pouffa de rire en les regardant disparaître derrière une rangée de colonnes.

« Une fille que Den a voulu séduire et qui a fini dans les draps de Tel-Chire, pour ce que j'en sais », dit-il en s'étirant, les bras levés vers le ciel. Je souris et secouai la tête. J'avais du mal à croire que Tel-Chire puisse draguer les filles. « C'est un tombeur, il ne faut pas se fier à son allure froide et placide… » Il s'interrompit, regarda les nuages s'amonceler. « Il n'est pas aussi inaccessible que tu l'imagines, ajouta-t-il.

– Je sais. »

Taranis inclina la tête, ébaucha un sourire entendu. « Bonne nuit, gamin.

– Bonne nuit, Sansaï. »

Il s'éloigna tranquillement sous les arches en direction de la salle de réception, les mains dans les poches. En marchant, il contemplait le plateau de l'Ourdos, les tapis d'euphorbes et les quelques arbres environnants, au-delà, le pont du Heilong et ses eaux jaunes, puis les rivages semés de ces énormes blocs de granit noir comme des stèles. L'anse des Pierres Tombales, c'est ainsi qu'on l'appelait entre apprentis.

J'embrassai également du regard la plage d'or et ces géants noirs qui en marquaient l'entrée et m'en détournai après quelques instants. En traînant les pieds, je m'engageai dans le couloir. Je passai devant la porte de ma chambre sans m'y arrêter. Je tournai à droite, m'enfonçai dans l'un des corridors du bâtiment. Je marchais la tête basse, tel un automate. Je franchis un nouveau couloir et débouchai sur les arcades de la façade est. J'avançai encore quelques mètres et toquai à la porte des appartements de Daphnis. Je fixai un long moment les signes tribaux qui ornaient le vantail avant d'entendre un « Entrez » glacé. Je poussai la porte et pénétrai dans la chambre.

Daphnis se tenait devant la fenêtre à meneaux et regardait dehors. Les rideaux incarnats flottaient contre ses jambes. Ses longs cheveux blonds étaient détachés et ondulaient sur ses épaules. Elle avait troqué sa robe vert olive et son collier de perles noires contre un drapé de soie blanche qui enserrait sa taille. Son dos nu jusqu'aux creux de ses reins m'envoûta. Cette nudité calculée, cette sensualité affichée, me firent prendre conscience de ce qui avait poussé mon homologue à se comporter comme dans un lupanar. En pleine possession de mes esprits, je devais lutter pour ne pas me ruer sur elle. Sa robe enveloppait à peine ses épaules. De longues manches bouffantes en soie dégringolaient le long de ses hanches. Bon Dieu oui, j'étais certain qu'une foule d'hommes en rut devaient se presser devant sa porte et qu'elle adorait ça.

J'aurais dû éprouver de la honte de ma conduite passée ; j'aurais dû en éprouver pour ce que je ressentais maintenant. Mais non. Je crevais d'envie de la baiser au nom de tous ces types qui ne l'avaient pas fait crier, au nom de tous ces types de qui elle se jouait.

Daphnis se retourna. Ses yeux comme deux gemmes s'ancrèrent dans les miens. Elle ressemblait à une poupée de porcelaine défigurée par la solitude et tous les trucs moches qu'elle avait dû faire dans sa vie.

« Obtiens-tu toujours ce que tu désires ? me demanda-t-elle d'une voix grave.

– Pas toujours, non.

– Vraiment ? Je suis étonnée. Je pensais qu'un homme tel que toi ne s'embarrassait guère de regret ou de tout ce qui pourrait le gêner.

– C'est sans doute vrai en grande partie. Malheureusement, cela ne veut pas dire que j'obtiens tout ce que je désire. »

Elle s'approcha, moulée dans sa robe d'albâtre. Les voiles opalescents dévoilaient ses seins blancs, l'aréole rosée et ses cuisses galbées qui se mouvaient lentement vers moi. Je percevais son sexe derrière la myriade de voilages. Il me rendait fou.

« Nous sommes pareils toi et moi, n'est-ce pas ? fit-elle.

– Sûrement.

– Tu prends ce que tu désires.

– Oui.

– Tu ne portes pas de jugement sur toi-même.

– Si peu !

– Si tu devais en avoir un, quel serait-il ? »

Elle se blottit contre moi, prit mes mains et les referma sur elle.

« Je me détesterais », murmurai-je.

Elle releva les yeux vers moi et esquissa un sourire. Elle savait ce que je ressentais, parce qu'elle était comme moi, aussi seule et paumée. Elle saisit mes mains dans les siennes et les agrafa à sa robe. Je tirai légèrement dessus et tous les voiles chutèrent sur le sol. Elle enfouit son visage dans mon cou.

« Je suis là, me dit-elle. Je t'aimerai cette nuit si nulle autre ne peut le faire. Je t'aimerais à ta place s'il le faut. Je suis là, tu prendras ce que tu désires et, demain, tu ne te le reprocheras pas.

– Non, je ne me le reprocherai pas. »

La nuit était chaude. Je restais les yeux grands ouverts, les bras noués sous la nuque et je fixais la mousseline du lit à baldaquin. Daphnis était couchée près de moi en chien de fusil, un bras sur ma poitrine. Elle était chaude contre mon flanc. Le corps d'une femme peut se révéler si délicieux dans la chaleur des draps. Alors pourquoi je me sentais toujours si mal après avoir touché une femme ?

Je poussai délicatement le bras de Daphnis et ramenai les draps sur elle. Je n'osais pas la caresser de peur qu'elle se réveille. Je m'assis sur le lit, les jambes dans le vide. Je restai un moment le visage entre les mains. Je me frottai les yeux. Le vent glissait sur ma nuque et séchait ma sueur. Le temps semblait suspendu au-dessus de Mantaore. Le jour refusait de se lever, la nuit de s'achever.

Je m'éclipsai du lit. J'attrapai mes vêtements dispersés sur le tapis. J'enfilai mon haut-de-chausse et, à demi nu, je sortis dans le couloir. En refermant la porte derrière moi, j'entrevis la silhouette de Tel-Chire accoudé à la balustrade, à quelques mètres de là. Il observait les deux astres de Tothen, parfaitement visibles au-dessus de la forteresse.

À moitié attifé, je m'approchai de lui sans prendre la peine de feindre la nonchalance. Difficile de dire que je m'étais perdu. À mon grand étonnement, il fumait un cigare de Den. Il portait ses cheveux noirs détachés. Il s'était délesté de sa tunique, de son ceinturon, de son arme, et restait en chemise.

J'avais l'intention de passer derrière lui et de poursuivre mon chemin, comme si rien n'était inhabituel. Évidemment, il ne m'en laissa pas le temps.

« Tu devrais faire attention. »

Je m'immobilisai dans son dos. Il ne se retourna pas et considérait les rivages de la baie des Pierres Tombales.

« Il ne fait pas bon courtiser les dames de la cour, ajouta-t-il d'une voix monocorde. Cela n'apporte en général que des ennuis. »

Sa phrase me fit l'effet d'une gifle, comme celles que l'on donne aux lads qui ont commis une sottise.

« Bien sûr, le grand Tel-Chire ne fait jamais rien qui ne soit contraire à la bienséance. Le grand Tel-Chire obéit aux règles, se couche tôt, se lève tôt, ne baise que quand on le lui dit et ne pisse que quand on le lui ordonne. N'est-ce pas, Sansaï ? Vous ne vous prêtez jamais à ce jeu-là ? »

Il tira une bouffée de son cigare et recracha la fumée qui s'évapora en volutes sous son nez.

« Dis-toi seulement que je connais mieux que toi quelles sont les règles de ce jeu, me répondit-il calmement. Je te mets en garde contre les dangers que tu cours à séduire une dame de sang royal. Ne cherche pas la querelle.

– Ah oui, je vois… » Je me plantai à ses côtés, furibard. « Que pourrait bien faire un fils de paysan dans le lit d'une noble dame, c'est ça ? Il est là le problème… Je suppose que vous voulez m'épargner les quolibets de ces fouilles merde de Hom-Tar, je me trompe ? Ou alors ça vous débecte à ce point que je puisse avoir une vie et un peu de bon temps alors que vous croupissez dans la médiocrité de la vôtre. Ne vous inquiétez pas pour moi, Sansaï, je suis assez grand pour me débrouiller tout seul.

– Bon sang, tu te crois grand, mais tu n'es qu'un enfant et tu te comportes comme tel. »

Je haussai les épaules avec condescendance. Je m'apprêtai à poursuivre ma route lorsqu'il me saisit par le bras sans violence, mais assez fort pour me retenir.

« Il ne s'agit ni de rang, ni de richesse. Je devrais te coller une raclée pour dénigrer ainsi tes origines. N'oublie jamais que la valeur d'un ancêtre se mesure par le comportement de ses fils et non l'inverse. Tout ceci n'a rien à voir avec l'affaire qui nous occupe.

– Quelle affaire ? Ce que je fais ne vous concerne pas, nom de Dieu !

– Tu es un apprenti de Mantaore. Tout ce que tu fais entre ses murs me concerne. Il faut que tu comprennes qu'une fois ton noviciat achevé, il se peut que tu deviennes l'un des hommes les plus influents du royaume. Tes aventures amoureuses seront chères à tes ennemis, à tes amis aussi, sans oublier les femmes que tu compromets. » Je le regardai en ruminant. Il daigna lâcher mon bras. « Tête de pioche, me dit-il, tu ne sais donc pas qui est Daphnis ? Tu couches avec une femme et tu ignores qui elle est ? »

Des frissons coururent le long de mon dos. Le ton de Tel-Chire se voulait badin, pourtant il était aussi gelé qu'un lac en hiver.

« Se perdre entre les draps de la fille du régent, ce n'est pourtant pas une chose commune, me semble-t-il. »

Une coulée de plomb s'abattit sur mes épaules. J'ouvris la bouche, puis la refermai comme une carpe. Tel-Chire se tourna face au plateau de l'Ourdos. Il se cala contre le garde-corps et considéra la baie. Je m'adossai au pilier sur sa gauche, les yeux dans la vague.

« Tu choisis bien tes maîtresses, se moqua-t-il, ou plutôt tu les choisis mal. »

Je fixai la porte des appartements de Daphnis. La fille de Calette en personne. J'étais vraiment trop con.

« Tu ne t'es jamais demandé pourquoi le nombre de femmes était restreint à Mantaore ?

— Pas vraiment. »

Il secoua la tête, exaspéré. « Tu n'es pas encore un maître, Seïs, mais ton pouvoir grandit, se perfectionne, et tout ce que tu acquiers entre ces murs est irrévocable. Tu n'es pas l'homme que tu seras un jour, pourtant tu t'en rapproches à mesure que le temps s'écoule. Dans cet intermède, tu es vulnérable. Tu es faible tant que tu n'es pas un maître ou définitivement exclu de Mantaore. Tu es faible pour tes ennemis et également pour toi-même. Tu vis ici à l'orée d'un pouvoir que tu soupçonnes à peine. Il te met en phase avec toi-même et facilite ton accès à tes aptitudes enfouies.

— La couronne d'Astrée, murmurai-je. C'est bien de ça dont parlait Danel. Les Astories nous touchent à des degrés divers lorsque nous sommes près d'eux.

— Oui, l'Astrée qui constitue ces bijoux est extraordinaire. C'est lui qui détient la magie. On ignore exactement de quelle manière il fonctionne, mais il fonctionne. L'Astrée de la couronne agit comme une porte. Cette porte, quand elle est ouverte, diffuse un pouvoir continu et te permet ainsi d'éveiller tes facultés, d'en prendre la mesure et de les mettre en application. Il fonctionne comme une sorte de catalyseur d'énergie.

— Pourquoi me parlez-vous de tout ça maintenant ? Quel est le rapport avec Daphnis ?

— Tu es en transition. Dans une phase intermédiaire où tu n'es ni maître, ni simple mortel. Dans une transition où tu peux vieillir et une autre où tu resteras à jamais celui que tu es aujourd'hui. Entre la vie d'un homme normal et celle d'un Tenshin. Entre quelqu'un qui peut procréer et un autre dont la vie est chassée de son ventre. Vois-tu où je veux en venir à présent ?

– Si je deviens maître, je n'aurai pas d'héritier, dis-je en fixant les pierres tombales de la plage.

– L'éternité interdit la naissance. C'est une loi de notre monde. Imagine ce qu'il adviendrait d'un immortel capable d'enfanter, et de l'enfant ? Le don de la vie éternelle ne se transmet pas par le sang. Un fils vieillirait alors que le père demeurerait inchangé. Cette naissance serait contre-nature. Nous ne pouvons pas aller à l'encontre des règles édictées par Orde et les hommes. Que les choses soient bien claires : si tu avais un enfant de Daphnis, tu ne pourrais plus prétendre à la Confrérie. » Son sérieux me troubla, peut-être davantage que son avertissement. Il avait l'air bouleversé. « De plus, Seïs, corrompre la fille d'un roi n'est pas le meilleur moyen de se faire bien voir du pouvoir. Un héritier illégitime d'un apprenti de Mantaore jetterait la Confrérie dans l'opprobre et nuirait à la réputation de Daphnis. Les bâtards royaux sont communs, je te l'accorde. Cependant, ils ne sont jamais bien vus du peuple. En conséquence de quoi, la plupart sont expédiés dans les terres intérieures où ils sont décriés. Très peu d'entre eux, sinon aucun, sont reconnus de leurs parents. Lorsqu'il s'agit d'une princesse de sang, il est inutile de te dire que cette menace est décuplée, en particulier parce que Calette a décidé de donner Daphnis à l'héritier du duché de Glanmiler. S'il venait aux oreilles de Sire de Riche-en-Herbe que sa future femme a été déflorée par un novice, le mariage pourrait en subir les conséquences. Tu n'as aucun droit de la compromettre. Elle a bien plus à jouer en ce monde que d'être relayée au rang illégitime de femme d'apprenti. C'est ainsi que fonctionne le pouvoir. Qu'elle couche avec qui bon lui semble, je ne lui en tiendrai pas rigueur, mais pas avec un fils de Mantaore. Est-ce clair ? Trop de choses sont en jeu pour courir ces risques inutiles. Je ne peux pas perdre un apprenti. Quand comprendras-tu que ton existence ne t'appartient plus ? Quand comprendras-tu que tu y as renoncé pour le bien du peuple dès lors que tu as accepté de venir ici ? »

Je ruminai ma colère, calai ma tête contre le pilier et la cognai légèrement contre la pierre. « Bon Dieu, ce n'est pas tout, n'est-ce pas ? »

Il me regarda en fumant, les yeux brillants de cette lueur que je connaissais bien, désabusée et pleine de charme. Tous les gars de la Ruche, les vieux types bedonnants qui boivent du matin au soir regardent de cette façon. Avec cet air de dire que la vie n'a plus rien de bon à leur offrir.

« Tu ne trouves pas mes raisons suffisantes ?

— Oh si, elles le sont amplement pour me convaincre de ne plus poser la main sur elle. Mais je ne suis pas né de la dernière pluie. Qu'est-ce qui arriverait si je mettais Daphnis enceinte ? Qu'est-ce qui arriverait à cet enfant ? »

Il eut un sourire sans passion. « Selon toi ?

— Répondez-moi. Cet enfant, il recevrait en don mes pouvoirs ? C'est ça ? Ceux que j'ai appris jusque-là, peut-être même ceux qui couvent en moi ? Je me trompe ? »

Il ne me répondit pas. Il se contenta d'afficher son sourire mâtiné et de contempler le reflet des étoiles sur la surface de l'océan.

« De toute façon, que Sire de Riche-en-Herbe soit rassuré, ce n'est pas moi qui aie défloré cette fille », déclarai-je.

Tel-Chire éclata de rire avant de coincer son cigare à la commissure de ses lèvres. « Je n'en doute pas », dit-il, puis il reprit d'un air solennel : « Fais attention, Seïs. C'est tout ce que je te demande. J'ai conscience que cinq ans peuvent paraître longs, mais il te faut prendre ton mal en patience. Il est plus que temps de te demander si une femme mérite le risque que tu cours de tout perdre. C'est à toi seul de décider.

— J'aimerais seulement être sûr de savoir ce que je pourrais perdre. »

Il tourna la tête, le cigare au coin de la bouche. « Que tu le veuilles ou non, je crois que tu sais déjà ce que tu as à perdre et à gagner dans cette partie. Je comprends ta réticence face à la dureté des sacrifices qu'exige Mantaore à sa cause. Je la comprends, crois-moi. Réfléchis. C'est important. Tôt ou tard, tu te poseras la question et tu remettras en doute tes décisions. Alors, prends ton temps et réfléchis à tout cela. À ce que tu souhaites vraiment. Tu es jeune. Je sais que ce que je te demande est difficile, que tu n'as pas envie de savoir où tu seras dans trente ou quarante ans. Entrer dans la Confrérie est irrévocable. Une fois la couronne de Mantaore inscrite dans ta chair, une fois ton serment prêté, il sera trop tard pour faire machine arrière. C'est un contrat à vie que nous te proposons. Il ne doit pas être pris à la légère. Je te conseille donc d'y méditer longuement. Vois si tu es prêt à accepter le tribut qui est requis. »

Il écrasa les restes de son cigare contre la rambarde et les jeta d'une pichenette dans la cour en contrebas. Avant même de toucher le sol, il n'en restait que des cendres. Il se tourna ensuite vers moi et me tendit la main. Je l'observai un moment, les yeux fixes, avant d'oser la saisir.

« Bonne nuit, Seïs. »

Il me tourna le dos et s'éloigna d'un pas traînant dans le couloir. Je me tournai face à la mer, me laissai porter par le ressac et fouetter par les embruns. En contemplant le rivage et le déclin de la nuit, je me demandai pour quelles raisons Daphnis s'était offerte à moi. Elle n'était ni innocente, ni chaste ; il y avait ce feu qui brûlait en elle, cette colère de femme qui voulait vivre pour elle-même, qui se donnait aux hommes pour se le prouver.

Daphnis plaçait la question sous mes yeux. La seule qui, finalement, valait la peine d'être posée. Voulais-je ou non devenir un Tenshin ? Elle remettait tout en question. Combien de filles avais-je baisées dans la casemate de Lamure ? Combien de putains dans les bordels ? Combien de matins pas frais dans des draps humides à me demander comment s'appelait la fille à mes côtés ? Jamais je ne m'étais soucié de savoir si j'engrossais ces femmes ou non. Comment savoir maintenant ?

« Tu ne le sauras jamais, dit Lampsaque, planté sous les arches.

— Personne ne dort par ici ! » lançai-je.

Il ne s'était pas encore couché. Il portait les vêtements de la veille. Il n'était ni rasé, ni coiffé. Sa chemise pendait sur son pantalon. Il avait la mine de celui qui avait trop bu et trop mangé.

« T'as couché avec Daphnis, c'est ça ? »

Il s'accouda au garde-corps, pencha la tête pour regarder la cour déserte et m'adressa un sourire en coin.

« J'ai eu mon lot de leçons de morale pour aujourd'hui.

— Parce que tu crois que je suis là pour t'en donner ? Tu fais ce que tu veux, mon frère. Ce n'est sûrement pas moi qui vais te reprocher d'avoir pris un peu de bon temps dans les draps d'une princesse de sang. D'autant plus qu'elle est jolie. Un peu trop pâle à mon goût, mais jolie quand même.

— Ouais, jolie. » Je laissai échapper un long soupir. « Je peux te poser une question, Lampsaque ? » Il opina du chef. « À quel moment as-tu su que tu étais à ta place ici ?

— Quand ils m'ont nominé pardi ! me répondit-il naturellement.

— Tout est toujours si simple avec toi.

— Et avec toi, trop compliqué, répartit-il. Pourquoi tu te poses toutes ces questions ? »

Je haussai les épaules. « Ça ne m'a jamais semblé naturel d'être nommé apprenti. J'ai toujours cru que les Tenshins avaient abusé des Herbes ce jour-là. »

Lampsaque esquissa un sourire, puis il fixa le ciel zébré d'un bleu plus clair et les tirades orangées qui perçaient peu à peu les nuages. Il posa le menton sur ses bras croisés et tourna de nouveau la tête dans ma direction. Il avait cessé de sourire et ses traits se durcirent brusquement.

« On est une équipe toi et moi. On est comme des frères à mes yeux. Mais, franchement, quelquefois tu me casses les couilles, Amorgen ! » Je le dévisageai, étonné. « C'est impossible de compter sur toi. T'es constamment en train de tergiverser sur ta présence ici, à imaginer, Orde sait pourquoi, que tu n'as pas ta place parmi nous. Je sais très bien que parfois, quand ça devient trop dur, t'as envie de te tirer. Et je crève de trouille à l'idée que tu me plantes ici pour t'enfuir Dieu sait où. Tu sais quoi ? »

Je pris une profonde inspiration comme en apnée.

« T'es un dégonflé. Pas celui qui se tire dès qu'il y a une bagarre, mais celui qui a peur de ce qu'il est ou de ce qu'il pourrait être. Oh ! C'est pas la peine de me faire ces yeux là. »Il me flanqua un doigt sentencieux sous le nez. « Tu fais tout pour qu'ils te saquent, hein ? Tu cherches tous les prétextes pour qu'ils te jettent dehors à coups de pieds au cul parce que ça t'éviterait de prendre la moindre décision… »

J'en avais ma claque des leçons de morale. Je commençai à tourner les talons. Lampsaque me rattrapa par le bras. Je le repoussai contre le mur. Il fronça les sourcils et planta ses ongles dans mon avant-bras pour me retenir.

« Écoute-moi », insista-t-il.

Je le forçai à me lâcher et le fixai d'un œil mauvais sans bouger.

Il poussa un soupir et poursuivit d'une traite: «Un jour, ils le feront, ils te saqueront parce que tu ne leur laisseras plus le choix. T'es pas un lâche, Seïs, je te connais mieux que ta propre mère. Tu sais ce que je crois? Je pense que tes dons pourraient démonter tous ces peigne-culs d'apprentis. Tu as l'étoffe, mais tu n'y crois pas. Tu en as peur. Le pouvoir n'est limité que par les barrières qu'on lui impose. Tu te souviens de cette maxime? C'est ça la frontière entre le mioche que tu étais en quittant Shore-Ker et l'homme que t'es censé devenir.»

Il se recula en haletant contre l'un des piliers. Je me laissai glisser contre la rambarde et m'agenouillai, talons contre fesses. Je savais que Lampsaque avait raison, que j'espérais que les Tenshins choisiraient à ma place parce que j'étais trop lâche pour prendre la décision moi-même.

«Tu fais la gueule?» me demanda-t-il au bout de quelques minutes. Voyant que je ne répondais pas, il ajouta: «Insulte-moi si ça peut te faire du bien, dis quelque chose, merde!

— Connard!

— Tu ne perds pas de temps, ricana-t-il. Tu m'en veux?

— De m'avoir dit ce que tu pensais?

— Ouais.

— Non, je ne t'en veux pas. T'as raison, c'est ça qui m'énerve. Je n'ai pas envie de choisir entre cette vie où tout sera dicté par le travail et les responsabilités, et puis une autre où je ne serai rien de plus qu'un homme ordinaire. J'aurais voulu savoir pourquoi ils m'avaient choisi parmi des milliers d'autres.

— Est-ce que c'est vraiment important? Ce n'est pas ce qu'ils pensent qui compte, c'est ce que toi tu penses qui a de l'importance. Écoute, pour moi, ma vie en dehors d'ici, elle se résume à avoir les pieds dans la merde du matin au soir, rien de très reluisant. Toi, tu as des amis, une famille, une petite vie pépère à Macline. Je comprends que ton choix soit plus difficile que le mien. À mes yeux, on nous offre une vie exceptionnelle. Certains se pendraient par les pieds pour avoir notre chance. À toi de voir si c'est aussi ta chance ou pas, mais n'imagine surtout pas qu'ils choisiront à ta place. Jamais. »

J'entrepris de rouler une cigarette. Je l'allumai d'un claquement de doigts et balançai le gousset entre les mains du rouquin. Je fumai avec un rare plaisir, tirant longuement sur chaque bouffée.

« Quelquefois, j'aimerais sacrément être quelqu'un d'autre », soupirai-je.

L'aube pointait quand Lampsaque partit se coucher en traînant les pieds sur le dallage. Il m'adressa un dernier regard méfiant avant de disparaître dans le couloir.

Assis par terre, le dos collé au pilastre, j'entamais ma cinquième cigarette. Les rumeurs de Mantaore commençaient à s'élever. Bientôt, la cité serait éveillée. Je me relevai péniblement en contemplant la baie des Pierres Tombales. Puis, je me retournai, fixai le couloir et la chambre de Daphnis.

« Merde », soufflai-je.

Je m'engageai sous les voûtes cerclées des écus de Mantaore, la tête basse. Je fumais toujours en poussant la porte de sa chambre.

Elle dormait encore, le visage enfoui dans son oreiller, les cheveux éparpillés autour d'elle. Je m'approchai sans bruit et m'assis au bord du lit. Je caressai sa chevelure épaisse et soyeuse, ses épaules dénudées jusqu'à la chute de ses reins. Ses fesses étaient recouvertes d'un drap de satin vert. Je basculai la tête en arrière et me calai contre le cadre du lit. J'éteignis ma cigarette dans le socle d'une bougie posé sur la table de chevet. Daphnis releva les yeux, mi-clos, encore plein de sommeil. Je laissai mes doigts courir sur sa joue. Elle y enfouit son visage, déposa un baiser dans la paume de ma main, puis se redressa sur son séant pour m'embrasser.

« J'ai cru que tu ne reviendrais pas », me dit-elle.

Je devais la regarder bizarrement, car elle saisit tout de suite qu'il y avait un problème. Elle se recula et ramena le drap sur sa poitrine, soudain rattrapée par un élan de pudeur.

« Que se passe-t-il ? me demanda-t-elle d'une voix inquiète.

– Je ne sais pas. À vous de me le dire, Princesse. »

Elle haussa les épaules avant de se blottir contre mon flanc tel un chaton. « C'est pour cela que tu fais une tête pareille ? » fit-elle en penchant son joli minois vers mon visage.

Elle souriait d'un air amusé et malicieux. Son corps était chaud contre le mien. Ses seins s'écrasaient sur mon bras et m'excitaient. Je tentai de conserver mon calme et fixai à grand-peine son regard.

« Tu es la fille de Calette promise à un riche héritier. Corrige-moi si je me trompe, t'as pas l'impression que c'est important ? T'as pas trouvé le temps de me le dire ?

– Je suis la fille du régent, et après ? Mon père gouverne suffisamment ma vie publique sans qu'il n'ait besoin de se mêler de mon intimité. Du reste, mon cher, je ne vois pas en quoi notre petite aventure remettrait en question mon mariage avec ce mirliflore de Riche-en-Herbe. Penses-tu que je désirais plus que ce que tu m'as offert ? »

Je grommelai : « Je suppose que non… J'ai une question toutefois ?

– Je t'écoute », roucoula-t-elle en me grimpant dessus. Elle s'assit sur mon bassin et posa ses mains à plat sur ma poitrine.

« Pourquoi as-tu jeté ton dévolu sur moi ? La moitié de Mantaore te court après ; je suis sûr qu'à Hom-Tar, tu fais des merveilles. Alors pourquoi moi ?

– Qu'est-ce qui te fait croire que c'est le cas ? » me susurra-t-elle, la tête baissée et ses deux prunelles dorées relevées vers moi comme des miroirs.

Je lui adressai un sourire entendu. Elle s'avança, juste assez pour que la pointe de ses seins effleure mon torse, puis elle se recula. Elle me dévisagea d'un air malicieux.

« Pourquoi te choisir ? Tu es beau, tu es jeune et tu me désirais. Je n'avais aucune envie de rentrer à Hom-Tar et d'épouser Riche-en-Herbe sans avoir vécu une dernière fois le feu, la chaleur d'un homme, la passion. Je voulais me sentir vivante une dernière fois. Tu comprends ? Et tu y arrives si bien, Seïs… »

Elle se tut, détourna la tête, les joues roses, et fixa la lumière du soleil qui filtrait peu à peu par la fenêtre. Quand ses yeux se reposèrent sur moi, un sourire timide illumina son visage. Elle se pencha vers moi, cala ses mains de chaque côté de ma tête et glissa sa langue dans ma bouche. J'enroulai ses reins entre mes bras.

« Fais-moi me sentir vivante, murmura-t-elle. Ce n'est pas la princesse que je veux que tu prennes dans tes bras. Je la hais. Je veux que tu aimes la femme que tu as prise lorsque tu ignorais encore qui j'étais. Oublie qui tu es ce matin avant de disparaître de ma vie et oublie qui je serai demain. Redeviens l'homme que tu étais lorsque je suis arrivée ici. J'aime lorsque tu te montres sous ton véritable jour, que tu deviens sauvage.

— Ce n'est pas moi que tu veux, Princesse. C'est le Tenshin.

— Tu es un Tenshin. Si tu ne le sens pas, moi je le vois. Il a rugi hors de toi hier soir et lors de toutes les nuits que tu m'as offertes. Il a rugi hors de toi comme un lion. Fais-moi toutes les choses que tu n'as pas osé me faire. Fais-les-moi, Seïs. »

Sa main disparut dans mon pantalon et s'enroula autour de mon sexe. Elle se rapprocha, écarta les draps qui me cachaient son corps et s'assit sur moi à califourchon. Je la pénétrai sans hésiter. Elle chassa ses cheveux d'or et bascula sur moi, cambrant les reins. Elle gémit, cria. Ses ongles se plantèrent dans mon torse en feulant. Je repoussai ses mains et la renversai sur le dos.

« Seïs, je t'en prie, aime-moi maintenant, aime-moi. »

Je saisis ses poignets et les maintins au-dessus de sa tête. Je m'arrêtai de bouger et plantai mon regard dans le sien. Son corps s'agitait, ondulait. Elle se mordait les lèvres sans me quitter des yeux. Elle criait en soulevant sa crinière blonde du matelas.

« Tu aimes souffrir », murmurai-je.

Elle me considéra, furieuse et déboussolée, puis étouffa un sanglot dans sa gorge avant de me répondre d'un même ton : « Au même titre que toi ! Toi comme moi, on se sent mort quand on ne souffre pas. On se sent vide. Peu importe tous les corps que tu possèdes, rien n'annihile ce sentiment. Ai-je tort ? »

J'acquiesçai en l'embrassant.

« Fais-moi me sentir vivante, Seïs, me supplia-t-elle. J'en ai besoin. Aime-moi juste un moment. »

Je serrai ses poignets. Je repris ce va-et-vient dénué de sens que des êtres stupides osaient nommer amour. Je m'égarai dans ses entrailles avec un plaisir malsain, avec l'envie de lui faire du mal, et je pensais à la vallée d'os et son néant de poussière. Je jouis en elle et je pensais à ce trou béant qui m'attendait.

CYCLE IX

MAUVAISE TROUPE

An 2080

Je transportais une tarte aux légumes, un pichet de bière et des bâtons de réglisse. Je contournai Farfelle et longeai les rives de Belle-de-nuit jusqu'à un étroit layon qui s'enfonçait entre les chênes. Dès que j'arrivai à proximité de la demeure de Brenwen, je perçus deux voix d'hommes, une qui appartenait à Brenwen, l'autre que je ne reconnus pas. Je m'approchai en catimini assez près pour les entrevoir, discutant sur le perron. Brenwen se tenait debout au sommet des marches, les mains fourrées au fond des poches. Il était en tenue de travail, chausses brunes et chemise délavée. L'autre tapait du pied sur le sol boueux devant la maison et louchait sur Brenwen. Il portait des vêtements de voyage plutôt élégants sans être ostentatoires. Un destrier trépignait près de lui. Je percevais leur voix sans parvenir à distinguer ce qu'ils se disaient. Brenwen regardait tantôt à droite, tantôt à gauche, comme s'il craignait que quelqu'un surprenne leur conversation. L'autre l'imitait soigneusement.

J'étouffai un hoquet de surprise lorsque j'entrevis un bref instant, à la ceinture du cavalier, le manche d'une épée qu'il s'empressa de dissimuler sous ses vêtements de lin. Il jeta aussitôt un coup d'œil alentour, puis reporta son attention sur Brenwen.

Je reculai derrière un buisson, ébahie, et observai à nouveau l'inconnu par-dessus les frondaisons. Son épée était cette fois trop bien camouflée pour que je puisse de nouveau l'entrevoir. Il tourna son visage de profil et j'en profitai pour mieux le détailler. Il avait le faciès dur, la peau bronzée et sèche, et ses yeux ressemblaient à ceux d'un aigle, acérés et sur le qui-vive. Il n'avait pas trente ans, mais on l'aurait dit plus âgé. Sa bouche se contractait par moments. Il dévisageait Brenwen, avant de regarder de nouveau autour de lui. Sa main tapotait à l'endroit où il cachait son épée.

Après un moment, l'homme salua Brenwen en s'inclinant, puis se dirigea d'un pas vif vers sa monture. Brenwen le regarda assurer son assiette, lui adressa un bref signe de la tête, puis l'inconnu s'éloigna en direction de Macline. Brenwen ne le quitta des yeux que lorsqu'il disparut complètement au-delà des halliers. Il balaya la clairière d'un œil circonspect, les sourcils froncés, comme s'il était en colère, puis je le vis soupirer.

Il s'apprêtait à tourner les talons pour rentrer dans la maison lorsque je sortis de ma cachette et m'approchai d'un pas nonchalant, le panier sous le bras. Brenwen fit aussitôt volte-face, alors que je pensais avoir été discrète, et me dévisagea avec irritation. Il lorgna un très court instant l'endroit où le cavalier s'était éclipsé, avant de se forcer à sourire.

« Naïs, quel bon vent t'amène ? me lança-t-il d'un ton faussement amène.

— Déjeuner ! » déclarai-je en désignant mon panier de victuailles.

Il se passa un coup de langue nerveux sur les lèvres, visiblement inquiet.

« C'est une bonne idée, dit-il. Il fait beau, veux-tu que nous déjeunions près de Belle-de-nuit ?

— Oui, pourquoi pas. »

Il hocha la tête, dévala les escaliers et me tendit la main pour prendre mon panier. Son regard s'attarda dans le mien, comme s'il cherchait une réponse, et je me concentrai pour ne rien lui offrir de tel. Apparemment satisfait ou cherchant à me le faire croire, il afficha un sourire qui se voulait sincère.

Il glissa un bras autour de ma nuque. « Allons manger, dit-il, je meurs de faim. »

On s'installa sur une plage de galets qui bordait la rivière. Brenwen étendit la couverture qui était glissée à l'intérieur du panier et s'assit dessus en poussant un râle de plaisir. Il avait beau vouloir paraître gai et content d'être là, je le savais soucieux. Ses yeux épiaient la forêt, comme s'il s'attendait à voir quelqu'un en surgir, et il me dévisageait avec nervosité.

Je déballai la tarte et la posai sur la couverture. Brenwen s'allongea sur le flanc et respira les parfums qui se dégageaient du plat. « Hum, tu me gâtes, Naïs. En quel honneur tout ça ?

– Juste comme ça, répondis-je. Il faut une raison ?

– Pas vraiment. »

Il prit le couteau et découpa en parts égales deux portions de tarte.

« Comment va ta tante ? me demanda-t-il en enfournant un gros morceau dans sa bouche.

– Mieux depuis qu'elle a reçu des nouvelles de Tel-Chire. Elle reprend du poil de la bête, doucement. Elle est très courageuse. »

Je baissai la tête, reniflai et fixai mes mains. Brenwen caressa ma joue du bout des doigts. « J'en connais une autre », murmura-t-il.

J'eus un petit sourire et repoussai la main de Brenwen. Celui-ci fit comme si de rien n'était et grignota un bout de tarte en me demandant d'un air malicieux : « Ton apprenti de cousin se porte bien ?

– Comme un charme, d'après ce que prétend Tel-Chire.

– Tu ne sembles pas convaincue.

– Je n'en sais rien. Je crois qu'il cherche seulement à nous rassurer. »

Brenwen mangea en silence, le regard plongé sur les miroitements de la rivière, puis, après un moment, il dit : « Si je ne me trompe pas, il ne devrait pas tarder à achever son apprentissage.

– Oui, à l'automne prochain. »

Ses yeux revinrent sur moi et me regardèrent si longuement qu'un début de malaise noua mon estomac. Cette façon qu'il avait de me tenir à l'œil était surprenante. Mais ce n'était pas la seule chose étrange ces derniers temps. À mesure que le retour de Seïs devenait imminent, tout le monde agissait bizarrement. Les gens du coin multipliaient les courbettes. Même Aymeri de Châsse allait jusqu'à appeler Sirus « son vieil ami ». Sirus ne disait rien, mais l'appellation ne semblait pas particulièrement lui plaire. Athora quittait peu Point-de-Jour depuis la mort d'Antoni et, parfois, j'enviais son isolement. En ville, l'ambiance et les ronds de jambe devenaient à peine supportables. J'espérais que Seïs savait où il mettait les pieds. Sa décision, sa destinée, son avenir tout entier avaient des répercussions jusqu'au sein de notre maison. Et même si chacun de nous s'efforçait de l'ignorer, tôt ou tard, il faudrait bien y faire face. Quoi que nous fassions, nous n'étions désormais plus une famille ordinaire. Nous étions les parents d'un apprenti, un homme potentiellement capable de devenir l'un des chefs d'armée les plus puissants du pays. Et cette idée incongrue ne laissait pas de nous étonner.

Peut-être que j'attachais trop d'importance à l'attitude de Brenwen. Peut-être que, tout comme moi, il s'interrogeait sur son avenir une fois Seïs revenu. Peut-être songeait-il que nous n'aurions plus besoin de ses services à la maison et qu'il perdrait sa situation. Peut-être qu'il craignait de me perdre.

Peut-être que l'homme de tout à l'heure n'avait en fait rien d'inquiétant, sinon dans mon imagination.

« Tu es inquiète, n'est-ce pas ? me demanda-t-il en posant le menton au creux de sa main.

— De quoi ? m'étonnai-je.

— Que votre vie change s'il réussit ou qu'elle demeure intacte s'il échoue.

— Bien sûr. Dans l'un comme dans l'autre cas, la situation risque de se compliquer. J'attire déjà les clients à "Sens Dessous" juste parce que je suis la cousine d'un apprenti. Qu'en sera-t-il si Seïs revient paré du statut de maître ? J'ai peur de l'imaginer.

— Tu aimes ta vie telle qu'elle est, Naïs ?

— Pourquoi cette question ? »

Brenwen bascula sur le dos, les bras croisés sous la nuque, et fixa le ciel azuré. « Pour savoir si tu es prête à la voir changer.

— Bien sûr que non, je ne suis pas prête. Pourtant, je ne suis pas assez idiote pour ne pas me rendre compte qu'elle change déjà. Je devrais m'y habituer dès maintenant. Les choses vont devenir de plus en plus compliquées. Toi, tu t'es accoutumé à changer de vie au gré de tes envies ou des aléas. Comment y parviens-tu ?

— Mes jambes s'engourdissent quand elles restent trop longtemps immobiles. Je suppose que c'est dans mon tempérament.

— Pourtant, ça fait quoi ? Quatre, cinq ans que tu es ici ? À Macline. »

Il releva la tête et me dévisagea d'un regard clair. « Peut-être parce qu'il y a quelque chose qui me pousse à rester. »

Je détournai aussitôt les yeux. Brenwen se redressa sur les coudes et tourna la tête vers Belle-de-nuit, soudain mal à l'aise. Le cours d'eau rugissait à nos pieds ; les rapides serpentaient vers l'ouest, giflant les rochers qui les perforaient comme des crocs.

Brenwen resta immobile et silencieux pendant un long moment. Je grignotai une barre de réglisse pour passer le temps et me tordis les doigts de nervosité.

« Je suis amoureux de toi, mais tu le sais déjà », m'avoua-t-il brusquement.

Mes doigts tremblèrent sur le bâton de réglisse. Je me repliai sur moi-même, le visage entre les genoux. Le silence nous goba tout entier et devint pesant. Je ne savais pas quoi répondre ; j'avais beau l'avoir deviné depuis longtemps, je ne m'étais pas préparée à une réponse toute faite. Je n'étais pas comme Seïs, capable de cracher des ignominies à brûle-pourpoint, comme Antoni, prête à charmer pour mieux embobiner, ou comme Fer, capable de garder le silence sur mes sentiments. Je ne trouvais rien à dire.

Brenwen ne broncha pas et ses yeux restèrent obstinément tournés vers la rivière.

Je me relevai, époussetai machinalement ma robe. « Je vais rentrer, dis-je. J'ai du travail qui m'attend. Je dois être à la taverne en milieu d'après-midi. »

Il hocha la tête sans répondre. Je baissai les yeux sur mes chaussures, les regardai un moment, comme si elles pouvaient me souffler quelque chose d'intelligent à dire. À la place, tout ce que je trouvai à répondre, fut un « Je suis désolée, Brenwen » si insipide que j'en eus la nausée. Je me relevai, évitai soigneusement son regard et m'éclipsai dans la forêt en courant.

Dès que je franchis la butte de l'Homme Mort, je perçus un son distinct, un cliquetis métallique inhabituel, et plusieurs voix. Je m'avançai discrètement, me faufilai entre des buissons, grimpai un tertre et, lorsque je parvins à hauteur d'un sentier sylvestre qui passait par là, je poursuivis mon ascension à croupetons. À l'abri derrière un amas de rochers posés en pyramide, je jetai un coup d'œil sur le sentier en contrebas. Je retins mon souffle. Un groupe de cinq hommes avançait progressivement entre les chênes. Des mines patibulaires pour la plupart, scarifiées pour la moitié d'entre eux, des routiers comme dans les temps jadis et quelques jeunots qui avaient l'air aussi terrifiant que leurs aînés. Je sursautai en apercevant le foulard rouge noué autour de leur cou. Je penchai la tête par-dessus l'un des rochers. Des cimeterres pendaient à leur ceinture, des sabres pour deux d'entre eux, des arcs pour les autres et une ou deux arbalètes. À quelques mètres de distance, un deuxième groupe se découpait entre les chênes, aussi important et aussi équipé que celui qui passait devant moi. Sur leurs arrières, j'entrevis les ombres d'une troisième cohorte.

« Des Foulards Rouges », murmurai-je tout bas.

Je reculai, sentant un début de panique me gagner. Ils étaient plus nombreux que toutes les bandes que l'on avait pu voir jusque-là. Qui devais-je prévenir ? Quelle direction allaient-ils emprunter ? Je pivotai sur moi-même et, accroupie, entamai la descente du tertre.

En me dépêchant, ma chaussure heurta un caillou, pour ensuite rouler sous un autre, et je me retrouvai les quatre fers en l'air. Je grognai en silence et rampai jusqu'à un arbre. Assise sur un tapis de mousse, je vérifiai l'état de ma cheville. Elle n'était pas tordue ou cassée, juste un peu douloureuse.

Je ne me rendis pas compte tout de suite du silence qui avait suivi ma chute. Ce ne fut que lorsque je fus prête à me remettre en route que j'en pris conscience. Il n'y avait plus aucun bruit provenant de la route. Je penchai la tête derrière l'arbre afin d'entrevoir le sommet du tertre. Désert.

Je m'apprêtais à poursuivre la descente de la butte lorsque des mains me saisirent soudain à la taille et me renversèrent en avant. Je m'écroulai sur les cailloux, les coudes dans la pierre, un cri étouffé par la main de l'homme. Je me débattis furieusement jusqu'à ce qu'il me retourne sur le dos. Brenwen planta son regard dans le mien. Je cessai aussitôt de bouger, médusée. De sa main libre, il posa son index en travers de ses lèvres pour m'intimer au silence. Je hochai la tête. Il me libéra et releva les yeux en direction du nord. Je suivis son regard. Trois hommes, des Foulards Rouges, franchissaient la butte et inspectaient les environs.

« T'as entendu comme moi ? dit l'un.

— C'était sans doute un animal, répondit l'autre.

— Oui, peut-être. Je préfère vérifier que de courir le moindre risque.

— Ça ne sert à rien. Bazaro a raison, c'était probablement un animal. Rejoignons les autres, dit le troisième.

— Retournez-y si vous voulez. Je vérifie et je vous rejoins.

— Bien. Fais comme tu veux, mais ne tarde pas trop, dit le second.

— Ouais, ouais. »

Les deux autres s'éloignèrent vers la route. Je tournai la tête vers Brenwen. Il se pencha vers moi et observa du coin de l'œil le Foulard Rouge qui fouillait les environs. Les yeux de Brenwen brillaient d'une lueur étrange lorsqu'il me regarda.

« Va à Macline, me chuchota-t-il. Dis aux gardes que des soldats de Noterre passent dans les parages et qu'il vaudrait mieux qu'ils soient prêts à les accueillir. »

Je le considérai de plus en plus ébahie. « Noterre ? » Il hocha la tête avec gravité. « Mais…

— Fais ce que je te dis, me coupa-t-il.

— Brenwen… »

Il plaqua brusquement sa main sur ma bouche et se tassa contre le chêne, les yeux rivés sur le soldat. Ce dernier s'était rapproché et s'allumait une cigarette, le regard vissé sur le sommet de la butte. Il entreprit de monter l'éminence. Une fois qu'il l'aurait atteint, il nous verrait sans mal de là-haut.

Brenwen retira sa main dès qu'il commença à grimper.

« Que vas-tu faire ? demandai-je aussitôt.

— Les suivre… Maintenant, vas-y. Cours aussi vite que tu le peux et fais attention.

— Toi aussi. »

Il opina, le front barré d'une ride. En silence, il rampa derrière le tronc d'arbre et me laissa me redresser sur les coudes, puis m'agenouiller. Il me désigna un hallier épais et touffu vers lequel je me dirigeai aussitôt. Dès que je fus dissimulée derrière les ronces, je me faufilai plus librement d'arbre en arbre jusqu'à ce que je ne distingue plus la silhouette du soldat. Après quoi, le cœur battant, j'accélérai l'allure en direction de la ville. J'espérais que Brenwen ne ferait rien d'insensé tandis que je tentais encore d'assimiler les mots « soldats de Noterre » et « Macline » dans une même phrase. Que pouvaient-ils bien faire par ici ? Comment

Brenwen savait-il qui ils étaient, cachés derrière leur déguisement de Foulards Rouges ?

En moins de dix minutes, je parvins à l'entrée de Macline. Devant la grande porte, des sentinelles chargées de surveiller les convois de marchandises jouaient aux dés et fumaient des cigarettes. L'un d'entre eux était le chef de la garde, Artanbo Fiche-de-Blate, un homme aussi corpulent qu'un bœuf avec de petits yeux noirs hypocrites enfoncés dans leurs orbites, une barbe rousse parsemée de fils blancs, et des pommettes tachées de grosses plaques rouges qui lui donnaient l'impression d'avoir attrapé des coups de soleil.

Je m'arrêtai à leur hauteur. Les deux mains posées à plat sur les genoux, je tentai de reprendre mon souffle.

« Eh ben, Naïs, qu'est-ce qui t'arrive ? » s'exclama Fiche-de-Blate quand il leva ses petits yeux de fouine sur moi.

Le vieux soldat frottait et lissait sa barbe rousse désordonnée, ce qui n'était jamais bon signe. Il détestait qu'on l'interrompe en pleine partie de cartes, en particulier lorsqu'il gagnait. Il se pavanait en ville en prétendant qu'il était un formidable joueur. Or, tout le monde savait très bien que les trois quarts du temps, ses gardes le laissaient remporter les mises contre des jours de permission.

Artanbo décrocha sa cigarette de la commissure de ses lèvres, en fit tomber la cendre par terre et la fourra de nouveau dans sa bouche.

« Touche pas à ces dés ! » lança Artanbo d'un ton cinglant à son voisin de table, le grand Milo, un vieux soldat de soixante ans, bossu et rondouillard, qui passait son temps à jouer aux dés aux portes de la ville depuis plus de quarante années de bons et loyaux services.

« Ben alors, on t'a coupé la lan…

— Des hommes de Noterre arrivent par ici », m'écriai-je, sans me soucier de prononcer le nom interdit.

Je repris ma respiration alors que la figure d'Artanbo virait à l'écarlate. Ses yeux s'agrandirent comme des coupoles avant de se poser sur le grand Milo. Le vieillard me considérait comme si j'étais une envoyée d'Ethen. Artanbo se tordit la bouche et pouffa de rire.

« Ben mon vieux, manquerait plus que ça ! » ricana-t-il.

— Je sais ce que j'ai vu. Des soldats du Lion Blanc. Ils étaient près du tertre de l'Homme Mort et longeaient les pâtures de Rougetille. Ce chemin mène droit sur la ville, m'sieur. »

Le visage d'Artanbo se durcit. Ses sourcils s'arquèrent, puis parurent s'effondrer sur ses deux yeux minuscules enfoncés profondément dans sa grosse tête de nigaud. Il parut hésiter.

« Naïs Holisse, tu me ferais pas une blague comme ton cousin le faisait, hein ? »

Je secouai vigoureusement la tête. « Non, m'sieur », assurai-je.

Il se leva de sa chaise et se rogna un ongle. « Ouais, vaudrait mieux parce que si c'est une mauvaise blague, tu me le paieras cher, c'est clair ? dit-il en pointant dans ma direction le doigt crasseux dont il venait d'arracher l'ongle. T'as entendu, vieux fou ? s'écria Artanbo au grand Milo. T'as besoin que je te fourre mon pied au cul pour que tu sonnes l'alarme ? Grouille-toi un peu que tu me montres pourquoi je te paie encore autrement que pour perdre aux dés. »

Le vieux Milo leva ses yeux ronds et ses maigres fesses de sa chaise à la paille chancie en faisant craquer les os de son dos et se traîna mollement à l'intérieur des remparts de Macline. Je regardai le vieux Milo s'éloigner, de plus en plus ahurie par ce qui se passait ici.

« Maître Fiche-de-Blate, il ne serait pas plus prudent d'envoyer la garde dans la forêt plutôt que de sonner l'alarme ? À ce compte, ils vont savoir qu'on les attend avant même de les avoir vus », fis-je remarquer.

Artanbo me regarda comme si une femme ne pouvait pas parler de choses militaires sans avoir l'air ridicule. Il se contenta de grogner et de passer la porte de Macline. Je lui emboîtai le pas, totalement impuissante face à la bêtise du chef de la garde.

« Combien qu'ils étaient ? » me demanda Fiche-de-Blate en traversant la rue.

Je fis une estimation rapide. « Je dirais une petite quinzaine, peut-être plus. Par groupe de cinq. Difficile de savoir combien ils étaient exactement dans les broussailles.

— Armés ?

— Plutôt deux fois qu'une. »

Le cor d'alerte de la porte sud retentit brusquement dans toute la cité et changea du tout au tout l'atmosphère pimpante de la journée. Un deuxième cor s'y mêla presque aussitôt, puis un troisième et ainsi de suite jusqu'à ce que les cors des huit tours de guet aient sonné. Un frisson hérissa les cheveux sur ma nuque au son de la trompe.

La rumeur sur les soldats dans la forêt se répandit comme poudre au vent dans la cité. Le grand Milo avait tôt fait de la propager en traînant sa vieille carcasse jusqu'à la tour de guet. Les hommes, soldats ou non, se précipitèrent vers les chemins de ronde qui se transformèrent rapidement en véritable foire à l'empoigne. Artanbo ordonna la fermeture des portes de la ville, abandonnant au-dehors ceux qui avaient eu la malencontreuse idée d'en sortir.

Dans les rues, on ne vit bientôt plus que des hordes de marchands et d'artisans, battant des mains et tapant du pied pour savoir ce qui se tramait dans la forêt. Artanbo était assailli de toutes parts. Il chassait les gens en maugréant d'une voix grossière et se tailla un passage en traînant les pieds. Je jouai des coudes pour rester à sa hauteur.

« C'est pas comme ça que ça devait se passer, me plaignis-je à mi-voix. À ce rythme-là, on va se faire massacrer et ils n'auront même pas besoin d'être nombreux pour ça ! »

Artanbo fit comme s'il n'avait rien attendu et monta les escaliers qui menaient au chemin de ronde tout en hurlant une volée d'ordres. « Allez chercher les armes à l'Amir, bande d'idiots. Bougez vos culs ou vous pouvez oublier vos femmes pour les mois à venir ! Allez, allez… »

Au pied du chemin de ronde, les boutiques se fermaient les unes après les autres, comme si tourner la clé dans la serrure pouvait empêcher les soudards de Noterre de défoncer les portes. Les riches marchands se repliaient déjà dans leurs hôtels particuliers de Tire-lait, en brassant l'air pour ordonner qu'on les laisse passer dans les rues bondées de monde. Comme toutes les fois où un événement sortant de l'ordinaire se produisait, Macline semblait prise de folie. Prononcer le nom de Malchen de Noterre équivalait à provoquer une émeute à tous les coups. La plupart des habitants d'Asclépion le craignaient davantage que les ravages de la Peste blanche. Pas une famille de Macline n'avait pas eu à déplorer la perte d'au moins l'un des leurs dans une guerre contre lui. Le nom de Noterre restait imprimé dans les mémoires des Macliniens. La cité avait supporté un blocus d'une douzaine de mois quelques siècles plus tôt. C'était l'une des rares villes, en dehors d'Elisse et des cités frontières, à avoir subi les dégâts de la guerre. La ville était imprenable dès lors que les portes restaient closes. Ses murs, d'une épaisseur d'environ six mètres et d'une hauteur flattant les plus hauts sommets des arbres, garantissaient la sécurité des habitants. Malchen le savait. Il ne s'était jamais embêté à conquérir la ville. Il s'était simplement contenté de la condamner à elle-même en affamant ses habitants, prisonniers derrière leurs propres murs. Athora m'avait raconté les atrocités qui furent commises à cette époque pour survivre. Lorsque le siège fut enfin levé, la population avait chuté de plus de quarante pour cent et ceux qui avaient survécu étaient malades et faméliques. Les anciens de Macline en parlaient encore comme la période la plus noire de l'histoire de la ville. L'ombre de cette époque planait toujours au-dessus des maisons dès qu'une allusion au Prince était faite. On sentait encore toute la colère et la peur qu'un nouveau siège puisse affecter la cité et condamne ceux qui vivaient derrière ses murs.

Penchée au-dessus des créneaux, je guettais la forêt et cherchais les soldats au milieu de la luxuriance des chênes, doutant de plus en plus que l'on puisse les apercevoir. Je surveillais malgré tout la route de Rougetille qui serpentait entre les futaies et les frondaisons. Dès que j'apercevais une ombre, je sursautais et tournais la tête vers Artanbo. Celui-ci secouait sa grosse tête cireuse et se renfrognait, tournant son regard méfiant sur moi, puis sur la route en contrebas.

Les soldats s'alignaient le long des remparts, arcs à la main. On acheminait encore du matériel aux tours et je me surpris à songer qu'on aurait dû le faire depuis longtemps. Une foule de gens se massait au bas du chemin de ronde et tendait l'oreille avec angoisse. La tension et le silence survolaient la ville. On pouvait entendre le murmure du vent dans les drapeaux. Je jetai un nouveau regard affolé sur le sentier. Toujours rien.

« Je ne me suis pas trompée », murmurai-je.

Le vieil Artanbo me lorgna d'un œil mauvais. « Mieux vaudrait pour tes miches.

— Mieux vaudrait pourtant que je fasse erreur, non? À moins que vous ayez envie de vous faire embrocher par les soudards de Noterre! Et même si ce ne sont pas des soldats, ce sont des Foulards Rouges, à en jurer.

— À en jurer? beugla-t-il. Tu ferais mieux de la fermer. T'as jamais vu un soudard de Noterre de toute ta vie! On ne t'a donc pas appris à rester à ta place et à respecter tes aînés.»

Je fulminai, les doigts crochés au mur. «Les aînés ont pour vocation d'être sages», répliquai-je.

Le cerveau d'Artanbo tourna sur lui-même pour comprendre où je voulais en venir et, lorsque ce fut enfin le cas, il se rapprocha de moi avec la vivacité d'une hyène. Ses petits yeux imbéciles roulèrent de dédain dans ses orbites. Sa voix siffla doucement, mais tout le monde autour de nous put l'entendre: «Où sont-ils donc, ces bâtards de Tenshins, quand on a besoin d'eux pour botter le cul de ces pouilleux?

— Ils supposent que vous êtes apte à faire l'affaire, quand bien même seraient-ils dans l'erreur!» dis-je entre mes dents.

Le visage d'Artanbo devint cramoisi de honte. Les gardes de la cité avaient les yeux braqués sur nous. Je ravalai mon sourire satisfait.

«La petite demoiselle défend son 'culé de cousin! Je gage, moi, qu'on le verra pas dans cette vie passer maître», siffla-t-il en crachant son mégot par-dessus les remparts.

Artanbo ne portait pas Seïs dans son cœur. Ce n'était un secret pour personne. Seïs s'était créé un tel réseau d'alliances au sein même de la soldatesque que la moitié des hommes d'Artanbo était plus pourrie qu'un fruit gâté et lui passait les trois quarts de ses caprices en échange de menus services. L'autre moitié était soit irréprochable, soit concurrente, autant dire que les frictions et les empoignades étaient monnaie courante. Artanbo travaillait pour l'autre camp. Il se faisait grassement payer par Aymeri de Châsse pour pourvoir à tous ses désirs. C'était certainement l'un des gardes les plus corrompus de la cité forestière.

« Seïs n'a pas besoin de moi pour assurer sa défense, répliquai-je. Mais je vous conseillerai, en son absence, de mesurer votre langage, parce que, dans quelques mois, je gage, moi, qu'il sera votre chef. »

Le mot ne manquait pas de faire rire, et c'est exactement ce que fit Artanbo. « Je voudrais bien voir ça. Seïs a jamais été fichu de fourrer sa queue dans autre chose que sa main ! J'suis pas prêt de le voir ramener son petit cul par ici, et encore moins pour qu'il me donne des ordres, ma jolie. »

Autour de nous, les soldats souriaient discrètement. Ce vieil imbécile ne devait pas beaucoup écouter les rumeurs de la ville. Seïs traînait plus souvent aux bordels qu'à la maison et c'était de notoriété publique. Depuis son départ pour Mantaore, la moitié des filles se vantait d'être passée entre ses bras, et l'autre pavoisait en prétendant qu'il était éperdument amoureux d'elles et qu'il les épouserait dès son retour. Au bas mot, il devrait se marier une bonne douzaine de fois pour satisfaire la cupidité et la bêtise de ces dames. Je me fichais de ces rumeurs ou, du moins, je mettais toute ma volonté à les ignorer. Je n'étais sans doute pas la seule à être jalouse des esclandres de Seïs.

Artanbo exultait.

« Seïs est un petit connard arriviste. Tenshin, hein ? ricana-t-il. Si ce petit merdeux devient Tenshin, ma jolie, l'été prochain, j'deviens roi ! »

Il ricana de plus belle.

Je serrai les mâchoires, folle de rage. « Vous vous déchargez sur Seïs pour légitimer votre incompétence. C'est facile de critiquer les absents, plus facile encore lorsque l'on ne remplit pas soi-même ses propres fonctions.

– Gamine, grogna Artanbo, tout ce que je vois, c'est que tu es comme ton bâtard de cousin. Parce qu'il n'y a pas de soldats du Lion Blanc. Pas de Foulards Rouges. Tout ça, c'était du baratin. J'en déduis seulement que tu es une fieffée menteuse.

– Il n'y en a pas par votre faute. Quelle idée de sonner l'alarme. Autant leur envoyer une missive pour leur dire qu'on les attend !

– Il n'y avait pas de soldats dans la forêt. C'est un canular ! Avec ce que tu as dans le sang, ça m'étonne même pas. Tu t'es payé ma tête et j'aime pas ça du tout.

– Qu'est-ce que ça veut dire ? » criai-je de rage en serrant les poings.

Les rougeurs qui parsemaient le visage boursouflé d'Artanbo me donnaient envie de les écraser sous mes doigts une à une et de percer le pus immonde qui suintait de ses pores.

« Ça veut dire, p'tite, que t'as pas plus de cervelle que ton merdeux de cousin et que tu as le diable au corps, autant que lui, et ça m'étonne qu'on t'ait pas encore vu au bordel. Ça doit pourtant être de famille. Et je vais te montrer ce qui se passe quand on se fout de la gueu… »

Ma main s'écrasa sur sa figure avant qu'il n'ait eu le temps d'achever sa phrase. La texture adipeuse de sa joue et les nombreuses peaux mortes roulèrent sous mes doigts. Je lui arrachai un cri de surprise qui me remplit de satisfaction. Artanbo fixa ma main un moment avant de reprendre ses esprits.

« Nous n'en serions pas là, à attendre qu'il se passe quelque chose, si vous aviez assez de couilles ou de jugeote pour envoyer vos troupiers dans la forêt, lui criai-je. Peu importe qu'ils soient du Lion Blanc ou des bandits, c'est votre devoir de nous défendre. Mais vous êtes trop lâche. Vous ne pensez qu'à protéger votre misérable bedaine. Vous voulez que je vous dise ? Vous mourez de peur à l'idée que Seïs puisse vous supplanter, ce qu'il ne manquera pas de faire. Vous pouvez geindre autant que vous voulez, cracher sur mon cousin si cela vous chante, tout ce que je vois, c'est que vous n'êtes qu'un poltron, un poltron aigri qu'un jeune vaurien peut remplacer d'un claquement de doigts. »

Je fis un pas dans sa direction, puis un autre. Je martelai sa poitrine d'un index rageur et je n'en revenais pas de lui dire en face tout le bien que je pensais de lui.

« Il y avait des Foulards Rouges dans cette forêt, insistai-je en désignant les chênes. Que vous le croyiez ou non, j'ai rempli mon devoir en prévenant la ville du danger. Et vous m'envoyez sur les roses ? Grand bien vous fasse ! Ne venez pas vous plaindre si demain une ferme a brûlé. En attendant, si vous faisiez votre boulot correctement, mon oncle n'aurait pas perdu la moitié de ses récoltes à cause d'eux l'année passée, et c'est aussi le cas de la majorité des paysans de Shore-Ker. »

Sur ces derniers mots, beaucoup de personnes qui nous entouraient hochèrent la tête de conserve.

« Je vous interdis de porter un jugement sur mon cousin ou sur moi. Je vous interdis de l'insulter, même de prononcer son nom. Vous n'avez rien à nous reprocher. J'estime avoir fait la chose à faire. Ai-je été claire, Fiche-de-Blate ? Ou dois-je encore vous rappeler que vous êtes le chef de la garde maclinienne et qu'il vous incombe le rôle de veiller sur nos demeures, nos routes et nos vies ? »

La face tannée de Fiche-de-Blate était si crispée qu'on aurait dit une vieille fleur fanée. Sa bouche était encore entrouverte et un léger grognement s'en échappait. Dès que je me tus, il regarda autour de lui comme s'il se réveillait, l'air un peu hagard. Sur le chemin de ronde, les soldats n'avaient pas perdu une miette du spectacle. Certains faisaient tout juste mine de jouer avec leur arc ou de frotter leur épée. Fiche-de-Blate ne pouvait pas perdre la face devant ses hommes ; il ne l'aurait pas toléré. Ses petits yeux reprirent rapidement leur dureté.

«Si tu n'étais pas la cousine de ce pitoyable apprenti, je te corrigerais moi-même et t'apprendrais le respect!»

Il tendit la main vers mon poignet, ses doigts repliés comme des serres. Je fis un bond en arrière, m'écrasant les reins contre les créneaux.

«Où crois-tu aller comme ça, ma jolie? maugréa-t-il, un sourire carnassier aux lèvres. Il n'y a qu'une chose qui vaille pour châtier les petites menteuses de ton acabit et, crois-moi, tu vas y goûter.»

Artanbo bondit sur moi, me saisit le bras avant que je n'aie eu le temps d'exécuter une volte-face et m'attira contre son torse puant de transpiration.

«Viens par ici», grogna-t-il.

Les soldats ricanaient autour de nous et Fiche-de-Blate s'en trouva ragaillardi, pensant que leurs rires étaient dirigés contre moi. Il voulut me traîner vers les escaliers, mais en me tortillant pour lui échapper, je le griffai sur toute la longueur du bras. Sa peau visqueuse partit sous mes ongles. Il poussa un cri de douleur et tenta de me repousser d'un geste maladroit. Les rires cessèrent aussitôt, remplacés par des coups d'œil gênés et des yeux ahuris. On n'entendit plus que les geignements d'Artanbo qui serrait son bras contre sa poitrine. Je profitai de ma chance et lui flanquai un coup de pied dans le tibia. Celui-ci hurla une nouvelle fois et essaya de m'attraper par les cheveux. Il échoua, mais réussit, dans son élan, à me tomber à moitié dessus. Il resserra sa prise sur ma taille, m'étouffant à demi dans la longue manche bouffante de son uniforme de paon.

« Petite peste ! » grinça-t-il tandis que je m'accrochais à son bras pour tenter de me libérer.

Une main tomba brusquement sur celle d'Artanbo qui releva les yeux, prêt à mordre. Quand il croisa le regard de Fer, aussi noir et sombre qu'un puits, la hargne de Fiche-de-Blate retomba aussi sec.

« Lâchez-la », ordonna-t-il d'une voix grave.

Artanbo défit sa prise de mes hanches. Je m'écartai aussitôt afin de me ranger derrière la masse imposante de mon cousin.

« Votre cousine manque à ses devoirs, piaffa Artanbo comme si on lui ôtait son jouet.

— Ne reportez pas sur moi vos fautes ! » criai-je.

Le visage de Fer demeurait aussi imperturbable qu'un rocher. Ses yeux s'étaient figés sur le garde et ils ne semblaient rien voir d'autre que lui, ce qui déstabilisa Artanbo qui commença à trépigner d'un pied sur l'autre. Son faciès moucheté de minuscules cratères parut se dessécher.

« Maître Fiche-de-Blate, j'ignore ce qui se trame ici, mais je vous conseille de ne plus reposer la main sur ma cousine, dit Fer posément. D'ailleurs, si Naïs prétend ne pas être en faute, je suis tout disposé à la croire.

— Oseriez-vous vous rebeller, alors qu'elle a clairement démontré sa tromperie ? Elle plonge la cité tout entière dans le désarroi et vous voudriez que je la laisse partir sans qu'elle en subisse les conséquences ? Sous quel prétexte, Monsieur Amorgen ? Celui qu'elle est la cousine d'un apprenti ? »

Artanbo trouvait du courage dans la présence de ses hommes ; il en trouvait dans leur épée à la ceinture, même si eux-mêmes ne semblaient pas particulièrement pressés de se battre contre un frère d'apprenti.

« Mon frère n'a rien à voir là-dedans, répondit-il. Naïs ne ment pas. Elle n'a jamais su mentir.

– Vos sentiments parlent pour vous ! s'insurgea le garde.

– Il n'en est rien. Elle dit la vérité, rien de plus. »

Artanbo s'approcha de mon cousin et se pencha vers lui comme s'il allait lui confier un secret. « Elle prétend avoir vu des soldats du Lion Blanc se promener dans la forêt à quelques kilomètres d'ici. Pensez-vous toujours qu'elle dise la vérité ?

– Je les ai vus ! » m'écriai-je en me heurtant contre l'épaule de Fer, qui recula au moment où j'étais prête à sauter à la gorge de cet imbécile.

« Si Naïs le dit, alors c'est la vérité, s'entêta-t-il. Maintenant libre à vous de la croire ou non. Dans tous les cas, je la ramène à la maison. »

Il me prit par le bras et m'entraîna vers les escaliers.

« Halte là ! » cria Artanbo.

Deux gardes nous barrèrent aussitôt le passage, deux colosses armés de glaives. Fer se retourna vers Fiche-de-Blate, les sourcils brusquement tombés sur son regard brumeux.

« Cette fille n'ira pas plus loin. Je compte bien à ce qu'on lui donne une leçon. »

Les hommes se resserrèrent autour de nous comme les mailles d'un filet, mais, j'en aurais juré, pas un ne semblait apprécier la tournure de la situation. Se frotter au frère d'un apprenti changeait la donne, qui pis est lorsque ce dernier disposait d'une excellente réputation dans les plus nobles maisons de la cité.

« Quelle punition lui donneriez-vous, fit mon cousin, sans preuve pour la justifier ?

– J'en ai pour preuve qu'il n'y a pas de soldats qui bivouaquent par ici, pas plus que de Foulards Rouges.

– Il n'y a jamais eu de Foulards Rouges en ville, rétorqua mon cousin. Ils passent par la forêt et traversent les gués au sud du Pont de Rovenne. Tout le monde le sait. Et si ce sont des soldats du Lion Blanc comme le croit Naïs, alors je doute fort qu'ils viennent se jeter dans la gueule du loup par caprice. Sur ce, si vous n'avez pas d'autres allégations biscornues à me soumettre, dites à vos hommes de s'écarter. »

Les yeux bruns de Fer retombèrent sur les deux sentinelles qui échangèrent un regard nerveux, avant de se tourner vers leur chef, en quête d'ordres. Artanbo était fou de rage. Il me dévisageait avec l'envie de me faire battre sur la place du marché jusqu'à ce qu'il voie le sang perler dans mon dos sous les coups de fouet.

Artanbo cracha par terre. « Je vais me montrer magnanime aujourd'hui et la laisser partir. Mais que je l'y reprenne à mentir et elle connaîtra les petits plaisirs de séjourner à l'Amir comme son cousin. »

Fer ne daigna même pas lui répondre. Il fixa les deux gardes qui s'écartèrent sur un geste de Fiche-de-Blate. Mon cousin m'attrapa par le bras et m'entraîna derrière lui. Il me fit descendre les escaliers sous les regards des soldats et des Macliniens qui restaient à l'affût, transis d'angoisse, dans la rue en contrebas. Angoisse qui muta rapidement en suspicion, puis courroux.

« Je n'ai pas menti », murmurai-je en baissant la tête sur les dalles.

Fer serra ma main dans la sienne. « Je sais, me dit-il, alors ne leur fais pas croire le contraire. »

Je relevai les yeux sans comprendre. Puis je vis Fer regarder droit devant lui, le menton frisant l'arrogance. Je l'imitai aussitôt. Les rumeurs roulèrent sur moi sans qu'elles me touchent, tout au plus m'effleurèrent-elles, mais je me fis la promesse de ne plus m'en soucier dès le soir.

« Dans deux jours, ils auront oublié », me dit Fer.

Cela ne me rassura pas tellement. Je songeai que, peut-être en me faisant toute petite pendant deux jours, ils cesseraient leurs quolibets. Mais le retour à l'auberge de « Sens Dessous » ne se passerait probablement pas si facilement. Je devrai supporter les regards soupçonneux et les murmures, m'accusant d'être une menteuse. On ne mentionne pas si impunément le nom du Lion Blanc sans risquer d'être accusé de trahison ou d'aimer les scandales. J'en voulais à Brenwen de m'avoir jetée en pâture, me laissant assumer seule les ennuis qu'une telle révélation ne manquait pas de susciter. Je lui en voulais de ne pas être à mes côtés. Mais où était-il ?

Il était minuit passé. La lune était cachée derrière d'épais nuages noirs. Il commençait à faire un froid de canard. Mon châle ne retenait plus les crocs du vent sur mes épaules. Je resserrai mes jambes contre ma poitrine et me calai contre le chambranle de la porte. Où était-il bon sang ? Si je faisais encore le pied de grue devant sa porte, j'allais probablement marauder un bon rhume. Je soupirai. En vérité, j'étais morte d'inquiétude. Je pouvais le vouer aux infamies tant que je le voulais sur le pas de sa porte, il n'empêchait que je mourrais d'angoisse à force de l'attendre. Depuis que Brenwen s'était mis en chasse des soldats, il n'était reparu ni en ville, ni chez lui. Personne ne l'avait vu. Personne ne savait où il pouvait avoir disparu. J'étais retournée sur le tertre de l'Homme Mort. Rien. Aucune trace des soldats. Aucune trace de lui. Je me faisais un sang d'encre et, qui pis est, Sirus allait sûrement me tailler les oreilles en pointe à me voir si tard dehors après avoir écouté mon histoire. Plus question de rentrer toute seule de l'auberge et plus question d'y travailler passé le couvre-feu, telles étaient les nouvelles consignes. Deux jours s'étaient écoulés depuis que j'avais vu les soldats dans la forêt et j'étais déjà en train de désobéir à la sagesse même.

Un bruit de feuilles froissées perça sur ma gauche. Je me redressai légèrement et, penchée en avant, j'inspectai l'ombre des sous-bois. Une silhouette se découpa entre les arbres et traversa à petites enjambées une barrière de buissons. Il était vêtu des mêmes frusques que lors de notre dernière rencontre, mis à part qu'elles étaient poussiéreuses et fripées par le froid. Dès qu'il m'aperçut, une lueur de contrariété apparut dans son regard. Il s'approcha de la porte et me dévisagea d'un air si froid que même le vent me parut soudain plus doux.

« Que fais-tu ici ? » me demanda-t-il de but en blanc.

Je me crispai. « Pardi ! J'ai l'air de faire quoi à ton avis ? Je t'attendais. Je me faisais du souci.

– Pour quelles raisons ?

– Tu le demandes ? Tu t'es lancé à la poursuite de ces hommes, seul et sans arme, bien sûr que j'étais inquiète ! »

Il haussa les épaules, comme si ce n'était qu'une bagatelle, et grimpa la volée de marches qui le séparait de la porte. « Tu devrais rentrer maintenant, me dit-il, il est tard. »

Je le considérai, éberluée, avant de me relever droite comme un i et de le toiser d'un regard noir. « Tu pourrais au moins avoir la décence de me demander comment s'est passée la petite balade en ville que j'ai faite sur TON conseil, pour ne pas dire commandement !

– Très bien, je t'écoute », fit-il en croisant les bras sur sa poitrine.

J'étais tellement surprise que j'eus l'air d'une idiote à chercher mes mots. Il n'eut pas un geste ou une parole pour m'encourager. Je fronçai les sourcils, furieuse, pris une profonde inspiration et me lançai dans un résumé de mes aventures : « Je me suis disputée avec cet imbécile d'Artanbo. Je lui ai demandé d'envoyer une patrouille dans la forêt. Il m'a ri au nez. Tout le monde me prend pour une… Bah ! Laisse tomber. »

Je passai à côté de lui en haussant les épaules et sautai au bas des marches. Le dos à peine tourné, je l'entendis abaisser la poignée de la porte et se taper les pieds sur le paillasson. La colère me submergea aussitôt. Je fis volte-face.

« Comment savais-tu que ces hommes étaient des soldats de Noterre et non des Foulards Rouges ? »

Il s'immobilisa sur le perron. « À cause de leurs armes, répondit-il sans me regarder.

– Tu les as suivis ?

– Oui, jusqu'au gué de l'El-Kassen... L'interrogatoire est fini ? Je suis épuisé. »

Je me tus un instant, hésitante, puis, d'un ton sec, demandai : « Qui était le cavalier avec qui tu parlais l'autre jour ? »

Ses épaules frémirent légèrement. « Un marchand qui s'était perdu. »

Je faillis avaler ma salive de travers. Me prenait-il vraiment pour une idiote ?

« Rudement bien habillé pour un marchand, avec une épée à la ceinture en plus. »

Brenwen se retourna brusquement et me dévisagea. « Pourquoi toutes ces questions ? »

Je haussai les épaules. « Pourquoi es-tu soudain si distant ?

– Parce que je suis fatigué.

– C'est tout ?

– Bien sûr. Pourquoi voudrais-tu qu'il y ait autre chose ?

– Je n'en sais rien », avouai-je.

Il me regarda un moment sans rien dire, les mains enfouies dans les poches. De plus près, ses vêtements paraissaient plutôt propres pour quelqu'un qui avait passé deux jours à traquer une troupe de soldats dans la forêt. Ses cheveux blonds étaient retenus par un cordon de cuir. Quelques mèches s'en étaient échappées et assombrissaient son visage, mais, dans l'ensemble, il avait une allure pour le moins étudiée. Sa figure demeurait aussi imperturbable qu'à l'accoutumée, à une exception : il se mordillait la lèvre. De nervosité ?

Je ne pensais pas prononcer un jour de tels mots, mais j'étais trop énervée pour réfléchir : « Il est tard. Je n'ai aucune envie de rentrer à cette heure-ci toute seule. » Une étrange expression se peignit sur son visage. « M'offrirais-tu l'hospitalité pour la nuit ? »

Il resta silencieux – ce qui en soi était déjà fort surprenant – et se contenta de s'écarter du passage. Je revins aussitôt sur mes pas, grimpai les escaliers et entrai dans la maison sans le regarder. La maison en question tenait d'ailleurs davantage d'une cabane que d'une véritable demeure. Quatre murs et un toit mal équarri. Il y avait, en tout et pour tout, une seule pièce qui servait de chambre et de cuisine. Les latrines se trouvaient dehors, dans un abri construit à la va-vite au fond du jardin.

Brenwen referma la porte derrière lui et se dirigea vers la cheminée. Il jeta deux bûches dans l'âtre et s'escrima à faire partir le feu. La pièce était froide, mal éclairée. Une odeur d'épices imprégnait l'air. De la vaisselle s'entassait dans un baquet d'eau croupie. Une serviette sale traînait sur une commode qui n'avait pas été nettoyée depuis des lustres au vu de la poussière qui s'accumulait dessus. Une bouteille d'eau-de-vie trônait au milieu de la table de la cuisine. Je m'approchai et m'installai sur une chaise.

Le feu partit enfin et Brenwen se redressa en faisant craquer son dos. Il se retourna et me vit examiner le lit défait, ainsi qu'une armoire débordante de vêtements mal repassés.

« Je vis seul depuis longtemps, déclara-t-il, comme si cela pouvait expliquer la mauvaise tenue de sa demeure.

– Je commence à comprendre pour quelles raisons tu me courtises ! » Il eut un petit rire qui s'étiola rapidement. « Depuis que je te connais, continuai-je, c'est la première fois que je mets les pieds ici.

— C'est vrai. Je ne suis ni un grand maître de maison, ni un excellent hôte. Tu veux boire quelque chose ?

— Je veux bien. »

Il se dirigea vers la commode, sortit deux verres propres et me servit l'eau-de-vie qui était sur la table.

« Elle est forte, méfie-toi », me prévint-il.

L'alcool me brûla la gorge et je le sentis descendre jusque dans mon estomac. Je m'essuyai la bouche du revers de la main et reposai le verre sur la table.

« Tu aurais dû venir en ville avec moi, déclarai-je finalement.

— Pourquoi ?

— Pour les convaincre que je ne racontais pas de mensonges.

— Ils ne m'auraient pas cru davantage que toi. Tu le sais aussi bien que moi. En ville, on m'appelle encore l'Errant.

— Tu as sans doute raison, mais peut-être auraient-ils considéré la situation différemment. Peut-être auraient-ils envoyé une troupe dans la forêt.

— Ça n'aurait rien changé de toute façon. Les soldats de Noterre ne se sont pas vraiment attardés dans le coin.

— Que venaient-ils faire par ici ? » demandai-je.

Il eut un mouvement d'ignorance et se laissa tomber sur une chaise à mes côtés. « Aucune idée. Je suppose que, des deux côtés de la frontière, des troupes ennemies se baladent continuellement en quête d'informations. » Il sifflota le reste de son verre, puis le reposa sur la table dans un bruit mat. « Il se fait tard. Tu n'as qu'à prendre mon lit.

— Où vas-tu dormir ?

— J'ai des couvertures qui traînent dans l'armoire. Près du feu, ce sera très bien. »

Je ne cherchai pas à discuter. Je me relevai de la chaise et portai nos deux verres dans l'évier. Brenwen me regarda faire d'un air vaguement amusé et eut la courtoisie de m'éviter un commentaire sarcastique. Il se redressa en étirant son bras gauche, et une grimace se figea un instant sur ses traits jusqu'à ce qu'il me voie l'observer. Il en gomma la moindre trace et se dirigea vers l'armoire d'où il extirpa un gros édredon en plume et une épaisse couverture de laine bleue. Il les jeta sur le sol près du feu et se laissa mollement tomber dessus en poussant un gémissement qui n'avait rien de joyeux.

« Tu es sûr que tu seras bien par terre ? demandai-je en m'asseyant sur le bord du matelas.

— Pourquoi ? Tu veux partager le lit ? » fit-il sans sourire.

Je ne pris pas la peine de répondre et haussai les épaules en feignant le mépris. Cette fois, il émit un petit rire, avant d'enfoncer la tête dans son oreiller. Il se tourna ensuite sur le flanc droit, face aux flammes.

Assise sur le lit, j'ôtai mes chaussures et mes bas sans cesser de l'observer. Il agissait étrangement ce soir. Le Brenwen que je connaissais aurait sûrement profité de l'aubaine que je dorme dans son lit, dans une maison où nous étions seuls tous les deux. Or, il était distant et froid. Ce n'était pas dans ses habitudes.

Je renonçai et basculai dans les draps. Son odeur imprégnait les étoffes. Un mélange de sueur et d'épices. Tout habillée, je m'enroulai dans les couvertures, puis lorgnai du coin de l'œil le jeu des flammes et la silhouette de Brenwen qui se découpait dans la lumière.

« Brenwen… murmurai-je.

— Je voudrais dormir, Naïs, il est tard. »

Sa réponse cassante me fit tressaillir et me cloua le bec.

Les flammes dansottaient sur son corps et éclairaient son profil. Je percevais la courbe de son nez et la ligne de ses sourcils blonds. Sa peau, d'ordinaire hâlée, me semblait pâle tout à coup. Il tremblait, ce que je pris au début pour des frissons dus au froid. Il se contracta brusquement et chaque muscle de son corps parut se tendre jusqu'à la douleur. Je me relevai aussitôt et sautai au bas du lit. Je me précipitai vers lui et m'agenouillai à ses côtés. Il ne bougea pas et resta obstinément tourné face aux flammes.

« Retourne te coucher, m'ordonna-t-il sèchement.

— Tu saignes », protestai-je en éludant sa remarque.

Je frôlai la trace de sang qui s'étendait subitement sur toute son omoplate et maculait sa chemise.

« J'ai dû me couper avec une branche », dit-il. Pour le contredire, j'appuyai doucement sur la tache de sang. Il grogna. « T'es folle ! Qu'est-ce que tu fais ?

— Si cette blessure est due à une branche, alors elle ne t'a pas raté. Montre-la-moi. Tu ne dois pas rester comme ça.

— Je te dis que ce n'est pas grave », s'agaça-t-il en se relevant sur les coudes.

Une grimace de douleur s'imprima brièvement sur ses traits.

« Arrête de te comporter en imbécile et montre-moi cette blessure. Elle pourrait s'infecter.

— Ce que tu peux être têtue !

— Je te retourne le compliment, arguai-je en tirant sur un pan de sa chemise. Enlève-la maintenant… Je ne retournerai pas me coucher tant que je n'aurai pas soigné cette blessure. »

Il poussa un râle d'exaspération et, avec maintes précautions, retira sa chemise.

« Je ne t'avais jamais vu si pudique, me moquai-je.

— Et c'est toi qui dis ça ? » fit-il en laissant tomber sa liquette sur le sol.

J'eus un sourire. « Tourne-toi. »

À contrecœur, il m'obéit et s'assit face aux flammes. Si cette blessure avait été faite par une branche, alors j'aurais tout aussi bien pu devenir reine d'Asclépion. Elle était vilaine, longue d'au moins deux pouces, sanguinolente et si bien dessinée qu'on percevait encore le dessin de l'arme. Une épée. La plaie était assez profonde, mais aucun organe sérieux ne semblait avoir été touché.

« As-tu de quoi désinfecter la plaie ? demandai-je.

– Dans la commode, tu trouveras ce qu'il faut. »

Je me relevai, me dirigeai vers l'établi, farfouillai à l'intérieur et dénichai tout ce dont j'avais besoin. Pour un simple paysan, Brenwen était plutôt bien fourni en bandages, alcools et diverses plantes médicinales. Je m'installai avec le matériel dont j'avais besoin, et commençai par nettoyer la blessure.

« Cette branche ne t'a pas raté, déclarai-je, en passant un linge humide sur sa peau.

– M-hm. »

Je me tordis la bouche, agacée qu'il puisse continuer de me mentir alors qu'il était évident que cette plaie n'était pas le fruit d'un petit accident. Je pris la bouteille d'absinthe et la renversai sur son épaule. Il poussa un grognement et bascula en avant, les deux mains posées à plat sur le plancher. Il haleta avant de reprendre lentement son souffle.

« T'essaies de me tuer ! s'écria-t-il. Qu'est-ce qui te prend ?

– Ce qui me prend ? m'exclamai-je. D'où te vient cette blessure, Brenwen ? Cesse donc de me prendre pour une idiote. C'est une épée qui t'a fait ça. Pas besoin d'être un soldat pour le deviner. Alors ? »

Il tourna la tête vers moi, son visage couvert de sueur. « À ton avis, comment me suis-je fait ça ?

– Tu as poursuivi les soldats de Noterre… Tu t'es fait surprendre ?

– Quelque chose dans ce goût-là.

– Dans ce goût-là », répétai-je.

J'inspectai brièvement les onguents que j'avais sélectionnés avec soin dans la commode, en choisis un au chèvrefeuille et l'appliquai sur son omoplate.

« Tu sais ce que tu fais au moins ? me demanda-t-il.

— Bien sûr, qu'est-ce que tu crois ? Toutes les femmes d'Asclépion savent soigner une blessure. Est-ce que c'est toi qui as préparé ces onguents ?

— Oui.

— Où as-tu appris ce savoir ?

— Pour un vagabond, il est préférable de connaître quelques petites astuces pour se soigner.

— Pour un vagabond, voilà bien longtemps que tu n'as pas erré ! » lui fis-je remarquer.

Il poussa un soupir. « C'est vrai.

— Pour un vagabond, tu connais beaucoup de choses. » Il redressa le cou sans toutefois me regarder. « Pour un vagabond, tu t'exprimes rudement bien.

— Je vais prendre cela pour un compliment, dit-il en esquissant un obscur sourire.

— Celui qui t'a infligé cette blessure est-il mort ? »

Cette fois, ses yeux croisèrent les miens. « Oui », dit-il, puis il prit la bouteille d'absinthe et but de longues gorgées.

« Je vais te préparer une tisane de camomille pour faire baisser ta fièvre, ça sera plus efficace que l'absinthe.

— L'absinthe a meilleur goût. »

Je haussai les épaules.

Une fois le cataplasme étalé sur toute la surface de la plaie, je pris soin de lui bander le torse de manière à le maintenir en place.

« Évite de trop bouger durant la nuit, le prévins-je. As-tu de quoi préparer une tisane ? »

— Dans le placard. »

Je dégotai une casserole, mis l'eau à bouillir, préparai la camomille. Lorsque l'eau fut à ébullition, je la servis dans deux bols et laissai la camomille infuser. Je m'assis aux côtés de Brenwen et observai d'un air lointain l'eau se colorer lentement dans des nuances orangées.

« Tu n'as pas trop mal ? lui demandai-je.

— Je survivrai. Merci pour ton aide.

— Tu aurais dû me le dire dès ton retour.

— Je ne voulais pas que tu t'inquiètes.

— Je m'inquiétais déjà. »

Il se pencha vers moi. « Fais attention, si tu continues comme ça, tu vas finir par tomber amoureuse de moi », plaisanta-t-il.

Je ris doucement en ramenant mes jambes contre ma poitrine. L'eau de l'infusion se troubla et une délicate odeur remplit la pièce. Brenwen saisit l'anse du bol et le porta à ses lèvres. Il but rapidement sans se soucier de la chaleur de l'eau. Sa main tremblait sur la poignée. Des sillons de douleur se creusaient sur son visage et des gouttes de sueur imprégnaient son front et quelques mèches de cheveux. Je posai la main sur sa joue. Brûlante. Brenwen garda le bol à la main et demeura silencieux.

« Tu devrais te reposer. Tu es brûlant de fièvre. »

Il acquiesça et acheva de boire son infusion.

Je me redressai et défroissai ma robe. Brenwen leva les yeux vers moi et s'humecta les lèvres d'un coup de langue.

« Va te coucher... dans ton lit », précisai-je.

Il tourna la tête vers son lit défait et l'observa, une lueur étrange dans les yeux. « Ça ira, dit-il finalement.

— Fais ce que je te demande pour une fois. Va dormir dans ton lit, bon sang de bois. Tu es blessé. Tu n'as pas besoin de dormir sur le sol. Allez. Oust ! »

Un sourire rompit ses lèvres. « Bien, bien, je n'insiste pas. »

Il se releva péniblement en retenant un gémissement derrière ses mâchoires serrées. Je l'attrapai par le bras pour l'aider à se tenir droit. Ses doigts se replièrent autour de mon poignet et, en se servant de moi comme appui, il marcha jusqu'à son lit dans lequel il s'allongea en poussant un nouveau grognement. Il s'étendit sur le flanc, en chien de fusil, et enfonça la tête dans l'oreiller. Je rabattis aussitôt les couvertures sur lui.

« Ne bouge pas trop, lui recommandai-je.

— Ne te fais aucun souci. Je ne danserai pas la gigue ce soir. Va te coucher, Naïs. Tout ira bien. »

J'opinai, puis m'éloignai vers l'âtre. Je m'allongeai et me calai confortablement au milieu des couvertures. Tournée vers le feu, je contemplai les flammes rongeant les bûches, laissant la cendre s'envoler autour d'elles en de longs rubans noirs.

La respiration de Brenwen se calma rapidement dans mon dos. Je me retournai sur les coudes et étudiai les traits de son visage. Il était pâle, quoique couvert de sueur. Une ride se creusait entre ses deux sourcils blonds et sa lèvre inférieure frémissait. Par à-coups, sa respiration devenait sifflante, puis s'apaisait. Son sommeil était agité, mais au moins il dormait.

Sans faire de bruit, je me relevai, puis commençai par farfouiller dans les placards jouxtant l'évier. Méticuleusement, je passai au chiffonnier. Je soulevai plusieurs chemises propres pliées, trouvai un ou deux papiers sans importance et un gousset en Hedem dans lequel brillait un pendentif en forme d'étoile. Je le remballai soigneusement et me dirigeai ensuite vers l'armoire. En l'ouvrant, la porte couina. Je m'immobilisai net. Brenwen remua légèrement dans son lit. La ride entre ses sourcils parut s'approfondir. Il expira avec bruit, puis parut retrouver son calme. Je finis d'ouvrir le vantail. Un épais manteau en Hedem pendait de guingois à son cintre, une écharpe en laine enroulée autour. J'aperçus un plastron en cuir, posé sur l'une des étagères. Quelques harnais étaient suspendus à la porte. Je découvris aussi un portrait, un enfant peint devant une belle maison de pierre ocre dont la porte était ornementée d'un fronton ouvragé. Derrière lui se tenait un homme, assez grand et de belle carrure, vêtu d'un costume luxueux propre aux guerriers de prestige. Je reposai la peinture en me demandant pour quelles raisons Brenwen la gardait parmi ses affaires. Je fouillai plus loin dans l'armoire en écartant l'épais manteau qui me gênait. La tête enfouie au milieu de l'étoffe, j'entrevis une lueur tout au fond du meuble. Je tendis la main vers elle et mes doigts se refermèrent sur une épée. Je me coupai le pouce sur la lame aiguisée et étouffai un juron entre mes dents. Je lapai le sang qui gouttait de mon doigt, fronçant les sourcils, puis tirai l'épée hors de sa cache. C'était une belle arme, brillante, d'un acier tranchant. Sa garde était faite de deux ailes déployées et sa poignée était en ivoire sans fioritures. Je la tenais à pleines mains, stupéfaite. D'ordinaire, les fermiers ne possédaient pas ce genre d'armes dans leur armoire. Tout au plus se contentaient-ils d'arcs, de poignards, voire d'une lance ou deux. Les épées, en revanche, étaient le privilège des seigneurs, des maîtres de guerre et des soldats.

« C'est impoli de fouiner dans les affaires des autres ! »

Je sursautai, puis, lentement, en avalant ma salive, me retournai vers Brenwen. Il se tenait sur un coude et m'observait, les yeux brillants de colère.

« Je... » Je baissai la tête sur l'arme. « Pourquoi caches-tu cette épée ? » demandai-je en la brandissant devant moi.

Un éclair traversa le regard de Brenwen. Il se redressa en repoussant les couvertures et s'assit en bordure du lit. « Pose cette épée avant de te blesser, me dit-il sans méchanceté.

— Pourquoi caches-tu cette épée ? réitérai-je.

— Cela ne te regarde pas. Tu n'as même pas la courtoisie de te repentir ! Repose-la. »

J'éludai sa remarque. « Il y a un écu sur la garde. Qu'est-ce que c'est ? Un busard, n'est-ce pas ? dis-je en lui désignant le blason de l'index. As-tu volé cette arme ?

— Ce ne sont pas tes affaires », me dit-il en se remettant debout.

D'un pas maladroit, il s'avança vers moi. Par réflexe, je me reculai vers l'âtre, les doigts crispés sur la garde de l'épée. Il me regarda, surpris, et s'arrêta à quelques pas. « Tu as peur de moi ?

— Je… je ne suis plus sûre de savoir à qui j'ai affaire.

— Pourquoi ? Parce que tu découvres une épée dans mon armoire ? Je ne suis pas le seul à en posséder.

— Il n'y a que les hommes de guerre et les mercenaires à pouvoir en arborer une.

— C'est pourquoi elle est dans mon armoire et non à ma ceinture, répliqua-t-il.

— Peut-être as-tu raison, mais, dans ce cas, elle devrait être dépourvue d'armoiries, non ? »

Il garda le silence, les yeux plantés dans les miens. La fièvre barrait son front. D'un geste agacé, il repoussa une mèche de cheveux, puis se traîna mollement vers une chaise sur laquelle il se laissa tomber avec lourdeur.

« Je savais que je n'aurais pas dû prendre cette épée, dit-il soudain dans un demi-sourire.

— Je ne comprends pas. »

Son sourire s'élargit et ses yeux se posèrent sur l'épée. « L'orgueil sera la perte de l'homme, déclara-t-il. C'est ce que me répétait mon père lorsque j'étais enfant.

— Ton père disait des choses sensées dans ce cas.

— En effet. »

Je me rappelais d'une conversation où Brenwen avait évoqué son père en propos injurieux, un vieil ivrogne, avait-il déclaré d'un ton sans concession.

« Où veux-tu en venir ? » demandai-je.

Il poussa un profond soupir. « Je savais que cela serait difficile dès que j'ai posé les yeux sur toi. Je savais que cela serait difficile dès que je me suis rendu compte de ton mauvais caractère. » Il émit un petit rire en contemplant le feu qui brûlait derrière moi. « Et ce fut pire ensuite, lorsque j'ai commencé à éprouver des sentiments à ton égard. »

Son regard croisa le mien.

« Qu'est-ce qui serait difficile ? demandai-je, les doigts tremblant sur la garde.

— D'accomplir ma mission. »

Je reculai d'un pas, ayant trop peur de comprendre où il souhaitait en venir. « Ta mission ?

— Il n'est jamais bon pour un soldat d'aimer ce qu'il est censé protéger. Il n'a plus l'esprit assez clair pour bien faire son travail. » Je relevai la tête, piquée. J'ouvris la bouche, puis la refermai. Un sourire fendit ses lèvres. Ses yeux couleur cendre se suspendirent aux miens d'un air sarcastique. « Je suis un piètre menteur finalement. Je devais garder le secret sur les raisons de ma venue ici. Or, tu m'ôtes tout espoir d'y parvenir. Voudront-ils me croire lorsque je leur dirai de quel pouvoir de persuasion tu disposes ? se moqua-t-il. Bah ! Après tout, quelle importance ! » Il se tordit la bouche, l'air de réfléchir. « En vérité, ça m'étonne que tu n'aies pas compris toute seule... » Il soupira une nouvelle fois. « Le busard sur la garde est l'emblème de ma famille. » Il me désigna d'un coup de menton la gravure sur la poignée. « Mon nom n'est pas Brenwen Eschème mais Brenwen de Montségure.

J'ai été envoyé à Macline afin de garder un œil sur la famille Amorgen. Depuis la nomination de Seïs en tant qu'apprenti de Mantaore, Elisse a estimé qu'il était plus prudent de veiller sur ses proches dans l'éventualité où Noterre souhaiterait se servir de cet appui comme moyen de pression. On m'a donc assigné cette tâche. »

Il se tut et, le regard lancé sur moi, attendit une réponse de ma part. Je déglutis, puis fixai le busard inscrit dans le métal. Des centaines de questions se bousculaient dans ma tête, toutes plus passionnantes et brillantes les unes que les autres, au lieu de cela, je ne trouvai rien d'autre à dire que : « Tu n'es pas un Errant ! »

Son rire moqueur éclata avant de se transformer en quinte de toux. Il s'essuya la bouche et me dévisagea d'un air amusé. « Non, Naïs, je ne suis pas un Errant.

— Tu… enfin, tu… »

Je secouai la tête dans l'espoir de retrouver le sens de la parole et un semblant de réflexion.

« J'ai reçu l'ordre de veiller sur toi et les tiens, c'est ça. Mission d'un grand prestige pour maintes raisons, dont celle de t'avoir rencontrée. Je rends compte directement à Tel-Chire d'Elisse, par l'intermédiaire du cavalier que tu as aperçu. Et, si tu m'as surpris en colère lors de notre discussion, c'est justement parce qu'il avait lui-même remarqué les troupes de Noterre dans la forêt et qu'il venait de me l'apprendre. Tu n'étais pas censée les voir. Personne ne l'était d'ailleurs.

— Tu sais pourquoi ils étaient là, n'est-ce pas ? réussis-je à demander.

— Non, je l'ignore. Il arrive fréquemment que des soldats ennemis parcourent nos territoires, comme les nôtres traversent parfois la Principauté. Les frontières existent, mais elles ne sont pas impénétrables. Dans l'un comme dans l'autre camp, tout le monde cherche à espionner et à saisir des opportunités. La guerre n'est plus officielle, mais dans l'ombre, elle perdure. C'est pour cette raison que je suis là. L'occasion est belle pour Noterre d'aiguillonner les Tenshins en usant de perfides moyens. Tel-Chire d'Elisse ne voulait pas courir le moindre risque. Il tient à Seïs et croit beaucoup en lui. De plus, il sait à quel point il tient à toi. Il m'a demandé de te défendre quoi qu'il m'en coûte si l'urgence devait un jour s'en faire sentir, en particulier depuis la mort d'Antoni.

— La mort d'Antoni ? répétai-je en sursautant.

— Oui, je crois que lors de sa mort, il s'est passé quelque chose d'étonnant à Mantaore. Tel-Chire m'a ordonné de redoubler ma surveillance à ton égard.

— C'est parce que Seïs m'a parlé », m'exclamai-je.

Brenwen me jeta un obscur regard. « Il t'a parlé ? s'étonna-t-il.

— Oui, mais j'ignore par quels moyens.

— J'en ai une vague idée. »

Tout en conservant l'épée à la main, je me laissai choir sur l'édredon près du feu et contemplai le visage pâle et maladif de Brenwen.

« Tu es un soldat, murmurai-je, sans réaliser encore pleinement toutes les perspectives de ces simples mots.

— Oui... Je suis navré de t'avoir menti, Naïs. »

Je lui fis un signe de la main pour le faire taire. « Ce n'est pas grave. Enfin… tu ne m'as raconté que des sornettes sur ta vie, mais si tu consens à combler les manques, il n'y a aucune raison pour moi de t'en vouloir. Du reste, je comprends pourquoi tu l'as fait… Brenwen de Montségure. Bon sang, ça sonne étrangement. J'en connais en ville qui seraient verts de honte s'ils venaient à apprendre que tu es un seigneur d'Elisse.

— Mon père peut se vanter d'être un seigneur terrien. Je ne suis qu'un humble soldat, rit-il.

— Je suppose pourtant que l'on ne remet pas la charge de protéger la famille d'un apprenti à n'importe quel soldat de la garde, lui fis-je remarquer.

— C'est bien possible. »

Je déposai l'épée à mes côtés et frôlai le manche d'ivoire du bout des doigts. « Elle est très belle.

— C'est vrai. Elle appartenait à ma mère.

— À ta mère ? m'étonnai-je.

— En effet, ma mère était un redoutable bretteur. Elle m'a cédé son arme lorsqu'elle est morte. »

Je me tus un instant et contemplai le visage de Brenwen. La lueur des flammes jouait dans ses yeux.

« Je n'en reviens toujours pas ! » m'exclamai-je.

Son rire emplit la maison. « Je comprends. Cela étant, il va te falloir garder le secret.

— Je m'en doutais un peu. Ne te fais aucun souci, je ne dirai rien.

— Je ne suis pas inquiet.

— Tu devrais te reposer, maintenant. Je suppose que j'aurai tout le temps de t'assaillir de questions demain matin. »

Il acquiesça et se redressa en laissant échapper une plainte. J'allais me relever pour l'aider, mais il me fit signe de ne pas bouger. Il se dirigea vers le lit, s'allongea puis se couvrit jusqu'au menton de couvertures en laine.

« Dis-moi une chose tout de même… » Il releva la tête. « Que se passera-t-il lorsque Seïs reviendra à l'automne ? » demandai-je.

Un éclair brilla dans ses yeux et je compris aussitôt. Un frisson me transit. Brenwen Eschème reprendrait la route et Brenwen de Montségure aurait accompli sa mission. Tout rentrerait dans l'ordre.

CYCLE X

NOUVELLE DONNE

An 2080

Le vent soufflait à la pointe de la baie des Pierres Tombales. Du haut de la falaise, je dominais l'océan et ses épieux plantés dans les eaux grises, telles des écailles de dragon. Le soleil de midi déferlait sur moi. Il faisait chaud, délicieusement chaud, malgré la bise marine. Des mouettes voltigeaient au-dessus de ma tête. Elles piquaient du nez vers la mer et refluaient dans un ciel limpide, sans nuage, déployant leurs ailes blanches dans un vent mordant. Sur mes arrières, le maquis et les quelques pinèdes éparses se balançaient de gauche à droite. Des parfums d'herbes sèches et d'euphorbes m'enveloppaient. J'en savourais chaque odeur. Je me délectais du paysage que m'offrait la cordillère des Amors. Le vent soulevait mes cheveux détachés. Ma tunique d'un bleu océan battait mes jambes. La pression du sabre contre ma hanche était enivrante. L'année passée, j'avais réussi haut la main les examens de fin de cycle ; j'avais gagné mes galons de guerrier et avec eux, le droit d'arborer un sabre, que je quitte Mantaore en tant que Tenshin ou non. Le ressac chantonnait à mes oreilles et me grisait. La houle était violente en heurtant les rochers de la falaise. Les embruns cinglaient mon visage.

Nous étions en l'an 2080, j'avais 23 ans, et mon apprentissage touchait à sa fin. L'été planait au-dessus de nos têtes. Tous les parfums d'un temps de plaisir et de repos s'offraient à nous. Je songeais aux épreuves passées et enfin achevées. Je songeais à la réussite, puis à la défaite, à ce que j'avais acquis ici, à mes faiblesses, mes qualités, à ce que j'avais trouvé et que, peut-être, j'allais perdre.

Le cri d'un aigle perça dans mon dos en provenance de la cordillère.

« Seïs ! »

L'odeur épicée de Lampsaque envahit le belvédère. Il était à quelques mètres derrière moi, les yeux plissés dans la lumière vive de ce dimanche d'été. Il tenait sa main en pare-soleil devant son visage.

« C'est l'heure », me dit-il. Sa voix sonna comme un cor avant une exécution. « Tu viens ? »

J'abandonnai la ligne d'horizon flamboyante de soleil et me tournai vers lui, les mains fourrées au fond des poches. Le rouquin s'était vêtu pour la circonstance : tunique flambant neuve, blanche avec des macramés vert olive sur le pourtour des manches et du col, un haut-de-chausse noir et des bottes d'Hedem rutilantes de propreté. Il avait coiffé ses cheveux sauvages et on aurait dit un bon petit soldat, avec son épée au flanc. Il avait fière allure. Il ne ressemblait plus au rustaud qui avait franchi les murs de Mantaore cinq ans plus tôt. Il n'avait plus rien à envier à l'élégance infatuée d'Ion le blond ou au charisme de Théo l'albinos. Il avait l'apparence d'un maître.

« Allons-y », dis-je en le rejoignant.

Il jeta un ultime regard sur la baie, comme si c'était la dernière fois qu'il la voyait. J'observai son profil, comme si c'était Lampsaque que je voyais pour la dernière fois. Puis je l'attrapai par le bras et l'entraînai vers la plage. Il n'était plus temps de ruminer.

« Je t'ai cherché, me dit-il en longeant la falaise.

— T'as pas beaucoup cherché. Je n'étais pas bien loin », fis-je remarquer.

On se fraya un passage au milieu du maquis et, lentement, en prenant notre temps, on descendit vers la grève des Pierres Tombales, sautant d'un rocher à l'autre avec aisance.

« Qu'est-ce que tu fichais perché là-haut ? me demanda-t-il.

— J'admirais le paysage et je réfléchissais un peu.

— À quoi ? »

Je haussai les épaules en bondissant dans le sable. « À quoi puis-je réfléchir, imbécile ? » Il secoua la tête en souriant. Une mèche rousse se détacha de son chignon impeccable et il passa les minutes suivantes à essayer de la remettre en place.

« Qu'est-ce que tu vas faire si tu échoues ? demandai-je.

— Je vois que tu es confiant !

— Ce n'est pas ce que je veux dire, tu le sais très bien.

— Ouais, ouais. » Il pouffa de rire, puis lorgna la mer et redevint sérieux. « Je rentrerai sûrement à la maison. J'épouserai une jolie fille et je me servirai de ce que l'on m'a enseigné ici pour aider un peu. Et toi, qu'as-tu l'intention de faire ?

— Je n'en sais trop rien encore.

— Cela ne m'étonne même plus. »

J'émis un petit rire. « Ça fait un bout de temps que j'y réfléchis. Je retourne la question dans tous les sens et aucune réponse ne semble finalement me convenir.

— Tu ne veux pas retourner à Macline ? »

Je ne répondis pas tout de suite. Nous traversâmes le pont en silence et marchâmes d'un pas tranquille sur le plateau de l'Ourdos.

« Parfois, j'en ai envie, avouai-je, et ensuite, je me dis qu'il serait préférable que je reste loin de Shore-Ker.

— À cause d'elle ? »

Je détournai la tête vers les Gardes Noirs sans répondre.

« Bon… et dis-moi, si tu venais à réussir, qu'est-ce que tu ferais ? me demanda-t-il en roulant un bras sur mes épaules.

– Aaaah ! Ma foi, je prendrai le chemin en droite ligne vers Glanmiler pour siroter quelques bouteilles en compagnie de Den et de Tharus. Qu'est-ce que tu en dis ? Intéressé, l'ami ?

– J'en dis que tu me gardes une place au chaud. »

On éclata de rire à cette pensée. Glanmiler était le repère des ivrognes et des jean-foutre. L'endroit idéal pour des gens comme nous.

Les portes de Mantaore étaient grandes ouvertes. Lorsque l'on pénétra dans la cour intérieure, nos quatre compagnons étaient occupés à attendre leur sort avec plus ou moins d'impatience. Tolsin tentait d'achever la lecture d'un manuscrit d'un quelconque érudit, le nez en l'air et les yeux plongés dans le vague. Ion le blond tournait en rond, les bras croisés dans le dos. Len-Mar le bagarreur avait l'air d'un ours en cage, cognant du bout de la botte contre les cailloux. Théo l'albinos, en revanche, paraissait serein. Assis sur une botte de paille dans un recoin de la cour, les bras ramenés contre sa poitrine, il me fixait de ses yeux bleu délavé.

Quand on les rejoignit, Len-Mar m'adressa son sourire de requin et me lança : « Je te foutrais bien sur la gueule, Amorgen.

– Pourquoi ? T'es nerveux, fillette ? »

Il ne répondit rien et tapa dans une pierre qui roula sur les dalles. Lampsaque s'installa sur l'un des bancs, jambes écartées, mains pendantes. Il m'adressa un regard inquiet et se mit à triturer ses doigts de nervosité. Je restai debout. Je m'adossai contre l'un des murs, un pied calé sur la pierre.

La tension était palpable, presque grisante. Un silence inaccoutumé régnait. Les lads avaient fui la cour. Les domestiques se terraient. Nous étions seuls. À l'étage, dans la grande salle des conseils, les sept maîtres d'Asclépion étaient assemblés en réunion exceptionnelle.

L'heure des délibérations était enfin venue.

Comme aucun de nous ne parlait, mon regard vagabonda sur le château, les tours, les arcades, les portes sombres, puis sur mes compagnons. Mantaore était devenu une seconde maison, une maison baroque, aux règles insolites et souvent dures. Pourtant, je m'y sentais chez moi. Or, là-haut, on jouait ma vie. Cette vie-là arrivait à son terme.

Et nous, les six apprentis de Mantaore, étions réunis pour la dernière fois.

Tolsin déposa son bouquin sur ses genoux et nous regarda les uns après les autres. « C'est la dernière fois que nous sommes réunis ensemble ici, Messieurs », déclara-t-il, faisant écho à mes pensées.

Ses yeux se posèrent sur la balustrade de la terrasse au-dessus de sa tête. Au-delà, la porte de la salle des conseils. Il se leva du banc, laissa son livre et se tourna vers nous. « Messieurs, quoi qu'il puisse arriver, j'ai été enchanté de vous connaître et d'affronter ces épreuves en votre compagnie. J'espère vous revoir lorsque tout sera fini. »

Il s'inclina devant nous, main sur le cœur. Ion le blond le considérait comme s'il s'apprêtait à fondre en larmes. Théo opina avec une certaine tendresse. Len-Mar ronchonna en faisant trop de bruits à mon goût. Lampsaque se leva, s'approcha de Tolsin et lui tendit la main.

« Moi aussi, vieux, j'ai été chanceux de travailler avec toi, dit le rouquin. Puissent tes jours être heureux, dans ce monde comme dans l'autre.

— Merci mon ami. Que tes jours soient aussi glorieux de ce côté que de l'autre. »

Lampsaque inclina la tête et revint s'asseoir sur le banc, à ma gauche.

« Tes pronostics ont-ils changé ? me demanda-t-il, sans lever les yeux.

— Non, ce sont toujours les mêmes. »

Len-Mar me bombarda d'un regard rogue. Je l'ignorai.

« Et en ce qui te concerne ?

— Je n'en sais rien, mais je suis sûr que dans quelques minutes, tu auras ta réponse. »

Je n'étais pas inquiet, alors que j'aurais probablement dû l'être. Je n'avais rien fait ici de spectaculaire qui puisse m'assurer une entrée glorieuse et tout en fanfare au sein de la Confrérie. J'avais été le trouble-fête de cette fournée d'apprentis. J'aurais dû m'angoisser de savoir ce que je ferais de ma vie si j'échouais. Comme j'ignorais toutes les réponses, je remettais ma vie entre les mains de ces sept types complètement dingues qui étaient assis à l'étage. Advienne que pourra.

La petite tête grisonnante de Borlémir se découpa par-dessus la balustrade. Il se pencha en avant et ses deux prunelles minuscules nous scrutèrent.

« Lampsaque Clairefond, appela-t-il. C'est à toi d'ouvlil le bal.

— Et merde ! » s'exclama-t-il.

Le rouquin se redressa en faisant craquer son dos. Il s'étira, les bras levés vers un ciel clair. Une bonne journée pour changer de vie. Puis il se tourna vers moi.

« Dans cette vie ou dans l'autre, nous nous reverrons, mon ami », me dit-il d'une voix troublée.

Il me tendit la main. Je la saisis, puis l'attirai contre mon épaule.

« Dans cette vie, j'en suis sûr », lui assurai-je.

Il me sourit, fit un signe de la main aux autres et se dirigea d'un pas lourd vers les escaliers. Je l'observai monter lentement les marches vers l'échafaud de sa destinée, les yeux tendus vers la terrasse. Lampsaque était prêt. Il n'avait jamais été aussi prêt d'affronter son avenir. Il n'était ni le meilleur, ni le plus courageux, mais il avait la détermination de ceux qui souhaitent apprendre et réussir coûte que coûte.

J'aurais bien bu un verre en le regardant disparaître sur la terrasse. J'avais un pincement au cœur. C'était peut-être la dernière fois que je voyais Lampsaque Clairefond. À l'issue des délibérations, ceux qui n'étaient pas nominés quittaient le château en toute discrétion. C'était l'apanage d'une confrérie aux arcanes secrets. Seuls les initiés pouvaient y prétendre. C'était une rupture nette et définitive entre les puissants et les autres. Mantaore trônait au-dessus du commun. Nous le savions tous. Comme nous savions qu'en dépit de l'honneur d'une nomination d'apprenti, l'absence de la couronne de Mantaore dans nos chairs serait la marque de l'échec.

Ion vint s'asseoir sur le banc. Son visage était humecté de sueur et ses joues étaient piquées d'un rose virant au rouge. Ses doigts nerveux pianotaient sur ses genoux. Il fixait la cour d'un air anxieux, puis se releva d'un bond et arpenta de nouveau les pavés de l'atrium. Je n'avais pas beaucoup d'estime pour Ion. Je devais pourtant reconnaître que, depuis quelque temps, il avait changé. D'ailleurs, de nous tous, c'était peut-être lui qui avait le plus changé. Il n'existe pas de meilleures façons, pour tuer l'arrogance, que de prendre quelques baffes dans la figure. Ion aurait pu en témoigner. Len-Mar semblait avoir une dent contre lui (il avait une dent contre quasiment tout le monde) et il s'était fait un malin plaisir à lui enfoncer au fond du gosier toutes ses paroles fanfaronnes.

Quant à Len-Mar, il n'avait pas tellement évolué depuis son arrivée. Il prenait des coups et en donnait autant. Il aimait ça. Il était plus rusé qu'il en avait l'air, tout en restant plus habile à user de ses poings que de sa tête. C'était un homme en colère. Tout le temps. Toujours sur le qui-vive. Il ne faisait confiance à personne, pas même à son équipier.

De tous, Théo l'albinos me fascinait le plus. Ce type était habité. Il était à mi-chemin entre l'intelligence et l'instinct, entre la violence et la tempérance. Il me collait les foies. Il puait la mort, de ses yeux blancs à ses doigts blancs. Il possédait l'aura d'un tueur. Il me regardait toujours droit dans les yeux en n'importe quelle circonstance. Impossible de savoir ce qu'il pensait. Sa tête était une montagne de barrières par lesquelles une fourmi n'aurait pu s'infiltrer. Il était toujours très calme quand il flanquait une rossée à quelqu'un. Il ne clignait pas des yeux. Il n'ouvrait pas la bouche. Il ne criait jamais quand il avait mal. Il ne pleurait pas. Il ne doutait de rien. Il n'aimait personne. Il ne buvait pas une goutte d'alcool pour essayer d'oublier sa misérable vie d'autrefois. Il n'en voulait à personne. Parfois seulement il pensait à la femme du forgeron dont il avait été accusé du meurtre. Et quand il pensait à elle, il avait l'air encore plus serein.

« Seïs Amorgen... »

La voix de Borlémir. Je levai la tête, observai sa petite face obséquieuse et ses yeux fendus de méfiance.

« C'est à ton toul. »

Je me redressai, imitai Lampsaque en faisant craquer mes articulations. « Messieurs, dis-je, si je ne vous revois pas... Eh bien, ma foi, c'est que ma journée n'aura pas été entièrement pourrie. »

J'exécutai une révérence, sourire aux lèvres, et me précipitai dans les escaliers que je grimpai quatre à quatre.

« Salaud ! » beugla Len-Mar.

Je lui fis un bras d'honneur pendant que Tolsin me criait : « Bonne chance.

— À plus tard, futé. »

Je rejoignis Borlémir. Le petit bonhomme trapu, la bedaine débordante de sa chemise marron, était en train de mâchouiller des Herbes à Prophètes, accoudé à la balustrade. En m'avançant vers lui, je fixai ses chicots rougis, sa mâchoire pendante et les traces d'Herbes sur sa barbe blanche. Son jumeau était derrière lui ; il tripotait ses cheveux filasse et me lorgnait de son œil sournois.

« Tu es plêt ? me demanda Borlémir.

— Lampsaque ? » fis-je de but en blanc.

Il haussa les épaules, l'air de dire « Je ne sais rien, je ne vois rien et je n'entends rien », et posa sa main aux doigts poilus sur mon bras pour me pousser vers la porte. Résigné, je le suivis.

Borlémir poussa le vantail après avoir toqué, puis me laissa la place. Je guignai l'intérieur de la pièce par l'interstice, pris une profonde inspiration avant le plongeon dans la mare aux requins et fourrai les mains au fond de mes poches.

« Bonne chance, petit », murmura Gassiope avant que je franchisse la porte.

Je le dévisageai, estomaqué. Son visage demeura impassible. Je pris une nouvelle et longue inspiration, puis entrai. Je regardai droit devant moi, sans baisser les yeux.

La pièce avait été remaniée pour l'occasion en un tribunal officiel et cérémonieux. Une table en vieux chêne se dressait face à la porte. Derrière, les sept maîtres s'alignaient comme autant de juges prêts à proclamer leur sentence. Ils étaient tous vêtus d'un costume élégant.

Tel-Chire se tenait au centre de l'assemblée. En tant que Sansaï, le siège d'honneur lui revenait. Il était flanqué de Danel à sa droite et d'Al-Talen à sa gauche. Sur la table, les flammes des chandelles jouaient des ombres et des lumières sur leurs visages marmoréens.

Je me sentis minable devant eux. Je déglutis péniblement, faillis roter.

« Approche-toi », m'ordonna Tel-Chire.

Je m'avançai au milieu de la pièce sans les quitter des yeux, et m'arrêtai devant la table. Je retirai les mains de mes poches et les croisai dans mon dos. Je considérai mes juges à la lueur des chandelles. Les persiennes à claire-voie étaient tirées. Une pénombre angoissante s'arrogeait la pièce. Elle créait une sensation de fausse intimité. C'était voulu. Les maîtres aimaient nous rappeler, par de petits artifices, que Mantaore était avant tout une confrérie et, en tant que telle, qu'elle fonctionnait sur l'art de créer des fantasmes. La foi était une alliée. Croire et faire croire, c'était là l'ultime moyen de drainer les foules derrière soi, de garder le contrôle de ses ouailles. Ces artifices incarnaient le principe de base d'un gouvernement : manipuler la populace en faisant diversion. Attirer l'attention d'un côté, faire ce qui doit être de l'autre. Le mystère qui planait sur la Confrérie participait à créer la petite histoire, puis la légende, et de la légende au mythe, il n'y avait qu'un pas.

Je dévisageais mes juges en affectant un air faussement nonchalant.

Den s'était soigneusement coiffé. Al-Talen et Danel flamboyaient dans leur sempiternel costume blanc avec leurs grands airs de plénipotentiaires venus négocier la guerre. Cimen, en revanche, exhibait sa sobriété légendaire. Taranis avait opté pour une discrète livrée de guerrier, un pourpoint en Hedem brun ciselé, et Tharus s'octroyait le plaisir de déployer les guipures tape-à-l'œil du duché de Glanmiler, aux couleurs pimpantes de bleu vif et de jaune cocu.

Le temps que dura cet examen mutuel se prolongea longuement. On entendait les mouches voler dans la pièce. Tel-Chire me regardait comme s'il ne m'avait jamais vu et l'expression neutre de ses yeux m'irritait. Là où Al-Talen foutait la trouille d'un son de voix, Tel-Chire déstabilisait d'un simple coup d'œil impénétrable.

« Le moment fatidique que tu attendais avec tellement d'impatience est enfin arrivé, déclara-t-il d'un ton presque railleur. Ton apprentissage prend fin aujourd'hui. Nous avons tenu de longues délibérations pour chaque apprenti. Nous avons comptabilisé vos points lors des examens de fins de cycles pour chaque année écoulée et cela depuis votre arrivée. Penses-tu avoir acquis suffisamment de points pour prétendre devenir l'un des nôtres ? »

J'esquissai un semblant de sourire. « Je pense que vous vous fichez royalement des points. »

Tel-Chire releva un sourcil. « Ah oui ?... Continue...

— Je pense que cela fait longtemps que vous avez choisi ceux qui méritaient d'entrer au sein de la Confrérie et ceux qui n'avaient pas l'ombre d'une chance.

— N'est-ce pas faire offense à ceux qui ont accompli tant de progrès au cours de ces dernières années ? N'est-ce pas une vision simpliste du fonctionnement de la Confrérie et de ses membres ?

— Je le reconnais. Cela ne signifie pas pour autant que j'ai tort et vous ne prétendez pas non plus le contraire, Sansaï. »

Un furtif sourire passa sur les lèvres de Den.

« Peu importe, finit-il par dire. Une seule question mérite d'être posée, n'est-ce pas ? Peux-tu prétendre être l'un des nôtres ou ne le peux-tu pas ? »

J'émis un ricanement. « Si je comprends bien ce simulacre de tribunal, c'est à moi de me juger. Ai-je bien saisi les règles du jeu ? »

Tel-Chire hocha la tête. « M-hm, fit-il.

— Je ne suis pas le mieux placé pour statuer sur mes faiblesses. Je les connais, mais je n'aime pas en faire étalage. En revanche, je suis bien plus à l'aise quand il s'agit d'aborder mes qualités, déclarai-je dans un sourire mi-figue mi-raisin.

— Dans ce cas, quelles sont tes qualités ? »

Le sang-froid de Tel-Chire m'irritait.

« Voilà belles lurettes que vous connaissez mes qualités, au même titre que mes faiblesses. Vous nous avez jugés, interrogés, battus assez souvent pour le savoir mieux que quiconque. Vous nous connaissez mieux que notre propre mère. Où vont-elles nous mener toutes ces questions ?... » Je plantai mon regard dans celui de Tel-Chire avec l'aplomb du type un peu fou ou qui n'a plus rien à perdre. « Vous voulez savoir si je suis à la hauteur d'un maître ? m'exclamai-je. Je vous réponds : oui, plutôt deux fois qu'une et mieux que tous les autres.

— N'est-ce pas arrogant de te considérer supérieur à tes compagnons ? me demanda Danel.

— Vous m'avez demandé si je pouvais être l'un des vôtres, si j'en avais le potentiel, je vous réponds que oui, j'en suis capable. Où est la vantardise ? Je ne suis ni le meilleur, ni le plus obéissant — Al-Talen en témoignera volontiers — ni le plus brillant, mais j'encaisse mieux que tous les autres. Vous m'avez fait travailler jusqu'à en crever. J'ai appris à manier le sabre. » Ma main glissa inconsciemment sur la garde de mon épée. « Je fais des choses avec cet esprit que vous critiquez toujours parce qu'il est retord, je fais des choses que vous-mêmes, vous, grands maîtres, vous ne parvenez pas à accomplir. Alors oui, je mérite ma place. J'ai conscience qu'il me reste des choses à apprendre et d'autres à maîtriser. Je n'ai pas les facultés de Geste de Tolsin ou cet esprit d'assassin de Théo. Mais la voie du guerrier dont vous nous abreuvez depuis des années proclame que nous apprenons tout au long de notre vie. L'apprentissage est sans fin du moment que le perfectionnement est le maître mot, n'est-ce pas ? Je connais mes aptitudes et je connais mes défauts ; je pourrais les battre à leur propre jeu.

– En travaillant plus dur que tu ne l'as fait jusque-là ? me demanda Al-Talen.

– Vous me connaissez, Sansaï… Je suis plutôt du genre à utiliser les défauts des autres. »

Un froncement de sourcil aérien traversa le visage d'Al-Talen.

« Tu flattes tes compagnons, c'est une qualité, intervint Taranis en se frottant les mains l'une contre l'autre, comme les pattes d'une mouche. Ne crains-tu pas cependant qu'ils te volent la place qui pourrait t'être échue ?

– Absolument pas. Ils n'ont pas les mêmes faiblesses que les miennes, cela ne signifie pas pour autant qu'ils en soient dépourvus. Du reste, je ne les flatte pas. Je pense sincèrement qu'ils sont doués. J'ai de l'estime envers mes compagnons. Nous avons souffert, travaillé, vécu ensemble pendant cinq longues années. Je les ai vus progresser et devenir ce qu'ils sont aujourd'hui.

– Et que sont-ils aujourd'hui ? m'interrogea Tharus, l'œil fendu.

– Des combattants, je pense.

– Qu'en est-il de toi ? me demanda Tel-Chire.

– Je suis ce que vous avez sous les yeux, ni plus, ni moins.

– Tu sembles sûr de toi, alors qu'il y a peu tu doutais encore. As-tu suffisamment de volonté pour endurer de devenir un Tenshin et offrir ta vie au royaume ou n'est-elle pas assez forte pour supporter un tel sacrifice ?

– Servir le royaume », murmurai-je d'un air lointain.

Je déglutis et fixai les persiennes tirées. Cette idée restait confuse. Depuis toujours, je m'étais considéré comme le seul maître à bord, le seul dont je me préoccupais vraiment. En toute sincérité, je n'étais pas convaincu d'avoir cette aptitude et les épaules nécessaires pour supporter le poids des responsabilités qu'on allait exiger de ma part. Pourtant, au fond de moi, j'avais envie de connaître cette réponse. J'irais même jusqu'à dire que cette pensée m'excitait. Lentement, elle s'était creusé un chemin.

Tel-Chire me dévisageait. « Que dirais-tu si je t'annonçais que tu n'as pas été retenu parmi nous ? me demanda-t-il.

– Je dirais que vous avez probablement raison.

– Pourquoi ?

– Parce que je suppose que des maîtres de guerre aussi réputés que vous ne commettraient pas l'erreur de renvoyer un apprenti digne d'entrer dans la Confrérie. Ensuite, parce que personne à cette table n'ignore que la discipline est la pire de mes ennemies. Enfin, que tout ceci n'était qu'une vaste plaisanterie qui touche à sa fin. Bon sang ! Mon père a bien failli s'étrangler de rire lorsque l'estafette est venue à la maison porter ma lettre de nomination. Je suppose que tout rentrerait dans l'ordre… »

Je m'interrompis. Un petit sourire effleura mes lèvres. Je les regardai un par un et mon sourire s'élargit davantage. Den releva la tête, croisa mon regard, et le coin de ses lèvres s'étira légèrement en me dévisageant.

« Je mens très mal, non ? fis-je, en fourrant mes deux mains au fond de mes poches. En fait, je vous dirais que vous commettez une énorme connerie. Je vous dirais qu'il n'est pas question que vous m'ayez fait endurer ces cinq années sans herbe, sans pute et sans alcool pour des prunes. Je dirais encore que, aussi insensé que cela puisse paraître, je pourrais renoncer une seconde fois à ma vie d'autrefois. Je vous dirais que ce cloaque est devenu ma seconde maison et que, quoi qu'il arrive, je n'ai pas l'intention de renoncer. »

Den étouffa un hoquet de jubilation, la main devant la bouche. Al-Talen était aussi blanc que sa tunique (j'avais prononcé les mots cloaque et pute en quelques phrases), tandis que Danel et Tel-Chire ne bronchaient pas, imperturbables. Comme d'habitude, je fus incapable de décrypter ce qui germait dans les yeux de mon maître d'armes.

« Finalement que ferais-tu si tu n'obtenais pas ce que tu es venu chercher ici ? me demanda Danel.

– C'est vous qui êtes venus me chercher, pas l'inverse, rectifiai-je. Je suppose que j'irais me vendre au plus offrant. Noterre ne doit pas renâcler quand il s'agit d'acheter des apprentis, non ? »

Cette fois, Taranis pouffa de rire ouvertement avant de feindre une quinte de toux.

« Enfin, à quoi rime toute cette mascarade ? m'exclamai-je. Vous avez déjà pris votre décision. Vous voulez savoir si je peux être l'un des vôtres, je vous dis oui. Vous voulez savoir si je veux être l'un des vôtres... »

J'hésitai un quart de seconde. « ... je vous dis oui. »

Un frisson courut le long de mon échine.

« Un tempérament de feu, souffla Danel, en triturant son bouc. Crois-tu que Mantaore ait besoin de chevaux sauvages ? »

Ce n'était pas une question. Son regard vagabonda sur la table d'un air entendu, embrassa les hommes qui y étaient installés, puis se reposa sur moi en souriant. Il lâcha sa barbichette et tapota l'épaule de Tel-Chire. Leurs pensées nidifiaient autour d'eux comme une brume dans un vallon. Je ressentais le lien tressé d'un maître à l'autre.

« Une dernière question, me dit Tel-Chire. Il y a cinq ans, tu m'interrogeais sur les raisons qui nous avaient convaincus de te nommer apprenti. As-tu découvert la réponse ? »

Je réfléchis un instant en fixant d'un œil absent les fenêtres closes.

« C'est une question piège, murmurai-je. Je vais attendre encore un peu avant d'y répondre. Je crois que mon apprentissage ne fait que débuter, que je sois nommé maître ou non. Je crois qu'on ne sait jamais ce qui sommeille en nous tant que nous n'avons pas été confrontés aux épreuves nécessaires. Je suppose qu'en réalité, il n'y a pas vraiment de réponse. Que, peut-être s'il devait y en avoir une, elle se révélerait le jour de ma mort lorsque j'aurai accompli tout ce qui doit être. »

Tel-Chire opina d'un air songeur. Il tourna la tête vers ses compagnons, les observa, puis me regarda. « Sais-tu ce que je vois lorsque je te regarde ? » me demanda-t-il.

Je fis non de la tête. J'étais curieux de le savoir.

« Un maître. »

Il sourit alors que mon cœur faisait un bond dans ma poitrine. Je le considérai, médusé. Den éclata de rire sans chercher à se camoufler. Tharus s'esclaffait.

« Je suis très heureux, poursuivit Tel-Chire, Seïs Amorgen, fils de Sirus et d'Athora Amorgen, enfant de Macline et de Dan-Serre, de t'accueillir au sein de la Confrérie de Mantaore au nom de tous. Tu es le bienvenu parmi nous. »

Il se redressa de son fauteuil et fit le tour de la table. Je l'observai, cloué sur place. Je ne réalisais pas les conséquences de ses mots. Je m'y préparais depuis cinq ans et pourtant, en vérité, être maître restait toujours une notion abstraite, une chose que l'on désire, mais que l'on n'est pas sûr de pouvoir atteindre.

Tel-Chire se campa devant moi. Il me scruta longuement. Une lueur luisait dans ses yeux. Je déglutis avec bruit. Mes mains tremblaient au fond de mes poches.

Nous nous observions en chiens de faïence lorsque la porte transversale s'ouvrit et que le vieux Gassiope, accompagné de son frère, se traîna dans la pièce, un coussin de velours rouge dans une main et une timbale dans l'autre. Ils boitillèrent jusqu'à nous en arborant un visage de circonstance. Sur leur gueule défoncée aux herbes, boursouflée et creusée de trous, leur allure cérémonieuse était à se fendre la pipe.

Gassiope se courba devant Tel-Chire et tendit le coussinet. Ses mains tremblaient. Mon regard s'accrocha à l'étoffe purpurine qui recouvrait cette chose qui faisait trémuler les mains de Gassiope. Je tressaillis. Tel-Chire souleva le tissu. Mon cœur cessa de battre. Mes yeux s'agrandirent comme des soucoupes.

La couronne d'Astrée.

Elle flamboyait d'un éclat mordoré aux reflets lie-de-vin. Elle n'était pas comme je me l'étais imaginé. Sur les bannières, elle ressemblait à une tiare en or, incrustée de diamants et entourée de trois bandeaux symbolisant les trois pouvoirs : spirituel, temporel et juridique. Celle que j'avais sous les yeux était un anneau absolument parfait en astrée pur sans pierreries, sans or ou argent martelé. Elle était simple et belle.

Je frissonnai de la tête aux pieds. Sans la toucher, je ressentais son pouvoir. Il irisait de la matière et éclatait dans la pièce. J'étais attiré par elle. Mes yeux, mon corps, mon sang. Dans les reflets violines de l'astrée, j'avais l'impression de m'égarer dans un autre monde, plus vaste, plus terrifiant. Quelque chose de trop grand germait en elle. Elle en devenait presque abominable. Je ne parvenais plus à en détacher mon regard. Sa chaleur irradiait mon visage, brûlait mes joues. Je passai un coup de langue sur mes lèvres desséchées. Une goutte de sueur glissa le long de ma tempe et tomba dans un clapotis sur les dalles. On n'entendit que ce bruit sourd rompre le silence solennel et fasciné.

Tel-Chire glissa ses doigts sur le joyau. Je relevai péniblement les yeux sur lui. Dans son regard, la couronne scintillait et luisait comme un feu. Il la prit dans sa main et elle trembla aussi.

« Te voilà affilié à l'un des plus grands secrets d'Asclépion, me dit-il en la contemplant. La couronne d'Astrée est le symbole de notre ordre depuis très longtemps. Elle est la protectrice de la monarchie et la source de notre pouvoir... Agenouille-toi, Seïs. »

Sa voix tressautait. Je retirai les mains de mes poches avec l'envie de saisir la couronne, de l'effleurer, de la toucher, comme si c'était un aimant. Elle rendait fou.

Je posai un genou à terre sans la quitter des yeux. J'étais grisé. Je me sentais comme un écuyer sur le point d'être adoubé. J'entendais le cœur de la couronne. Il battait, emplissait la pièce au point qu'on entendait plus que lui. Tel-Chire tenait la couronne près de mon visage. Tout me semblait irréel. Ce n'était pas vraiment moi qui avais supporté pendant cinq ans, les dents serrées, de prendre des coups, d'être châtié comme un gamin, de me battre, de faire face à mes peurs, à moi-même, de les affronter, de les surpasser et de vivre avec. Ce n'était pas moi qui m'apprêtais à devenir un Tenshin, à devenir... Bon Dieu ! Immortel...

Un frisson me parcourut. Immortel. Le mot s'enracinait dans mon esprit, mais il n'avait aucun sens. Aucune réalité. Je me répétai que désormais, le seul visage que je verrais tous les matins serait celui que j'arborais aujourd'hui. Je ne vieillirai pas. Je serai toujours tel que j'étais à ce moment-là, un type de vingt-trois ans avec les attributs d'un adulte et les restes de l'enfance. Ma figure, mon corps allaient demeurer inchangés. Mais pas celui des autres. Naïs se fanerait.

Ma famille... Je vis brusquement, à la place de Tel-Chire, le corps flétri de Naïs, ses mains gercées, son visage parcheminé, ses yeux voilés par les trop courtes années de son existence. Que ferais-je une fois dans les collines de Sergale devant sa Pierre Ancestrale ? Arriverais-je jamais à supporter de la perdre ? Deviendrais-je semblable à Tel-Chire, sanglotant chaque fois que je toucherai une femme parce que, dans mon cœur comme dans le sien alors, elle serait déjà morte ? Tout ce temps à me battre, à apprendre, je n'avais jamais songé à l'immortalité qu'offrait Mantaore une fois l'apprentissage réussi. Elle était trop irréelle pour y donner foi, pour y croire.

Mon cœur cognait à mes tempes. Un petit courant d'air froid sécha la transpiration qui collait ma chemise, mais je suai à nouveau par-dessus. Puis, ce froid se transforma en intense chaleur quand Tel-Chire déposa la couronne sur mon crâne. Je me sentis inondé. Inondé d'une magie brute. Chaque muscle tendu, tétanisé par les efforts de cinq années à apprendre le combat, à supporter coups et blessures, fut soudain décontracté. À peine la couronne sur ma tête, toutes les douleurs qui perduraient dans mon corps s'évanouirent. J'aurais pu sentir les lésions de ma chair se résorber, disparaître. Mon corps changeait, se transformait.

Borlémir me tendit soudain la coupe et Tel-Chire me fit signe de la boire. Je la vidai d'une traite. Un goût métallique envahit mon palais et cuit ma gorge. Je rendis la coupe au vieux gibbeux qui s'éloigna vers le mur, aux côtés de son frère. Ma tête se mit à bouillonner, et un voile tomba sur mes yeux.

« Répète après moi Seïs, me dit Tel-Chire. En ce jour, solennellement, moi, Seïs Amorgen déclare...

— En ce jour, solennellement, moi, Seïs Amorgen déclare...

– … servir la monarchie et le roi…

– Servir la monarchie et le roi…

– … dans toutes les épreuves…

– Dans toutes les épreuves…

– … Je jure de protéger le pays et la royauté d'Elisse…

– Je jure de protéger le pays et la royauté d'Elisse…

– … Je fais serment de rester loyal envers le royaume et la Confrérie de Mantaore…

– Je fais serment de rester loyal envers le royaume et la Confrérie de Mantaore…

– … de garder secret tout ce qui sera dit entre ses membres…

– De garder secret tout ce qui sera dit entre ses membres…

– … de vivre honorablement selon les préceptes du guerrier…

– De vivre honorablement selon les préceptes du guerrier…

– … de suivre la voie tracée par les anciens…

– De suivre la voie tracée par les anciens…

– … et de respecter les lois du royaume et de ses pairs.

– Et de respecter les lois du royaume et de ses pairs.

– En ce dimanche 30 août 2080, nous te déclarons membre de la Confrérie de Mantaore, poursuivit Tel-Chire. Nous t'élevons au rang de Tenshin. »

Les autres maîtres se levèrent de leur siège et quittèrent la table pour se réunir en cercle autour de moi. Je les regardai, la couronne sur la tête, avec appréhension. Ils joignirent leurs mains et fermèrent le cercle. Tel-Chire resta à mes côtés et tint la couronne sur mon crâne.

« Relève-toi, Seïs », me dit-il après un moment.

J'obéis en chancelant. Mon crâne brûlait comme un feu de cheminée. Les battements de la couronne se poursuivaient dans ma tête en écho. Tel-Chire la retira et porta la couronne comme il l'aurait fait avec un plateau en or, puis il la tourna à la verticale. L'astrée brasillait entre ses mains et ses reflets jouaient sur nos visages. Elle illuminait la pièce et rendait aveugle à tout autre chose.

« Un pas entre la vieillesse et la jeunesse, un pas entre la vie et la mort, déclara-t-il. Es-tu prêt à le franchir ? »

Je fixai la couronne entre ses mains. Je hochai la tête, fasciné, poussé par elle, par ce désir de connaître enfin l'un des plus grands mystères de la Confrérie, par cette envie de faire un pied de nez à la mort. J'avais peur et j'étais excité.

Tel-Chire approuva du chef. Il posa la couronne sur ma poitrine.

« Rappelle-toi qui tu es au-delà de l'éternité, dit-il. Rappelle-toi qui tu sers. »

Les hommes se rapprochèrent et posèrent leurs mains sur mes épaules et mon dos. La couronne flamboya avec plus d'éclat. Sa chaleur se distilla contre ma peau malgré le tissu de ma tunique. Elle irradia de plus en plus et se mit à brûler. Je serrai les poings. Une douleur fulgurante pénétra ma poitrine. Mon sang la charria dans mes veines et la diffusa dans chaque partie de mon corps. Ma peau se mit à cuire, comme si j'avais posé les mains sur une marmite bouillante et que mes chairs restaient collées au cuivre. Je réprimai un cri. Mes jambes flanchèrent. Je dus faire appel à toute ma volonté pour rester debout et ne pas m'écrouler par terre. Je faillis tourner de l'œil. Une aveuglante lumière se déversa sur moi, s'enroula autour de mes membres. Le pouvoir de la couronne m'enveloppa tout entier. La substance, la texture, la magie.

Le trou noir. Un instant, je crus discerner la voûte déchirée du ciel rouge et les os s'entasser les uns sur les autres, enlacés, emmêlés. Et une gigantesque pierre luisante, comme un marbre sculpté dans des reflets de noir et de violet, au-dessus du sol, flottant tel un nuage, retenu par des fils invisibles. Il me sembla en percevoir d'autres, plus loin, effacées, gommées dans le paysage, comme si on voulait sciemment m'empêcher d'en distinguer davantage. Une terreur m'envahit ; un goût de sang, métallique, glissa dans ma bouche.

Les Tenshins me retinrent par l'épaule avant que je ne chute sur les dalles. Ils me maintinrent debout pendant que la couronne finissait d'accomplir son œuvre. Je fus pris de violents spasmes. Du sang coula de mon nez et de mes lèvres. De la sueur suinta de chaque partie de mon corps, séchée aussitôt par la chaleur de la couronne.

« Un pas vers l'éternité », murmura Tel-Chire.

Il écrasa la couronne contre ma poitrine. Elle me broya les côtes, me rentra dans la peau. Mes yeux papillonnèrent. De la salive gicla de la commissure de mes lèvres. Mes genoux allaient se briser sous mon poids tant ils pliaient. Je tentai d'agripper la main de Tel-Chire. Mes doigts n'accrochèrent que du vent. J'essayai de respirer, de garder les yeux ouverts. La couronne m'avalait, suçait la moelle épinière de ma misérable vie et la recrachait en pelote. Ma tête tournait. Les murs de la pièce dansaient et devenaient flous, puis aussi clairs qu'en plein jour. Un grondement les faisait trembler et les tapisseries de soie paraissaient se déchirer en tournoyant. Le sol semblait se soulever sous mes pieds et les dalles se déchausser.

Shaolan…

La silhouette grandit au milieu des squelettes et du ciel rouge ; elle fut un instant si limpide que je crus enfin tout comprendre. Puis, soudain, la brûlure, la sensation de mourir et les élancements se disloquèrent lentement et disparurent enfin. Tel-Chire retira la couronne d'Astrée de ma poitrine tandis que je m'écroulais à genoux. La lumière blanche s'évanouit. Je haletai. Je crachai un jet de sang et de bave sur les dalles immaculées de la pièce. La tête me tournait, tambourinait et renâclait à revenir à la normale. Pourtant, hormis la fatigue, je ne me sentais ni bizarre, ni différent. Juste un goût de sang et de métal dans la bouche.

Tel-Chire s'empressa de reposer la couronne sur le coussin que tenait Gassiope et de la recouvrir du tissu, dissimulant sa clarté et son détestable battement de cœur. Il s'agenouilla ensuite devant moi. Un sourire s'imprima sur son visage. Il se pencha, dénoua ma ceinture et rabattit ma tunique sur mes omoplates. Je suivis son regard. En dessous de mon épaule gauche, juste sur le cœur, j'entrevis, tremblant, l'emblème de Mantaore incrustée dans ma chair : l'anneau parfait scintillant comme si on avait coulé de l'or dans ma peau.

« Un nouveau Tenshin vient de naître », déclara Tel-Chire.

J'effleurai de mes doigts nerveux le canevas en relief de la couronne. Un courant électrique courut sur ma peau et remonta le long de mon bras. Une partie du pouvoir de la couronne d'Astrée venait de pénétrer en moi. Je le portais. *L'immortalité*, pensai-je.

Je relevai la tête en m'essuyant les lèvres et considérai mes compagnons. Ils avaient brisé la chaîne et m'entouraient. Den m'aida à me relever et roula un bras sur mes épaules.

« Bienvenue à toi, compagnon, me dit-il.

— Oui, bienvenue », reprirent Taranis et Tharus à l'unisson.

Je passai dans la salle voisine après de nombreuses accolades et traits d'esprit. J'étais transporté, à mi-chemin entre l'excitation et la neurasthénie. Je tremblais de pied en cap en franchissant la porte qui se referma derrière moi tout d'un bloc.

À peine entré dans la pièce, des bras vigoureux m'entourèrent et me soulevèrent de terre. J'étais trop choqué pour me débattre.

« T'as réussi, j'en étais sûr », s'écria Lampsaque tout de go.

Mon état atonique s'envola aussitôt. Je redescendis sur terre et éclatai de rire. « À la vie à la mort, mon vieux renard », m'exclamai-je en l'obligeant à me lâcher.

Ce qu'il fit de bonne grâce. Je me retournai et l'attrapai par les épaules.

« Plutôt deux fois qu'une, mon pote, dit-il. Je savais que tu réussirais. Je le savais, bon Dieu !

— Moi aussi », assurai-je en riant comme un bossu.

Il me donna une tape dans le dos, l'une de ses claques amicales à vous décoller les semelles du plancher.

« Lolsque vous aulez fini tous l'deux de vous emblasser comme des donzelles, vous voudlez p'têt boile un coup et manger un molceau ! s'esclaffa Gassiope en brandissant une chopine de bière.

— C'est pas de refus », concéda Lampsaque en se précipitant vers le hanap en cuivre. Il saisit le verre et le but d'une traite. Puis il s'essuya la bouche du revers de la main. « Tu l'as ? me demanda-t-il en reposant la chope sur la table en merisier.

Je bus mon verre et demandai : « Quoi ? » Il tapota son torse du plat de la main. J'esquissai un sourire et acquiesçai. « Tu sais ce que ça veut dire ?

– Oui.

– À la vie à la mort, cela ne signifie plus rien pour nous, dit-il. Tu vas être obligé de me supporter un bon bout de temps.

– Merde ! » Je pouffai. « Bah ! Je devrais pouvoir m'habituer à cette idée. Cela fait déjà cinq ans que je supporte tes ronflements et la puanteur de tes pets.

– Enfoiré ! fit-il en se bidonnant. Allez, Gassiope, resserre-moi un verre et trinque avec nous, vieux brigand. Nous l'avons bien mérité. »

Gassiope opina et ne se fit pas prier.

Nous bûmes beaucoup, étendus l'un à côté de l'autre sur les méridiennes du salon. La lumière déclinante du jour filtrait par les fenêtres à lancettes. Elle était douce, cette lumière mordorée et délicate. Je fixais les rayons du soleil. Sur mon torse, la pulsation de la couronne m'enivrait autant que la bière. Je me sentais revivre. Quand mes doigts s'attardaient sur le tatouage, une sensation étrange, indéfinissable, m'envahissait. La couronne vibrait. Elle était vivante. Je me sentais comme un homme nouveau. J'avais ôté ma vieille peau de miséreux pour m'auréoler d'une nouvelle, toute belle, toute propre et peut-être même un peu glorieuse.

Après s'être rempli la panse, Gassiope prit congé. Je le saluai d'un signe de tête en fourrant un toast au fromage dans la bouche.

« Que va-t-il se passer maintenant ? me demanda le rouquin en sifflotant sa bière.

– Je n'en sais rien. T'es inquiet ?

— Non, du tout. Curieux plutôt. »

Je me relevai de l'ottomane et me dirigeai vers la fenêtre sans lâcher ma bière. Je fixai l'ombre imposante des Gardes Noirs. Le soleil couchant illuminait leur visage gravé dans le jaspe noir, donnant vie aux traits éthérés et menaçants de ces sentinelles de roche.

Les gonds rouillés de la porte résonnèrent dans la pièce. Je tournai la tête vers le vantail qui s'ouvrit sur le visage discret et familier de Tolsin le futé. Quand il m'aperçut, un large sourire se découpa sur sa bouche émaciée. Le rouquin se leva d'un bond de son fauteuil et se précipita vers lui.

« Bienvenue à toi, bienvenue, mon ami, lui dit-il.

— Merci, merci, fit le futé d'une voix émue. Je suis content de vous revoir. Grand Dieu, trois Tenshins nominés, n'est-ce pas exceptionnel ? Je suis content. »

À peine formula-t-il les mots qu'il se rendit compte des conséquences qu'ils impliquaient. Sa phrase tomba dans la pièce comme un couperet. Il fit la moue, bredouilla une excuse. Le rouquin me dévisagea, ses yeux luisants.

Trois apprentis nommés au rang de maître. À l'époque de Taranis, sur huit novices, un seul avait été élu. Un seul et unique.

Un silence pesant nous enveloppa quelques minutes. Nous nous observâmes tous les trois. Puis, le rouquin proposa un verre à Tolsin qui accepta. Je refusai poliment la coupe qu'il me tendit et leur tournai le dos pour contempler le coucher de soleil sur les Gardes Noirs.

Tolsin ne s'était pas trompé. Il n'y eut plus personne pour franchir la porte ce jour-là. On se toisa longuement sans rien dire, trop estomaqués.

Mes pronostics avaient été faussés. Théo, Len-Mar et Ion étaient recalés. Ils redevenaient de simples mortels.

Un banquet avait été organisé afin d'honorer les nouveaux maîtres dans la grande salle. Un repas digne de rois.

Nous étions tous attablés, anciens apprentis et maîtres assis côte à côte sur un pied d'égalité.

Malgré la joie d'avoir été élus, une certaine morosité régnait entre nous au cours du dîner. Il manquait trois personnes à table. Gassiope et Borlémir avaient été chargés de les raccompagner dans une ville respectable de leurs choix, Magdamée ou Al-Dane, à leur convenance. Avant leur départ, les maîtres leur avaient remis une nouvelle monture, une nouvelle garde-robe, un joli pécule, de quoi subvenir à leurs besoins pendant cent ans et une lettre attestant de leurs statuts. Lampsaque, le futé et moi ne les avions pas revus depuis notre intronisation. C'était une coupure nette et sans bavure entre notre passé et l'avenir qui se dessinait déjà sous nos pieds. Nous étions désormais membres de la Confrérie de Mantaore. Nous étions devenus, dès que leur marque avait été apposée sur notre chair, des hommes au-dessus des plus grands Rois d'Asclépion. Nous étions devenus des Chefs, des conseillers du roi, des ducs, des gouverneurs, des politiciens, des médiateurs, des militaires… Je ne réalisais pas encore.

Je mangeais machinalement. J'écoutais d'une oreille distraite mes compagnons palabrer de choses et d'autres. J'avais une boule au fond de la gorge.

« Tu n'as pas l'air dans ton assiette, remarqua Tel-Chire.

— Le contre coup, je suppose.

— C'est toujours difficile de dire adieu à une partie de son ancienne existence. Cela te passera.

— Je suppose.

— Tu t'inquiètes pour tes compagnons, n'est-ce pas ? me demanda Danel.

— Pas vraiment. Je sais qu'ils vont très bien s'en sortir. Je ne m'en fais pas trop pour eux. Ils retomberont sur leurs pieds.

— Qu'est-ce qui t'embête alors ? s'enquit Tel-Chire. Tu veux savoir pourquoi vous avez été choisis plutôt que les autres, n'est-ce pas ? »

Je haussai les épaules. « Disons que j'ignore sur quelles normes vous vous êtes basés pour nous départager. Nous avions chacun un talent que l'autre ne possédait pas. C'était difficile de se faire une opinion.

— Le choix n'a pas été facile, marmonna Taranis entre deux bouchées de viande. Nous en avons longuement discuté.

— Pendant des mois, ajouta Den.

— Qu'est-ce qui vous a finalement décidé ? demanda le rouquin en se resservant du vin.

— Intuition », déclara Den, avec un clin d'œil.

Je secouai la tête, exaspéré.

« C'est la vérité, renchérit Danel. Nous faisons confiance à notre instinct quand la raison ne trouve pas de solution. Seïs, cela m'étonne que tu en sois surpris, toi qui n'agis que sur des coups de tête.

— Je n'en suis pas surpris, le contredis-je.

— Le vieux Gassiope t'avait bien jaugé dès le départ, au premier coup d'œil, dit Den, le visage fendu d'un sourire. Un faucon, avait-il dit… Quant à toi, Lampsaque, il disait que tu étais un renard et pas seulement à cause de tes cheveux. »

Le rouquin faillit s'étrangler avec son vin, ce qui fit aussitôt pouffer de rire ce bon vieux Den.

« Et toi, mon cher Tolsin, il affirmait que tu étais le cormoran de la Confrérie. Va savoir ce qu'il entendait par là, ajouta-t-il en riant.

— J'aurais été curieux de savoir ce qu'il disait de vous », déclara le futé.

Den fit la grimace. Taranis éclata de rire.

« Il le comparait à une anguille… parce qu'il feintait toujours. »

Un éclat de rire général accueillit ces paroles, sauf Den qui fit mine de bouder.

« Que comptez-vous faire désormais ? demanda Danel, changeant de sujet. Avez-vous une petite idée de l'avenir que vous envisagez ? »

Un silence pesant accompagna ses paroles. Le rouquin croisa mon regard. Je le soutins un bref instant avant de détourner les yeux vers les fenêtres. Je fixai d'un air lointain les nuages noirs et les quelques lampions étoilés que j'apercevais dans le ciel d'une noirceur d'encre.

« Je comprends, dit Danel d'une voix sereine. C'est encore tout nouveau. Vous avez tout le temps d'y réfléchir. Prenez d'abord la mesure de ce que vous êtes, ensuite nous verrons. »

La porte s'ouvrit brutalement, manquant de peu d'assommer Lampsaque qui déjeunait, assis sur le banc à l'entrée de la cuisine. Il lâcha un juron en se penchant en avant, évitant la porte de justesse. Borlémir fit irruption dans la pièce en claudiquant, tremblant, le visage couvert de sueur. Il se précipita vers nous, s'accrocha au rebord de la table pour retrouver son souffle. Il était couvert de poussière, à moitié défroqué et puait le cheval.

Tel-Chire se leva aussitôt de table et s'approcha du vieil homme. Il fut brusquement livide. Lire l'esprit de Borlémir, comme celui de son frère, était impossible. Ils mélangeaient leurs pensées exprès pour dérouter ceux qui voulaient jouer les curieux. Chaque fois que j'avais essayé, ils avaient braqué leurs petits yeux de fouine sur moi et s'étaient mis à beugler comme des ânes: «Sols de là, vaulien!», et ils tapaient du poing sur leur cuisse. Certaines personnes étaient versées dans l'art de résister aux intrusions mentales. Ce n'était pas mon cas, mais eux y parvenaient très bien.

«Que se passe-t-il?» s'inquiéta Tel-Chire.

Le teint blafard de Borlémir ne rassurait pas le moins du monde.

«Borlémir?» insista Tel-Chire en redressant le vieil homme par les épaules.

Ses yeux jaunes le dévisageaient avec une telle stupeur qu'une vague d'appréhension me saisit à la gorge. Borlémir semblait vieux, voûté et apeuré.

« Le régent est molt », balbutia-t-il.

On aurait dit qu'une lame de guillotine venait de couper la tête de quelqu'un sous nos yeux. Lampsaque lâcha sa cuillère qui se fracassa sur le sol dans un bruit aigu. Tel-Chire se redressa, droit comme une momie, le visage effrayant de pâleur. Sa main tremblait. Lorsque sa voix gutturale franchit ses lèvres pincées, elle déchira le silence de la cuisine.

« Qu'est-il arrivé ? »

Borlémir bredouilla : « Je… je… j'ai rencontlé un messager d'Elisse plès des Amols. Il palcoulait les villages poul annoncer la nouvelle…

— Il a été assassiné », coupa Den qui passait la porte de derrière. Un frisson désagréable longea ma colonne vertébrale, escorté d'un chapelet de sueurs froides. « Un coup de couteau, précisa-t-il, il y a deux nuits de cela. »

Mon regard voyagea de Tel-Chire à Den. Ce dernier n'avait pas pris le temps de s'habiller. Il était en haut-de-chausse, torse nu. Il tenait sa ceinture à la main. Il ne portait pas son arme. Il était mal rasé et ses cheveux étaient en bataille. Il avait sa tête des mauvais jours.

Tel-Chire saisit le rebord de la table et pencha la tête entre ses bras. Il écrasa le bois avec tellement de rage et de force que la table faillit se briser comme une simple branche. Il poussa un long râle de colère. Jamais je n'avais vu Tel-Chire dans un tel état. En réalité, je n'avais pas le souvenir d'avoir jamais vu Tel-Chire s'épancher ou laisser filtrer quelque émotion humaine.

Den s'approcha de lui et posa la main sur son épaule.

« A-t-on idée de qui est l'assassin ? » demanda Tel-Chire sans relever la tête.

Il forçait sa voix à rester tempérée, mais je sentais qu'il voulait crier.

« Un illuminé aurait attaqué Calette lorsqu'il se rendait en ville dans son palanquin, expliqua Den. Un mendiant, selon l'estafette, ou quelqu'un ressemblant à un vagabond. Les soldats de la garde l'ont tué avant que l'un des nôtres ait pu intervenir. Autant dire que nous ne savons rien.

— Connerie ! s'écria-t-il. Comment ont-ils pu se laisser berner ? »

Den haussa les épaules. « Je n'en sais rien… Je n'en sais pas plus que toi, je le crains. Danel veut nous voir. Vagabond ou tueur mandaté, nul n'en sait rien pour le moment… Calette est mort au cours de la nuit. Danel nous a envoyé un messager d'Elisse. Il est dans la cour si tu souhaites lui parler… Je suis désolé, Tel-Chire. Danel et Al-Talen sont restés auprès de lui.

— Il est mort lentement », murmura Tel-Chire. Den regarda ses pieds d'un air piteux. « Qu'a-t-il dit d'autre, ce messager ?

— On doit se réunir à Elisse.

— Rien d'étonnant, coupa Tel-Chire sèchement.

— Mon ami, nous pleurons tous la mort de Calette, je t'assure, et nous aurons le fin mot de cette histoire.

— Je ne le concevais pas autrement », lâcha-t-il d'un ton mauvais en se redressant.

Il bouscula Den d'un coup d'épaule et quitta la cuisine précipitamment, sans se retourner.

Den fixait la porte, les yeux dans le vague. Il se laissa tomber sur le banc, à côté de Borlémir, blême. Il repoussa les cheveux qui lui venaient dans les yeux, puis poussa un long soupir.

Le rouquin m'adressait des regards médusés.

« Bon Dieu, murmura Den, le régent est mort. » Il nous regarda par-dessus la table. « Le roi est mort et les temps de paix sont révolus. Je le sens dans l'air. Ça pue comme un vieil étron. Un nouvel âge commence. Nous l'avions pressenti et, putain, nous n'avons rien pu faire… Je devrais savoir avec le temps que ce qu'on sait ne peut pas être changé. »

À cette époque-là, je ne compris pas ce qu'il voulait dire. Maintenant, je le sais. À mon grand dam, je sais…

Il se releva, prit le temps de nouer sa ceinture et se dirigea d'un pas lourd vers la porte. Je restai comme un con sur ma chaise en apercevant son visage humecté de larmes. Den se moquait que nous puissions le voir pleurer. Il n'était pas le genre d'hommes à croire que les larmes étaient un signe de faiblesse. Il pensait, au contraire, qu'elles étaient le dernier symbole de ce qui restait d'humain en lui.

Lorsque la porte se referma, un silence religieux s'appesantit sur la cuisine. Borlémir restait campé sur le banc, la figure décomposée, la bouche scellée. Lampsaque mordillait sa lèvre inférieure en me jetant des regards abattus. J'observais la cuillère que je gardais dans ma main tremblante. Je la regardais comme si j'avais pu percer l'avenir dans l'éclat du métal. Or, je n'y distinguais que mon propre reflet défiguré par le fer de la cuillère. Je ne pleurais pas. Je ne me sentais pas vraiment triste non plus. Pourtant, je ressentais un étrange malaise. Perdre un roi était un peu comme perdre un cousin lointain. On ne le voit que rarement, mais il existe malgré tout. Les rois d'Asclépion voulaient se faire passer pour les pères de leurs sujets. Ils étaient à la fois une entité abstraite et un bras présent dans chaque acte de la vie quotidienne. Les pièces de monnaie étaient frappées à leur effigie. Les statues, les portraits, les peintures ornaient les places, les rues des cités. Les nouvelles louangeaient leurs décisions. Les fêtes célébraient leur anniversaire. Nous vivions sous l'ombre du roi. Les monarques entraient dans la légende, dans la grande histoire du pays. Calette était au pouvoir depuis près de cinquante ans, depuis que son frère aîné était mort prématurément. C'était un brave type, connu pour sa noblesse d'âme, son pacifisme, sa diplomatie. Il portait l'éponyme de «Grand», parce qu'il avait édifié d'innombrables œuvres sur Asclépion. Certains chuchotaient qu'il aurait négocié une trêve auprès du Prince de Noterre afin d'assurer, entre autres, la sécurité de la ville d'Ol-Hane située à la frontière des deux régions ennemies. Mais c'était un mensonge.

«Que va-t-il se passer maintenant? demanda Lampsaque, en faisant tourner ses légumes dans son bol d'un air machinal.

– Clémice est roi dolénavant, dit Borlémir. Nous sommes à son selvice.

– Les rois meurent, les Tenshins demeurent», murmurai-je.

Tel-Chire aimait nous répéter quotidiennement cet axiome. Ses paroles prenaient maintenant tout leur sens.

La porte s'ouvrit soudain avec fracas et Tolsin pénétra en trombes dans la pièce. Vu sa mine austère, il était au courant de la nouvelle.

«Tel-Chire s'en va, déclara-t-il subitement. Il part pour Elisse.»

Je me levai aussitôt de ma chaise et me précipitai dans la cour sans regarder si mes compagnons me suivaient ou non. Je déboulai au bas des escaliers à toute allure, les joues brûlantes.

Gassiope était en train de seller la monture de Tel-Chire tandis qu'à leurs côtés, il bouclait son ceinturon en cuir et fermait soigneusement les agrafes de son pourpoint d'Hedem. Il enfonça son couvre-chef sur son crâne et se hissa sur le dos de son cheval. Gassiope lui remit les rênes.

Je m'arrêtai à ses côtés. Je l'observai glisser ses bottes dans les étriers. Je m'apprêtais à parler, mais il me coupa l'herbe sous le pied.

« Je me rends à Elisse. Je veux savoir ce qui s'est passé. Tes compagnons et toi êtes maîtres à présent, sur un pied égal au nôtre. À vous désormais de construire votre avenir. Pour l'heure cependant, je vous relève de toutes fonctions. Rentrez chez vous. Profitez des vôtres et choisissez la tâche que vous désirez accomplir. Si vous faites le choix de nous venir en aide, vous saurez où nous trouver, n'est-ce pas ? Et vous serez bien accueillis… » Il se pencha, et en caressant la crinière de sa monture, ajouta : « Je n'ai plus rien à t'apprendre, Seïs. Tu as toutes les clés en main. À toi de choisir. En attendant, fais bien attention. Garde en mémoire que Calette a été assassiné. Je doute fort que cela soit l'œuvre d'un homme isolé comme on a voulu nous le faire croire. Je ne pense pas avoir besoin de prononcer le nom qui me vient en tête. Alors, sois prudent, ouvre l'œil et le bon. »

Il tira brusquement sur les brides de son cheval et partit au galop par la grande porte sans jeter un regard en arrière. Je vis sa silhouette décroître sur le plateau de l'Ourdos avec un étrange pincement au cœur. Son Éliago franchit le pont comme une tornade blanche et s'évanouit à l'ombre des Gardes Noirs.

Lampsaque et Tolsin m'encadrèrent. Ils fixèrent un long moment la porte de Mantaore, grande ouverte sur la plage des Pierres Tombales. Inutile de dire à quel point nous nous sentions soudain étrangement solitaires, livrés à nous-mêmes. C'est fou comme on s'habitue à être protégé. Mantaore était un cocon réconfortant. Le château était un lieu paisible, loin de tous et de toutes les affaires du monde. On était à l'abri des orages, à l'ombre des puissants. Or, ce jour-là, nous étions rendus à la réalité, d'une manière à laquelle on ne s'était ni attendu ni préparé. On savait que le retour à la réalité serait laborieux. On ne s'imaginait pas qu'il serait si brutal. On avait tous pris l'habitude de se prendre des rossées, mais, finalement, on avait oublié ce que c'était d'être jeté en pâture au monde. On regardait le plateau de l'Ourdos et pas un de nous trois ne fit mine de cacher le frisson qui l'envahit.

Den descendit les marches, chargé d'un sac sur l'épaule, d'un pourpoint sur l'autre, son chapeau enfoncé sur sa tête. Au bas des escaliers, il fit signe à Gassiope de lui amener son cheval. Le vieil homme trapu disparut rapidement. Den se tourna ensuite vers nous. Une cigarette pendait librement à ses lèvres. Il l'attrapa entre ses doigts, fit tomber la cendre par terre et la fourra à nouveau dans sa bouche.

« Vous ne cafterez pas, morveux ! » lança-t-il en souriant, mais son rire sonnait faux. Il s'en rendit compte et l'effaça. « Glanmiler va avoir besoin de moi les jours à venir, dit-il avec un sérieux surprenant. Les passations de pouvoir sont toujours pénibles. Je suis navré de vous abandonner maintenant. C'est un moment difficile pour de jeunes maîtres. Toutefois, comme l'a dit Tel-Chire, nous n'avons plus rien à vous enseigner. Le reste de la route, ma foi, c'est à vous de l'accomplir. Je rentre en Glanmiler quelques jours. Après quoi, nous prendrons tous le chemin d'Elisse. Si vous désirez vous joindre à nous, c'est là-bas que vous nous trouverez. Il y aura les funérailles de Calette et le sacre de Clémice. De dures journées se préparent. De nouveaux visages à Hom-Tar ne feraient pas de mal. Songez-y. La monarchie est faible tant qu'il n'y a pas de tête couronnée. Les cabales se développent, les factions interagissent et les ambitieux se dévoilent. Bon Dieu ! Al-Talen et Danel doivent être débordés. Vous ne serez pas de trop si vous désirez nous rejoindre. C'est moi qui vous le dis… Non… vraiment pas de trop », répéta-t-il d'un air soucieux.

Gassiope réapparut à l'angle de la cour, escorté d'un étalon aquilin. Den jeta son sac en travers de la selle et bondit sur son dos. Il prit les rênes, nous adressa un signe de tête et s'engouffra par la porte en direction des Gardes Noirs. Nous le regardâmes s'éloigner à son tour.

Nous étions seuls désormais.

« Qu'est-ce qu'on fait ? demanda Tolsin en se tournant vers nous.

— On obéit, répondit Lampsaque. On rentre chez nous. »

Il tourna la tête vers Gassiope qui attendait dans l'angle de la cour sans bouger, les yeux dans le vide, et lui demanda de préparer nos montures.

« On rentre maintenant ? » s'étonna Tolsin.

Le futé leva des yeux de merlan frit. Je haussai les épaules, enfonçai les mains dans mes poches et, d'un pas nonchalant, grimpai les escaliers conduisant aux dortoirs.

« Ouais, dis-je, succinct.

— Vaut mieux rentrer chez nous tant qu'on le peut encore, assura Lampsaque en m'emboîtant le pas. On n'est pas certains de ce qu'il va advenir. »

J'acquiesçai en bâillant.

On prépara promptement nos affaires. On entassa dans des sacoches vêtements, vivres, armes et quelques souvenirs de Mantaore. On prit soin de se vêtir correctement pour le voyage, des vêtements passe-partout, sobres et confortables. Je détachai mes cheveux pour les nouer en queue de cheval sur la nuque, tandis que le rouquin les laissait libres dans son dos.

Une fois prêts, vêtus, nos affaires empaquetées et bouclées, il ne nous restait plus qu'à dire adieu à nos chambres. J'eus un léger pincement au cœur sur le pas de la porte. Cinq ans passés dans cette pièce rustique et élégante, avec ses tapis champêtres, ses rideaux en velours, sa cheminée, ses fauteuils en taffetas, ses tapisseries en soie et ses pierres froides et vibrantes de vie.

Lorsque je refermai la porte, l'apprenti parut demeurer entre les murs. Je levai les yeux vers la plage et allumai une clope.

Sur la voie du guerrier, une étape venait d'être franchie, un nouveau monde s'ouvrait. Si seulement j'avais su dans quoi je mettais les pieds. Si seulement…

Le son fluide du shamisen résonne dans le patio. Les fleurs des cerisiers tombent dans le jardin et recouvrent lentement les pontons de bois. Le vent secoue les branches et les pétales rosâtres s'envolent, tourbillonnent, emportés par le courant. Le ciel est d'un bleu limpide, sans trace de nuages, et la chaleur étouffe la maison sur pilotis. Je marche sous les arcades de bois noir, d'une sobriété élégante, et admire le lac d'une somptueuse couleur vert émeraude. Une île étroite s'allonge sur l'eau et j'entrevois le blanc majestueux des sumacs qui tapissent la terre et encercle la gloriette en bois construite au milieu.

Mes pieds glissent sur le sol lustré. Sans bruit, j'avance le long du jardin, contemple la maison et les alentours. Je déteste être ici.

La peur déchire mes entrailles. La sueur coule dans mon dos et trempe lentement mon tomesode, cette tunique élégante réservée aux femmes mariées, que Shaolan a fait coudre spécialement pour moi. Je voudrais être ailleurs. Chez moi. Sur ma terre, au milieu des colonnes d'Hélivent, sous la grande hélice bleue qui domine la ville.

Des voix éclatent de la pièce adjacente. Je me rapproche en silence des shôji, des portes coulissantes faites en fibres de mûrier finement entrelacées, et reste immobile, les mains nouées dans le dos. Un homme crie. L'autre reste silencieux et attend que l'orage passe.

L'homme hurle et cogne contre quelque chose qui se

brise: « Il a jeté l'opprobre sur la famille. Comment pourrais-je le lui pardonner ? C'est un affront. Nous ne pouvons pas perdre la face, Torii. Je n'accepterai pas que quiconque jette le déshonneur sur le clan, surtout pas tant que j'en serai à la tête. Torii… Torii, règle la question… »

Sa voix vibre sur les derniers mots. Je n'ose me rapprocher davantage. La peur me gagne à nouveau. Je frissonne. L'homme parle plus calmement à présent. Je n'entends pas ce qu'il dit. L'autre est silencieux, ou peut-être répond-il par de simples hochements de tête. Je le sais plus familier des longs silences que des palabres interminables.

La porte coulissante s'ouvre brusquement. Je me fige et mon cou se raidit. Torii sort sous les arches, referme le shôji derrière lui d'un geste sec et se retourne vers moi. Il s'immobilise et me dévisage, les sourcils froncés. Son teint hâlé fait ressortir le noir oppressant de son iris. Je me sens devenir minuscule. Il porte la tunique noire du guerrier, avec les armoiries du clan peintes dans son dos, les deux sabres croisés, et la célèbre Zan'Shi, ce long sabre aussi noir que du sang coagulé. La garde brille d'un bel argent, mais aucune décoration, hormis la devise des Shin, ne vient en ternir la sombre beauté.

Son regard brûle. Il me scrute et cherche sans doute à déceler ce que j'ai surpris de leur conversation. Sa présence tout entière semble enflammer les arcades. La peur croît dans mon estomac et noue mes tripes. Je le salue en courbant l'échine, mais je n'ose détourner les yeux de son visage. Mettre en colère le guerrier de la maison Shin serait malvenu de ma part. Je sais pourtant, indépendamment de moi-même, que je ne dois pas baisser les yeux devant lui. Je ne le peux pas. Je m'y refuse ; c'est la dernière trace de dignité qu'il me reste.

Shin Torii me salue à son tour, s'incline, la main nouée

autour de la poignée de son sabre.

Sa bouche reste close et je n'ose imaginer ce qu'il pense de moi ; je ne l'ose plus depuis longtemps. J'aurais préféré ne jamais croiser son chemin. On raconte que quiconque se dresse devant Shin Torii ne le fait qu'une fois. Il est le Porteur de Mort de la famille Shin.

Son regard reste suspendu au mien. Ce n'est pas dans son habitude de me regarder, de voir que j'existe, de m'accorder la plus petite attention. Tout me semble soudain plus long et interminable. Il fait un pas dans ma direction et son regard me pénètre toujours. Cherche-t-il à me mettre mal à l'aise ou à percer le fond de mes pensées ?

Mes mains se nouent en prière devant moi alors qu'il approche. Il s'arrête à mes côtés, baisse la tête et scrute mon visage, comme s'il souhaitait en déceler la moindre imperfection ou peut-être les secrets. Sa langue humidifie furtivement ses lèvres. Son regard se prolonge encore, puis ses jambes se meuvent à nouveau, et il poursuit sa route sans se retourner. Le poids accumulé sur mes épaules paraît fondre à mesure que ses pas s'éloignent. Je ne trouve pas le courage de me retourner. Mes mains, tout mon corps, tremblent. Je ne doute pas un instant qu'il use de ce pouvoir pour remporter la plupart de ses duels. Un seul regard est un coup d'épée.

Ses pas décroissent sous les arches. Ma respiration redevient normale. Je soupire et reprends mon chemin dans la direction opposée à celle de Shin Torii. La porte coulissante s'ouvre soudain, et l'homme qui avait crié apparaît sur le seuil dans son costume d'apparat. Son visage est rude, taillé à la serpe. Son regard est furieux, son menton volontaire et ses yeux sculptés en amandes cristallisent une profonde rancœur. Il m'aperçoit et esquisse un sourire, un de ces sourires carnassiers. Il referme le shôji derrière lui et vient à ma rencontre. Je le salue à contrecœur.

« Ah, Meridiane, tu es celle que je désirais voir », me dit-il avec sincérité.

La beauté de cet homme n'a rien à envier à celle de Shin Torii, pas plus que sa réputation. Il est le seigneur des Hautes Terres, un homme éminent, machiavélique, fourbe et fou, connu pour son charisme, son ambition et son Arme. Il m'offre son bras et je l'accepte ; je n'ai pas le choix. Son regard noir se pose sur moi et il m'entraîne vers le jardin.

Les fleurs de cerisiers volent autour de nous. Je les contemple, les suis du regard. Au loin, l'île aux sumacs semble me narguer. L'homme à mes côtés lance sa présence sur le ponton de bois. Son bras se resserre autour du mien comme un étau.

Shin Shaolan est le maître de tout ici, y compris le mien.

Fin du 1er tome, L'Apprenti

Ne manquez pas la suite du roman

Le porteur de mort tome 2 : Tenshin

Les olifants retentirent dans toute la vallée de Shore-Ker et se répandirent au gré du vent en direction des villages reculés.

« Dépêchez-vous ! » cria Sirus, piétinant devant la porte d'entrée.

Nous sortîmes prestement de la cuisine, Athora dans sa robe de lin bleu, le chignon tiré et l'expression du visage composée. Sirus l'aida à monter sur le banc de la carriole. Je m'assis à l'arrière, au milieu des sacs de grains. Une fois tous installés, les rênes claquèrent et Jo-Lann, la vieille mule de Point-de-Jour, s'engagea sur le sentier.

Je regardais les arbres défiler, bringuebalée entre les sacs. Je songeai sottement à l'automne qui commençait à se faire sentir dans les bois de Shore-Ker, aux feuilles des arbres qui se teintaient de jaune, d'orange et de pourpre. Je songeai au vent qui se rafraîchissait. Je songeai à Seïs qui bientôt reviendrait, paré, ou non, d'un titre. Étrangement, je ne pensais pas vraiment aux cors qui tempêtaient à travers toute la forêt. Depuis quelques jours, je ne parvenais plus à me concentrer sur quoi que ce soit. Cependant, Athora me renvoya brutalement à la réalité.

« Que se passe-t-il ? demanda-t-elle lorsqu'un nouveau son de trompe perça le silence des bois.

— Je n'en sais fichtre rien. On n'a pas entendu sonner tous les cors de la ville depuis la dernière guerre, répondit Sirus en entraînant la mule tambour battant sur le chemin.

— Peut-être qu'ils vont officiellement annoncer les nominations des maîtres », avançai-je.

Sirus me jeta un coup d'œil par-dessus son épaule. « Je ne crois pas. La nomination des apprentis est peut-être une véritable foire, mais celle des maîtres passe inaperçue jusqu'à ce que les Tenshins décident du contraire. En ce qui nous concerne, nous saurons bien assez tôt ce qu'il en est. »

Athora m'adressa un clin d'œil éloquent. Je lui souris, puis reculai à l'arrière de la charrette. Je me laissai tomber sur les sacs et croisai les bras sous la nuque.

Un brouhaha envahit le sentier avant même que l'on ait franchi les dernières broussailles dissimulant la voie royale de Macline. Je me relevai sur un coude.

« Bon Dieu, qu'est-ce que tout ce raffût ! » beugla Sirus.

La carriole dépassa la rangée de chênes et nous fûmes avalés dans un monstrueux embouteillage de charrettes. Sirus finit par arrêter Jo-Lann sous un chêne centenaire, aida Athora à descendre du banc et rabattit la capote sur l'arrière de la carriole. À peine le pied au sol, je fus avalée par un flot de gens empressés de pénétrer dans la ville.

Les questions allaient bon train sur les raisons de l'alerte et les réponses étaient toutes aussi extravagantes les unes que les autres. Tous s'accordaient néanmoins sur un point : ce n'était pas de bon augure.

Je pensais avoir passé le plus dur une fois la porte franchie, je me trompais lourdement. Sitôt dans l'avenue des Notables, je fus happée par une cohorte de marchands qui hurlait à la foule de les laisser passer. Dans la bousculade, je perdis très vite de vue Athora et Sirus, et faute de pouvoir quitter la rue, je me laissai entraîner jusqu'à la place des Sept Rois.

L'immense esplanade vers laquelle convergeaient toutes les grosses artères de Macline n'était plus qu'un tapis de corps. Les statues des rois se volatilisaient au milieu de la foule. Les demeures mitoyennes grouillaient de spectateurs aux fenêtres. Des gardes de la ville étaient postés à chaque rue et ruelle, alignés en rang, immobiles et l'arme au poing. D'autres gardaient l'estrade. Le bruit était assourdissant et la chaleur était insoutenable. Le soleil brûlait au-dessus de nos têtes. La tension était palpable alors que nous jouions tous des coudes pour nous assurer un brin d'air frais. Le manque d'oxygène me prit à la gorge. Je tentai de grimper sur le rebord de pierre qui entourait un massif de fleurs. Je fus repoussée par un groupe de garçons. Je manquai de tomber, me récupérai cahin-caha et épongeai mon front en haletant.

« Naïs ! »

Je tournai la tête et mis quelques secondes avant de l'apercevoir. Brenwen était juché sur le piédestal en marbre de la statue de Lyn-Ane et agitait la main. Je tentai laborieusement de le rejoindre. Lorsque je parvins enfin à sa hauteur, j'étais aussi fatiguée que si j'avais couru quinze lieues.

À suivre…

www.ada-inc.com
info@ada-inc.com